교육의 힘으로
세상의 차이를 좁혀 갑니다

차이가 차별로 이어지지 않는 미래를 위해
EBS가 가장 든든한 친구가 되겠습니다.

모든 교재 정보와 다양한 이벤트가 가득!
EBS 교재사이트 book.ebs.co.kr

본 교재는 EBS 교재사이트에서
eBook으로도 구입하실 수 있습니다.

2025학년도

수능 연계교재 수능완성

과학탐구영역
물리학 Ⅱ

기획 및 개발
강유진
권현지
심미연
조은정(개발총괄위원)

감수
한국교육과정평가원

책임 편집
최난영

본 교재의 강의는 TV와 모바일 APP, EBSi 사이트(www.ebsi.co.kr)에서 무료로 제공됩니다.

발행일 2024. 5. 20. 1쇄 인쇄일 2024. 5. 13. 신고번호 제2017-000193호 펴낸곳 한국교육방송공사 경기도 고양시 일산동구 한류월드로 281
표지디자인 ㈜무닉 내지디자인 다우 내지조판 다우 인쇄 동아출판㈜
인쇄 과정 중 잘못된 교재는 구입하신 곳에서 교환하여 드립니다. 신규 사업 및 교재 광고 문의 pub@ebs.co.kr

정답과 해설 PDF 파일은 EBS*i* 사이트(www.ebs*i*.co.kr)에서 내려받으실 수 있습니다.

교재 내용 문의
교재 및 강의 내용 문의는
EBS*i* 사이트(www.ebs*i*.co.kr)의 학습 Q&A 서비스를
활용하시기 바랍니다.

교재 정오표 공지
발행 이후 발견된 정오 사항을
EBS*i* 사이트 정오표 코너에서 알려 드립니다.
교재 ▸ 교재 자료실 ▸ 교재 정오표

교재 정정 신청
공지된 정오 내용 외에 발견된 정오 사항이 있다면
EBS*i* 사이트를 통해 알려 주세요.
교재 ▸ 교재 정정 신청

2025학년도 수능 연계교재 수능완성

과학탐구영역

물리학 Ⅱ

이 책의 차례 CONTENTS

이 책의 구성과 특징 STRUCTURE

테마별 교과 내용 정리

교과서의 주요 내용을 핵심만 일목요연하게 정리하고, 하단에 더 알기를 수록하여 심층적인 이해를 도모하였습니다.

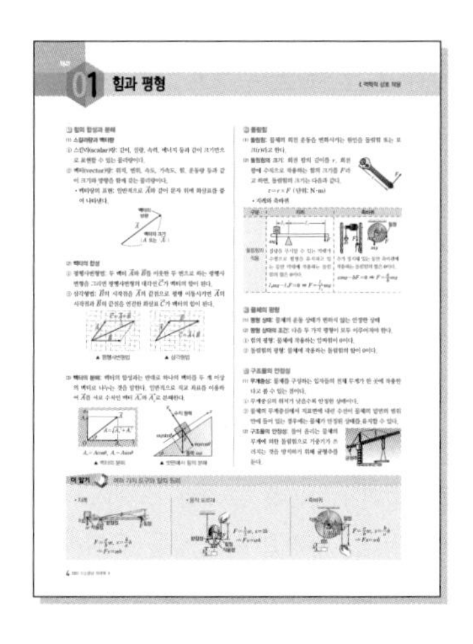

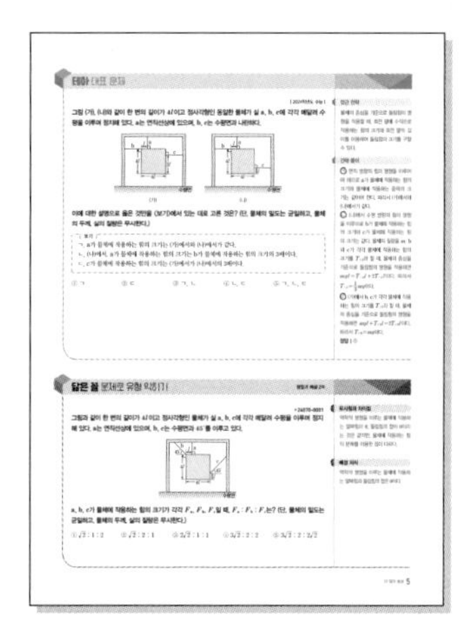

테마 대표 문제

기출문제, 접근 전략, 간략 풀이를 통해 대표 유형을 익힐 수 있고, 함께 실린 닮은 꼴 문제를 스스로 풀며 유형에 대한 적응력을 기를 수 있습니다.

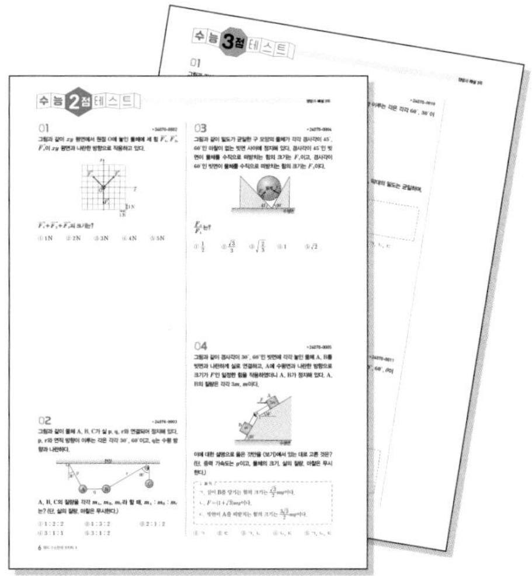

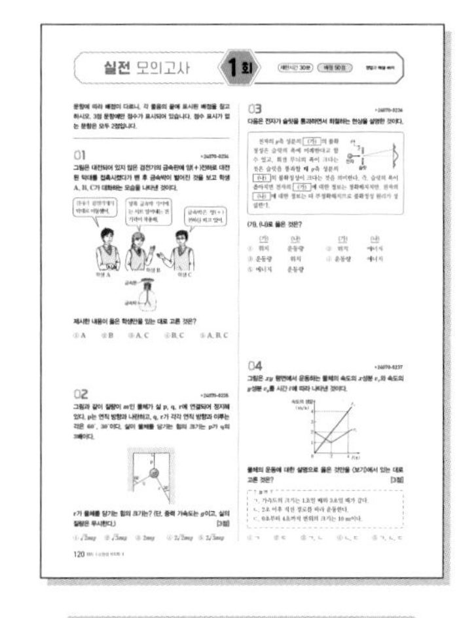

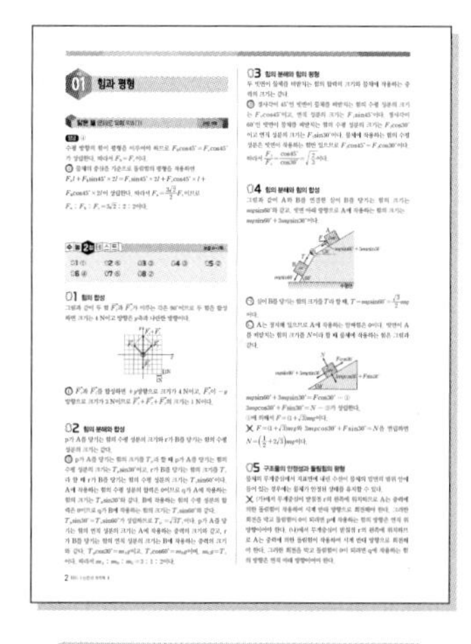

수능 2점 테스트와 수능 3점 테스트

수능 출제 경향 분석에 근거하여 개발한 다양한 유형의 문제들을 수록하였습니다.

실전 모의고사 5회분

실제 수능과 동일한 배점과 난이도의 모의고사를 풀어봄으로써 수능에 대비할 수 있도록 하였습니다.

정답과 해설

정답의 도출 과정과 교과의 내용을 연결하여 설명하고, 오답을 찾아 분석함으로써 유사 문제 및 응용 문제에 대한 대비가 가능하도록 하였습니다.

학생

인공지능 DANCHOQ 푸리봇 문|제|검|색

EBS*i* 사이트와 EBS*i* 고교강의 APP 하단의 AI 학습도우미 푸리봇을 통해 문항코드를 검색하면 푸리봇이 해당 문제의 해설과 해설 강의를 찾아 줍니다. 사진 촬영으로도 검색할 수 있습니다.

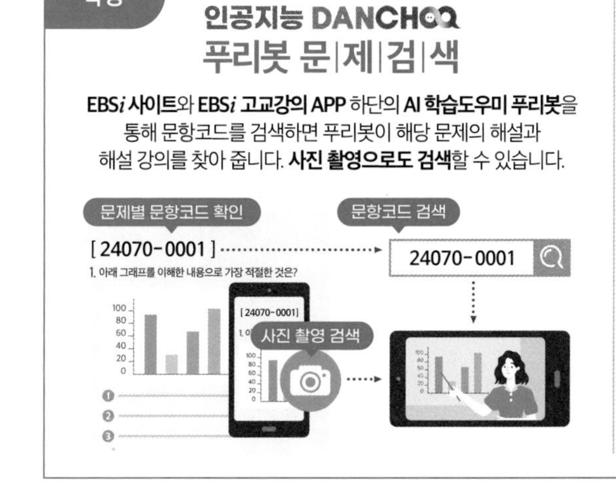

선생님

EBS 교사지원센터 교재 관련 자|료|제|공

교재의 문항 한글(HWP) 파일과 교재이미지, 강의자료를 무료로 제공합니다.

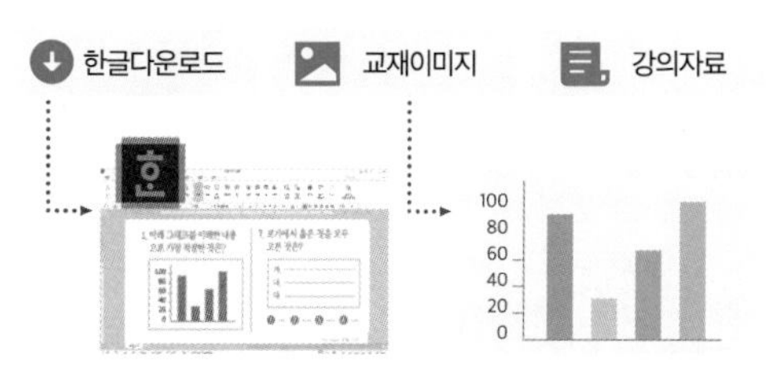

- 교사지원센터(teacher.ebsi.co.kr)에서 '교사인증' 이후 이용하실 수 있습니다.
- 교사지원센터에서 제공하는 자료는 교재별로 다를 수 있습니다.

테마 01 힘과 평형

1 힘의 합성과 분해

(1) **스칼라량과 벡터량**

① 스칼라(scalar)량: 길이, 질량, 속력, 에너지 등과 같이 크기만으로 표현할 수 있는 물리량이다.

② 벡터(vector)량: 위치, 변위, 속도, 가속도, 힘, 운동량 등과 같이 크기와 방향을 함께 갖는 물리량이다.

- 벡터량의 표현: 일반적으로 $\vec{A}$와 같이 문자 위에 화살표를 붙여 나타낸다.

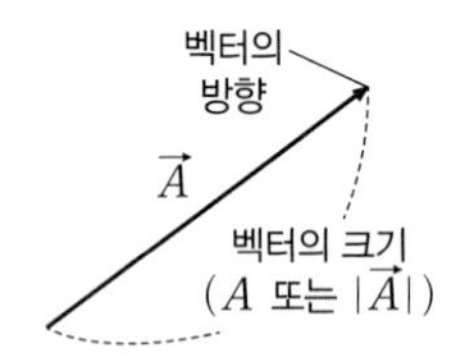

(2) **벡터의 합성**

① 평행사변형법: 두 벡터 $\vec{A}$와 $\vec{B}$를 이웃한 두 변으로 하는 평행사변형을 그리면 평행사변형의 대각선 $\vec{C}$가 벡터의 합이 된다.

② 삼각형법: $\vec{B}$의 시작점을 $\vec{A}$의 끝점으로 평행 이동시키면 $\vec{A}$의 시작점과 $\vec{B}$의 끝점을 연결한 화살표 $\vec{C}$가 벡터의 합이 된다.

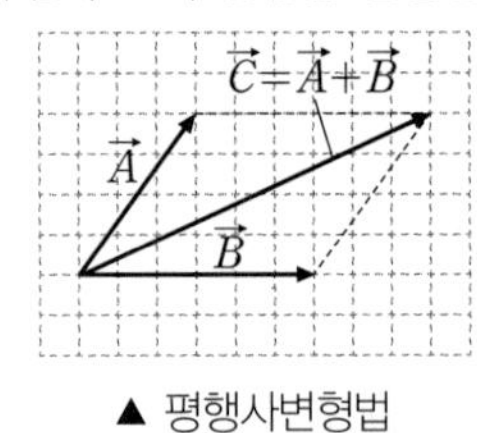

▲ 평행사변형법

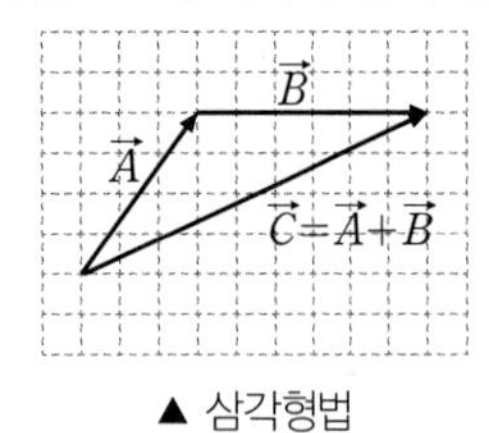

▲ 삼각형법

(3) **벡터의 분해**: 벡터의 합성과는 반대로 하나의 벡터를 두 개 이상의 벡터로 나누는 것을 말한다. 일반적으로 직교 좌표를 이용하여 $\vec{A}$를 서로 수직인 벡터 $\vec{A_x}$와 $\vec{A_y}$로 분해한다.

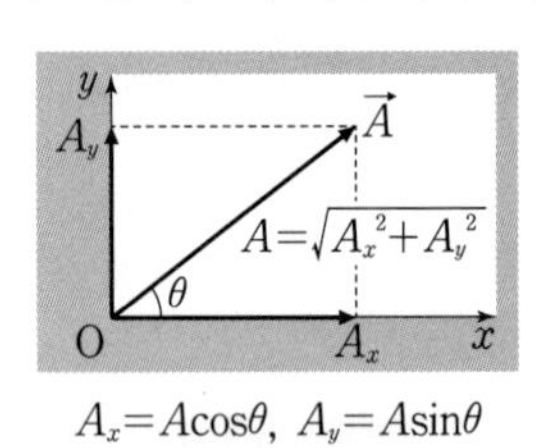

▲ 벡터의 분해

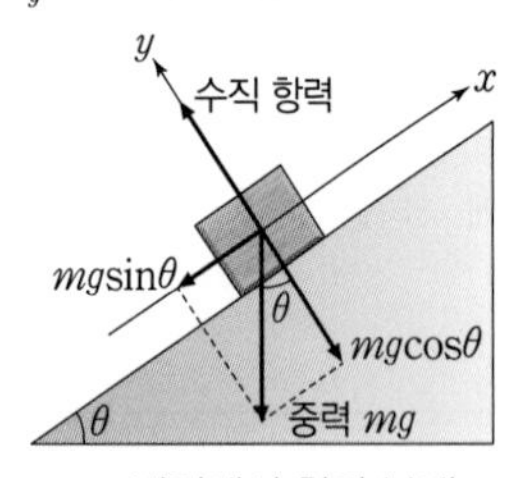

▲ 빗면에서 힘의 분해

2 돌림힘

(1) **돌림힘**: 물체의 회전 운동을 변화시키는 원인을 돌림힘 또는 토크(τ)라고 한다.

(2) **돌림힘의 크기**: 회전 팔의 길이를 r, 회전 팔에 수직으로 작용하는 힘의 크기를 F라고 하면, 돌림힘의 크기는 다음과 같다.

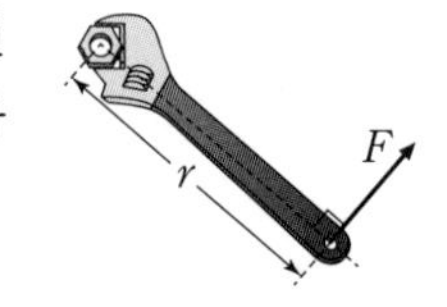

$\tau=r\times F$ (단위: N·m)

- 지레와 축바퀴

구분	지레	축바퀴
돌림힘의 적용	질량을 무시할 수 있는 막대가 수평으로 평형을 유지하고 있는 동안 막대에 작용하는 돌림힘의 합은 0이다. $l_1mg-l_2F=0$ ➡ $F=\frac{l_1}{l_2}mg$	추가 정지해 있는 동안 축바퀴에 작용하는 돌림힘의 합은 0이다. $amg-bF=0$ ➡ $F=\frac{a}{b}mg$

3 물체의 평형

(1) **평형 상태**: 물체의 운동 상태가 변하지 않는 안정한 상태

(2) **평형 상태의 조건**: 다음 두 가지 평형이 모두 이루어져야 한다.

① 힘의 평형: 물체에 작용하는 알짜힘이 0이다.

② 돌림힘의 평형: 물체에 작용하는 돌림힘의 합이 0이다.

4 구조물의 안정성

(1) **무게중심**: 물체를 구성하는 입자들의 전체 무게가 한 곳에 작용한다고 볼 수 있는 점이다.

① 무게중심의 위치가 낮을수록 안정한 상태이다.

② 물체의 무게중심에서 지표면에 내린 수선이 물체의 밑면의 범위 안에 들어 있는 경우에는 물체가 안정된 상태를 유지할 수 있다.

(2) **구조물의 안정성**: 들어 올리는 물체의 무게에 의한 돌림힘으로 기중기가 쓰러지는 것을 방지하기 위해 균형추를 둔다.

더 알기 여러 가지 도구와 일의 원리

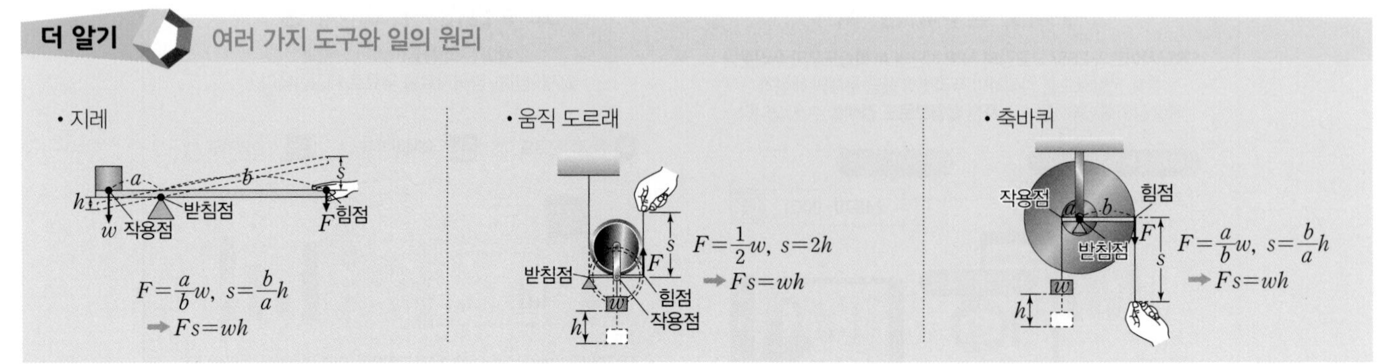

테마 대표 문제

| 2024학년도 수능 |

그림 (가), (나)와 같이 한 변의 길이가 $4l$이고 정사각형인 동일한 물체가 실 a, b, c에 각각 매달려 수평을 이루며 정지해 있다. a는 연직선상에 있으며, b, c는 수평면과 나란하다.

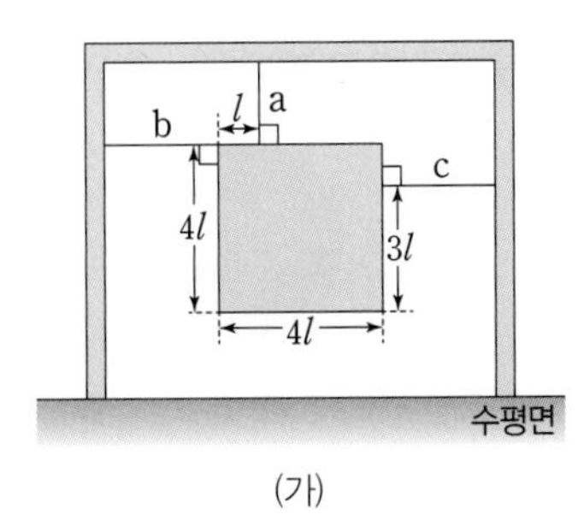

(가)

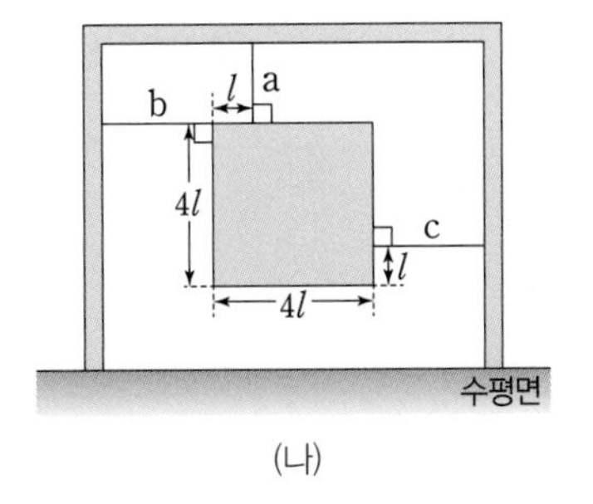

(나)

이에 대한 설명으로 옳은 것만을 〈보기〉에서 있는 대로 고른 것은? (단, 물체의 밀도는 균일하고, 물체의 두께, 실의 질량은 무시한다.)

보기
ㄱ. a가 물체에 작용하는 힘의 크기는 (가)에서와 (나)에서가 같다.
ㄴ. (나)에서, a가 물체에 작용하는 힘의 크기는 b가 물체에 작용하는 힘의 크기의 3배이다.
ㄷ. c가 물체에 작용하는 힘의 크기는 (가)에서가 (나)에서의 3배이다.

① ㄱ ② ㄷ ③ ㄱ, ㄴ ④ ㄴ, ㄷ ⑤ ㄱ, ㄴ, ㄷ

접근 전략

물체의 중심을 기준으로 돌림힘의 평형을 적용할 때, 회전 팔에 수직으로 작용하는 힘의 크기와 회전 팔의 길이를 이용하여 돌림힘의 크기를 구할 수 있다.

간략 풀이

ㄱ. 연직 방향의 힘이 평형을 이루어야 하므로 a가 물체에 작용하는 힘의 크기와 물체에 작용하는 중력의 크기는 같아야 한다. 따라서 (가)에서와 (나)에서가 같다.

ㄴ. (나)에서 수평 방향의 힘이 평형을 이루므로 b가 물체에 작용하는 힘의 크기와 c가 물체에 작용하는 힘의 크기는 같다. 물체의 질량을 m, b와 c가 각각 물체에 작용하는 힘의 크기를 $T_{(나)}$라 할 때, 물체의 중심을 기준으로 돌림힘의 평형을 적용하면 $mgl=T_{(나)}l+2T_{(나)}l$이다. 따라서 $T_{(나)}=\frac{1}{3}mg$이다.

ㄷ. (가)에서 b, c가 각각 물체에 작용하는 힘의 크기를 $T_{(가)}$라 할 때, 물체의 중심을 기준으로 돌림힘의 평형을 적용하면 $mgl+T_{(가)}l=2T_{(가)}l$이다. 따라서 $T_{(가)}=mg$이다.

정답 | ⑤

닮은 꼴 문제로 유형 익히기

정답과 해설 2쪽

▸24070-0001

그림과 같이 한 변의 길이가 $4l$이고 정사각형인 물체가 실 a, b, c에 각각 매달려 수평을 이루며 정지해 있다. a는 연직선상에 있으며, b, c는 수평면과 45°를 이루고 있다.

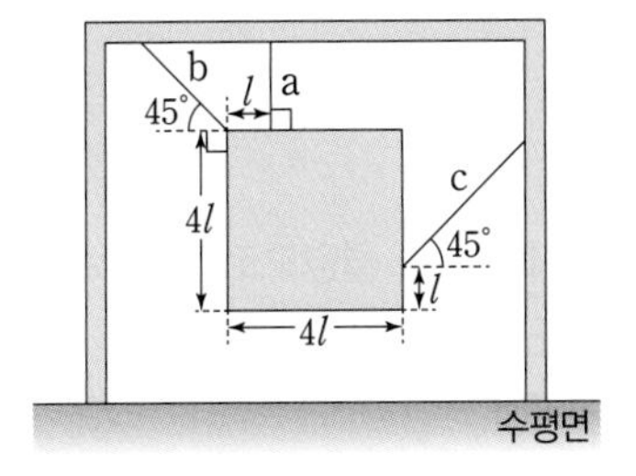

a, b, c가 물체에 작용하는 힘의 크기가 각각 F_a, F_b, F_c일 때, $F_a : F_b : F_c$는? (단, 물체의 밀도는 균일하고, 물체의 두께, 실의 질량은 무시한다.)

① $\sqrt{2}:1:2$ ② $\sqrt{2}:2:1$ ③ $2\sqrt{2}:1:1$ ④ $3\sqrt{2}:2:2$ ⑤ $3\sqrt{2}:2:2\sqrt{2}$

유사점과 차이점

역학적 평형을 이루는 물체에 작용하는 알짜힘이 0, 돌림힘의 합이 0이라는 것은 같지만, 물체에 작용하는 힘의 분해를 이용한 점이 다르다.

배경 지식

역학적 평형을 이루는 물체에 작용하는 알짜힘과 돌림힘의 합은 0이다.

01

▸24070-0002

그림과 같이 xy 평면에서 원점 O에 놓인 물체에 세 힘 $\vec{F_1}$, $\vec{F_2}$, $\vec{F_3}$이 xy 평면과 나란한 방향으로 작용하고 있다.

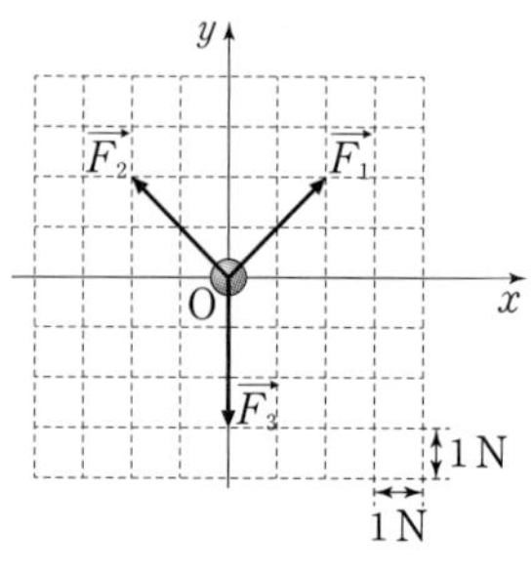

$\vec{F_1}+\vec{F_2}+\vec{F_3}$의 크기는?

① 1N ② 2N ③ 3N ④ 4N ⑤ 5N

02

▸24070-0003

그림과 같이 물체 A, B, C가 실 p, q, r와 연결되어 정지해 있다. p, r와 연직 방향이 이루는 각은 각각 30°, 60°이고, q는 수평 방향과 나란하다.

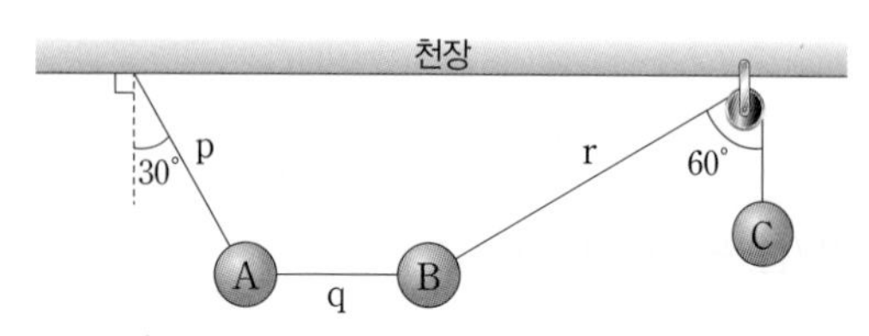

A, B, C의 질량을 각각 m_A, m_B, m_C라 할 때, $m_A : m_B : m_C$는? (단, 실의 질량, 마찰은 무시한다.)

① 1 : 2 : 2 ② 1 : 3 : 2 ③ 2 : 1 : 2
④ 3 : 1 : 1 ⑤ 3 : 1 : 2

03

▸24070-0004

그림과 같이 밀도가 균일한 구 모양의 물체가 각각 경사각이 45°, 60°인 마찰이 없는 빗면 사이에 정지해 있다. 경사각이 45°인 빗면이 물체를 수직으로 떠받치는 힘의 크기는 F_1이고, 경사각이 60°인 빗면이 물체를 수직으로 떠받치는 힘의 크기는 F_2이다.

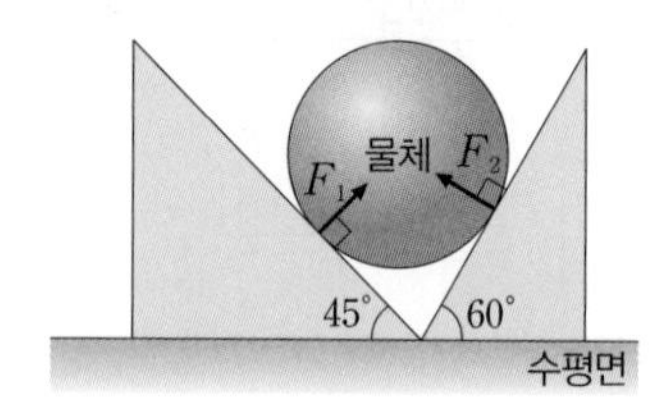

$\dfrac{F_2}{F_1}$는?

① $\dfrac{1}{2}$ ② $\dfrac{\sqrt{3}}{3}$ ③ $\sqrt{\dfrac{2}{3}}$ ④ 1 ⑤ $\sqrt{2}$

04

▸24070-0005

그림과 같이 경사각이 30°, 60°인 빗면에 각각 놓인 물체 A, B를 빗면과 나란하게 실로 연결하고, A에 수평면과 나란한 방향으로 크기가 F인 일정한 힘을 작용하였더니 A, B가 정지해 있다. A, B의 질량은 각각 $3m$, m이다.

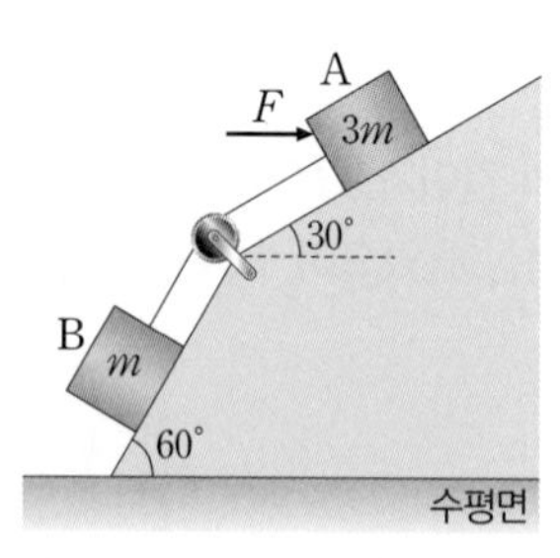

이에 대한 설명으로 옳은 것만을 <보기>에서 있는 대로 고른 것은? (단, 중력 가속도는 g이고, 물체의 크기, 실의 질량, 마찰은 무시한다.)

보기

ㄱ. 실이 B를 당기는 힘의 크기는 $\dfrac{\sqrt{3}}{2}mg$이다.

ㄴ. $F=(1+\sqrt{3})mg$이다.

ㄷ. 빗면이 A를 떠받치는 힘의 크기는 $\dfrac{3\sqrt{3}}{2}mg$이다.

① ㄱ ② ㄷ ③ ㄱ, ㄴ ④ ㄴ, ㄷ ⑤ ㄱ, ㄴ, ㄷ

05

▸24070-0006

그림 (가), (나)와 같이 마찰이 없는 수평면에 놓인 물체 A가 각각 기울어져 평형을 유지하며 정지해 있다. (가)에서 A의 한 점 p에, (나)에서 A의 한 점 q에 각각 작용하는 힘의 방향은 연직 방향이다. A의 한 점 r는 수평면과 만나는 지점이고, 점 O는 A의 무게중심이다. r에서 p까지의 거리는 r에서 q까지의 거리보다 크다.

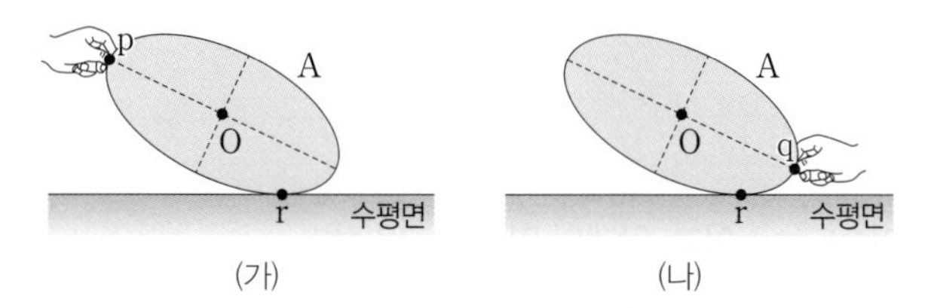

이에 대한 설명으로 옳은 것만을 〈보기〉에서 있는 대로 고른 것은?

> 보기
> ㄱ. p, q에 작용하는 힘의 방향은 서로 같은 방향이다.
> ㄴ. p에 작용하는 힘의 크기와 q에 작용하는 힘의 크기는 같다.
> ㄷ. p, q에 작용하는 힘을 각각 제거한 직후, A의 회전 방향은 (가)에서와 (나)에서가 같다.

① ㄱ ② ㄷ ③ ㄱ, ㄴ ④ ㄴ, ㄷ ⑤ ㄱ, ㄴ, ㄷ

06

▸24070-0007

그림과 같이 질량이 m이고 길이가 $10L$인 막대가 실 p, q에 매달려 수평을 이루며 정지해 있다. p, q는 각각 막대의 왼쪽과 오른쪽 끝에서 $3L$, $2L$만큼 떨어진 지점에 연결되어 있다. 물체 A는 막대의 왼쪽 끝에서 L만큼 떨어진 지점에 매달려 있고, 물체 B는 p에서 오른쪽으로 x만큼 떨어져 막대에 놓여 정지해 있다. A, B의 질량은 각각 m, $3m$이다.

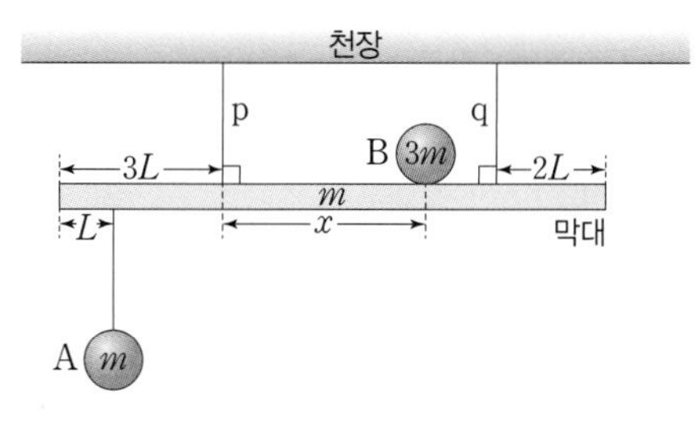

p와 q가 막대에 작용하는 힘의 크기가 같을 때, x는? (단, 막대의 밀도는 균일하며, 막대의 두께와 폭, 실의 질량은 무시한다.)

① $\frac{5}{3}L$ ② $\frac{5}{2}L$ ③ $\frac{10}{3}L$ ④ $\frac{25}{6}L$ ⑤ $5L$

07

▸24070-0008

그림과 같이 길이가 $10d$, 질량이 m인 막대가 천장과 축바퀴에 각각 실 p와 q로 연결되어 수평을 이루며 정지해 있다. 물체 A는 p에서 x만큼 떨어져 막대에 놓여 있고, 질량이 m인 물체 B는 큰 바퀴에 매달려 있다. 축바퀴의 작은 바퀴와 큰 바퀴의 반지름은 각각 d, $2d$이다. p가 막대에 작용하는 힘의 크기는 q가 막대에 작용하는 힘의 크기의 2배이다.

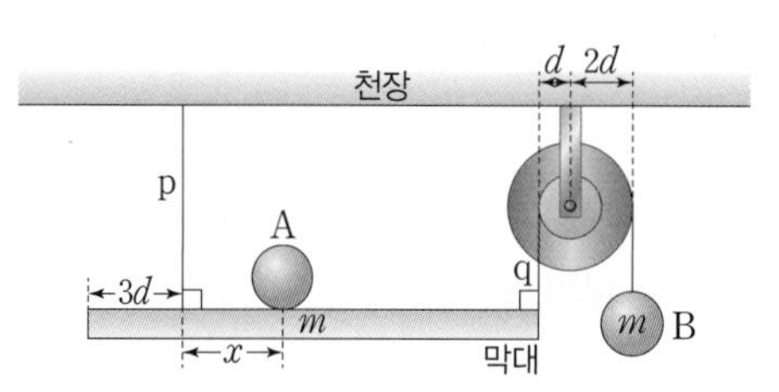

이에 대한 설명으로 옳은 것만을 〈보기〉에서 있는 대로 고른 것은? (단, 중력 가속도는 g이고, 막대의 밀도는 균일하며, 막대의 두께와 폭, 축바퀴의 두께, 실의 질량, 마찰은 무시한다.)

> 보기
> ㄱ. p가 막대에 작용하는 힘의 크기는 $4mg$이다.
> ㄴ. A의 질량은 $5m$이다.
> ㄷ. $x=\frac{12}{5}d$이다.

① ㄱ ② ㄷ ③ ㄱ, ㄴ ④ ㄴ, ㄷ ⑤ ㄱ, ㄴ, ㄷ

08

▸24070-0009

그림은 받침대 A, B에 질량이 m, 길이가 $10L$인 막대를 수평면과 나란하게 올려놓고, 막대의 왼쪽 끝에 놓여 있는 질량이 $2m$인 물체와 막대의 왼쪽 끝에 있는 A가 각각 수평면과 나란한 같은 방향의 일정한 속력 v, $2v$로 등속도 운동을 시작하는 순간을 나타낸 것이다.

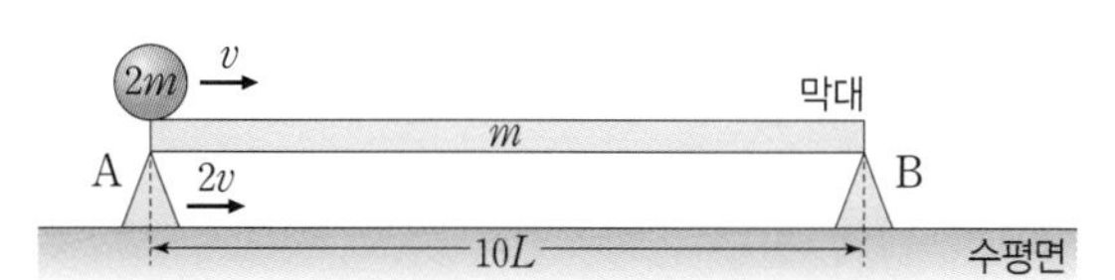

이 순간부터 막대가 기울어지기 시작할 때까지 걸린 시간은? (단, 막대의 밀도는 균일하며, 막대의 두께와 폭, 마찰은 무시한다.)

① $\frac{L}{v}$ ② $\frac{5L}{4v}$ ③ $\frac{3L}{2v}$ ④ $\frac{7L}{4v}$ ⑤ $\frac{2L}{v}$

01

▸24070-0010

그림과 같이 공이 매달려 있는 막대가 실 p, q와 연결되어 정지해 있다. p, q가 막대와 이루는 각은 각각 60°, 30°이고, 공에 연결된 실과 막대가 이루는 각은 60°이다. 공과 막대의 질량은 m으로 같다.

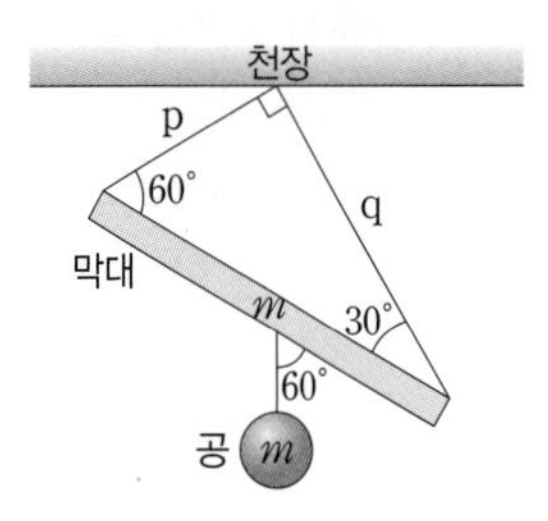

이에 대한 설명으로 옳은 것만을 〈보기〉에서 있는 대로 고른 것은? (단, 중력 가속도는 g이고, 막대의 밀도는 균일하며, 막대의 두께와 폭, 실의 질량은 무시한다.)

보기

ㄱ. 막대에 작용하는 알짜힘은 0이다.

ㄴ. 실이 막대를 당기는 힘의 수평 성분의 크기는 p가 q보다 크다.

ㄷ. p가 막대를 당기는 힘의 크기는 mg이다.

① ㄱ ② ㄴ ③ ㄱ, ㄷ ④ ㄴ, ㄷ ⑤ ㄱ, ㄴ, ㄷ

02

▸24070-0011

그림과 같이 물체 A, B가 실 p, q, r와 연결되어 정지해 있다. p, q, r가 연직 방향과 이루는 각은 각각 30°, 60°, θ이다. A, B의 질량은 m으로 같다.

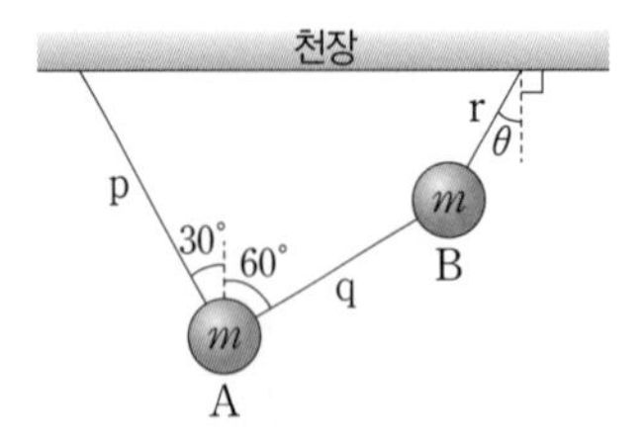

이에 대한 설명으로 옳은 것만을 〈보기〉에서 있는 대로 고른 것은? (단, 실의 질량은 무시한다.)

보기

ㄱ. p가 A를 당기는 힘의 크기는 q가 A를 당기는 힘의 크기의 $\sqrt{3}$배이다.

ㄴ. q가 B를 당기는 힘의 크기는 $\frac{1}{2}mg$이다.

ㄷ. $\tan\theta=\frac{\sqrt{3}}{5}$이다.

① ㄱ ② ㄷ ③ ㄱ, ㄴ ④ ㄴ, ㄷ ⑤ ㄱ, ㄴ, ㄷ

03

▸24070-0012

그림과 같이 물체 A와 실로 연결된 물체 B에 수평 방향으로 크기가 F인 힘을 작용하였더니 A와 B가 정지해 있다. A와 B의 질량은 m으로 같고, 두 빗면이 수평면과 이루는 각은 각각 $30°$, $60°$이다.

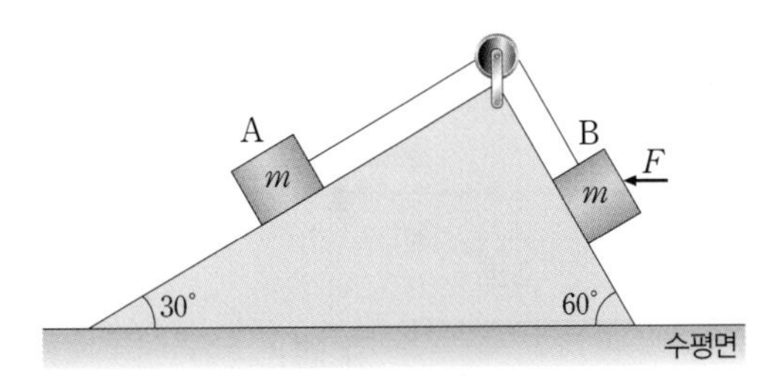

F는? (단, 중력 가속도는 g이고, 물체의 크기, 실의 질량, 마찰은 무시한다.)

① $(\sqrt{3}-1)mg$ ② $(3-\sqrt{3})mg$ ③ $(1+\sqrt{3})mg$ ④ $(2+\sqrt{3})mg$ ⑤ $(3+\sqrt{3})mg$

04

▸24070-0013

그림과 같이 길이가 $10L$로 같은 막대 A, B를 실로 연결하고 B의 오른쪽 끝에서 L만큼 떨어진 지점에 물체를 올려 놓았더니 A, B가 수평을 이루며 정지해 있다. A, B의 질량은 각각 m, $9m$이다. B를 떠받치는 받침대는 B의 오른쪽 끝에서 $4L$만큼 떨어져 있다. A의 오른쪽 끝에서 $4L$만큼 떨어진 지점에 연결된 실이 A에 작용하는 힘의 크기는 A의 왼쪽 끝에 연결된 실이 A에 작용하는 힘의 크기의 2배이다.

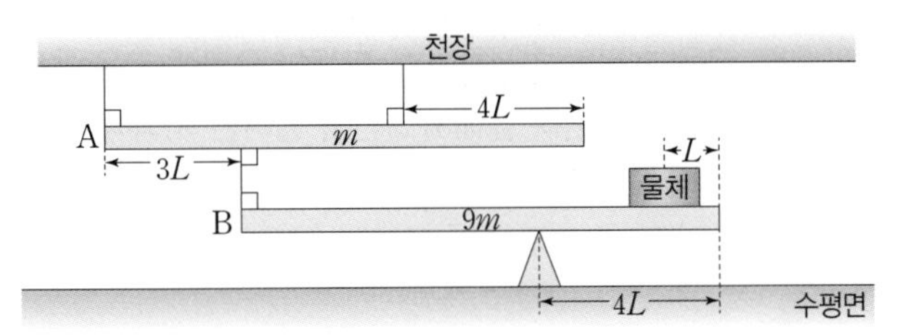

이에 대한 설명으로 옳은 것만을 <보기>에서 있는 대로 고른 것은? (단, 중력 가속도는 g이고, 막대의 밀도는 균일하며, 막대의 두께와 폭, 물체의 크기, 실의 질량, 마찰은 무시한다.)

보기

ㄱ. A와 B 사이에 연결된 실이 A에 작용하는 힘의 크기는 mg이다.

ㄴ. A의 왼쪽 끝에 연결된 실이 A에 작용하는 힘의 크기는 $\frac{2}{3}mg$이다.

ㄷ. 물체의 질량은 m이다.

① ㄱ ② ㄷ ③ ㄱ, ㄴ ④ ㄴ, ㄷ ⑤ ㄱ, ㄴ, ㄷ

05

▸24070-0014

그림과 같이 길이가 $4L$이고 질량이 m인 막대가 받침대 위에서 수평으로 평형을 유지하고 있다. 물체 A는 막대의 왼쪽 끝에서 x만큼 떨어진 지점에 놓여 있고, 물체 B는 막대의 오른쪽 끝과 연결된 실에 매달려 있다. 막대의 왼쪽 끝과 오른쪽 끝에 연결된 실이 수평 방향과 이루는 각은 각각 $30°$이다. A, B의 질량은 각각 $4m$, $3m$이다.

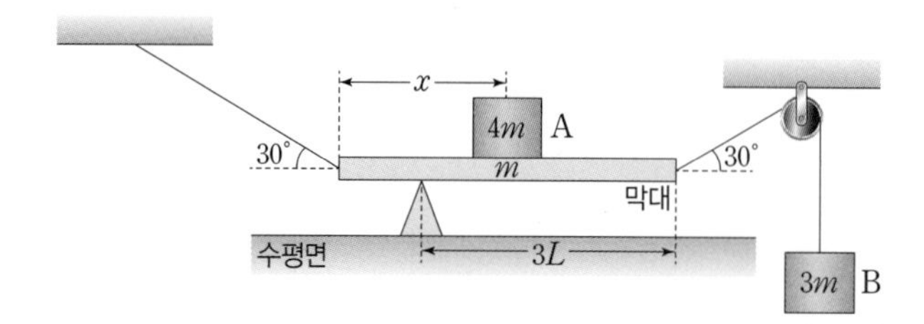

이에 대한 설명으로 옳은 것만을 〈보기〉에서 있는 대로 고른 것은? (단, 중력 가속도는 g이고, 막대의 밀도는 균일하며, 막대의 두께와 폭, 물체의 크기, 실의 질량, 마찰은 무시한다.)

보기

ㄱ. 막대의 왼쪽 끝에 연결된 실이 막대에 작용하는 힘의 크기는 $3mg$이다.

ㄴ. 받침대가 막대를 떠받치는 힘의 크기는 $2mg$이다.

ㄷ. $x=\frac{3}{2}L$이다.

① ㄱ ② ㄷ ③ ㄱ, ㄴ ④ ㄴ, ㄷ ⑤ ㄱ, ㄴ, ㄷ

06

▸24070-0015

그림과 같이 질량이 m이고 길이가 L인 막대와 질량이 $2m$인 물체 A가 각각 축바퀴의 작은 바퀴와 큰 바퀴에 실로 연결되어 막대가 수평을 이루며 정지해 있다. 막대의 왼쪽 끝은 고정된 회전축이고, 막대의 오른쪽 끝은 축바퀴의 작은 바퀴와 실로 연결되어 있으며, 질량이 $4m$인 물체 B는 막대의 오른쪽 끝에서 x만큼 떨어진 지점에 매달려 있다. 막대와 연결된 실이 수평 방향과 이루는 각은 $30°$이며, 축바퀴의 작은 바퀴와 큰 바퀴의 반지름은 각각 d, $2d$이다.

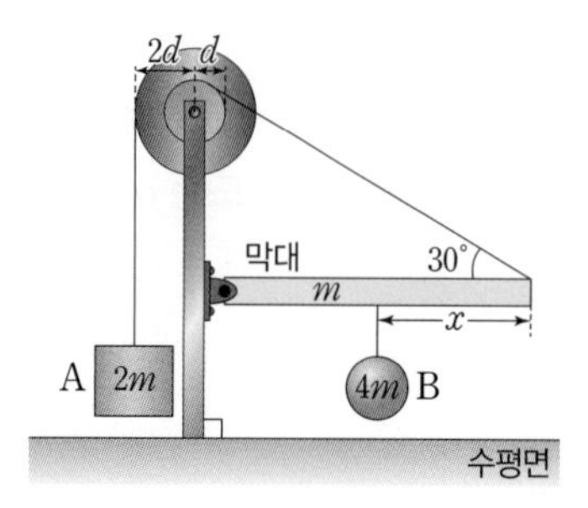

x는? (단, 막대의 밀도는 균일하며, 막대의 두께와 폭, 실의 질량, 마찰은 무시한다.)

① $\frac{7}{16}L$ ② $\frac{1}{2}L$ ③ $\frac{9}{16}L$ ④ $\frac{5}{8}L$ ⑤ $\frac{11}{16}L$

물체의 운동 (1)

1 속도와 가속도

(1) 위치 벡터와 변위 벡터

① 위치 벡터: 물체의 위치를 나타낸 벡터로 기준점에서 물체까지의 직선 거리와 방향으로 나타낸다.

- $\vec{r_1}$, $\vec{r_2}$는 각각 점 P, Q의 위치 벡터이다.

② 변위 벡터: 물체의 위치 변화를 나타낸 벡터로, 물체의 처음 위치와 나중 위치 사이의 직선 거리와 방향으로 나타낸다.

- P에서 Q까지의 변위는 $\Delta\vec{r}=\vec{r_2}-\vec{r_1}$이다.

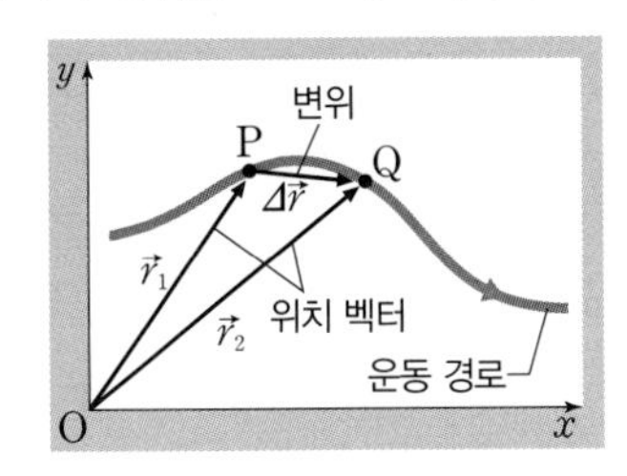

(2) 속도: 단위 시간 동안의 변위로, 크기와 방향을 갖는 벡터량이다.

① 평균 속도: 변위를 걸린 시간으로 나눈 값이다.

$$\vec{v}_{평균}=\frac{\Delta\vec{r}}{\Delta t}$$

② 순간 속도: 매우 짧은 시간 동안의 평균 속도이다.

(3) 가속도: 단위 시간 동안의 속도 변화량으로, 크기와 방향을 갖는 벡터량이다.

① 속도 변화량: P와 Q에서의 속도가 각각 $\vec{v_1}$, $\vec{v_2}$이면, P에서 Q까지의 속도 변화량 $\Delta\vec{v}$는 다음과 같다.

$$\Delta\vec{v}=\vec{v_2}-\vec{v_1}$$

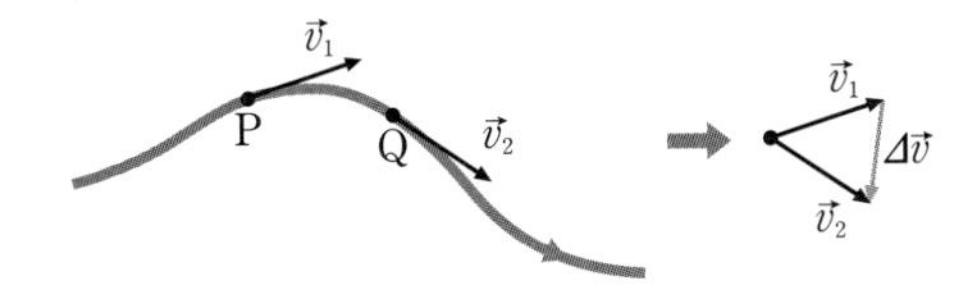

② 가속도: 속도 변화량을 걸린 시간으로 나눈 값이다.

$$\vec{a}=\frac{\Delta\vec{v}}{\Delta t}$$

③ 가속도의 방향은 물체에 작용하는 알짜힘의 방향과 같다.

2 등가속도 직선 운동

(1) 등가속도 직선 운동: 물체가 일정한 가속도로 직선을 따라 움직이는 운동이다.

① 속도가 일정하게 증가하거나 감소한다.

② 직선상에서 가속도 a로 등가속도 운동을 하는 물체의 처음 속도가 v_0이면, 시간 t가 지났을 때의 속도 v와 변위 s는 다음과 같다.

$$v=v_0+at,\ s=v_0t+\frac{1}{2}at^2,\ v^2-v_0^2=2as$$

③ 평균 속도: $v_{평균}=\frac{v_0+v}{2}$

(2) 자유 낙하 운동: 처음 속도 없이 중력의 영향만으로 낙하하는 운동이다.

① 물체를 가만히 놓은 후 시간 t가 지났을 때의 속도 v, 낙하 거리 h는 다음과 같다.

$$v=gt,\ h=\frac{1}{2}gt^2,\ v^2=2gh\ (g\text{: 중력 가속도})$$

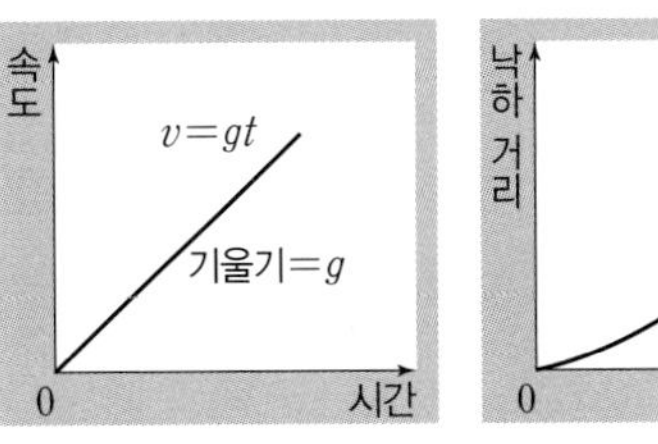

▲ 속도-시간 그래프

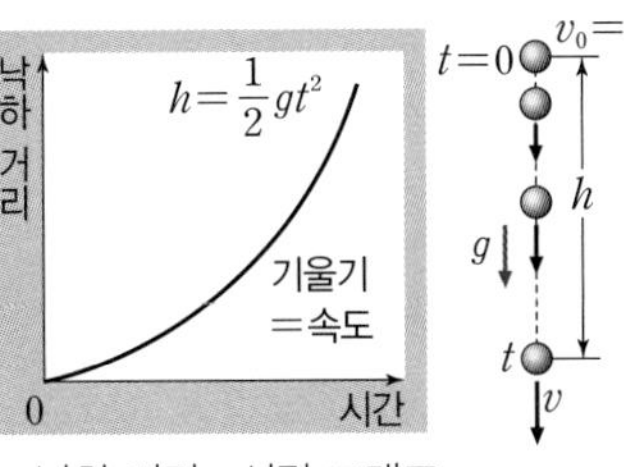

▲ 낙하 거리-시간 그래프

(3) 연직 아래로 던진 물체의 운동: 연직 아래 방향을 (+)방향으로 정하고 물체를 던진 속도를 v_0이라고 하면, 가속도가 $a=g$인 등가속도 직선 운동을 한다.

$$v=v_0+gt,\ h=v_0t+\frac{1}{2}gt^2,\ v^2-v_0^2=2gh$$

(4) 연직 위로 던진 물체의 운동: 연직 위 방향을 (+)방향으로 정하고 물체를 던진 속도를 v_0이라고 하면, 가속도가 $a=-g$인 등가속도 직선 운동을 한다.

$$v=v_0-gt,\ h=v_0t-\frac{1}{2}gt^2,\ v^2-v_0^2=-2gh$$

더 알기 연직 위로 던진 물체의 운동 분석

- 연직 위로 던진 물체의 운동 그래프

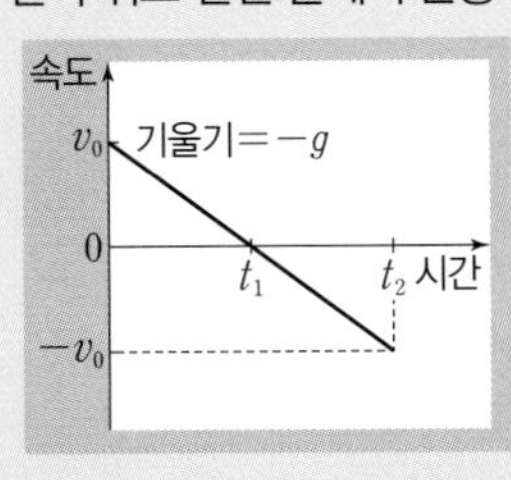

▲ 속도-시간 그래프

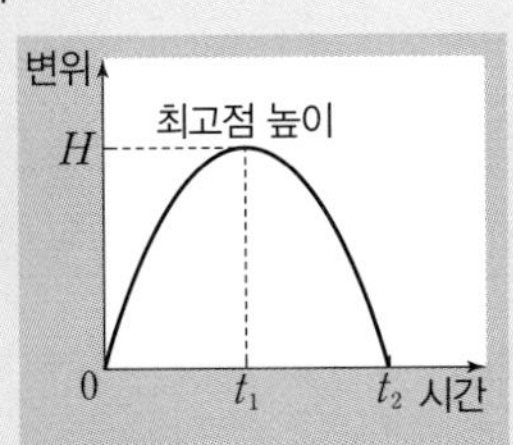

▲ 변위-시간 그래프

- 최고점에 도달하는 데 걸린 시간 t_1은 $v=v_0-gt$에서 $v=0$일 때이므로 $t_1=\frac{v_0}{g}$이고, 지면에 도달하는 데 걸리는 시간 t_2는 $2t_1$이다.
- 최고점 높이 H는 $v^2-v_0^2=-2gH$에서 $v=0$을 대입하면 $H=\frac{v_0^2}{2g}$이다.

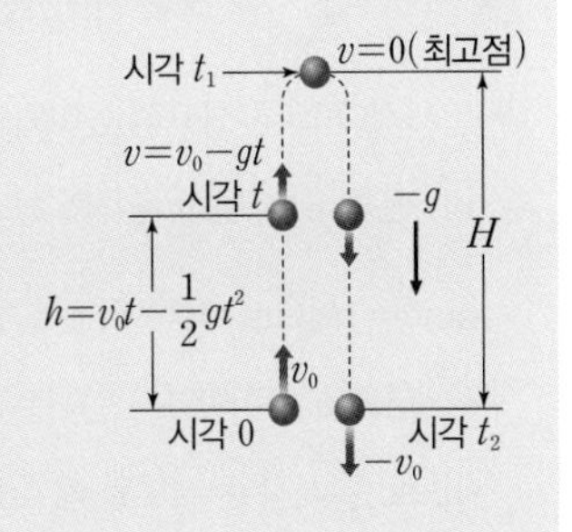

3 평면에서 등가속도 운동

(1) 등가속도 운동: 물체의 가속도의 크기와 방향이 일정한 운동으로 물체에 작용하는 알짜힘이 일정하다.

(2) 평면에서 등가속도 운동 분석

① 가속도에 나란한 방향과 가속도에 수직인 방향으로 분해하면 운동을 쉽게 파악할 수 있다.

② 가속도 방향을 x방향으로 정하면 가속도의 y성분은 0이다. 따라서 y방향으로는 등속도 운동을 하고, x방향으로는 등가속도 운동을 한다.

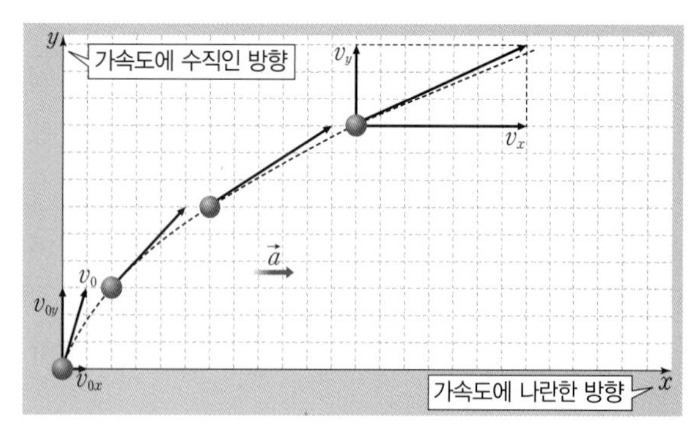

• x방향: $v_x=v_{0x}+at$, $x=v_{0x}t+\frac{1}{2}at^2$

• y방향: $v_y=v_{0y}=$일정, $y=v_{0y}t$

(3) 평면에서 등가속도 운동의 경로: $y=v_{0y}t$에서 $t=\frac{y}{v_{0y}}$이다.

$x=v_{0x}t+\frac{1}{2}at^2$에 $t=\frac{y}{v_{0y}}$를 대입하면 $x=\frac{v_{0x}}{v_{0y}}y+\frac{a}{2v_{0y}^2}y^2$이다.

즉, 물체는 포물선 경로를 따라 운동한다.

4 포물선 운동

(1) 수평 방향으로 던진 물체의 운동: 물체를 수평 방향으로 던지면 수평 방향으로는 등속도 운동을 하고, 연직 방향으로는 자유 낙하와 같은 등가속도 운동을 한다.

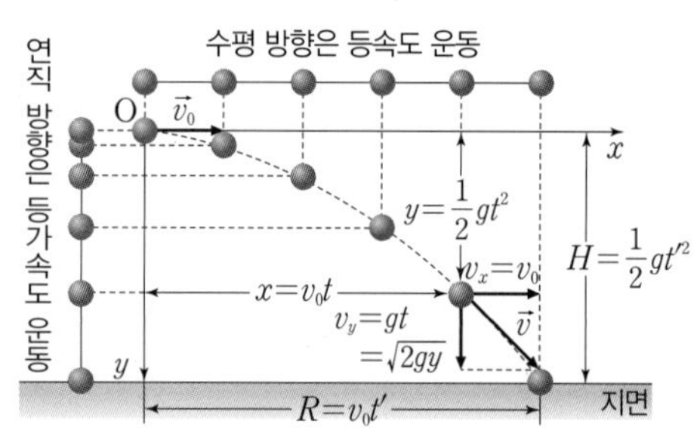

① 수평 방향 운동: v_0의 속도로 등속도 운동을 하고, t초 후의 속도와 변위는 $v_x=v_0$, $x=v_0t$이다.

② 연직 방향 운동: 가속도가 g인 등가속도 운동을 하고, t초 후의 속도와 변위는 $v_y=gt$, $y=\frac{1}{2}gt^2$이다.

③ 시간 t일 때 물체의 속력(v): $v=\sqrt{v_0^2+(gt)^2}$

④ 지면에 도달하는 데 걸린 시간(t'): $H=\frac{1}{2}gt'^2 \rightarrow t'=\sqrt{\frac{2H}{g}}$

⑤ 수평 도달 거리(R): $R=v_0t'=v_0\sqrt{\frac{2H}{g}}$

(2) 비스듬히 위로 던진 물체의 운동: 물체를 수평면과 θ를 이루는 각으로 속력 v_0으로 던지면 포물선 궤도를 따라 운동하며, 수평 방향으로는 등속도 운동을 하고 연직 방향으로는 연직 위로 던진 물체의 운동과 같은 등가속도 운동을 한다.

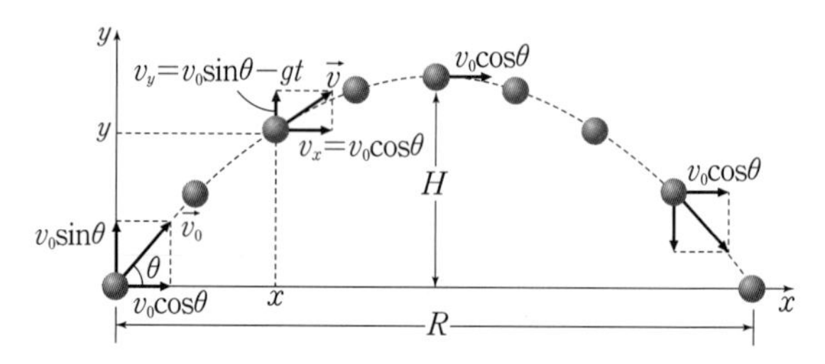

① 수평 방향 운동: 처음 속도 $v_{0x}=v_0\cos\theta$의 속도로 등속도 운동을 하고, t초 후의 속도와 변위는 $v_x=v_0\cos\theta$, $x=v_{0x}t=v_0t\cos\theta$이다.

② 연직 방향 운동: 처음 속도 $v_{0y}=v_0\sin\theta$, 가속도 $a=-g$인 등가속도 운동을 하고, t초 후의 속도와 변위는 $v_y=v_0\sin\theta-gt$, $y=v_0t\sin\theta-\frac{1}{2}gt^2$이다.

③ 최고점에서의 속도(V): $V=v_x=v_0\cos\theta$

④ 최고점 도달 시간(T)과 최고점 높이(H): 최고점에서 연직 방향 속도는 0이다.

• 최고점 도달 시간(T): $0=v_0\sin\theta-gT \rightarrow T=\frac{v_0\sin\theta}{g}$

• 최고점 높이(H): $-2gH=0-(v_0\sin\theta)^2 \rightarrow H=\frac{v_0^2\sin^2\theta}{2g}$

⑤ 수평 도달 거리(R): 수평면 도달 시간($2T$) 동안 수평 방향으로 등속도 운동을 한다.

➡ $R=v_{0x}(2T)=v_0\cos\theta\times\frac{2v_0\sin\theta}{g}=\frac{v_0^2\sin2\theta}{g}$

더 알기 포물선 운동

• 발사각에 따른 최고점 높이와 수평 도달 거리의 최댓값

비스듬히 위로 던진 물체의 최고점 높이는 $H=\frac{v_0^2\sin^2\theta}{2g}$, 수평 도달 거리는 $R=\frac{v_0^2\sin2\theta}{g}$이다. $\theta=90°$일 때 $\sin\theta=1$이므로 연직 위로 던진 경우와 같은 경우로 최고점 높이는 $H=\frac{v_0^2}{2g}$이다. $\sin2\theta=\sin(180°-2\theta)=\sin2(90°-\theta)$이므로 던지는 각이 θ일 때와 $90°-\theta$일 때 수평 도달 거리는 같다. $2\theta=90°$일 때 $\sin2\theta=1$이므로 발사각 $\theta=45°$일 때 수평 도달 거리는 $R=\frac{v_0^2}{g}$으로 최대이다.

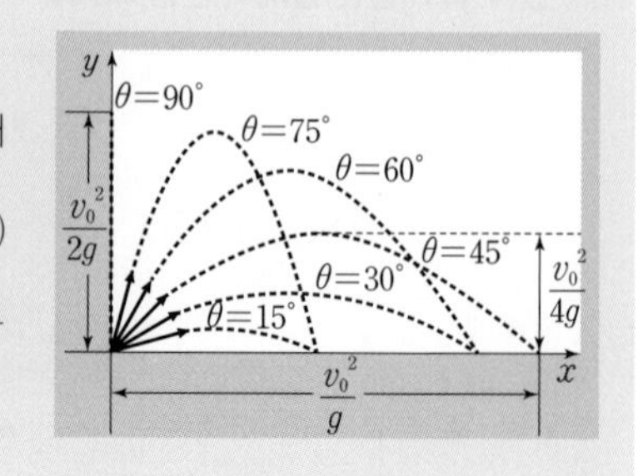

테마 대표 문제

| 2024학년도 수능 |

그림과 같이 점 p에서 물체 A를 $+y$방향으로 던진 순간, 점 q에서 물체 B를 x축에 나란한 연직면상에서 수평면과 θ의 각으로 던졌더니 두 물체가 각각 포물선 운동을 하여 점 r에서 만난다. p는 원점 O로부터 높이가 $2d$인 점이고, q는 x축과 y축으로부터 각각 d만큼 떨어진 수평면상의 점이다.
$\tan\theta$는? (단, 물체의 크기는 무시한다.)

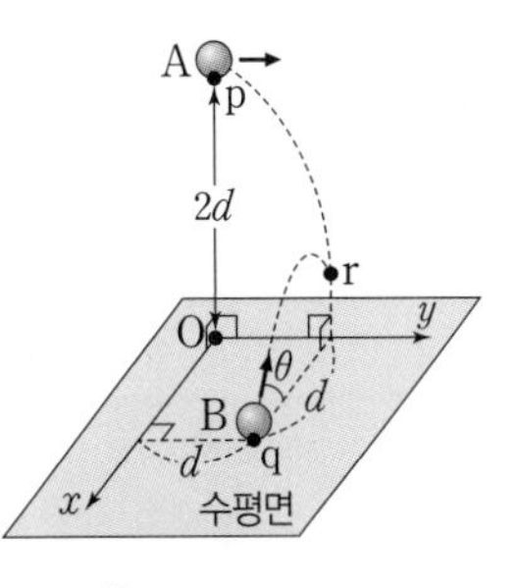

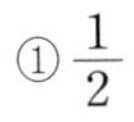

① $\frac{1}{2}$　② $\frac{1}{\sqrt{2}}$　③ 1　④ $\sqrt{2}$　⑤ 2

접근 전략

A는 y축 방향으로, B는 x축 방향으로 등속도 운동을 하고, A, B는 연직 방향으로 같은 가속도로 등가속도 운동을 한다. 변위의 연직 성분의 크기의 합은 $2d$이다.

간략 풀이

B를 던진 순간 B의 속력을 v_B라 할 때, B는 x축 방향으로 등속도 운동을 하고 q에서 r까지 수평 이동 거리는 d이므로 A와 B를 던진 순간부터 A와 B가 만날 때까지 걸린 시간을 t라 할 때, $t=\frac{d}{v_B\cos\theta}$이다. A와 B가 만날 때까지 변위의 연직 성분의 크기의 합이 $2d$이므로 $2d=\frac{1}{2}gt^2+v_B\sin\theta t-\frac{1}{2}gt^2$이다. $t=\frac{d}{v_B\cos\theta}=\frac{2d}{v_B\sin\theta}$이므로 $\tan\theta=2$이다.

정답 | ⑤

닮은 꼴 문제로 유형 익히기

정답과 해설 5쪽

▸24070-0016

그림과 같이 점 p에서 물체 A를 y축과 나란한 연직면상에서 수평 방향과 θ의 각으로 던진 순간, 점 q에서 물체 B를 x축과 나란한 연직면상에서 수평면과 θ의 각으로 던졌더니 두 물체가 각각 포물선 운동을 하여 점 r에서 만난다. p는 원점 O로부터 높이가 $2d$인 점이고, q는 x축과 y축으로부터 각각 d만큼 떨어진 수평면상의 점이다.
이에 대한 설명으로 옳은 것만을 〈보기〉에서 있는 대로 고른 것은? (단, 물체의 크기는 무시한다.)

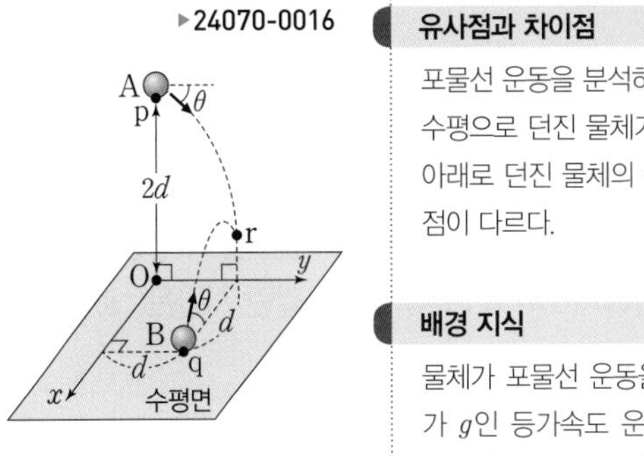

보기

ㄱ. A, B를 던진 순간, 물체의 속력은 A와 B가 같다.
ㄴ. A와 B가 충돌하는 순간, 물체의 속력은 A가 B보다 크다.
ㄷ. $\tan\theta=1$이다.

① ㄱ　② ㄴ　③ ㄱ, ㄷ　④ ㄴ, ㄷ　⑤ ㄱ, ㄴ, ㄷ

유사점과 차이점

포물선 운동을 분석하는 것은 같지만, 수평으로 던진 물체가 아닌 비스듬히 아래로 던진 물체의 운동을 분석하는 점이 다르다.

배경 지식

물체가 포물선 운동을 할 때, 가속도가 g인 등가속도 운동을 한다. 물체의 처음 속도를 v_0이라 할 때, 시간 t가 지났을 때 속도는 $v=v_0+at$이고 t 동안 변위는 $s=v_0t+\frac{1}{2}at^2$이다.

01

▸24070-0017

그림은 수평면에서 일정한 속력으로 운동하던 물체가 수평면상의 점 p를 지나 수평면과 빗면의 경계의 점 q를 통과한 후 빗면을 따라 운동을 하여 최고점 r에서 정지한 순간의 모습을 나타낸 것이다. 물체가 p에서 q까지, q에서 r까지 이동하는 데 걸린 시간은 같다.

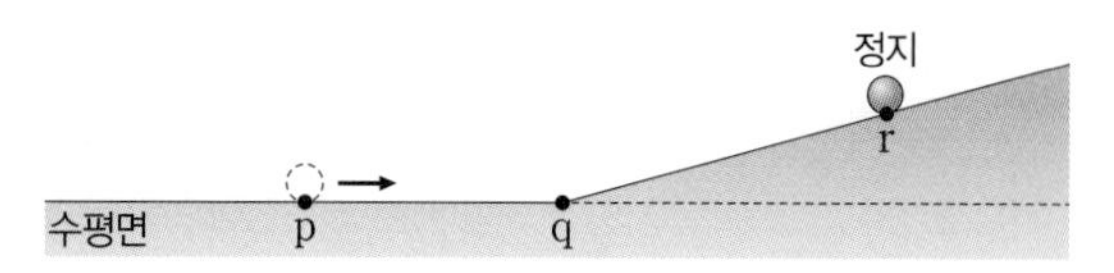

이에 대한 설명으로 옳은 것만을 <보기>에서 있는 대로 고른 것은? (단, 물체의 크기, 공기 저항과 마찰은 무시한다.)

보기

ㄱ. 물체가 q에서 r까지 운동하는 동안, 물체의 평균 속도의 크기는 평균 속력과 같다.
ㄴ. 물체의 평균 속력은 p에서 q까지가 q에서 r까지의 2배이다.
ㄷ. p에서 q까지의 거리는 q에서 r까지의 거리의 2배이다.

① ㄱ ② ㄷ ③ ㄱ, ㄴ ④ ㄴ, ㄷ ⑤ ㄱ, ㄴ, ㄷ

02

▸24070-0018

그림은 수평면에서 던져진 물체가 포물선 운동을 하여 점 p, q, r를 지나는 모습을 나타낸 것이다. p와 q는 높이가 같고, 물체가 p에서 q까지, q에서 r까지 이동하는 데 걸린 시간은 t로 같다.

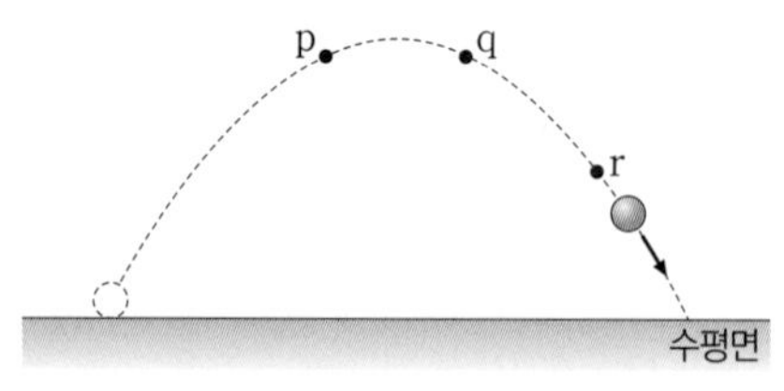

이에 대한 설명으로 옳은 것만을 <보기>에서 있는 대로 고른 것은? (단, 중력 가속도는 g이고, 물체의 크기는 무시한다.)

보기

ㄱ. 물체의 변위의 크기는 p에서 q까지가 q에서 r까지보다 작다.
ㄴ. p에서 q까지, 물체의 속도 변화량은 0이다.
ㄷ. q와 r 사이의 높이차는 gt^2이다.

① ㄱ ② ㄴ ③ ㄱ, ㄷ ④ ㄴ, ㄷ ⑤ ㄱ, ㄴ, ㄷ

03

▸24070-0019

그림 (가), (나)는 xy 평면에서 운동하는 물체의 속도의 x성분 v_x와 속도의 y성분 v_y를 시간 t에 따라 각각 나타낸 것이다.

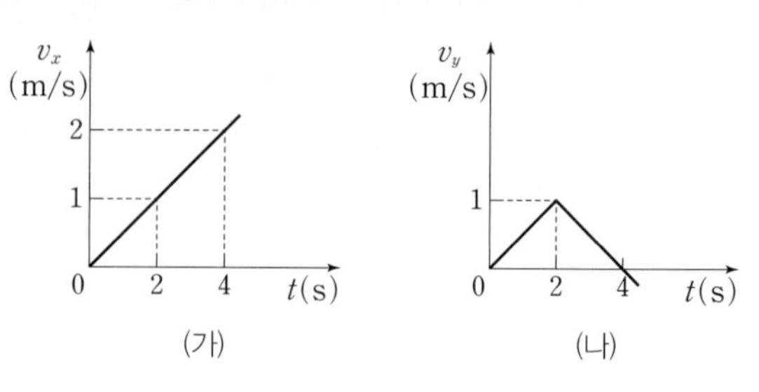

물체의 운동에 대한 설명으로 옳은 것만을 <보기>에서 있는 대로 고른 것은?

보기

ㄱ. 0초부터 4초까지 변위의 크기는 $2\sqrt{5}$ m이다.
ㄴ. 2초부터 4초까지 직선 운동을 한다.
ㄷ. 가속도의 크기는 1초일 때와 3초일 때가 같다.

① ㄱ ② ㄴ ③ ㄱ, ㄷ ④ ㄴ, ㄷ ⑤ ㄱ, ㄴ, ㄷ

04

▸24070-0020

그림과 같이 xy 평면에서 장난감 자동차 A가 속력 $2v$로 x축을 통과하는 순간 장난감 자동차 B가 x축을 $+y$방향으로 속력 $\frac{1}{2}v$로 통과한다. A, B는 각각 등속도 운동, 등가속도 직선 운동을 하여 동시에 점 p에 도달한다. x축을 지나는 순간부터 p까지, A, B의 이동 거리는 각각 $2d$, d이다.

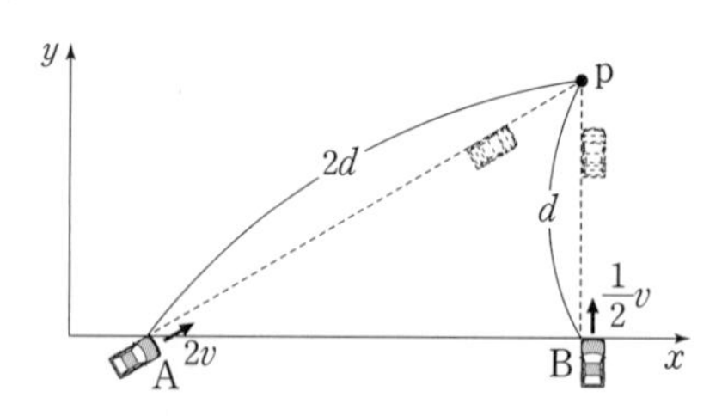

이에 대한 설명으로 옳은 것만을 <보기>에서 있는 대로 고른 것은? (단, 장난감 자동차의 크기는 무시한다.)

보기

ㄱ. p에 도달하는 순간 B의 속력은 $\frac{5}{2}v$이다.
ㄴ. B의 가속도의 크기는 $\frac{2v^2}{d}$이다.
ㄷ. A의 속도의 x성분의 크기는 $\sqrt{3}v$이다.

① ㄱ ② ㄷ ③ ㄱ, ㄴ ④ ㄴ, ㄷ ⑤ ㄱ, ㄴ, ㄷ

05

▸24070-0021

그림과 같이 물체가 경사각이 30°인 빗면상의 점 p에서 발사되어 점 q까지 빗면을 따라 등가속도 직선 운동을 한 후, q에서부터 포물선 운동을 하여 점 r를 통과한다. p에서 q까지, q에서 r까지 물체의 수평 이동 거리는 같다.

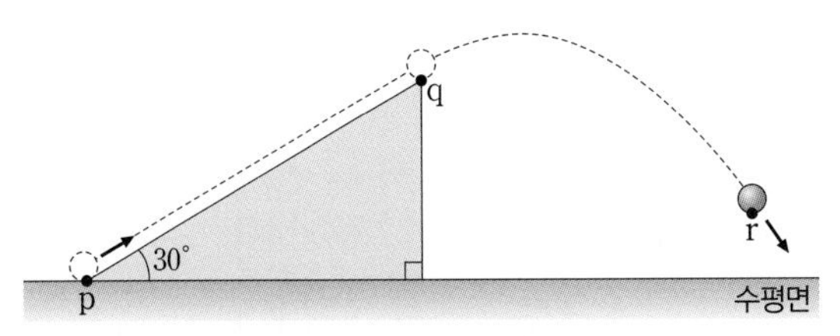

물체의 운동에 대한 설명으로 옳은 것만을 〈보기〉에서 있는 대로 고른 것은? (단, 물체의 크기, 마찰은 무시한다.)

보기
ㄱ. q에서 r까지 운동하는 동안 평균 속력은 평균 속도의 크기보다 크다.
ㄴ. 가속도의 크기는 p와 q 사이에서가 q와 r 사이에서의 $\frac{1}{2}$배이다.
ㄷ. p에서 q까지 운동하는 데 걸린 시간은 q에서 r까지 운동하는 데 걸린 시간보다 작다.

① ㄱ ② ㄷ ③ ㄱ, ㄴ ④ ㄴ, ㄷ ⑤ ㄱ, ㄴ, ㄷ

06

▸24070-0022

그림은 높이가 각각 $2h$, h인 지점에서 물체 A, B를 수평 방향으로 던지는 모습을 나타낸 것이다. 던진 순간부터 수평면에 도달할 때까지 A, B의 수평 이동 거리는 같다.

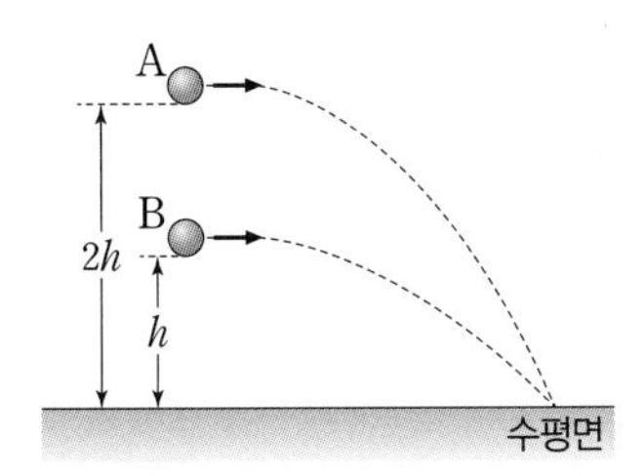

A가 B보다 큰 물리량만을 〈보기〉에서 있는 대로 고른 것은? (단, 물체의 크기, 공기 저항은 무시한다.)

보기
ㄱ. 던져진 순간부터 수평면에 도달할 때까지 걸린 시간
ㄴ. 수평 방향으로 던진 순간의 속력
ㄷ. 가속도의 크기

① ㄱ ② ㄷ ③ ㄱ, ㄴ ④ ㄴ, ㄷ ⑤ ㄱ, ㄴ, ㄷ

07

▸24070-0023

그림과 같이 수평면과 θ의 각을 이루며 속력 v_0으로 던진 물체가 포물선 운동을 하여 점 p를 지난다. p에서 물체의 속력은 $\frac{\sqrt{3}}{3}v_0$이고 운동 방향은 수평 방향과 30°의 각을 이룬다.

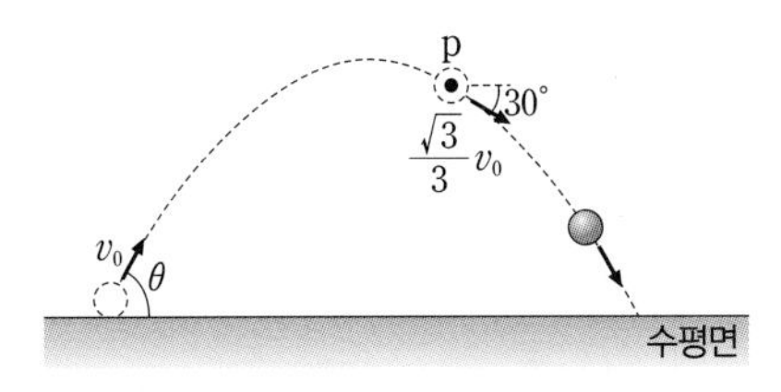

이에 대한 설명으로 옳은 것만을 〈보기〉에서 있는 대로 고른 것은? (단, 중력 가속도는 g이고, 물체의 크기는 무시한다.)

보기
ㄱ. $\theta=45^\circ$이다.
ㄴ. p의 높이는 $\frac{v_0^2}{3g}$이다.
ㄷ. 최고점에서 p까지, 물체의 수평 이동 거리는 $\frac{\sqrt{3}v_0^2}{12g}$이다.

① ㄱ ② ㄷ ③ ㄱ, ㄴ ④ ㄴ, ㄷ ⑤ ㄱ, ㄴ, ㄷ

08

▸24070-0024

그림과 같이 높이가 $2h$인 지점에서 물체 A를 연직 위 방향으로 v의 속력으로 던지는 순간, 물체 B를 수평 방향으로 v_0의 속력으로 던졌다. A는 등가속도 직선 운동을 하고, B는 포물선 운동을 한다. B가 수평면에 도달하는 순간 A의 높이는 h이다. B의 수평 이동 거리는 $2h$이다.

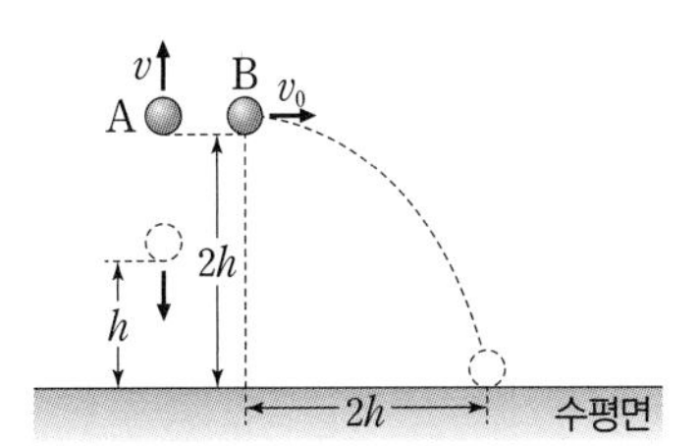

이에 대한 설명으로 옳은 것만을 〈보기〉에서 있는 대로 고른 것은? (단, 물체의 크기는 무시한다.)

보기
ㄱ. B가 수평면에 도달하는 순간, B의 속력은 $\sqrt{5}v_0$이다.
ㄴ. $v=\frac{1}{2}v_0$이다.
ㄷ. A를 던진 지점부터 A의 최고점까지의 높이는 $\frac{1}{8}h$이다.

① ㄱ ② ㄷ ③ ㄱ, ㄴ ④ ㄴ, ㄷ ⑤ ㄱ, ㄴ, ㄷ

09

▸24070-0025

그림과 같이 물체 A를 높이 h인 지점에서 수평 방향으로 $2v_0$의 속력으로 던지는 순간, 물체 B가 A의 연직 아래 수평면을 $3v_0$의 속력으로 통과하여 등가속도 직선 운동을 한다. A와 B는 동시에 수평면의 점 p에 도달한다.

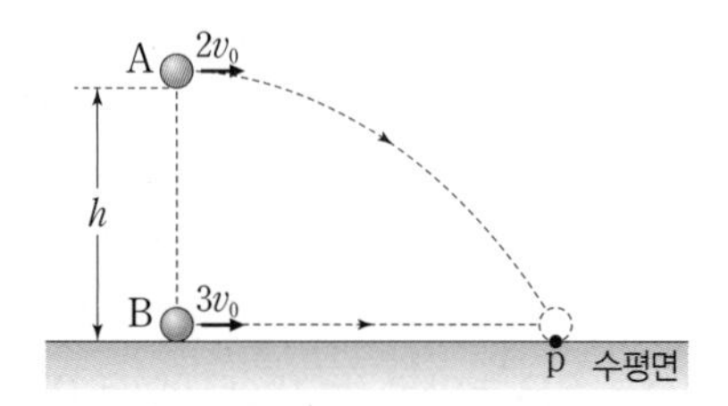

이에 대한 설명으로 옳은 것만을 〈보기〉에서 있는 대로 고른 것은? (단, 중력 가속도는 g이고, 물체의 크기는 무시한다.)

보기

ㄱ. A를 던진 순간부터 A가 수평면에 도달할 때까지, A가 운동하는 데 걸린 시간은 $\sqrt{\frac{2h}{g}}$이다.

ㄴ. p에서 속력은 A가 B의 2배이다.

ㄷ. B의 가속도의 크기는 $\sqrt{\frac{2{v_0}^2 g}{h}}$이다.

① ㄱ ② ㄴ ③ ㄱ, ㄷ ④ ㄴ, ㄷ ⑤ ㄱ, ㄴ, ㄷ

10

▸24070-0026

그림과 같이 경사각이 45°인 빗면의 점 p에서 빗면에 수직으로 v_0의 속력으로 던져진 물체가 포물선 운동을 하여 빗면상의 점 q에 도달한다. p와 q 사이의 높이차는 h이다.

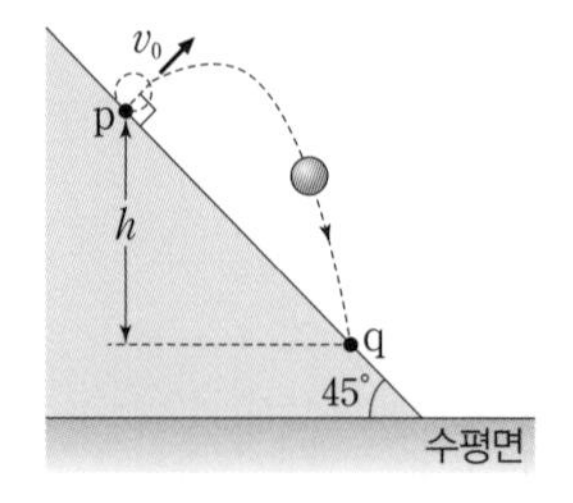

물체의 운동에 대한 설명으로 옳은 것만을 〈보기〉에서 있는 대로 고른 것은? (단, 중력 가속도는 g이고, 물체의 크기는 무시한다.)

보기

ㄱ. $v_0=\sqrt{\frac{gh}{2}}$이다.

ㄴ. p에서 q까지 운동하는 데 걸린 시간은 $2\sqrt{\frac{h}{g}}$이다.

ㄷ. p와 수평면을 기준으로 최고점의 높이차는 $\frac{1}{8}h$이다.

① ㄱ ② ㄷ ③ ㄱ, ㄴ ④ ㄴ, ㄷ ⑤ ㄱ, ㄴ, ㄷ

11

▸24070-0027

그림과 같이 높이가 h인 지점에서 물체 A를 가만히 놓는 순간, 물체 B를 수평면에 대해 45°의 각으로 A를 향해 v의 속력으로 던졌다. A는 등가속도 직선 운동을 하고, B는 포물선 운동을 하여 A가 d만큼 낙하하였을 때 A와 B가 만난다.

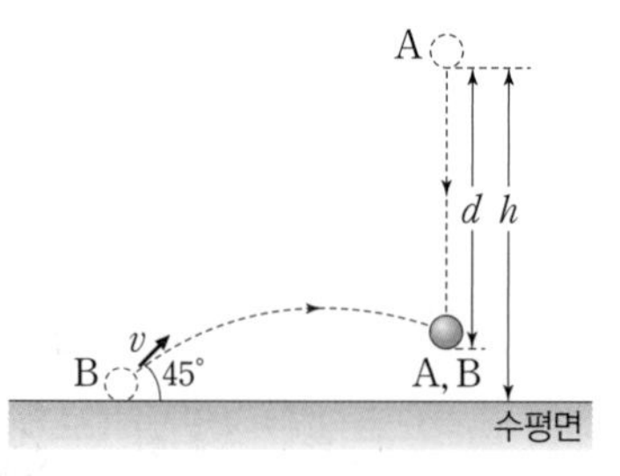

이에 대한 설명으로 옳은 것만을 〈보기〉에서 있는 대로 고른 것은? (단, 중력 가속도는 g이고, 물체의 크기는 무시한다.)

보기

ㄱ. A를 가만히 놓는 순간부터 A와 B가 만날 때까지 걸린 시간은 $\frac{\sqrt{2}h}{v}$이다.

ㄴ. B를 던진 순간부터 A와 B가 만날 때까지 B의 수평 이동 거리는 h이다.

ㄷ. $d=\frac{gh^2}{v^2}$이다.

① ㄱ ② ㄷ ③ ㄱ, ㄴ ④ ㄴ, ㄷ ⑤ ㄱ, ㄴ, ㄷ

12

▸24070-0028

그림과 같이 물체 A를 수평면과 45°를 이루며 속력 v로 던지는 순간, 물체 B를 높이 h인 지점에서 수평 방향으로 $\sqrt{2}v$의 속력으로 던진다. A와 B는 포물선 운동을 하여 점 p에서 만난다. A, B를 던지는 순간, A와 B 사이의 수평 방향의 거리는 x이다.

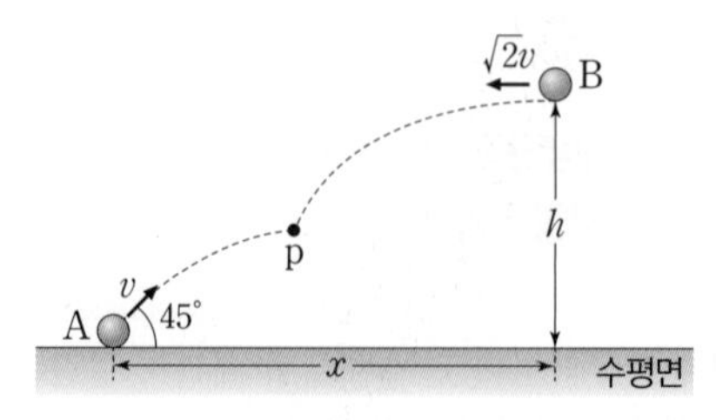

x는? (단, A와 B는 동일 평면상에서 운동을 하며, 물체의 크기는 무시한다.)

① $2h$ ② $2\sqrt{2}h$ ③ $3h$ ④ $4h$ ⑤ $3\sqrt{2}h$

01

▸24070-0029

그림은 xy 평면에서 정지해 있던 물체가 운동하는 순간부터 물체의 가속도의 x성분 a_x와 속도의 y성분 v_y를 각각 시간 t에 따라 나타낸 것이다.

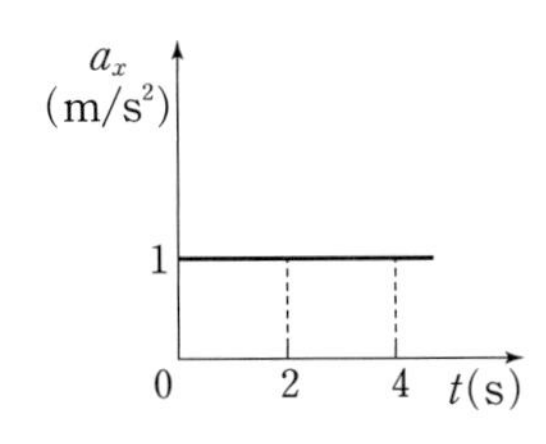

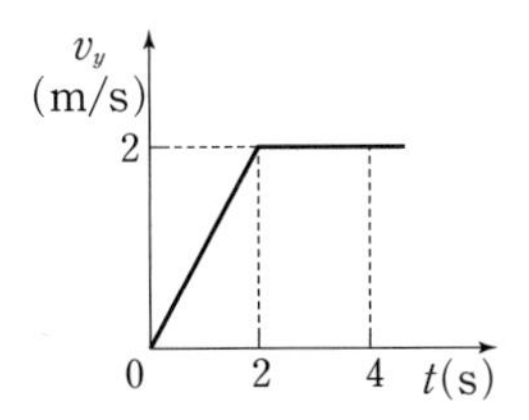

물체의 운동에 대한 설명으로 옳은 것만을 〈보기〉에서 있는 대로 고른 것은?

보기

ㄱ. 1초일 때, 가속도의 크기는 $\sqrt{2}$ m/s^{2}이다.

ㄴ. 속력은 3초일 때가 1초일 때의 5배이다.

ㄷ. 0초부터 4초까지 변위의 크기는 10 m이다.

① ㄱ ② ㄴ ③ ㄱ, ㄷ ④ ㄴ, ㄷ ⑤ ㄱ, ㄴ, ㄷ

02

▸24070-0030

그림 (가)는 xy 평면에서 등가속도 운동을 하는 물체가 시간 $t=0$일 때 원점 O를 x축 방향과 θ의 각을 이루며 v_0의 속력으로 지나는 모습을 나타낸 것이고, (나)는 물체의 속도의 x성분 v_x와 y성분 v_y를 t에 따라 나타낸 것이다.

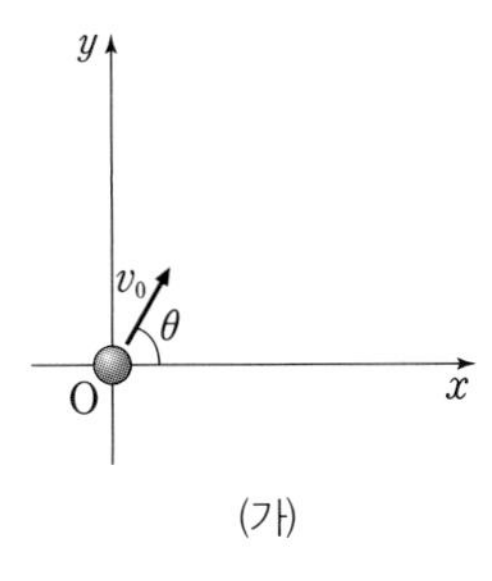

(가)

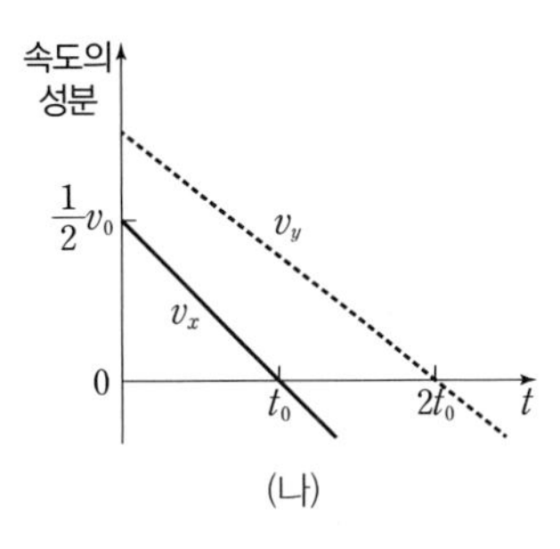

(나)

이에 대한 설명으로 옳은 것만을 〈보기〉에서 있는 대로 고른 것은? (단, 물체의 크기는 무시한다.)

보기

ㄱ. $\theta=30°$이다.

ㄴ. 물체의 가속도의 크기는 $\frac{\sqrt{3}v_0}{4t_0}$이다.

ㄷ. 물체가 원점을 지나는 순간부터 다시 x축을 지날 때까지, 물체의 변위의 크기는 $2v_0t_0$이다.

① ㄱ ② ㄷ ③ ㄱ, ㄴ ④ ㄴ, ㄷ ⑤ ㄱ, ㄴ, ㄷ

03

▸24070-0031

그림은 xy 평면상의 원점 O에서 x축과 $30°$의 각을 이루며 발사된 물체가 영역 Ⅰ에서 x축상의 점 p까지 등가속도 운동을 하고, p를 지난 후 영역 Ⅱ에서 등가속도 직선 운동을 하여 y축상의 점 q에서 정지한 순간의 모습을 나타낸 것이다. p에서 q까지 운동하는 데 걸린 시간은 t_0이다. p, q의 좌표는 $(d, 0)$, $(0, \sqrt{3}d)$이다.

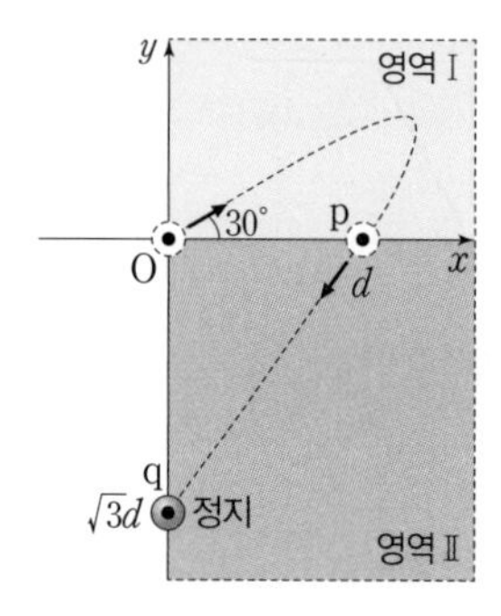

물체의 운동에 대한 설명으로 옳은 것만을 〈보기〉에서 있는 대로 고른 것은? (단, 물체의 크기는 무시한다.)

보기

ㄱ. O에서 속력은 $\frac{4\sqrt{3}d}{t_0}$이다.

ㄴ. p에서 속도의 x성분의 크기는 $\frac{2d}{t_0}$이다.

ㄷ. O에서 p까지 운동하는 동안 가속도의 크기는 $\frac{8\sqrt{7}d}{t_0^2}$이다.

① ㄱ ② ㄷ ③ ㄱ, ㄴ ④ ㄴ, ㄷ ⑤ ㄱ, ㄴ, ㄷ

04

▸24070-0032

그림과 같이 높이 h인 지점에서 물체 A를 수평 방향과 $45°$의 각을 이루며 v_0의 속력으로 던지는 순간, 물체 B를 수평면에서 연직 위 방향으로 v의 속력으로 던진다. A는 포물선 운동을 하고, B는 등가속도 직선 운동을 하여 A가 수평면에 도달하는 순간 B는 최고점에 도달한다. A의 수평 이동 거리는 $2h$이다.

이에 대한 설명으로 옳은 것만을 〈보기〉에서 있는 대로 고른 것은? (단, 물체의 크기는 무시한다.)

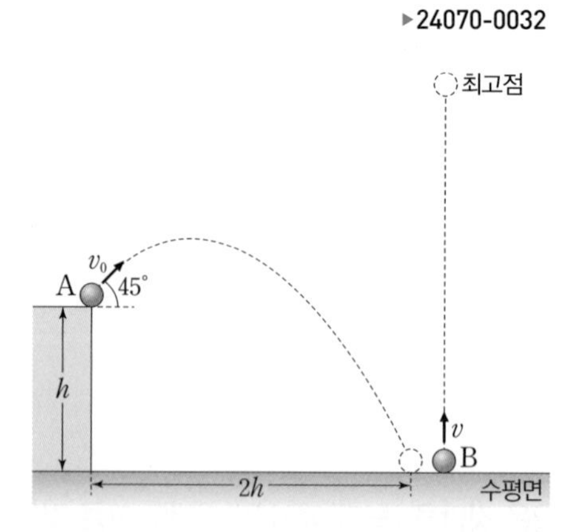

보기

ㄱ. A를 던진 순간부터 수평면에 도달할 때까지 걸린 시간은 $\frac{2\sqrt{2}h}{v_0}$이다.

ㄴ. $v=\frac{3\sqrt{2}}{2}v_0$이다.

ㄷ. B의 최고점 높이는 $3h$이다.

① ㄱ ② ㄷ ③ ㄱ, ㄴ ④ ㄴ, ㄷ ⑤ ㄱ, ㄴ, ㄷ

05

▸24070-0033

그림과 같이 수평면에서 v의 속력으로 던진 물체가 포물선 운동을 하여 높이 h인 점 p를 수평 방향과 $45°$의 각을 이루며 속력 v_0으로 지난 후 수평면에 도달한다. 물체를 던진 지점에서 p까지의 수평 이동 거리는 $\frac{2}{3}h$이다.

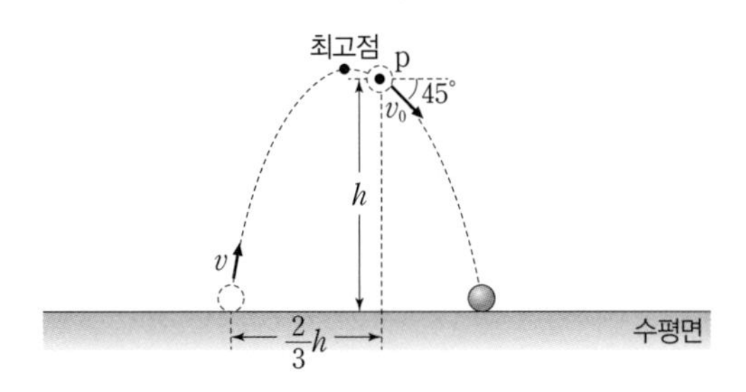

이에 대한 설명으로 옳은 것만을 〈보기〉에서 있는 대로 고른 것은? (단, 물체의 크기는 무시한다.)

보기

ㄱ. 최고점에서 물체의 속력은 $\frac{\sqrt{2}}{2}v_0$이다.

ㄴ. $v=2\sqrt{2}v_0$이다.

ㄷ. 최고점의 높이는 $\frac{6}{5}h$이다.

① ㄱ ② ㄷ ③ ㄱ, ㄴ ④ ㄴ, ㄷ ⑤ ㄱ, ㄴ, ㄷ

06

▸24070-0034

그림과 같이 물체가 수평면과 경사각이 $30°$인 빗면이 만나는 점 p에서 속력 $3v_0$으로 발사되어 등가속도 직선 운동을 한 후 빗면의 끝점 q에서부터 포물선 운동을 하여 점 r를 지난다. q의 높이는 h이고, q에서 r까지 물체의 수평 이동 거리는 $\frac{\sqrt{3}}{6}h$이다. 물체가 p에서 q까지 운동하는 데 걸린 시간은 q에서 r까지 운동하는 데 걸린 시간의 3배이다.

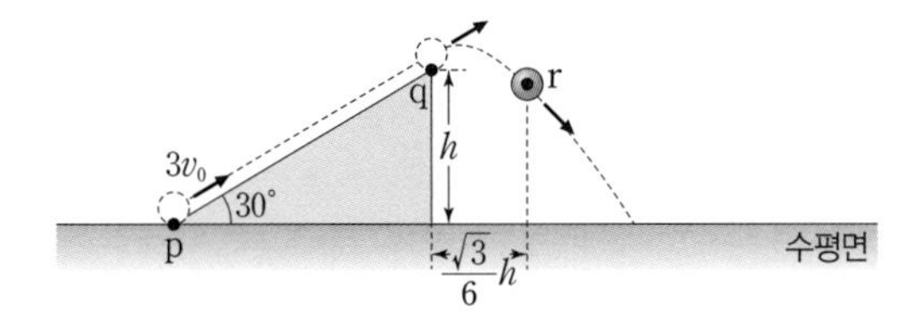

이에 대한 설명으로 옳은 것만을 〈보기〉에서 있는 대로 고른 것은? (단, 물체의 크기, 마찰은 무시한다.)

보기

ㄱ. q에서 물체의 속력은 v_0이다.

ㄴ. r에서 물체의 속도의 연직 성분의 크기는 $\frac{5}{6}v_0$이다.

ㄷ. r의 높이는 $\frac{17}{18}h$이다.

① ㄱ ② ㄷ ③ ㄱ, ㄴ ④ ㄴ, ㄷ ⑤ ㄱ, ㄴ, ㄷ

03 물체의 운동(2)

1 등속 원운동

(1) **등속 원운동**: 물체가 원 궤도를 따라 일정한 속력으로 회전하는 운동으로, 속력은 변하지 않지만 운동 방향이 계속 변하므로 속도가 변하는 가속도 운동이다.

① 주기(T): 물체가 원둘레를 1회전하는 데 걸리는 시간이다. 반지름 r, 속력 v로 운동할 때 주기는 다음과 같다.

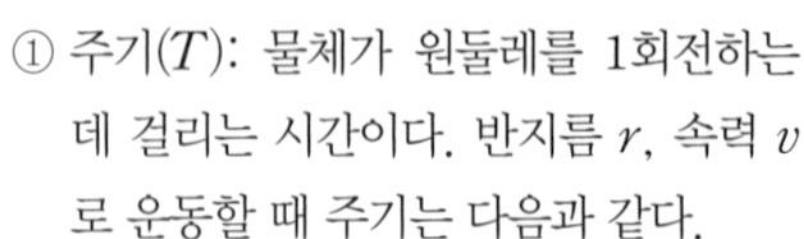

$$T=\frac{2\pi r}{v}\ [\text{단위: s(초)}]$$

② 진동수(f): 단위 시간(1초) 동안 회전하는 횟수이다.

$$f=\frac{1}{T}\ [\text{단위: Hz(헤르츠)}]$$

③ 각속도(ω): 단위 시간(1초) 동안 회전한 각이다.

$$\omega=\frac{\theta}{t}\ (\text{단위: rad/s}),\ \theta=\omega t$$

④ 속력(v): 접선 방향의 속도의 크기로 일정하다.

$$v=\frac{s}{t}=\frac{r\theta}{t}=r\omega\ (\text{단위: m/s})$$

⑤ 물체가 한 바퀴를 회전하면 회전각은 2π이므로 각속도, 주기, 진동수는 다음 관계가 성립한다.

$$\omega=\frac{2\pi}{T}=2\pi f$$

2 구심 가속도와 구심력

(1) **구심 가속도**

① 속도 변화량($\Delta\vec{v}$)의 방향: $\Delta\theta$를 매우 작게 하면 $\Delta\vec{v}(=\vec{v_2}-\vec{v_1})$는 $\vec{v_1}$과 직각을 이루기 때문에 원의 중심을 향하게 된다.

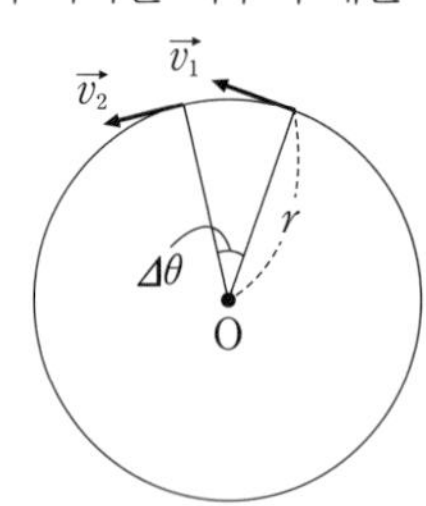

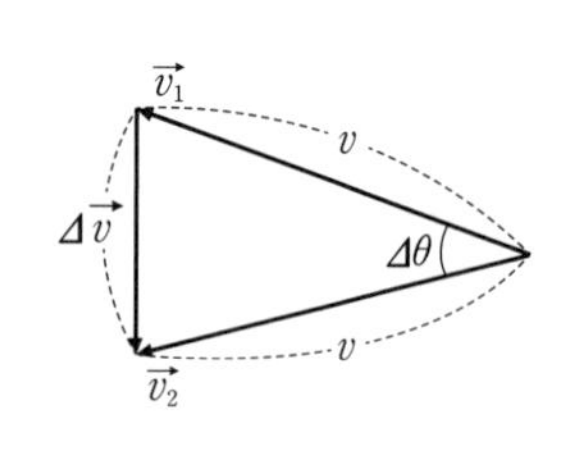

② 구심 가속도($\vec{a}$)의 방향: 가속도가 $\vec{a}=\frac{\Delta\vec{v}}{\Delta t}$이므로 가속도 $\vec{a}$의 방향은 속도 변화량 $\Delta\vec{v}$의 방향과 같다. 따라서 구심 가속도 $\vec{a}$의 방향은 원의 중심을 향한다.

③ 구심 가속도($\vec{a}$)의 크기: 속도 변화량 $\Delta\vec{v}$의 크기는 $|\Delta\vec{v}|=v\Delta\theta$이다. 물체가 원운동하는 시간 Δt를 매우 짧게 하면, 구심 가속도의 크기는 $a=\frac{|\Delta\vec{v}|}{\Delta t}=\frac{v\Delta\theta}{\Delta t}$이다. $\frac{\Delta\theta}{\Delta t}=\omega$이고, $v=r\omega$이므로 등속 원운동을 하는 물체의 구심 가속도의 크기는 $a=v\omega=\frac{v^2}{r}=r\omega^2$이다.

(2) **구심력**

① 구심력: 등속 원운동을 하는 물체에 작용하는 알짜힘의 방향은 가속도의 방향과 같이 원의 중심을 향한다. 이와 같이 원의 중심 방향을 향하는 힘을 구심력이라고 한다.

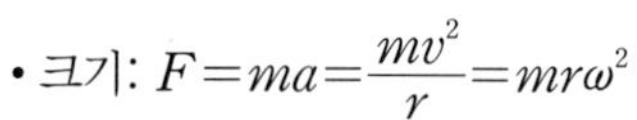

• 크기: $F=ma=\frac{mv^2}{r}=mr\omega^2$

• 방향: 원운동의 중심 방향

② 여러 가지 구심력

▲ 지구 주위를 도는 인공위성에 작용하는 중력

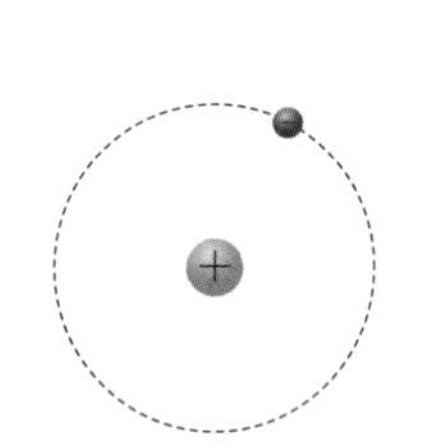

▲ 원자 내의 전자에 작용하는 전기력

▲ 수평인 원형 도로에서 자동차의 진행 방향에 수직으로 작용하는 마찰력

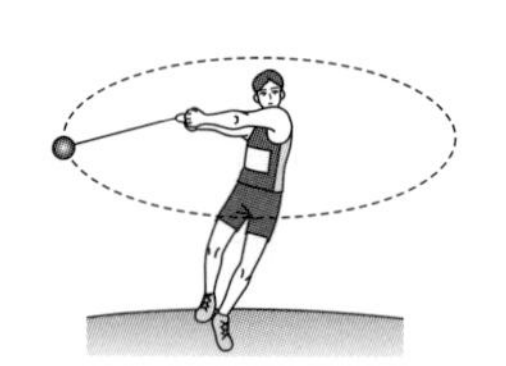

▲ 수평면과 나란하게 원운동하는 해머에 작용하는 줄에 의한 힘과 중력의 합력

더 알기 곡선 도로에서 자동차의 속력

대부분의 곡선 도로는 안쪽보다 바깥쪽이 약간 높게 기울어져 있다. 그림과 같이 수평면과 이루는 각이 θ인 곡선 도로에서 자동차가 달릴 때, 자동차의 진행 방향에 수직인 방향의 마찰을 무시하면 자동차에 작용하는 중력($\vec{mg}$)과 도로가 자동차를 접촉면에 수직으로 떠받치는 힘($\vec{N}$)의 합력이 자동차가 곡선 도로를 달리며 회전할 때의 구심력이 되어 자동차는 등속 원운동을 할 수 있다. 자동차의 회전 반지름을 r, 속력을 v라고 하면 다음 관계가 성립한다.

$N\sin\theta=\frac{mv^2}{r}$, $N\cos\theta=mg$ ➡ $\tan\theta=\frac{v^2}{gr}$이므로 자동차의 속력은 $v=\sqrt{gr\tan\theta}$이다.

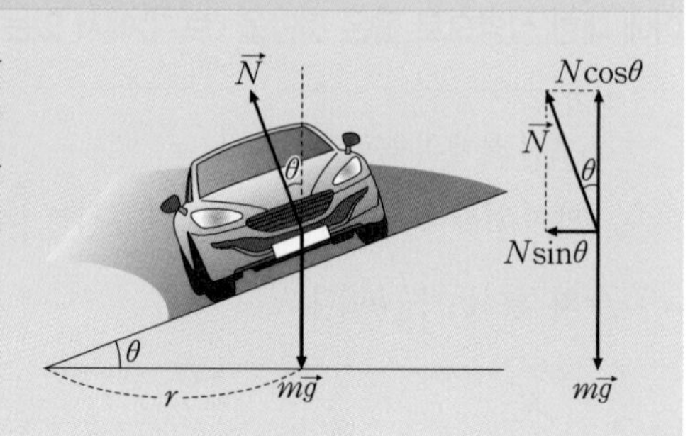

③ 케플러 법칙

(1) **타원 궤도 법칙(케플러 제1법칙):** 태양계 내의 모든 행성들은 태양을 한 초점으로 하는 타원 궤도를 따라 공전한다($p+q=2a$).

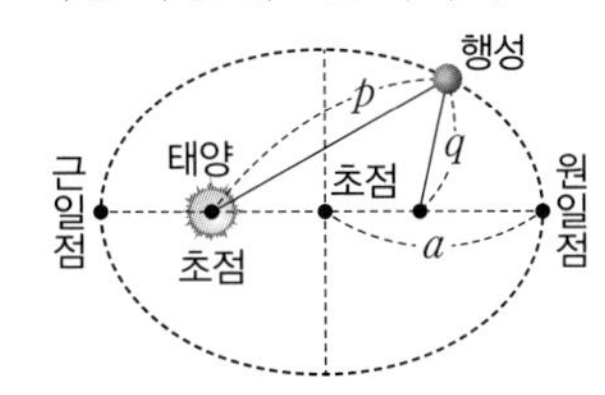

- 근일점과 원일점: 행성이 태양과 가장 가까운 지점을 근일점, 행성이 태양과 가장 먼 지점을 원일점이라고 한다.

(2) **면적 속도 일정 법칙(케플러 제2법칙):** 행성과 태양을 연결하는 선분이 같은 시간 동안 쓸고 지나가는 면적은 일정하다($S_1=S_2$).

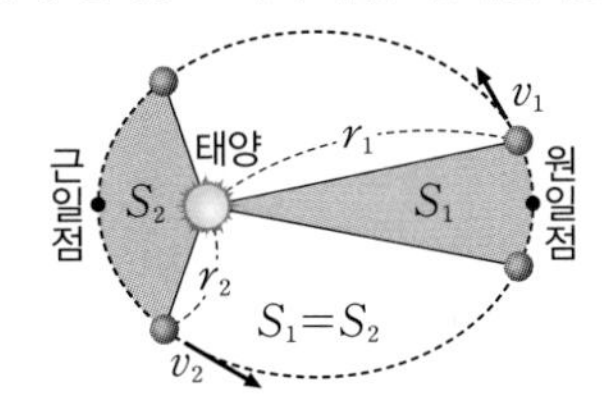

➡ $r_1>r_2$이면 $v_1<v_2$이다.

① 행성이 태양으로부터 가까울 때는 속력이 빠르고, 멀 때는 속력이 느리다. 따라서 행성의 속력은 근일점에서 최대이고, 원일점에서 최소이다.

② 행성이 원일점에서 근일점으로 이동하는 동안에는 행성의 속력이 증가하고, 근일점에서 원일점으로 이동하는 동안에는 행성의 속력이 감소한다.

(3) **조화 법칙(케플러 제3법칙):** 행성의 공전 주기(T)의 제곱은 타원 궤도의 긴반지름(a)의 세제곱에 비례한다. ➡ $T^2 \propto a^3$

- 공전 궤도 긴반지름이 길수록 공전 주기가 길다.

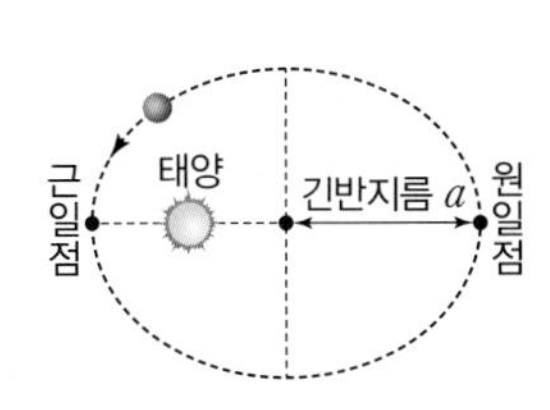

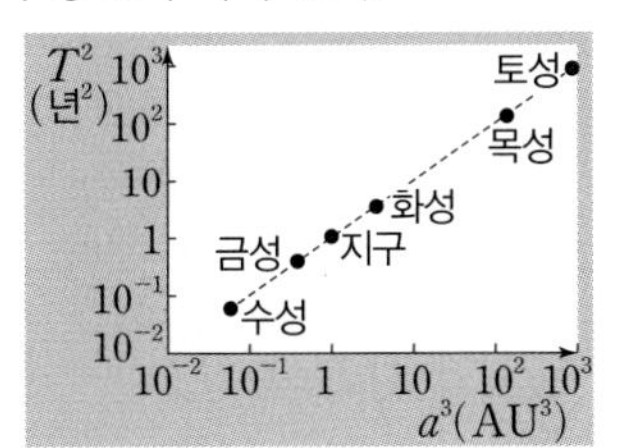

④ 중력 법칙

(1) **뉴턴 중력 법칙:** 두 물체 사이에 작용하는 중력은 질량의 곱에 비례하고 떨어진 거리의 제곱에 반비례한다. 따라서 그림과 같이 질량이 각각 m_1, m_2이고, 떨어진 거리가 r인 두 물체 사이에 작용하는 중력의 크기 F는 다음과 같다.

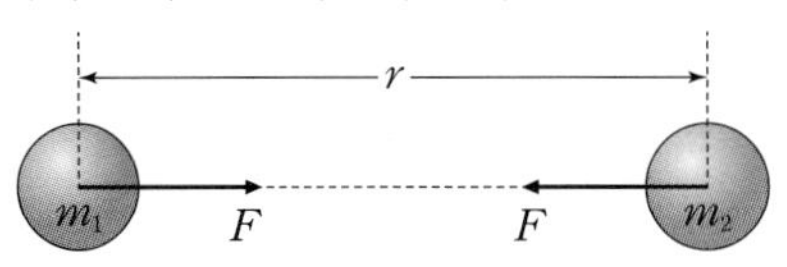

$$F=G\frac{m_1m_2}{r^2} \quad (G: \text{중력 상수})$$

- 중력은 항상 서로 당기는 방향으로 작용한다.

(2) **중력 가속도:** 물체에 작용하는 중력에 의한 가속도이다. 일반적으로 g로 표시하며, 질량이 m인 물체에 작용하는 중력은 mg이다.

① 지표면에서 중력 가속도: 물체에 작용하는 중력이 mg이므로 지구의 반지름을 R, 질량을 M이라고 하면 $\frac{GMm}{R^2}=mg$에서 중력 가속도는 $g=\frac{GM}{R^2}$이다.

② 지표면으로부터 높이 h인 곳에서 중력 가속도는 $g'=\frac{GM}{(R+h)^2}$이다.

(3) **케플러 법칙과 중력 법칙:** 태양계의 행성들은 원 궤도에 가까운 타원 궤도를 따라 운동한다. 따라서 태양이 행성에 작용하는 중력이 행성을 원운동하게 하는 구심력이라고 가정하면 케플러 제3법칙을 유도할 수 있다. 질량이 M인 태양을 중심으로 반지름이 r인 원 궤도를 공전하는 주기 T, 질량 m인 행성에 작용하는 구심력의 크기는 $F=\frac{GMm}{r^2}=\frac{mv^2}{r}$이고, $v=\frac{2\pi r}{T}$이므로 $T^2=\frac{4\pi^2r^3}{GM}$이다. 따라서 $T^2 \propto r^3$이다.

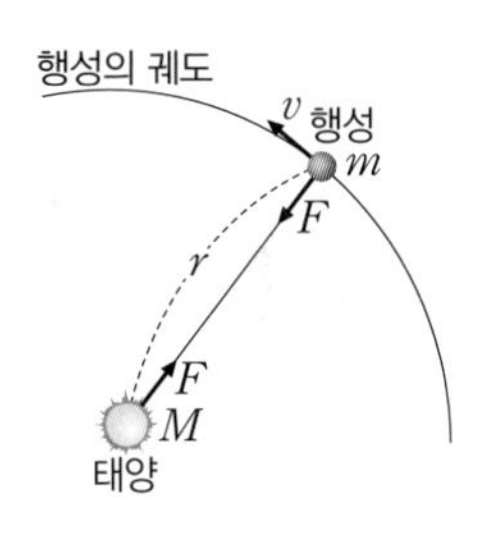

더 알기 정지궤도 인공위성

그림과 같이 지구 중심으로부터 r만큼 떨어진 지점에서 물체를 수평 방향으로 던질 때 물체의 속력이 특정한 조건(중력=구심력)을 만족하면 물체는 지구 주위를 일정한 속력으로 계속 돌게 된다($v_1<v_2<v_3$).

- 인공위성의 운동: 지구 주위를 등속 원운동 하는 인공위성에는 지구의 중력이 구심력으로 작용한다.

  ➡ $\frac{GMm}{r^2}=\frac{mv^2}{r}$

- 인공위성의 속력(v)과 주기(T): $v=\sqrt{\frac{GM}{r}}$, $T=2\pi\sqrt{\frac{r^3}{GM}}$
- 정지궤도 인공위성의 고도(h): 지구의 자전 주기와 인공위성의 공전 주기가 같으면 지표면에서 관찰할 때 인공위성은 항상 같은 위치에 정지해 있는 것으로 보인다. 정지궤도 인공위성의 공전 궤도 반지름이 약 42000 km이므로 지표면으로부터 고도 h는 약 35800 km 정도이다.

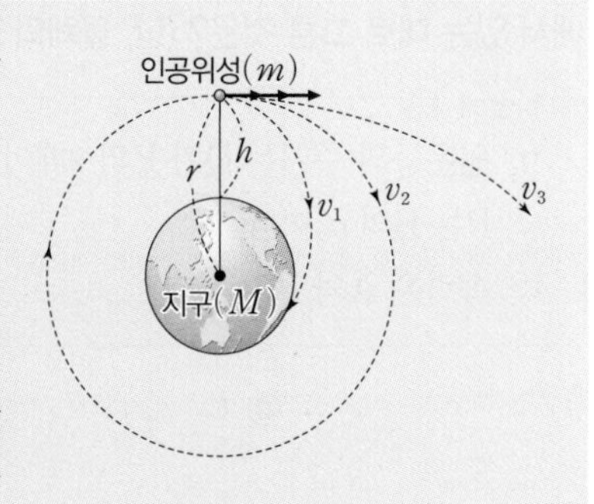

테마 대표 문제

| 2024학년도 수능 |

그림 (가)는 xy 평면에서 원점 O를 중심으로 반지름이 각각 $2d$, d인 원 궤도를 따라 등속 원운동을 하는 물체 A, B가 시간 $t=0$일 때 x축을 지나는 모습을 나타낸 것이다. 그림 (나)는 t에 따른 A, B의 속도의 x성분 v_x를 순서 없이 P, Q로 나타낸 것이다. A에 작용하는 구심력의 크기는 B에 작용하는 구심력의 크기의 2배이다.

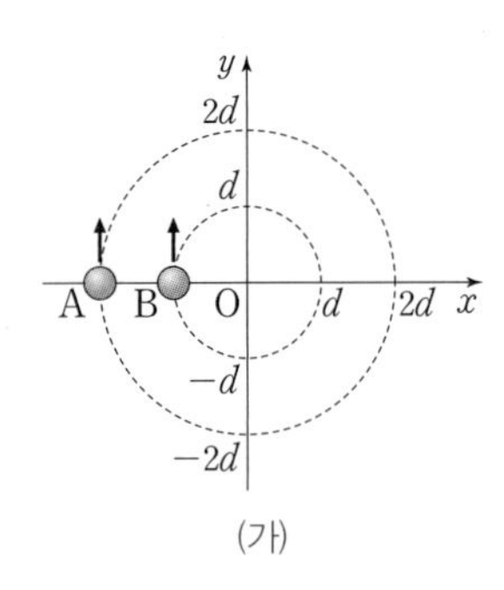

(가)

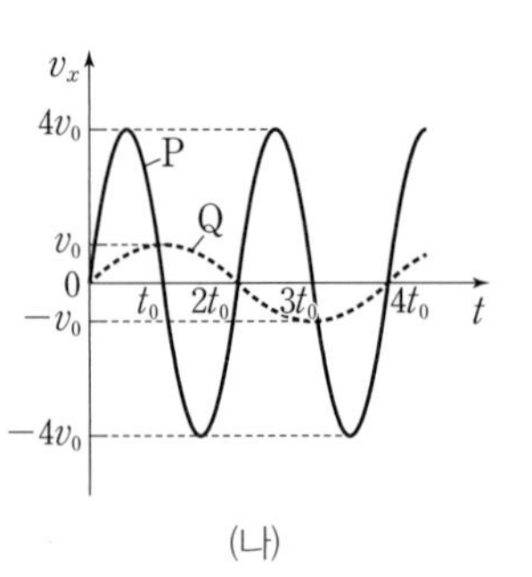

(나)

이에 대한 설명으로 옳은 것만을 〈보기〉에서 있는 대로 고른 것은? (단, 물체의 크기는 무시한다.)

보기

ㄱ. P는 A의 v_x이다.

ㄴ. 가속도의 크기는 A가 B의 8배이다.

ㄷ. 질량은 A가 B의 $\frac{1}{4}$배이다.

① ㄱ　② ㄴ　③ ㄱ, ㄷ　④ ㄴ, ㄷ　⑤ ㄱ, ㄴ, ㄷ

접근 전략

그래프에서 P, Q가 원 궤도를 1회전 하는 데 걸린 시간이 각각 $2t_0$, $4t_0$이고, 등속 원운동을 하는 동안 속력은 P, Q가 각각 $4v_0$, v_0이다.

간략 풀이

㉠ P는 속력의 최댓값이 $4v_0$이고, 주기가 $2t_0$이므로 P의 반지름을 r_P라 할 때, $2t_0=\frac{2\pi r_P}{4v_0}$가 성립한다. 따라서 $r_P=\frac{4v_0t_0}{\pi}$이다. Q는 속력의 최댓값이 v_0이고, 주기가 $4t_0$이므로 Q의 반지름을 r_Q라 할 때, $4t_0=\frac{2\pi r_Q}{v_0}$가 성립한다. 따라서 $r_Q=\frac{2v_0t_0}{\pi}$이다. P는 A의 v_x이고, Q는 B의 v_x이다.

㉡ A, B의 구심 가속도의 크기를 각각 a_A, a_B라 할 때, $a_A=\frac{8v_0^2}{d}$이고, $a_B=\frac{v_0^2}{d}$이다. 따라서 가속도의 크기는 A가 B의 8배이다.

㉢ 구심력의 크기는 A가 B의 2배이고, 가속도의 크기는 A가 B의 8배이므로 질량은 A가 B의 $\frac{1}{4}$배이다.

정답 | ⑤

닮은 꼴 문제로 유형 익히기

정답과 해설 10쪽

▸24070-0035

그림 (가)는 xy 평면에서 원점 O를 중심으로 반지름이 각각 $2d$, d인 원 궤도를 따라 등속 원운동을 하는 물체 A, B가 시간 $t=0$일 때 각각 y축을 지나는 모습을 나타낸 것이다. 그림 (나)는 t에 따른 A, B의 가속도의 x성분 a_x를 순서 없이 P, Q로 나타낸 것이다.

(가)　(나)

이에 대한 설명으로 옳은 것만을 〈보기〉에서 있는 대로 고른 것은? (단, 물체의 크기는 무시한다.)

보기

ㄱ. 원운동의 주기는 Q가 P의 2배이다.

ㄴ. P는 B의 a_x이다.

ㄷ. 속력은 A와 B가 같다.

① ㄱ　② ㄴ　③ ㄱ, ㄷ　④ ㄴ, ㄷ　⑤ ㄱ, ㄴ, ㄷ

유사점과 차이점

등속 원운동을 하는 물체를 분석하는 것은 같지만 구심 가속도의 크기에 대한 그래프를 해석하는 점이 다르다.

배경 지식

반지름을 r, 속력을 v라 할 때, 물체가 원둘레를 1회전하는 동안 주기 $T=\frac{2\pi r}{v}$이고, 질량이 m인 물체의 구심력의 크기 $F=\frac{mv^2}{r}=\frac{4\pi^2 mr}{T^2}$이다.

01

▸24070-0036

그림은 길이가 $4L$인 막대의 왼쪽 끝에서 L만큼 떨어진 지점 O를 고정된 회전축으로 하여 일정한 주기로 회전하는 막대의 모습을 나타낸 것이다. 점 p, q는 각각 막대의 왼쪽 끝과 오른쪽 끝 지점이다.

이에 대한 설명으로 옳은 것만을 〈보기〉에서 있는 대로 고른 것은?

보기
ㄱ. 각속도는 p와 q가 같다.
ㄴ. 속력은 p가 q보다 작다.
ㄷ. 구심 가속도의 크기는 p가 q보다 작다.

① ㄱ ② ㄷ ③ ㄱ, ㄴ ④ ㄴ, ㄷ ⑤ ㄱ, ㄴ, ㄷ

02

▸24070-0037

그림 (가)는 물체가 원점 O를 중심으로 등속 원운동을 하는 모습을 나타낸 것이고, (나)는 물체의 변위의 y성분 S_y를 시간 t에 따라 나타낸 것이다.

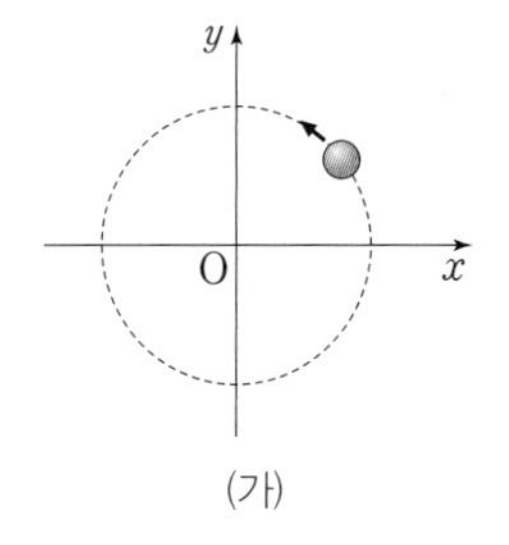

(가)

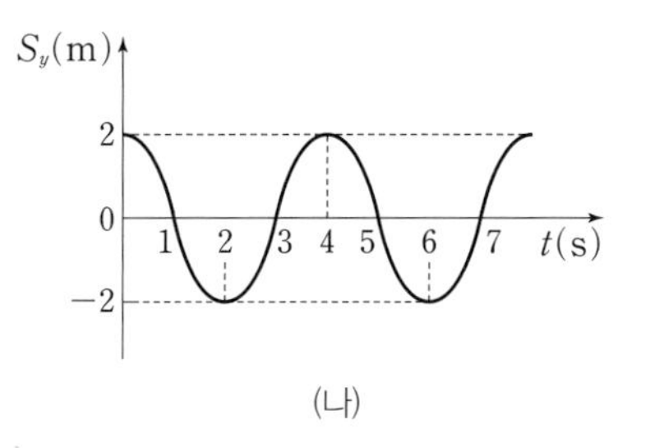

(나)

물체의 운동에 대한 설명으로 옳은 것만을 〈보기〉에서 있는 대로 고른 것은?

보기
ㄱ. 주기는 4초이다.
ㄴ. 1초일 때, 물체의 속도의 x성분은 0이다.
ㄷ. 가속도의 크기는 $\frac{\pi^2}{2}$ m/s²이다.

① ㄱ ② ㄷ ③ ㄱ, ㄴ ④ ㄴ, ㄷ ⑤ ㄱ, ㄴ, ㄷ

03

▸24070-0038

그림과 같이 천장과 실로 연결된 물체 A, B가 같은 주기로 같은 평면에서 등속 원운동을 한다. A, B는 질량이 각각 m, $2m$이고, 원운동의 반지름이 각각 $2r$, r이다. A, B가 운동하는 평면에서 천장까지의 높이는 $2r$이다.

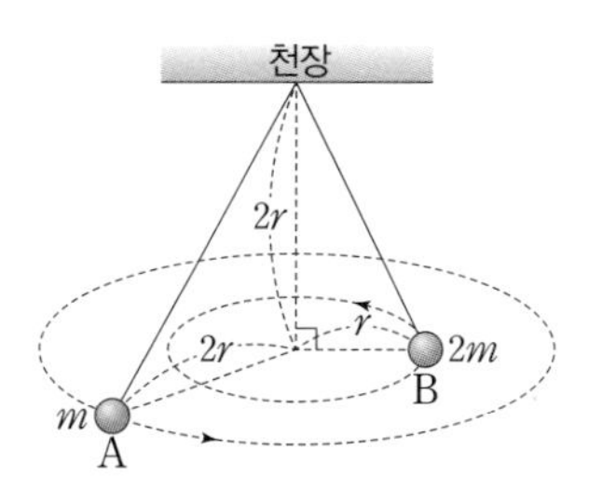

이에 대한 설명으로 옳은 것만을 〈보기〉에서 있는 대로 고른 것은? (단, 실의 질량은 무시한다.)

보기
ㄱ. 속력은 A가 B의 2배이다.
ㄴ. 구심력의 크기는 A와 B가 같다.
ㄷ. 실이 A를 당기는 힘의 크기는 실이 B를 당기는 힘의 크기의 $\frac{2}{5}$배이다.

① ㄱ ② ㄷ ③ ㄱ, ㄴ ④ ㄴ, ㄷ ⑤ ㄱ, ㄴ, ㄷ

04

▸24070-0039

그림은 실의 한쪽 끝에 질량이 m인 추를 매달고, 유리관 속을 통과시킨 실의 다른 쪽 끝에는 물체를 달아 등속 원운동 시키는 모습을 나타낸 것이다. 유리관 끝점 O에서 물체까지의 실의 길이는 l이고, 실이 연직 방향과 이루는 각은 θ이다.

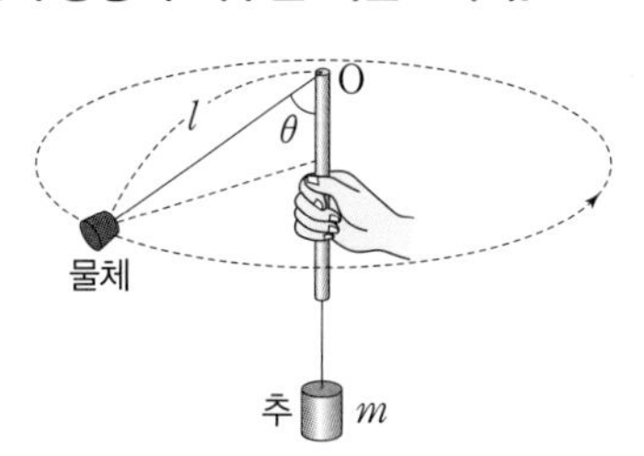

이에 대한 설명으로 옳은 것만을 〈보기〉에서 있는 대로 고른 것은? (단, 중력 가속도는 g이고, 유리관의 굵기, 물체의 크기, 실의 질량, 모든 마찰과 공기 저항은 무시한다.)

보기
ㄱ. 실이 물체를 당기는 힘의 크기는 mg이다.
ㄴ. 물체에 작용하는 구심력의 크기는 $mg\sin\theta$이다.
ㄷ. 물체의 질량은 $m\cos\theta$이다.

① ㄱ ② ㄷ ③ ㄱ, ㄴ ④ ㄴ, ㄷ ⑤ ㄱ, ㄴ, ㄷ

05

▸24070-0040

그림과 같이 질량이 m으로 같은 물체 A, B가 각각 실에 매달려 동일 연직선상의 점 p, q를 중심으로 반지름이 r인 원 궤도를 따라 수평면과 나란하게 각각 등속 원운동을 한다. 속력은 A가 B의 2배이고, A에 연결된 실과 연직 방향이 이루는 각은 45°이다.

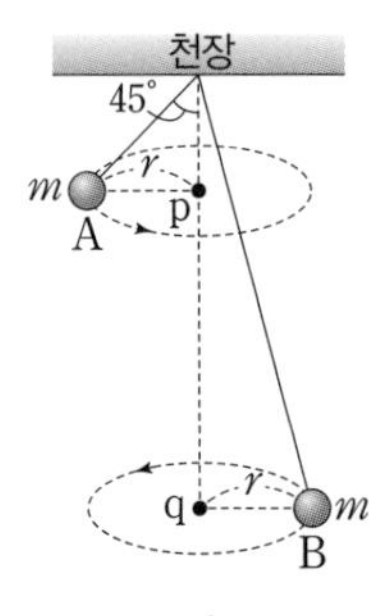

이에 대한 설명으로 옳은 것만을 〈보기〉에서 있는 대로 고른 것은? (단, 중력 가속도는 g이고, 실의 질량은 무시한다.)

보기

ㄱ. 구심력의 크기는 A가 B의 2배이다.
ㄴ. 실이 A를 당기는 힘의 크기는 $\sqrt{2}mg$이다.
ㄷ. p와 q 사이의 거리는 $3r$이다.

① ㄱ ② ㄴ ③ ㄱ, ㄷ ④ ㄴ, ㄷ ⑤ ㄱ, ㄴ, ㄷ

06

▸24070-0041

그림과 같이 질량이 같은 물체 A, B가 실 p, q에 연결되어 점 O를 중심으로 같은 주기로 등속 원운동을 한다. A, B의 원운동 반지름은 각각 r, $2r$이다.

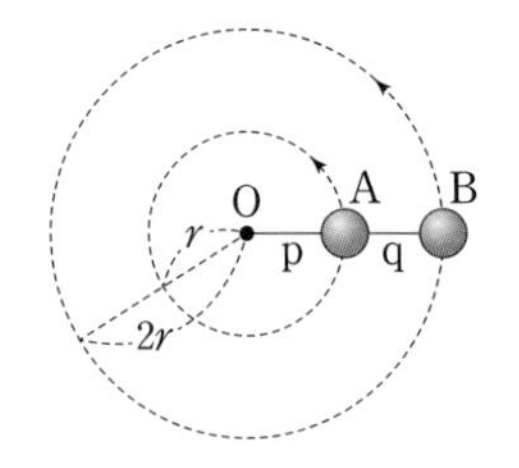

이에 대한 설명으로 옳은 것만을 〈보기〉에서 있는 대로 고른 것은? (단, 물체의 크기, 실의 질량은 무시한다.)

보기

ㄱ. 속력은 B가 A의 2배이다.
ㄴ. 구심력의 크기는 B가 A의 2배이다.
ㄷ. p가 A를 당기는 힘의 크기는 q가 B를 당기는 힘의 크기의 2배이다.

① ㄱ ② ㄷ ③ ㄱ, ㄴ ④ ㄴ, ㄷ ⑤ ㄱ, ㄴ, ㄷ

07

▸24070-0042

그림 (가), (나)와 같이 위성 P, Q가 각각 행성 A, B를 중심으로 반지름이 r인 원 궤도를 따라 등속 원운동을 한다. 속력은 P가 Q의 2배이다.

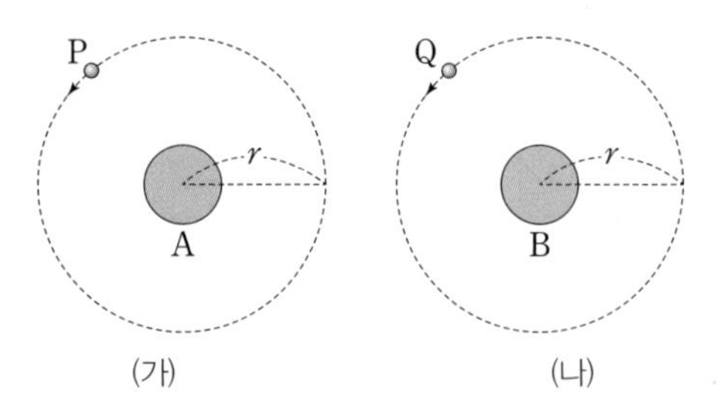

이에 대한 설명으로 옳은 것만을 〈보기〉에서 있는 대로 고른 것은?

보기

ㄱ. 위성의 구심 가속도의 크기는 P가 Q의 2배이다.
ㄴ. 위성의 각속도는 P가 Q의 2배이다.
ㄷ. 행성의 질량은 A가 B의 2배이다.

① ㄱ ② ㄴ ③ ㄱ, ㄷ ④ ㄴ, ㄷ ⑤ ㄱ, ㄴ, ㄷ

08

▸24070-0043

그림과 같이 위성이 행성을 한 초점으로 하는 타원 궤도를 따라 운동한다. 점 p, q, r는 궤도상의 점이며, p와 r는 각각 행성의 중심으로부터 가장 가까운 곳과 먼 곳이다. 위성이 이동한 거리는 p에서 q까지와 q에서 r까지가 같다.

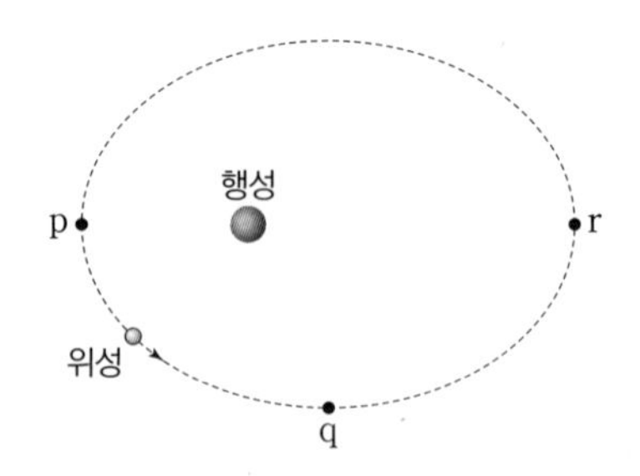

이에 대한 설명으로 옳은 것만을 〈보기〉에서 있는 대로 고른 것은?

보기

ㄱ. 위성의 속력은 q에서가 r에서보다 크다.
ㄴ. 위성에 작용하는 중력의 크기는 p에서가 r에서보다 크다.
ㄷ. p에서 q까지 이동하는 데 걸리는 시간은 q에서 r까지 이동하는 데 걸리는 시간과 같다.

① ㄱ ② ㄷ ③ ㄱ, ㄴ ④ ㄴ, ㄷ ⑤ ㄱ, ㄴ, ㄷ

09

▸24070-0044

그림은 위성 P가 행성을 한 초점으로 하는 타원 궤도를 따라 운동하는 것에 대해 학생 A, B, C가 대화하는 모습을 나타낸 것이다.

제시한 내용이 옳은 학생만을 있는 대로 고른 것은?

① A ② B ③ A, C ④ B, C ⑤ A, B, C

10

▸24070-0045

그림과 같이 위성 A는 행성을 중심으로 반지름이 $3r$인 원운동을, 위성 B는 행성을 한 초점으로 하는 타원 운동을 한다. 타원 궤도 상의 점 p, r는 각각 B가 행성으로부터 가장 가까운 지점과 행성으로부터 가장 먼 지점이며, 점 q는 두 궤도가 만나는 지점이다. 행성으로부터 p까지의 거리는 r이며, A, B의 공전 주기는 같다.

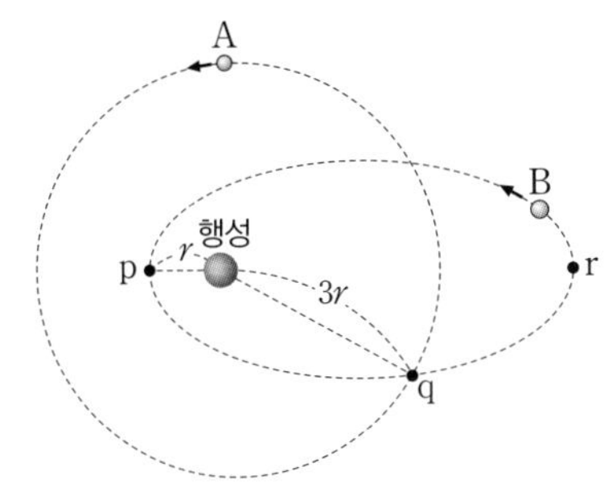

이에 대한 설명으로 옳은 것만을 〈보기〉에서 있는 대로 고른 것은? (단, A, B에는 행성에 의한 중력만 작용한다.)

보기

ㄱ. q에서 가속도의 크기는 A와 B가 같다.
ㄴ. B의 속력은 p에서가 q에서보다 크다.
ㄷ. B에 작용하는 중력의 크기는 p에서가 r에서의 25배이다.

① ㄱ ② ㄴ ③ ㄱ, ㄷ ④ ㄴ, ㄷ ⑤ ㄱ, ㄴ, ㄷ

11

▸24070-0046

그림은 위성 A, B가 동일한 행성을 한 초점으로 하는 각각의 타원 궤도를 따라 운동하는 모습을 나타낸 것이다. 점 p는 A, B가 행성으로부터 가장 가까운 지점이고, 점 q, r는 각각 A, B가 행성으로부터 가장 먼 지점이다. 표는 p, q, r에서 각각 A, B에 작용하는 중력의 크기를 나타낸 것이다.

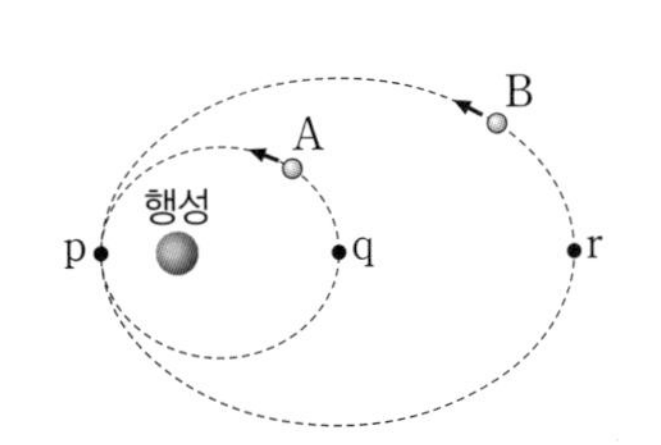

위성	중력의 크기		
	p	q	r
A	$5F$	$\frac{5}{4}F$	해당 없음
B	$25F$	해당 없음	F

이에 대한 설명으로 옳은 것만을 〈보기〉에서 있는 대로 고른 것은? (단, A, B에는 행성에 의한 중력만 작용한다.)

보기

ㄱ. p에서의 속력은 B가 A보다 작다.
ㄴ. 위성의 질량은 B가 A의 5배이다.
ㄷ. B가 p에서 r까지 운동하는 데 걸리는 시간은 A가 p에서 q까지 운동하는 데 걸리는 시간의 $2\sqrt{2}$배이다.

① ㄱ ② ㄴ ③ ㄱ, ㄷ ④ ㄴ, ㄷ ⑤ ㄱ, ㄴ, ㄷ

12

▸24070-0047

그림은 위성 A, B가 동일한 행성을 한 초점으로 하는 각각의 타원 궤도를 따라 한 주기 동안 운동할 때, 행성이 A와 B에 작용하는 중력의 크기 F를 행성 중심으로부터 A, B 중심까지의 거리 r에 따라 나타낸 것이다.

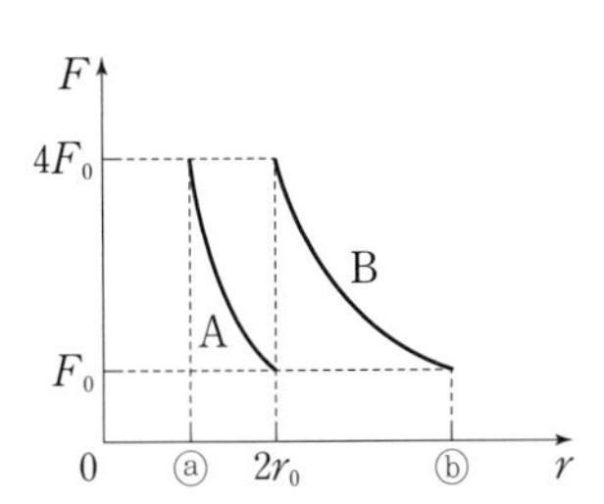

이에 대한 설명으로 옳은 것만을 〈보기〉에서 있는 대로 고른 것은? (단, A, B에는 행성에 의한 중력만 작용한다.)

보기

ㄱ. 질량은 B가 A의 4배이다.
ㄴ. $\frac{ⓑ}{ⓐ}$=3이다.
ㄷ. 공전 주기는 B가 A의 $3\sqrt{3}$배이다.

① ㄱ ② ㄷ ③ ㄱ, ㄴ ④ ㄴ, ㄷ ⑤ ㄱ, ㄴ, ㄷ

01

▸24070-0048

그림 (가)는 xy 평면에서 원점 O를 중심으로 등속 원운동을 하는 물체를 나타낸 것이고, (나)는 물체의 가속도의 x성분 a_x를 시간 t에 따라 나타낸 것이다.

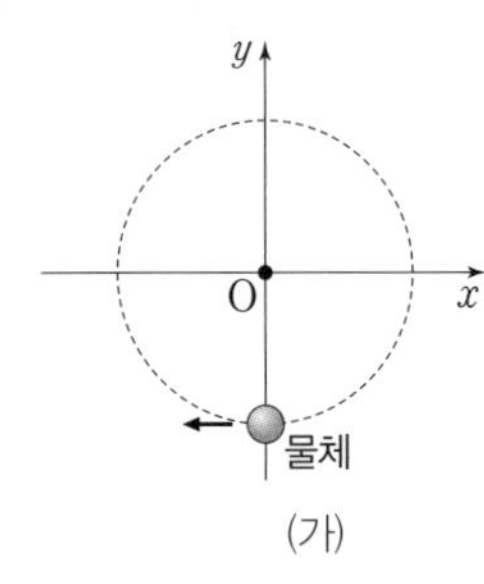

(가)

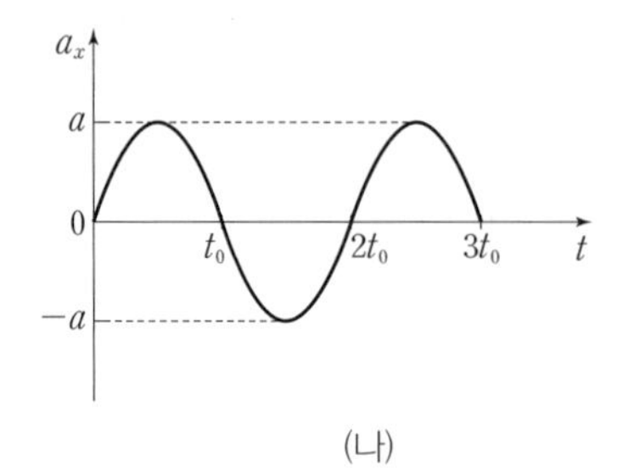

(나)

이에 대한 설명으로 옳은 것만을 〈보기〉에서 있는 대로 고른 것은?

보기

ㄱ. 원 궤도의 반지름은 $\frac{at_0^2}{\pi^2}$이다.

ㄴ. 물체의 운동 방향은 $t=t_0$일 때와 $t=2t_0$일 때가 서로 반대이다.

ㄷ. $t=3t_0$일 때, 물체의 가속도의 y성분 크기는 a이다.

① ㄱ　② ㄷ　③ ㄱ, ㄴ　④ ㄴ, ㄷ　⑤ ㄱ, ㄴ, ㄷ

02

▸24070-0049

그림과 같이 수평면에서 원점 O와 실로 연결된 물체가 반지름이 r인 원 궤도를 따라 등속 원운동을 하다가 점 p에서 실이 끊어져 등속도 운동을 하여 점 q를 지난다. O와 q 사이의 거리는 $2r$이다. 물체가 p에서 q까지 운동하는 데 걸린 시간은 t이다.

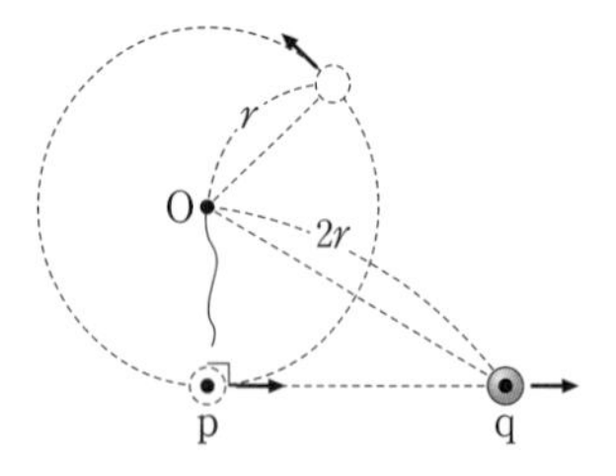

물체가 원운동을 하는 동안, 물체의 운동에 대한 설명으로 옳은 것만을 〈보기〉에서 있는 대로 고른 것은? (단, 물체의 크기, 실의 질량은 무시한다.)

보기

ㄱ. 속력은 $\frac{\sqrt{3}r}{t}$이다.

ㄴ. 원운동 주기는 $\frac{2\sqrt{3}}{3}\pi t$이다.

ㄷ. 구심 가속도의 크기는 $\frac{3r}{t^2}$이다.

① ㄱ　② ㄷ　③ ㄱ, ㄴ　④ ㄴ, ㄷ　⑤ ㄱ, ㄴ, ㄷ

03

▸24070-0050

그림 (가)와 (나)는 실의 한쪽 끝에 질량이 각각 $m_{(가)}$, $m_{(나)}$인 추를 매달고, 유리관 속을 통과시킨 실의 다른 쪽 끝에는 물체 A를 달아 각각 등속 원운동 시키는 모습을 나타낸 것이다. (가), (나)에서 유리관 끝점 O에서 A까지의 실의 길이는 l로 같고 실이 연직 방향과 이루는 각은 각각 60°, 30°이다.

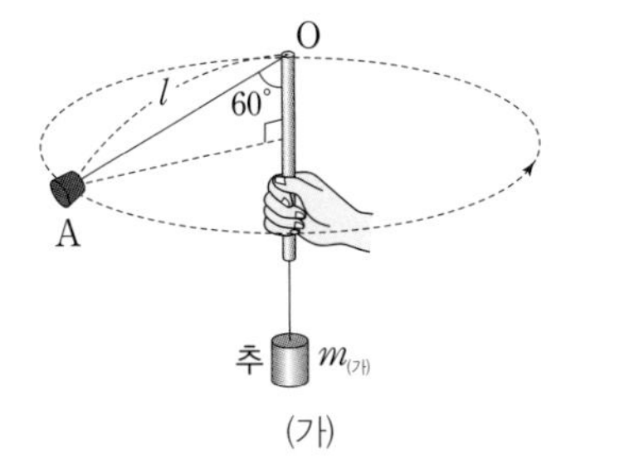

(가)

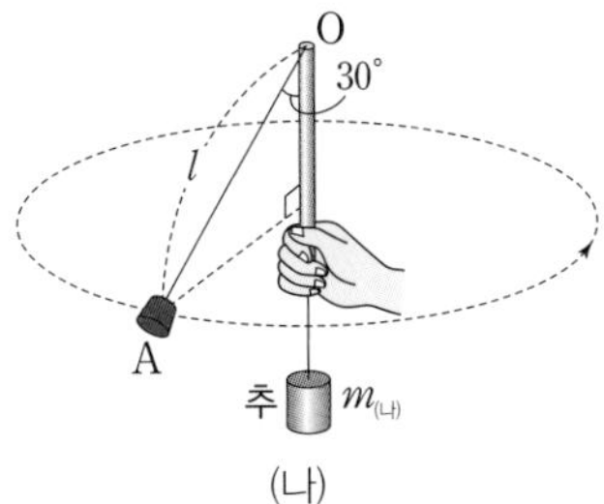

(나)

$\frac{m_{(나)}}{m_{(가)}}$는? (단, 유리관의 굵기, 물체의 크기, 실의 질량, 모든 마찰과 공기 저항은 무시한다.)

① $\frac{\sqrt{3}}{3}$　② $\frac{\sqrt{2}}{2}$　③ 1　④ $\sqrt{2}$　⑤ $\sqrt{3}$

04

▸24070-0051

그림과 같이 질량이 m인 물체가 수평면과 이루는 각이 45°인 원뿔면에서 반지름이 r인 원 궤도를 따라 등속 원운동을 한다.

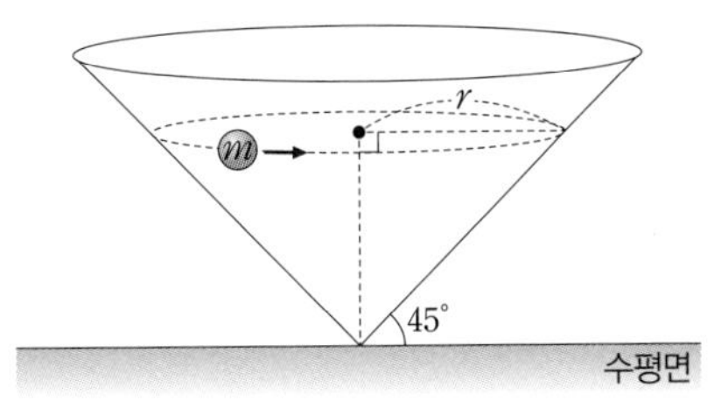

이에 대한 설명으로 옳은 것만을 〈보기〉에서 있는 대로 고른 것은? (단, 중력 가속도는 g이고, 물체의 크기는 무시한다.)

보기
ㄱ. 원뿔면이 물체를 떠받치는 힘의 크기는 $2mg$이다.
ㄴ. 물체의 속력은 $\sqrt{gr}$이다.
ㄷ. 원운동 주기는 $2\pi\sqrt{\frac{r}{g}}$이다.

① ㄱ　② ㄷ　③ ㄱ, ㄴ　④ ㄴ, ㄷ　⑤ ㄱ, ㄴ, ㄷ

05

▸24070-0052

그림과 같이 위성 A, B가 행성을 중심으로 반지름이 각각 r, $2r$인 원 궤도를 따라 등속 원운동을 한다. A와 B의 운동 에너지는 같다.

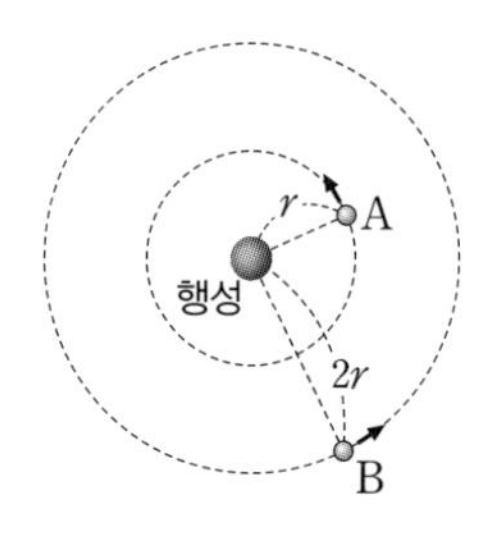

이에 대한 설명으로 옳은 것만을 〈보기〉에서 있는 대로 고른 것은? (단, A, B에는 행성에 의한 중력만 작용한다.)

보기
ㄱ. 위성에 작용하는 중력의 크기는 A가 B의 4배이다.
ㄴ. 위성의 질량은 B가 A의 2배이다.
ㄷ. 공전 주기는 B가 A의 2배이다.

① ㄱ ② ㄴ ③ ㄱ, ㄷ ④ ㄴ, ㄷ ⑤ ㄱ, ㄴ, ㄷ

06

▸24070-0053

그림은 행성을 한 초점으로 하는 각각의 타원 궤도를 따라 공전하는 위성 A, B를 나타낸 것이다. 점 p, r는 각각 A, B가 행성으로부터 가장 먼 지점이고, 점 q는 B가 행성으로부터 가장 가까운 지점이면서 A의 궤도의 중심이다. A가 행성으로부터 가장 가까운 지점 r에서 A, B의 궤도가 접한다. B에 작용하는 중력의 크기는 q에서가 r에서의 4배이다.

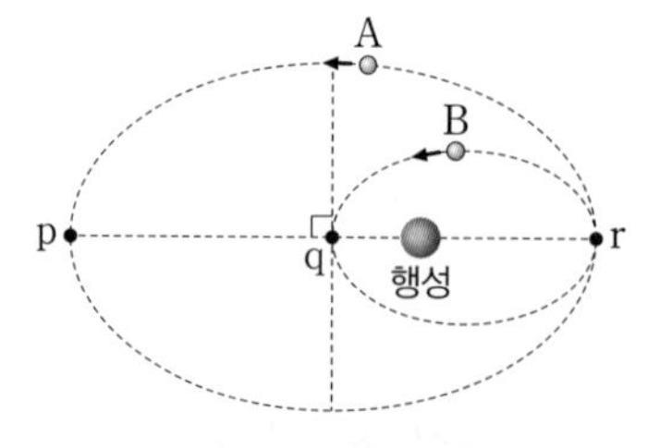

위성에 대한 설명으로 옳은 것만을 〈보기〉에서 있는 대로 고른 것은? (단, A, B에는 행성에 의한 중력만 작용한다.)

보기
ㄱ. r에서 속력은 A가 B보다 크다.
ㄴ. 공전 주기는 A가 B의 $2\sqrt{2}$배이다.
ㄷ. q에서 B의 가속도의 크기는 p에서 A의 가속도의 크기의 16배이다.

① ㄱ ② ㄷ ③ ㄱ, ㄴ ④ ㄴ, ㄷ ⑤ ㄱ, ㄴ, ㄷ

1 가속 좌표계와 관성력

(1) 가속 좌표계

① 관성 좌표계: 정지 또는 등속도 운동을 하고 있는 관찰자를 기준으로 하는 좌표계

② 가속 좌표계: 가속도 운동을 하는 관찰자를 기준으로 하는 좌표계

(2) 관성력

① 가속 좌표계에서 뉴턴 운동 제2법칙을 만족하기 위한 가상의 힘

② 가속도가 $\vec{a}$인 가속 좌표계에서 질량이 m인 물체에 작용하는 관성력 $\vec{F}_{관}$의 크기는 ma이고 방향은 계의 가속도와 반대 방향이다.

$$\vec{F}_{관}=-m\vec{a}$$

(3) 관성력의 예

① 지면에 대해 가속도 $\vec{a}$로 가속도 운동을 하는 버스

- 버스 밖의 정지 상태인 관찰자: 그림 (가)에서 추에 작용하는 알짜힘은 $m\vec{a}$이고 추에는 중력 $m\vec{g}$와 줄이 추를 당기는 힘 $\vec{T}$가 작용한다고 관측한다.

$$m\vec{g}+\vec{T}=m\vec{a}$$

- 버스 안의 정지 상태인 관찰자: 그림 (나)에서 추에 작용하는 알짜힘은 0이고, 추에는 중력 $m\vec{g}$, 줄이 추를 당기는 힘 $\vec{T}$, 추에 작용하는 관성력 $\vec{F}_{관}$이 작용한다고 관측한다.

$$m\vec{g}+\vec{T}+\vec{F}_{관}=0$$

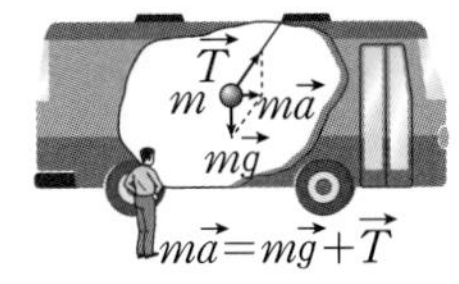

(가) 지면에 서 있는 사람이 본 추에 작용하는 힘

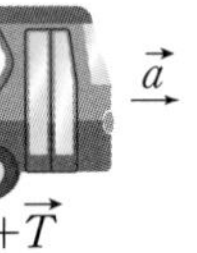

(나) 버스 안에 정지한 사람이 본 추에 작용하는 힘의 평형

② 원운동을 하는 버스

- 버스 밖의 정지 상태인 관찰자: 그림 (가)에서 추에 작용하는 알짜힘은 $m\vec{a}$, 추에는 중력 $m\vec{g}$와 줄이 추를 당기는 힘 $\vec{T}$가 작용한다고 관측한다.

$$m\vec{g}+\vec{T}=m\vec{a}$$

- 버스 안에 정지 상태인 관찰자: 그림 (나)에서 추에 작용하는 알짜힘은 0이고, 추에 작용하는 힘은 중력 $m\vec{g}$, 줄이 추를 당기는 힘 $\vec{T}$, 추에 작용하는 관성력 $\vec{F}_{관}$이 작용한다고 관측한다.

$$m\vec{g}+\vec{T}+\vec{F}_{관}=0$$

- 원심력: 원운동을 하는 좌표계에서 중심에서 멀어지는 방향으로 나타나는 관성력

(가) 지면에 정지해 있는 사람이 본 추에 작용하는 힘

(나) 버스 안에 정지한 사람이 본 추에 작용하는 힘의 평형

2 등가 원리와 일반 상대성 이론

(1) 등가 원리

① 등가 원리: 관성력과 중력은 근본적으로 구분할 수 없다는 원리이다.

② 우주선 밖을 볼 수 없는 우주선 안의 관찰자는 포물선 경로를 따라 운동하는 물체의 운동이 중력 때문인지 관성력 때문인지 구분할 수 없다.

③ 우주선의 한쪽 벽면에서 방출된 빛은 그림 (가)와 같이 가속도 운동을 하는 우주선 안의 관찰자가 볼 때 휘어져 진행하며, 등가 원리에 의해 (나)와 같이 지구 표면에 정지해 있는 우주선 안의 관찰자가 볼 때도 휘어져 진행한다.

(가)

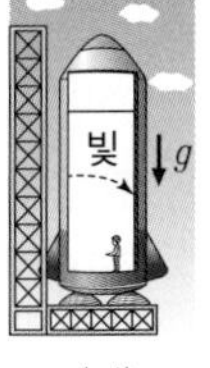

(나)

(2) 관성 질량과 중력 질량

① 관성 질량: 운동 법칙 $F=ma$의 관계에서 나타나는 질량

② 중력 질량: 중력 $F=G\frac{m_1m_2}{r^2}$의 관계에서 나타나는 질량

③ 중력 질량과 관성 질량은 같다.

더 알기 승강기의 운동 상태에 따른 저울의 측정값 변화

- 승강기의 속도-시간 그래프(연직 위: +)

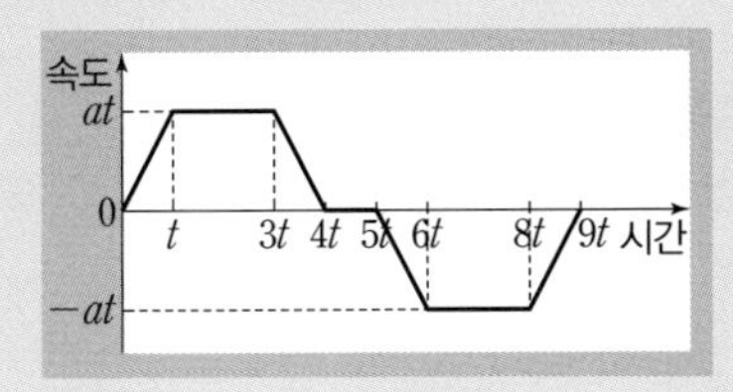

- 승강기에 타고 있는 질량 m인 물체에 작용하는 관성력 및 저울의 측정값

(중력 가속도는 g이고, $a<g$이다.)

운동 구간	$0\sim t$	$t\sim 3t$	$3t\sim 4t$	$4t\sim 5t$	$5t\sim 6t$	$6t\sim 8t$	$8t\sim 9t$
가속도	a	0	$-a$	0	$-a$	0	a
관성력	$-ma$	0	ma	0	ma	0	$-ma$
저울의 측정값	$m(g+a)$	mg	$m(g-a)$	mg	$m(g-a)$	mg	$m(g+a)$

(3) 일반 상대성 이론

① 1915년 아인슈타인은 등가 원리를 바탕으로 새로운 중력 이론인 일반 상대성 이론을 완성하였다.

② 시공간의 휘어짐: 질량에 의해 시공간이 휘어진다.

③ 시간 지연: 시공간이 많이 휘어질수록 시간이 느리게 간다.

④ 중력파: 초신성 폭발과 같은 현상으로 시공간이 요동을 치게 되어 파동의 형태로 퍼져 나가는 것을 중력파라고 한다.

3 일반 상대성 이론의 증거

(1) 수성의 세차 운동 설명

① 수성의 세차 운동: 뉴턴 중력 법칙을 적용하면 수성의 근일점의 세차 운동의 예측값과 관측값이 100년에 약 43″의 오차가 나타난다.

② 태양의 질량에 의해 시공간이 휘어져 있다는 일반 상대성 이론을 적용하여 오차를 설명할 수 있다.

(2) GPS 위성의 시간 보정: 지표면보다 위성이 있는 곳의 중력이 작아 시간이 빠르게 가기 때문에 시간의 차이를 보정해 주어야 한다.

(3) 시공간의 휘어짐

① 태양 주위의 시공간이 휘어져 있다면 태양 근처를 지나는 빛도 휘어진다.

➡ 1919년 영국의 과학자 에딩턴은 일식이 일어날 때 태양 주위에서 관측한 별의 위치와 실제 위치가 차이가 있음을 발견하여 일반 상대성 이론의 예측이 옳음을 증명하였다.

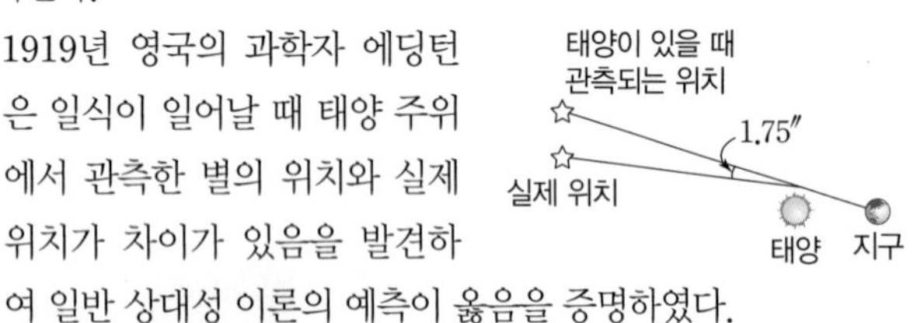

② 중력 렌즈 효과: 먼 곳에 있는 밝은 별에서 나온 빛이 지구에 도달할 때 중간에 질량이 매우 큰 천체가 있으면 빛이 휘어져 별의 상이 여러 개로 보일 수 있다. 이처럼 중력이 렌즈처럼 빛을 휘게 하는 것을 중력 렌즈라고 한다.

예 아인슈타인의 십자가, 아인슈타인의 고리

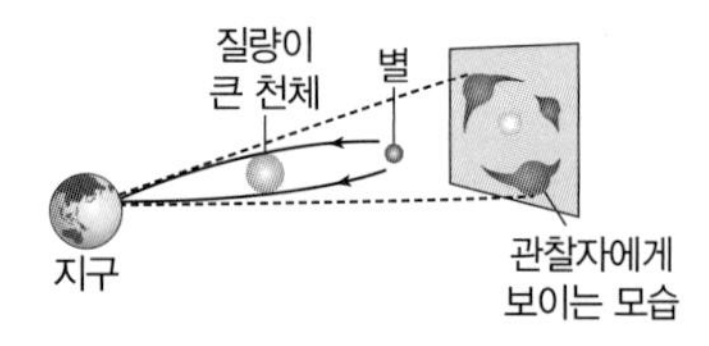

4 블랙홀

(1) 탈출 속도

① 탈출 속도: 물체가 천체의 중력을 벗어나 무한히 먼 곳까지 가기 위한 최소한의 속도

② 질량이 M이고 반지름이 R인 천체 표면에서의 탈출 속도는 $\sqrt{\frac{2GM}{R}}$ (G: 중력 상수)이다.

③ 탈출 속도가 빛의 속도보다 큰 천체에서는 빛조차 천체의 중력을 벗어날 수 없다.

(2) 블랙홀

① 블랙홀: 질량이 아주 큰 별이 진화의 마지막 단계에서 자체 중력이 매우 커서 스스로 붕괴되어 빛조차도 탈출할 수 없는 천체를 블랙홀이라고 한다.

② 사건의 지평선: 중력이 클수록 시간이 느리게 가며, 블랙홀의 어떤 경계에서는 시간이 멈춘 것처럼 보인다.

③ 항성의 밀도에 따른 시공간의 휘어짐: 일반 상대성 이론에 따르면 질량이 큰 천체일수록 주변의 시공간을 휘게 하는 정도가 크며, 중력에 의한 수축으로 극도로 밀도가 큰 천체는 시공간을 극단적으로 휘게 만든다.

④ 별의 질량에 따른 블랙홀의 형성: 태양 정도의 별이 붕괴하면 백색 왜성이 되고, 별이 핵융합 과정을 끝내고 초신성 폭발 이후 남은 질량이 태양 질량의 1.4배보다 큰 별은 중성자별이 되며, 태양 질량의 3배보다 큰 별은 블랙홀이 될 수 있다.

⑤ 블랙홀의 발견: 블랙홀 주변의 물질이 블랙홀로 빨려 들어갈 때 매우 높은 온도로 가열되어 X선을 방출하는데, 이 X선을 관측하여 블랙홀을 발견할 수 있다.

더 알기 탈출 속도

• 천체로부터 무한히 먼 곳에서 물체의 퍼텐셜 에너지

$$U=0$$

• 반지름이 R, 질량이 M인 천체의 중심에서 r만큼 떨어진 곳에 있는 질량이 m인 물체의 퍼텐셜 에너지

$$U=-G\frac{Mm}{r}$$

• 천체 중심으로부터 r만큼 떨어진 곳에서 속력 v로 운동하는 물체의 역학적 에너지

$$E=K+U=\frac{1}{2}mv^2-G\frac{Mm}{r}$$

• 천체 표면에서 속도의 크기 v_0으로 발사된 물체의 역학적 에너지

$$E=K+U=\frac{1}{2}mv_0^2-G\frac{Mm}{R}$$

• 물체가 천체로부터 탈출하기 위해서는 무한히 먼 곳에서의 역학적 에너지가 $E\geq0$가 되어야 한다.

• 천체 표면에서 발사된 물체의 역학적 에너지가 $E=0$이 되도록 하는 물체의 발사 속도의 크기를 탈출 속도라 한다.

• 탈출 속도(v_e)

$$E=\frac{1}{2}mv_e^2-G\frac{Mm}{R}=0,\ v_e=\sqrt{\frac{2GM}{R}}$$

테마 대표 문제

| 2024학년도 수능 |

그림 (가)는 엘리베이터의 천장에 실로 매달린 물체 A가 지표면에 고정된 관성 좌표계에 대해 엘리베이터와 함께 정지해 있는 것을 나타낸 것이다. 그림 (나)는 (가)의 순간부터 엘리베이터가 A와 함께 연직 위 방향으로 운동할 때, 지표면에 고정된 관성 좌표계에서 측정한 A의 속력 v를 시간 t에 따라 나타낸 것이다.

실이 A를 당기는 힘의 크기 F를 t에 따라 나타낸 것으로 가장 적절한 것은?

①

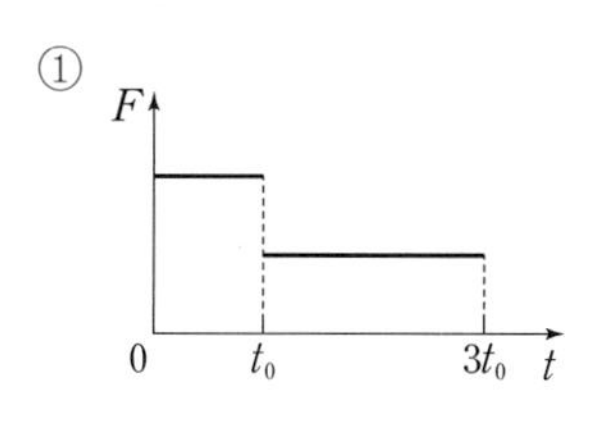

②

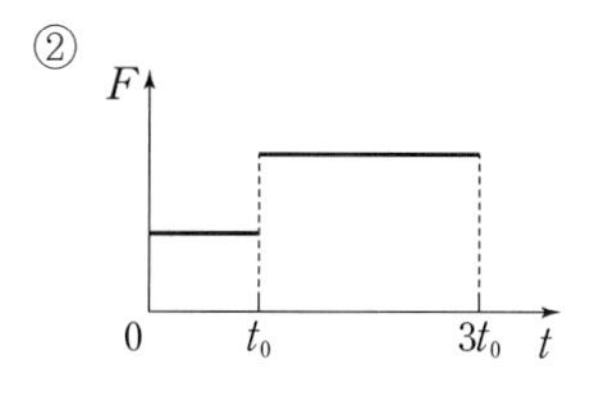

③

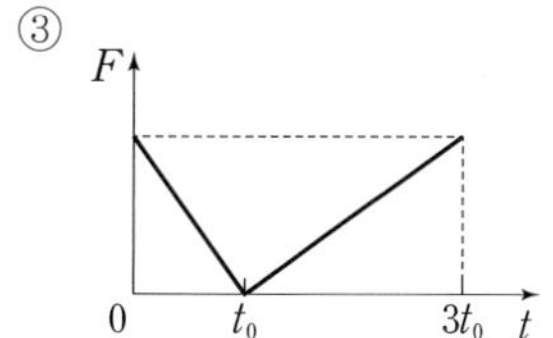

④

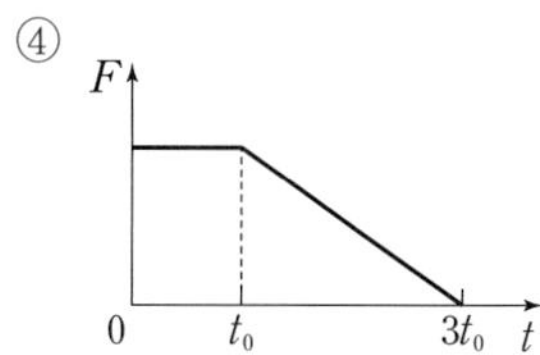

⑤

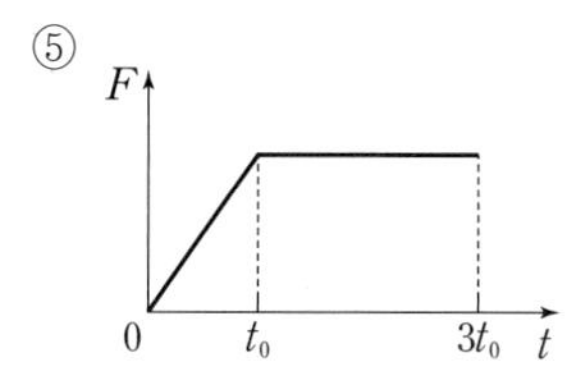

접근 전략

엘리베이터가 가속 운동을 하면 엘리베이터에 고정된 좌표계에서 A에는 엘리베이터의 가속도 방향과 반대 방향으로 관성력이 작용한다.

간략 풀이

0부터 t_0까지 엘리베이터는 연직 위 방향으로 등가속도 운동을 하므로 이 시간 동안 엘리베이터에 고정된 좌표계에서 A에는 연직 아래 방향으로 일정한 관성력이 작용한다. t_0부터 $3t_0$까지 엘리베이터가 등속도 운동을 하므로 A에 작용하는 관성력은 없고, 실이 A에 작용하는 힘의 크기는 A에 작용하는 중력과 같다.

정답 | ①

닮은 꼴 문제로 유형 익히기

정답과 해설 13쪽

▸24070-0054

그림 (가)는 엘리베이터의 천장에 실로 매달린 질량이 m인 물체 A가 지표면에 고정된 관성 좌표계에 대해 엘리베이터와 함께 정지해 있는 것을 나타낸 것이다. 그림 (나)는 (가)의 순간부터 엘리베이터가 A와 함께 연직 위 방향으로 운동할 때, 지표면에 고정된 관성 좌표계에서 측정한 A의 속력 v를 시간 t에 따라 나타낸 것이다. 실이 A를 당기는 힘의 크기는 $t=0.5t_0$일 때가 $t=3.5t_0$일 때의 2배이다.

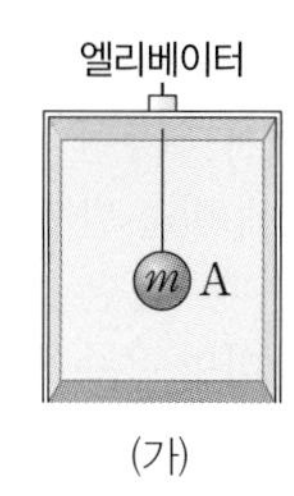

(가)

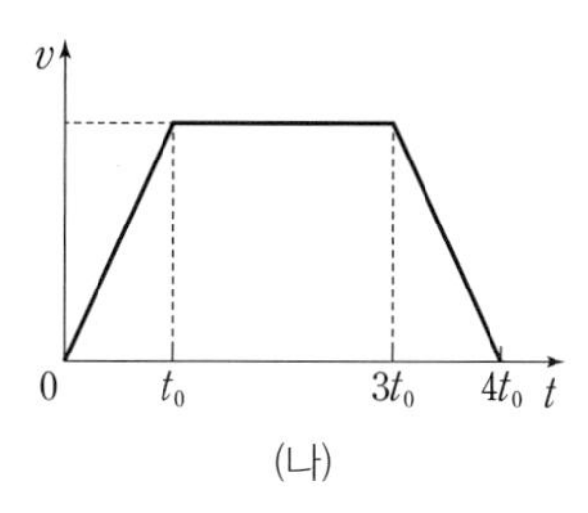

(나)

$t=0.5t_0$일 때 엘리베이터에 고정된 좌표계에서, A에 작용하는 관성력의 크기는? (단, 중력 가속도는 g이다.)

① $\frac{mg}{4}$　② $\frac{mg}{3}$　③ $\frac{mg}{2}$　④ mg　⑤ $2mg$

유사점과 차이점

엘리베이터가 가속 운동할 때의 관성력에 대해 다룬다는 점에서 대표 문제와 유사하지만, 엘리베이터의 운동 방향과 가속도 방향이 같을 때와 운동 방향과 가속도 방향이 반대일 때의 관성력에 대해 모두 다룬다는 점에서 대표 문제와 다르다.

배경 지식

엘리베이터에 고정된 좌표계에서 관성력은 가속도 방향과 반대 방향으로 작용한다.

01

▸24070-0055

그림과 같이 수평면에 정지해 있는 학생 A에 대해 질량이 $2m$인 학생 B가 탄 버스가 x축과 나란하게 등가속도 직선 운동을 하고 있다. 버스의 천장과 연결된 실에 질량이 m인 물체 C가 매달려 있다. 실과 연직선이 이루는 각은 θ로 일정하다. A가 관측한 버스의 운동 방향과 B가 관측한 C에 작용하는 관성력의 방향은 서로 같다.

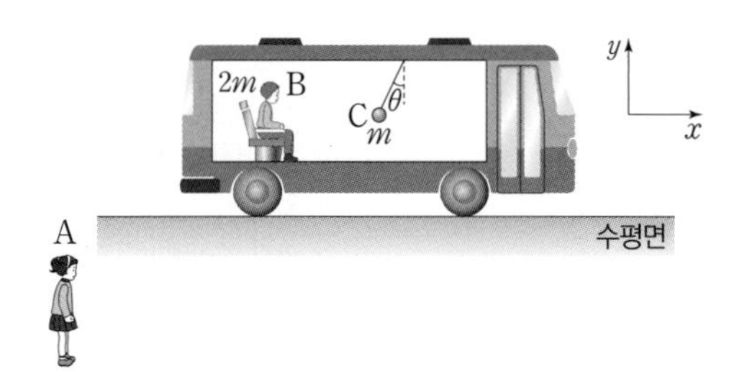

이에 대한 설명으로 옳은 것만을 <보기>에서 있는 대로 고른 것은?

보기

ㄱ. A가 관측할 때, 버스의 운동 방향은 $+x$방향이다.
ㄴ. A가 관측할 때, 버스의 속력은 감소하고 있다.
ㄷ. B가 관측할 때, B와 C에 작용하는 관성력의 크기는 같다.

① ㄱ ② ㄴ ③ ㄷ ④ ㄱ, ㄴ ⑤ ㄴ, ㄷ

02

▸24070-0056

그림과 같이 지면에 대해 연직 위로 운동하고 있는 승강기의 수평한 바닥에 저울이 놓여 있고, 저울 위에는 질량이 m인 물체 A가 가만히 올려져 있다. 저울에서는 일정한 값이 측정되고 있다. 승강기의 가속도의 크기는 a로 일정하고, 가속도의 방향은 연직 아래 방향이다.

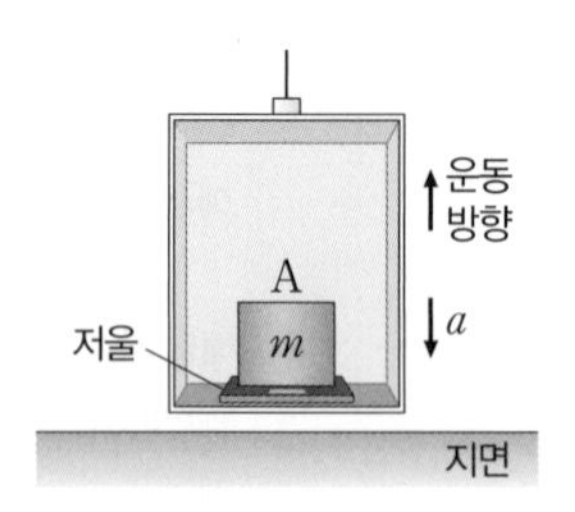

이에 대한 설명으로 옳은 것만을 <보기>에서 있는 대로 고른 것은? (단, 중력 가속도는 g이고, $a < g$이다.)

보기

ㄱ. 지면에 고정된 좌표계에서 관측할 때, 승강기의 속력은 증가하고 있다.
ㄴ. 지면에 고정된 좌표계에서 관측할 때, A의 가속도의 크기는 $g+a$이다.
ㄷ. 저울에 측정된 값은 $mg-ma$이다.

① ㄱ ② ㄴ ③ ㄷ ④ ㄱ, ㄷ ⑤ ㄴ, ㄷ

03

▸24070-0057

그림 (가)와 같이 지표면에 정지해 있는 우주선에 타고 있는 학생 A가 우주선에 고정된 점 p에서 물체를 가만히 놓았더니 물체가 $-y$방향으로 운동하여 우주선의 바닥 위의 점 q에 도달하였다. 물체가 p에서 q까지 운동하는 데 걸린 시간은 t이다. 그림 (나)와 같이 (가)에서와 동일한 우주선이 텅 빈 우주 공간에서 $+y$방향으로 등가속도 운동을 할 때 A가 (가)에서와 동일한 물체를 p에서 가만히 놓았더니 물체가 $-y$방향으로 운동하여 q에 도달하였다. 물체를 놓기 전 저울에 측정된 값은 (나)에서가 (가)에서의 2배이다.

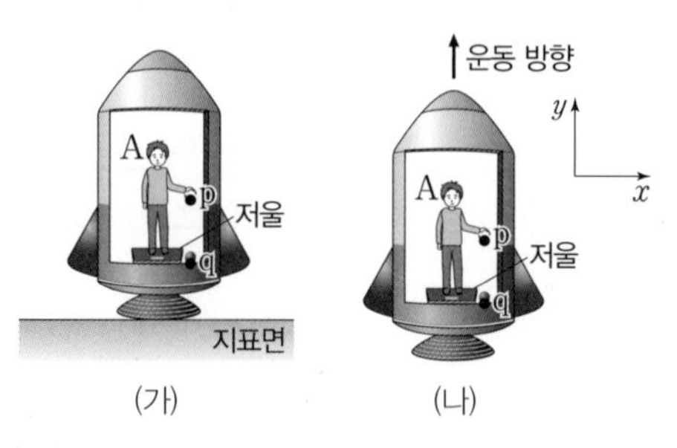

A가 관측할 때, 이에 대한 설명으로 옳은 것만을 <보기>에서 있는 대로 고른 것은? (단, 물체의 크기와 공기 저항은 무시한다.)

보기

ㄱ. (나)에서 물체에 작용하는 관성력의 방향은 $-y$방향이다.
ㄴ. q에 닿기 직전 물체의 속력은 (나)에서가 (가)에서의 2배이다.
ㄷ. (나)에서 물체가 p에서 q까지 운동하는 데 걸리는 시간은 $\frac{\sqrt{2}}{2}t$이다.

① ㄱ ② ㄴ ③ ㄷ ④ ㄱ, ㄷ ⑤ ㄴ, ㄷ

04

▸24070-0058

다음은 일반 상대성 이론으로 설명할 수 있는 어떤 현상이다.

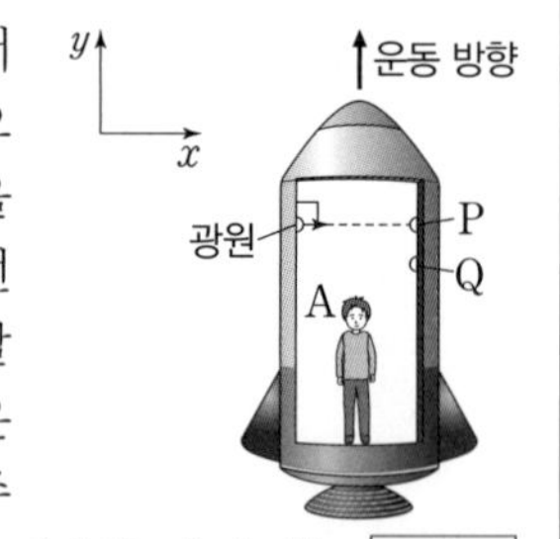

그림과 같이 텅 빈 우주 공간에서 학생 A가 탄 우주선이 $+y$방향으로 등가속도 직선 운동을 하고 있을 때, 우주선 내부의 광원에서 우주선 내부에 고정된 점 P를 향해 빛을 발사하면 A가 관찰할 때 빛은 [㉠] 경로를 따라 진행하며 우주선 내부의 점 Q에 도달한다. A가 관측할 때 A에는 [㉡] 방향의 관성력이 작용하고 있고, 등가 원리에 의하면 관성력과 [㉢]을 구분할 수 없으므로 [㉢]에 의해서도 이러한 현상이 나타난다.

㉠, ㉡, ㉢으로 가장 적절한 것은?

	㉠	㉡	㉢
①	직선	$+y$	중력
②	직선	$+y$	전기력
③	곡선	$+y$	자기력
④	곡선	$-y$	중력
⑤	곡선	$-y$	전기력

05

▸24070-0059

그림은 별에서 발생한 빛이 태양에 의해 휘어진 경로를 따라 진행하여 지구에 도달하는 것을 나타낸 것이다.
이에 대한 설명으로 옳은 것만을 〈보기〉에서 있는 대로 고른 것은?

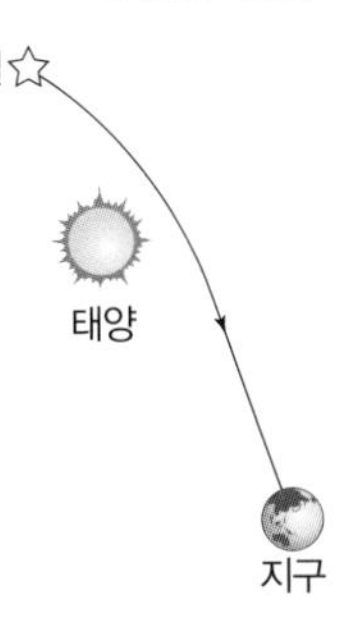

보기
ㄱ. 태양 주위의 시공간은 휘어져 있다.
ㄴ. 일반 상대성 이론으로 설명할 수 있다.
ㄷ. 지구에서 관측할 때, 별이 실제 위치와 다른 위치에 있는 것으로 관측될 수 있다.

① ㄱ ② ㄷ ③ ㄱ, ㄴ ④ ㄴ, ㄷ ⑤ ㄱ, ㄴ, ㄷ

06

▸24070-0060

그림은 학생 A, B, C가 탈출 속력에 대해 대화하는 모습을 나타낸 것이다.

제시한 내용이 옳은 학생만을 있는 대로 고른 것은?

① A ② B ③ A, C ④ B, C ⑤ A, B, C

07

▸24070-0061

그림은 지구에서 관측할 때, 천체 A의 중력에 의해 천체 B가 4개로 보이는 아인슈타인의 십자가를 나타낸 것이다.

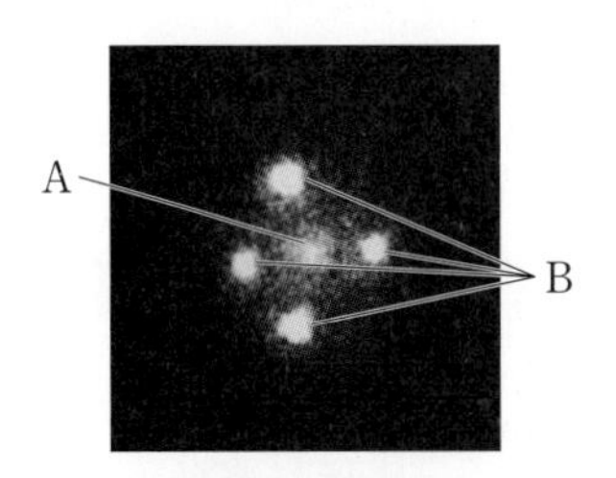

이에 대한 설명으로 옳은 것만을 〈보기〉에서 있는 대로 고른 것은?

보기
ㄱ. 중력 렌즈 현상으로 설명할 수 있다.
ㄴ. 지구로부터의 거리는 A가 B보다 크다.
ㄷ. A 주위의 시공간이 휘어져 있다.

① ㄱ ② ㄴ ③ ㄱ, ㄷ ④ ㄴ, ㄷ ⑤ ㄱ, ㄴ, ㄷ

08

▸24070-0062

그림은 천체 A 주위를 지나던 빛이 A의 중력에 의해 경로가 휘어지며 A를 빠져나가지 못하는 것을 나타낸 것이다.

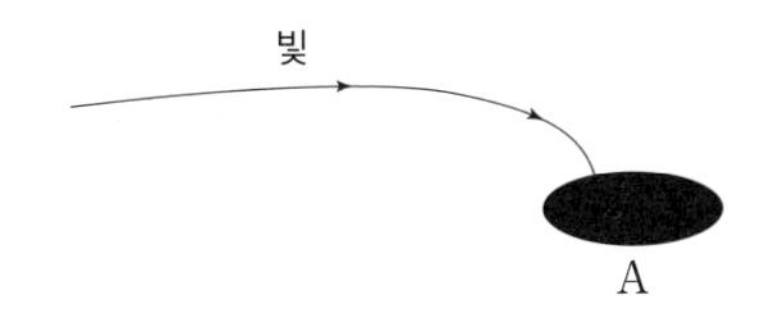

이에 대한 설명으로 옳은 것만을 〈보기〉에서 있는 대로 고른 것은?

보기
ㄱ. A는 블랙홀이다.
ㄴ. A의 질량이 클수록 A 주변의 시공간은 더 많이 휘어진다.
ㄷ. 뉴턴의 중력 법칙으로 설명할 수 있다.

① ㄱ ② ㄷ ③ ㄱ, ㄴ ④ ㄴ, ㄷ ⑤ ㄱ, ㄴ, ㄷ

01

▸24070-0063

그림 (가)는 연직 방향으로 움직일 수 있는 승강기의 바닥 위에 질량이 60 kg인 학생 A가 가만히 서 있는 모습을 나타낸 것이고, 그림 (나)는 0초일 때 연직 위 방향으로 운동을 시작하는 승강기의 속도를 시간에 따라 나타낸 것이다.

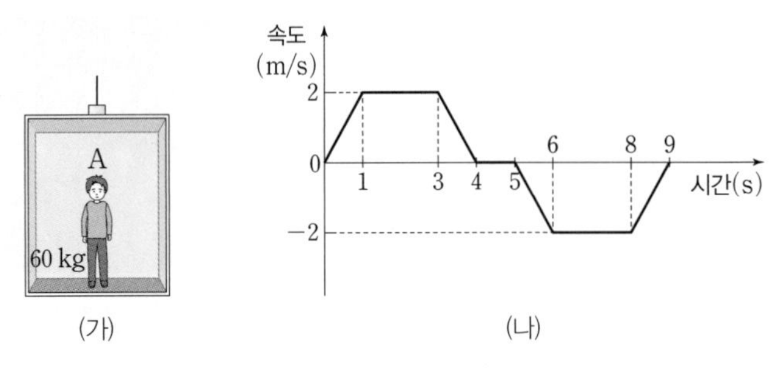

(가) (나)

이에 대한 설명으로 옳은 것만을 〈보기〉에서 있는 대로 고른 것은? (단, 중력 가속도는 10 m/s²이다.)

보기

ㄱ. 0.5초일 때 승강기가 A에 작용하는 힘의 크기는 720 N이다.

ㄴ. 승강기에 고정된 좌표계에서 A에 작용하는 관성력의 방향은 3.5초일 때와 5.5초일 때가 같다.

ㄷ. 7초일 때 A에 작용하는 알짜힘은 0이다.

① ㄱ ② ㄴ ③ ㄱ, ㄷ ④ ㄴ, ㄷ ⑤ ㄱ, ㄴ, ㄷ

02

▸24070-0064

그림과 같이 수평면에서 버스 A, B가 각각 등가속도 직선 운동을 하고 있다. A, B의 가속도의 방향은 모두 $+x$방향이고 가속도의 크기는 각각 $2a$, a이다. A와 B에는 질량이 각각 m, $2m$인 물체 C, D가 실에 매달려 있으며, 실과 연직선이 이루는 각은 각각 θ, θ'로 일정하게 유지되고 있다.

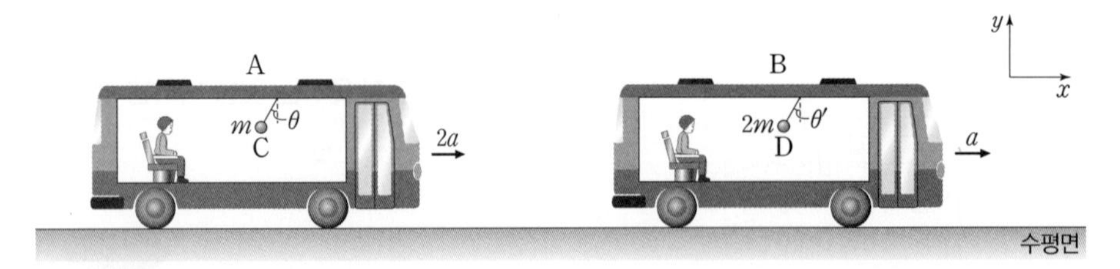

이에 대한 설명으로 옳은 것만을 〈보기〉에서 있는 대로 고른 것은? (단, 실의 질량은 무시한다.)

보기

ㄱ. A에 고정된 좌표계에서 관측한 C에 작용하는 관성력의 크기는 B에 고정된 좌표계에서 관측한 D에 작용하는 관성력의 크기와 같다.

ㄴ. $\theta > \theta'$이다.

ㄷ. 실이 D에 작용하는 힘의 크기가 실이 C에 작용하는 힘의 크기보다 크다.

① ㄱ ② ㄴ ③ ㄱ, ㄷ ④ ㄴ, ㄷ ⑤ ㄱ, ㄴ, ㄷ

03

▸24070-0065

그림 (가), (나)는 텅 빈 우주 공간에서 학생 A, B가 탄 우주선이 $+y$방향으로 직선 운동을 하고 있을 때 $+x$방향으로 진행하던 빛이 창문 P를 통해 입사하고 있는 것을 나타낸 것이다. (가)에서 우주선은 등속도 운동을, (나)에서 우주선은 운동 방향과 가속도 방향이 같은 등가속도 운동을 한다. P와 우주선 내부에 고정된 점 Q를 잇는 직선은 x축과 나란하다.

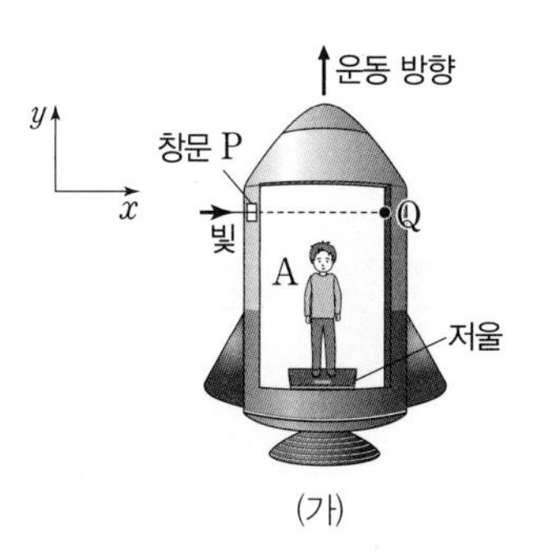

(가)

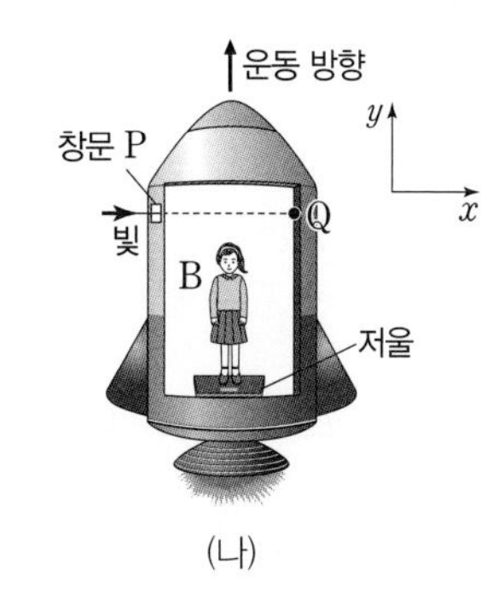

(나)

A, B가 각각 관측한 빛의 경로로 가장 적절한 것은?

	A	B
①	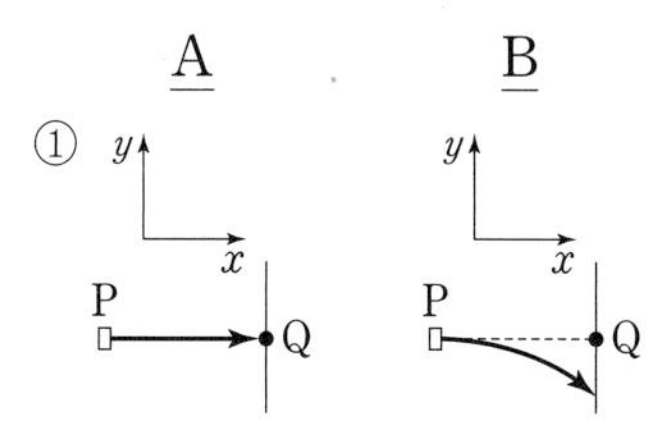	
②	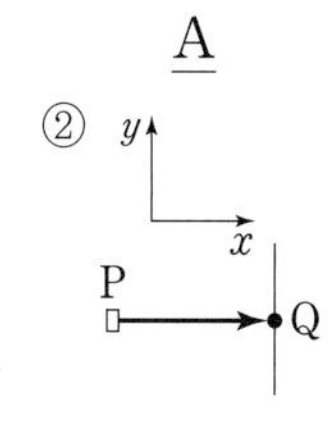	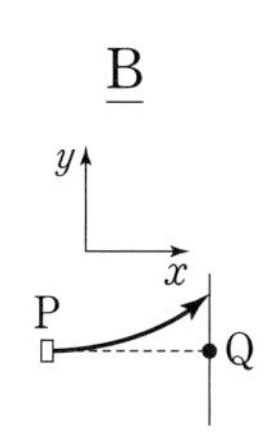
③	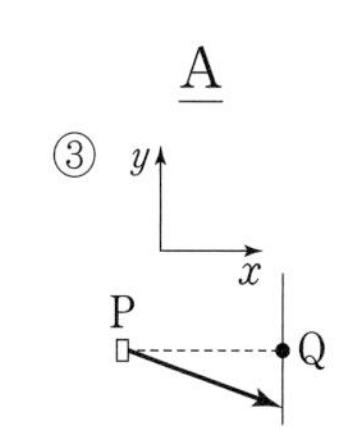	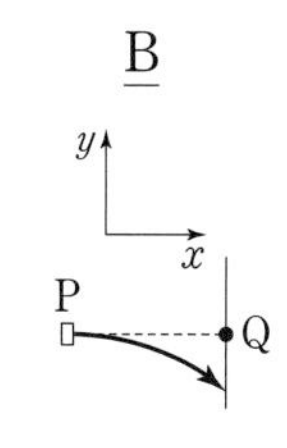
④	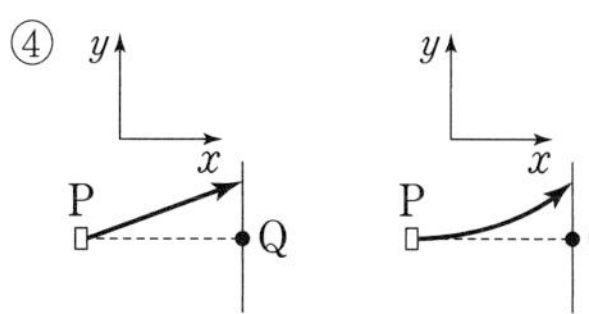	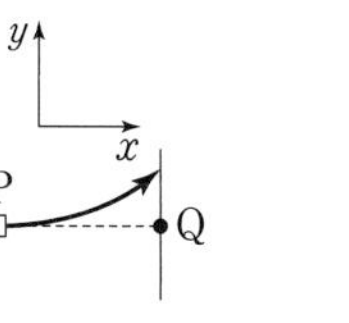
⑤	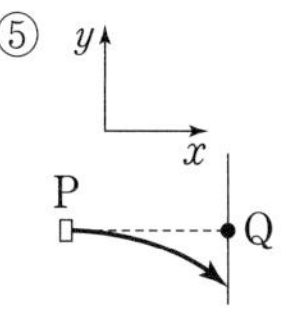	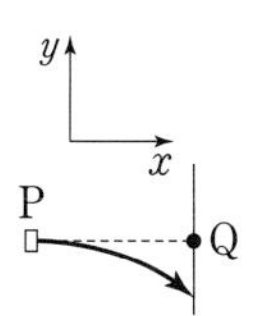

04

▸24070-0066

그림과 같이 텅 빈 우주 공간에서 학생 A에 대해 학생 B가 탄 우주선이 $+y$방향으로 등가속도 직선 운동을 하고 있다. B가 탑승한 우주선에서 저울에 측정된 값은 지표면에서 측정된 B의 무게보다 크다. 광원 P에서 발사된 빛은 우주선에 고정된 점 Q에 도달한다. B가 관찰할 때 P에서 Q까지의 거리는 L이고, P와 Q를 잇는 직선은 x축과 나란하다.

이에 대한 설명으로 옳은 것만을 〈보기〉에서 있는 대로 고른 것은?

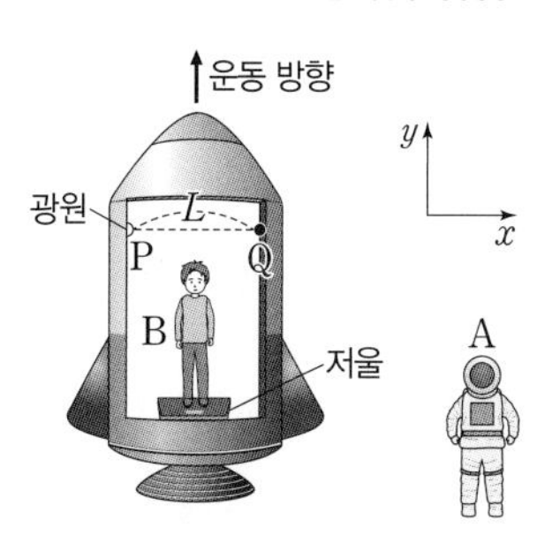

보기

ㄱ. A가 관찰할 때, P에서 발사된 빛이 Q에 도달하는 동안 빛이 이동한 거리는 L보다 크다.

ㄴ. B가 관찰할 때, Q에 도달하는 빛은 P에서 $+x$방향으로 발사된 빛이다.

ㄷ. B가 관찰할 때, P에서 발사된 빛은 휘어진다.

① ㄱ ② ㄴ ③ ㄱ, ㄷ ④ ㄴ, ㄷ ⑤ ㄱ, ㄴ, ㄷ

05

▸24070-0067

다음은 어떤 학자의 우주 여행선 제작 계획의 일부이다.

우주 여행선 제작 계획

장기간의 우주 여행에서 우주인들이 건강을 유지하기 위해서는 텅 빈 우주 공간의 우주 여행선에서도 우주인들이 지구의 지표면에서 느꼈던 중력을 그대로 느끼도록 해야 한다.

그림과 같이 중심축에서 끝 바닥까지의 거리가 R인 원형 고리 형태의 우주 여행선을 제작하고 원형 고리 내부에서 우주인들이 생활하도록 한다.

1. 지표면에서 우주인들에게 작용했던 중력의 크기와 텅 빈 우주 공간에서 우주인들에게 작용하는 [A]의 크기가 같도록 한다.
2. 우주 여행선이 가운데 중심축을 기준으로 일정한 각속도 ω로 회전하도록 한다.

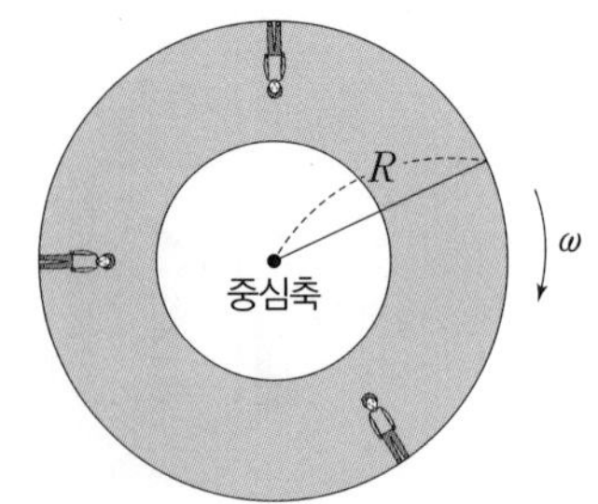

이에 대한 설명으로 옳은 것만을 〈보기〉에서 있는 대로 고른 것은?

보기

ㄱ. A는 '관성력'이 적절하다.
ㄴ. 우주인이 관측할 때, 자신에게 작용하는 관성력의 방향은 우주 여행선의 중심축을 향하는 방향이다.
ㄷ. 지표면에서와 같은 크기의 중력 가속도를 느끼기 위해서는 R가 큰 여행선일수록 ω를 크게 해야 한다.

① ㄱ ② ㄴ ③ ㄷ ④ ㄱ, ㄴ ⑤ ㄱ, ㄷ

06

▸24070-0068

그림 (가)는 반지름이 R인 구형의 행성 A의 표면에서 질량이 m인 물체가 발사될 때 A로부터 무한히 먼 곳에 도달할 수 있는 최소 발사 속력이 v인 것을 나타낸 것이다. 그림 (나)는 A와 밀도가 같고 반지름이 $2R$인 구형의 행성 B의 표면에서 질량이 $2m$인 물체가 발사될 때 B로부터 무한히 먼 곳에 도달할 수 있는 최소 발사 속력이 V인 것을 나타낸 것이다.

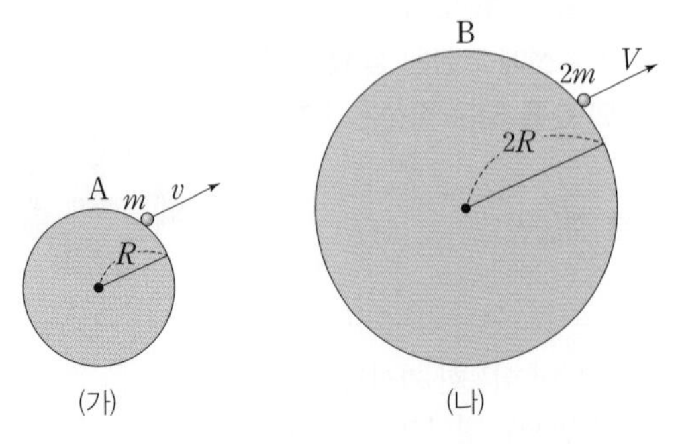

(가) (나)

V는? (단, A, B의 밀도는 균일하고, 물체의 크기, 행성의 운동과 공기 저항은 무시한다.)

① $\frac{v}{4}$ ② $\frac{v}{2}$ ③ v ④ $2v$ ⑤ $4v$

05 일과 에너지

① 일과 운동 에너지

(1) 일: 물체가 일직선을 따라 거리 s만큼 움직이는 동안 크기가 F인 일정한 힘을 운동 방향과 θ의 각을 이루며 물체에 작용했을 때, 그 힘이 물체에 한 일 W는 다음과 같다.

$$W=Fs\cos\theta \text{ [단위: N·m=J(줄)]}$$

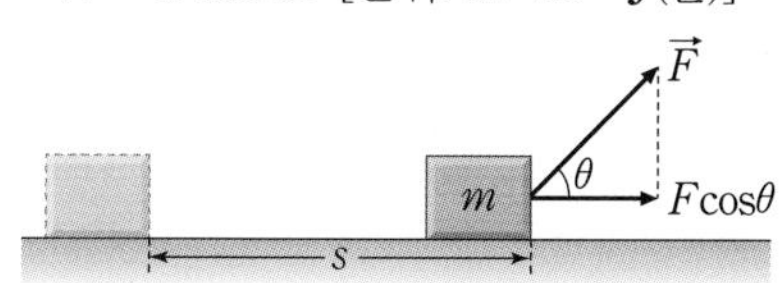

(2) 일·운동 에너지 정리

① 일·운동 에너지 정리: 질량 m인 물체에 일정한 알짜힘(합력) F를 작용하여 거리 s만큼 이동시킬 때, 알짜힘(합력) F가 한 일은 물체의 운동 에너지 변화량(ΔE_{k})과 같다. 이를 일·운동 에너지 정리라고 한다.

$$W=Fs=\frac{1}{2}mv^2-\frac{1}{2}mv_0^{\,2}=\Delta E_{\mathrm{k}}$$

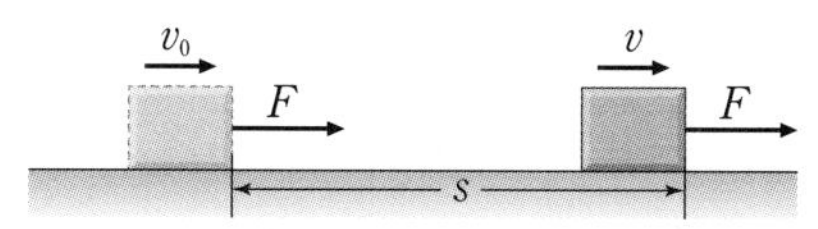

② 물체에 작용한 알짜힘(합력)의 방향이 물체의 운동 방향과 같으면 물체의 운동 에너지는 증가하고, 알짜힘의 방향이 물체의 운동 방향과 반대이면 물체의 운동 에너지는 감소한다.

③ 자유 낙하 하는 물체에 중력이 한 일: 자유 낙하 하는 물체의 높이가 h_1, h_2일 때 속력을 각각 v_1, v_2라고 하면, 중력이 한 일과 운동 에너지의 관계는 다음과 같다.

$$W=mg(h_1-h_2)=\frac{1}{2}mv_2^{\,2}-\frac{1}{2}mv_1^{\,2}=\Delta E_{\mathrm{k}}$$

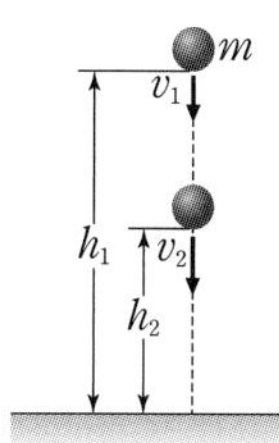

④ 마찰력이 물체에 한 일: 수평면에서 속력 v_0으로 운동하던 질량 m인 물체에 크기가 f로 일정한 마찰력이 작용하여 물체가 거리 s만큼 이동한 순간 물체의 속력이 v가 되었을 때, 마찰력이 한 일과 운동 에너지의 관계는 다음과 같다.

$$W=-fs=\frac{1}{2}mv^2-\frac{1}{2}mv_0^{\,2}=\Delta E_{\mathrm{k}}\,(v<v_0,\ \Delta E_{\mathrm{k}}<0)$$

② 포물선 운동과 역학적 에너지

공기 저항을 무시하고 수평면에서 중력 퍼텐셜 에너지를 0이라 할 때, 수평면에서 수평면과 θ의 각을 이루는 방향으로 속도 $\vec{v_0}$으로 비스듬히 던진 질량이 m인 물체의 역학적 에너지는 보존된다.

(1) 물체가 던져진 수평면에서 물체의 역학적 에너지

① 중력 퍼텐셜 에너지: 0

② 운동 에너지: $\frac{1}{2}mv_0^{\,2}=\frac{1}{2}m(v_{0x}^{\,2}+v_{0y}^{\,2})$

③ 역학적 에너지: $E_0=\frac{1}{2}mv_0^{\,2}=\frac{1}{2}m(v_{0x}^{\,2}+v_{0y}^{\,2})$

(2) 임의의 시간 t에서 물체의 역학적 에너지

① 중력 퍼텐셜 에너지: $mg\left(v_{0y}t-\frac{1}{2}gt^2\right)$

② 운동 에너지: $\frac{1}{2}m\{v_{0x}^{\,2}+(v_{0y}-gt)^2\}$

③ 역학적 에너지: $mg\left(v_{0y}t-\frac{1}{2}gt^2\right)+\frac{1}{2}m\{v_{0x}^{\,2}+(v_{0y}-gt)^2\}$

$$=\frac{1}{2}m(v_{0x}^{\,2}+v_{0y}^{\,2})=E_0$$

➡ 포물선 운동에서 역학적 에너지는 보존된다.

(3) 임의의 높이 y에서 물체의 역학적 에너지

$$E_0=\frac{1}{2}mv_0^{\,2}=\frac{1}{2}mv^2+mgy=\frac{1}{2}m(v_{0x}^{\,2}+v_y^{\,2})+mgy$$

(4) 최고 높이 H에서 물체의 역학적 에너지

$$E_0=\frac{1}{2}mv_0^{\,2}=mgH+\frac{1}{2}mv_{0x}^{\,2}$$

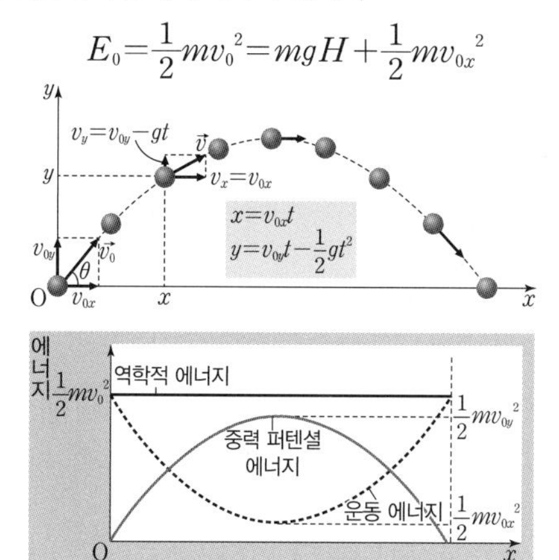

▲ 비스듬히 던진 물체의 역학적 에너지

더 알기 마찰이 있는 빗면에서 중력, 수직 항력, 마찰력이 운동하는 물체에 한 일

경사각이 θ인 빗면에서 정지 상태로 가만히 놓은 질량 m인 물체가 빗면을 따라 A에서 B까지 거리 d만큼 내려가는 동안 물체의 높이는 h만큼 감소한다. (중력 가속도의 크기: g)

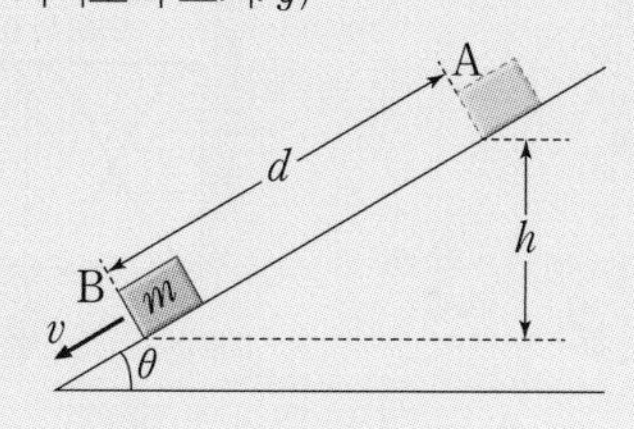

• 물체에 작용하는 각각의 힘이 물체에 한 일

힘의 종류	힘의 크기	힘의 방향으로 변위의 크기	힘이 물체에 한 일
중력	mg	$h(=d\sin\theta)$	mgh
수직 항력	$mg\cos\theta$	0	0
마찰력	f	d	$-fd$

• 물체가 d만큼 내려가는 동안 운동 에너지의 변화량은 물체에 작용한 알짜힘이 한 일과 같다. ➡ $\frac{1}{2}mv^2=mgh-fd=(mg\sin\theta-f)d$

③ 단진자와 역학적 에너지

(1) **단진자 운동과 역학적 에너지**: 질량을 무시할 수 있는 줄에 작은 물체를 매달아 작은 진폭에서 놓으면 물체는 연직면에서 왕복 운동하는데, 이를 단진자 운동이라고 한다.

① 역학적 에너지 보존

- 진자가 출발점에서 진동의 중심을 향해 운동할 때
  ➡ 중력 퍼텐셜 에너지 감소량 = 운동 에너지 증가량

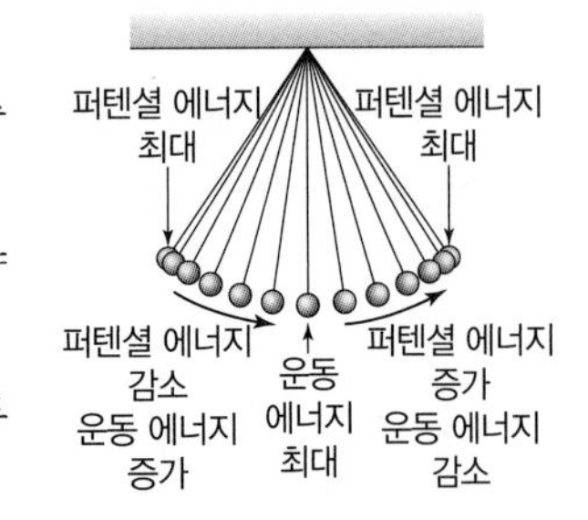

- 진동의 중심을 지나 위로 운동할 때
  ➡ 운동 에너지 감소량 = 중력 퍼텐셜 에너지 증가량

② 진동의 중심(최저점): 복원력과 접선 방향으로의 가속도가 0이고, 속력은 최대이다. 운동 에너지는 최대이고 중력 퍼텐셜 에너지는 최소이다.

③ 진동의 양 끝(최고점): 복원력과 접선 방향으로의 가속도의 크기가 최대이고, 속력은 0이다. 운동 에너지는 0이고, 중력 퍼텐셜 에너지는 최대이다.

(2) **단진자의 주기**

① 추에 작용하는 접선 방향의 힘(θ는 매우 작다.)

➡ 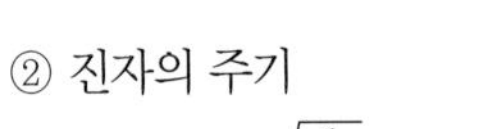

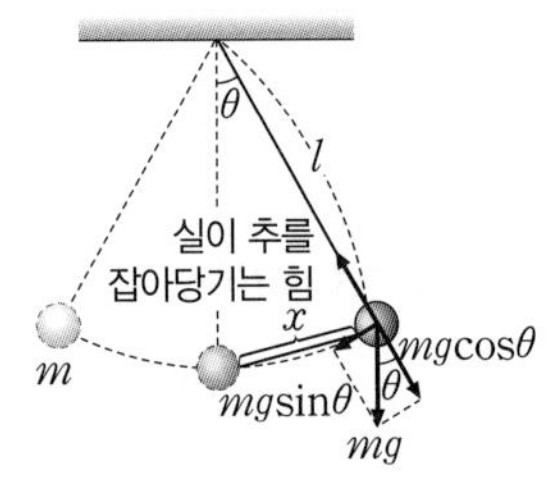

② 진자의 주기

➡ 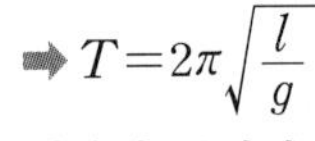

③ 진자의 등시성: 단진자의 주기는 추의 질량에 관계없이 진자의 길이에만 관계된다.

④ 열과 일의 전환

(1) **온도와 열**

① 온도: 물체의 차고 따뜻한 정도를 수치로 나타낸 물리량

- 물체를 구성하고 있는 분자들의 평균 운동 에너지가 클수록 물체의 온도가 높다.

② 열: 에너지의 한 형태로, 물체 사이의 온도 차에 의해 이동하는 에너지

- 열은 자연적으로 고온에서 저온으로 이동한다.
- 열량의 단위는 kcal 또는 J을 사용한다.

③ 비열과 열용량

- 비열(c): 어떤 물질 1kg의 온도를 1K 높이는 데 필요한 열에너지(단위: J/kg·K, J/kg·℃, kcal/kg·K, kcal/kg·℃)
- 열용량(C): 어떤 물체의 온도를 1K 높이는 데 필요한 열에너지(단위: J/K, J/℃, kcal/K, kcal/℃)

④ 열평형

- 열평형 상태: 온도가 서로 다른 물체 A, B를 접촉시켜 놓았을 때, 시간이 지나 A, B의 온도가 같아진 상태
- 열량 보존 법칙: 열평형 상태에 도달할 때까지 고온의 물체가 잃은 열량은 저온의 물체가 얻은 열량과 같다.

(2) **열과 일의 전환**

① 열이 일로 전환되는 예

- 찌그러진 탁구공을 뜨거운 물속에 넣으면 탁구공이 원래 모양으로 펴진다.
- 증기 기관, 자동차, 제트기의 엔진과 같은 열기관

② 일이 열로 전환되는 예

- 사포로 물체를 문지를 때 열이 발생한다.
- 모래가 들어 있는 통을 여러 번 흔들면 모래의 온도가 올라간다.

(3) **열역학 제1법칙**

① 내부 에너지(U): 물체를 구성하는 입자들의 운동 에너지와 퍼텐셜 에너지의 총합

② 열역학 제1법칙: 외부에서 계에 가해 준 열량(Q)은 계의 내부 에너지의 변화량(ΔU)과 계가 외부에 해 준 일(W)의 합과 같다.

$$Q = \Delta U + W$$

⑤ 열의 일당량

(1) **줄의 실험 장치**: 영국의 물리학자인 줄(Joule)은 단열된 용기에 있는 물에 역학적으로 일을 해 주었을 때 물의 온도가 변하는 것을 보여줌으로써 열이 에너지의 한 형태라는 것을 증명하였다.

(2) **열의 일당량(J)**: 추가 낙하하는 동안 중력이 추에 한 일 W가 모두 열량계에서 회전 날개와 물의 마찰로 발생한 열량 Q로 전환될 때 다음 관계가 성립한다.

$$W = JQ$$

➡ 비례 상수 J를 열의 일당량이라고 한다.

$$J = 4.2 \times 10^3 \text{ J/kcal}$$

더 알기 단진자와 역학적 에너지

- 최저점에서 중력 퍼텐셜 에너지: 0
- 최저점에서 운동 에너지: $\frac{1}{2}mv_0^2$
- 최고점에서 중력 퍼텐셜 에너지: $mgh = mgl(1-\cos\theta)$
- 최고점에서 운동 에너지: 0
- 역학적 에너지 보존: $\frac{1}{2}mv_0^2 = mgl(1-\cos\theta)$
- 최저점에서 속력: $v_0 = \sqrt{2gl(1-\cos\theta)}$

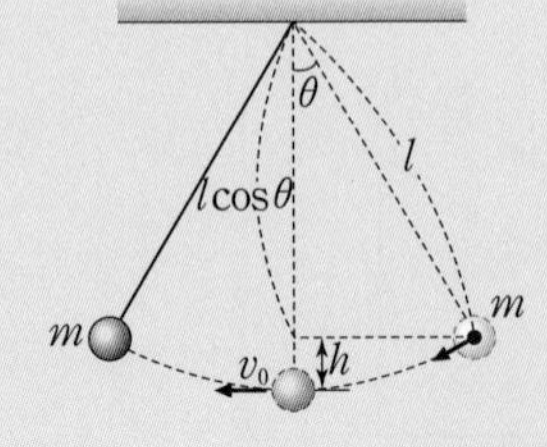

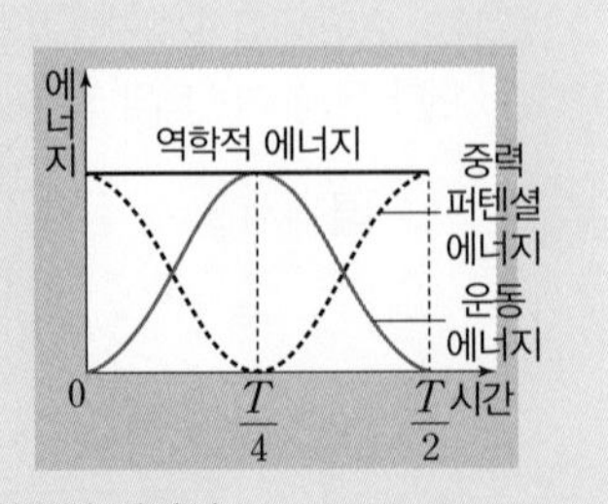

▲ 단진자와 역학적 에너지

테마 대표 문제

| 2024학년도 수능 |

그림 (가), (나)와 같이 질량이 m인 물체가 빗면의 점 p를 지나 마찰 구간의 시작점 q를 통과하여 최고점 r에 도달한 후, 다시 q와 p를 지난다. (가)의 마찰 구간에서 물체의 역학적 에너지 감소량은 (나)의 마찰 구간에서 물체의 운동 에너지 증가량과 같다. (가)와 (나)의 qr 구간에서는 물체에 같은 크기의 일정한 마찰력이 작용한다. 물체의 운동 에너지는 (가)의 p를 지날 때 E_0이고, (가)의 q를 지날 때와 (나)의 p를 지날 때가 E_1로 같다.

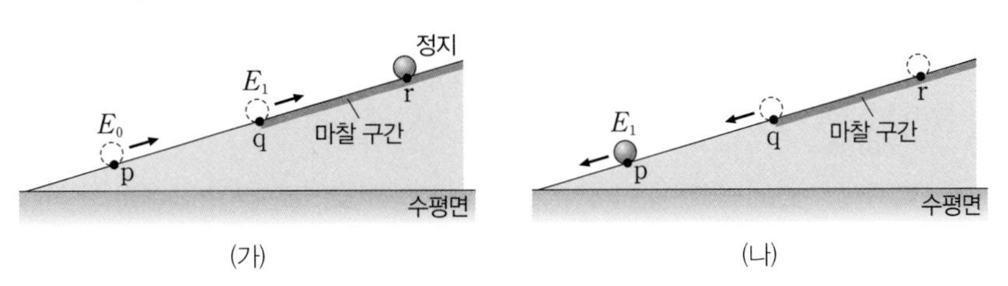

E_1은? (단, 물체의 크기, 공기 저항, 마찰 구간 외의 모든 마찰은 무시한다.)

① $\frac{2}{5}E_0$ ② $\frac{3}{5}E_0$ ③ $\frac{2}{3}E_0$ ④ $\frac{4}{5}E_0$ ⑤ $\frac{5}{6}E_0$

접근 전략

마찰력이 일정하므로 물체가 qr 구간을 올라갈 때와 내려갈 때 물체의 역학적 에너지 감소량은 서로 같다.

간략 풀이

qr 구간에서 물체의 역학적 에너지 감소량을 x라고 하면, (가) → (나) 과정에서 전체 역학적 에너지 감소량은 $2x$이다. 따라서 $E_0=E_1+2x$이다. (나)의 q에서 물체의 운동 에너지는 x이고, (가), (나)의 p, q에서 운동 에너지의 차는 같으므로 $E_0-E_1=E_1-x$이다. 이를 정리하면, $E_1=3x$, $E_0=5x$이고, $E_1=\frac{3}{5}E_0$이다.

정답 | ②

닮은 꼴 문제로 유형 익히기

정답과 해설 16쪽

▸24070-0069

그림 (가), (나)와 같이 질량이 m인 물체가 빗면의 점 a를 지나 마찰 구간의 시작점 b와 끝점 c를 차례로 통과하여 최고점 d에 도달한 후, 다시 c, b, a를 지난다. a와 b, b와 c, c와 d의 높이차는 서로 같고, (가)와 (나)의 bc 구간에서는 물체에 같은 크기의 일정한 마찰력이 작용한다. 물체의 운동 에너지는 (가)의 a, b를 지날 때 각각 E_0, E_1이고, (나)의 a를 지날 때 $\frac{E_0}{2}$이다.

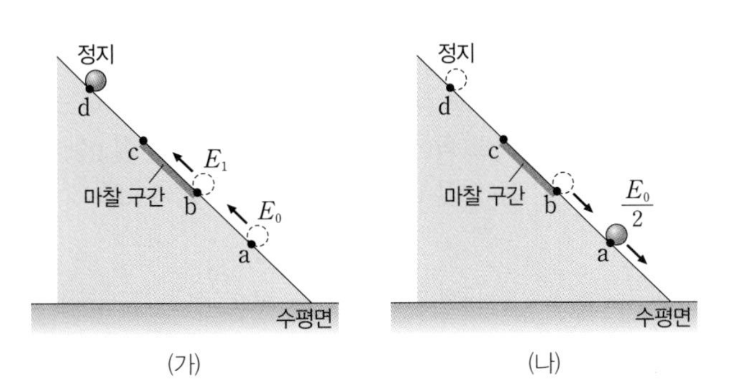

E_1은? (단, 물체의 크기, 공기 저항, 마찰 구간 외의 모든 마찰은 무시한다.)

① $\frac{5}{9}E_0$ ② $\frac{5}{8}E_0$ ③ $\frac{2}{3}E_0$ ④ $\frac{3}{4}E_0$ ⑤ $\frac{7}{9}E_0$

유사점과 차이점

마찰 구간에서 일어나는 역학적 에너지 감소에 대해 다룬다는 점에서 대표 문제와 유사하지만, 높이차가 같을 때 중력 퍼텐셜 에너지 감소량이 같다는 것을 다룬다는 점에서 대표 문제와 다르다.

배경 지식

(가)와 (나)의 a에서 물체의 운동 에너지의 차는 마찰 구간에서 물체의 감소한 역학적 에너지와 같다.

01

▸24070-0070

그림은 질량이 m인 물체 A에 연직 위로 크기가 F인 일정한 힘을 작용하며 점 p에서 점 q까지 A를 운동시키는 것을 나타낸 것이다. p에서 q까지 운동하는 동안 A의 중력 퍼텐셜 에너지 증가량은 A의 운동 에너지 증가량의 2배이다.

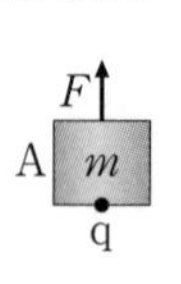

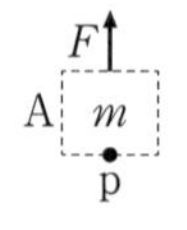

F는? (단, 중력 가속도는 g이고, A의 크기와 공기 저항은 무시한다.)

① $\frac{5}{4}mg$　② $\frac{3}{2}mg$　③ $2mg$　④ $\frac{5}{2}mg$　⑤ $3mg$

02

▸24070-0071

그림은 실에 매달린 물체를 가만히 놓았더니 물체가 원형 경로를 따라 점 A와 최하점 B를 지나 점 C를 통과하는 모습을 나타낸 것이다.

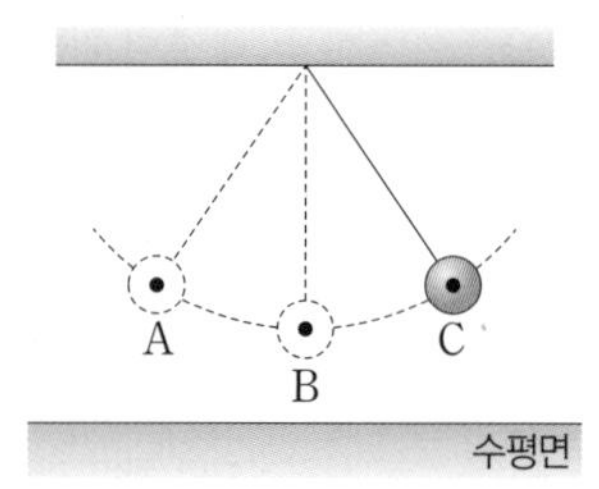

이에 대한 설명으로 옳은 것만을 〈보기〉에서 있는 대로 고른 것은? (단, 실의 질량, 물체의 크기, 모든 마찰과 공기 저항은 무시한다.)

보기

ㄱ. 물체의 역학적 에너지는 A와 B에서 같다.
ㄴ. 물체가 A에서 B까지 운동하는 동안 실이 물체를 당기는 힘이 한 일은 물체의 중력 퍼텐셜 에너지 감소량과 같다.
ㄷ. 물체가 B에서 C까지 운동하는 동안 중력이 물체에 한 일은 물체의 운동 에너지 변화량과 같다.

① ㄱ　② ㄴ　③ ㄷ　④ ㄱ, ㄷ　⑤ ㄴ, ㄷ

03

▸24070-0072

그림과 같이 질량이 동일한 물체 A, B, C를 수평면과 나란한 기준선 p에서 A는 연직 위로, B는 연직 아래로, C는 수평 방향으로 각각 같은 속력 v로 발사하였다. 이후 A, B, C는 수평면과 나란한 기준선 q를 통과한 후 수평면에 닿는다.

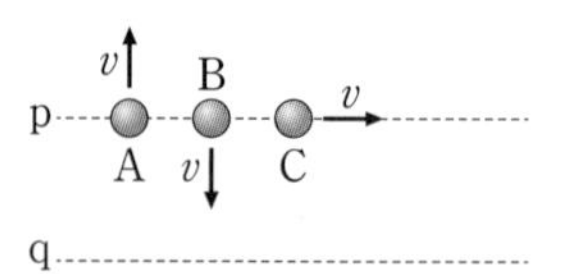

이에 대한 설명으로 옳은 것만을 〈보기〉에서 있는 대로 고른 것은? (단, 물체의 크기와 공기 저항은 무시한다.)

보기

ㄱ. p에서 A의 역학적 에너지는 q에서 B의 역학적 에너지보다 크다.
ㄴ. p에서 발사된 후 수평면에 도달할 때까지 중력이 A에 한 일과 중력이 C에 한 일은 같다.
ㄷ. 수평면에 닿는 순간 B와 C의 속력은 서로 같다.

① ㄱ　② ㄴ　③ ㄷ　④ ㄱ, ㄷ　⑤ ㄴ, ㄷ

04

▸24070-0073

그림과 같이 질량이 각각 m, $2m$인 물체 A, B가 수평면에서 20 m/s의 속력으로 등속도 운동을 하다가 운동 방향과 반대 방향으로 크기가 F인 일정한 힘이 작용하는 구간 Ⅰ에서 각각 등가속도 직선 운동을 한다. A가 Ⅰ의 점 p에 속력 10 m/s로 도달하는 순간 B는 Ⅰ의 시작점 q에 20 m/s의 속력으로 도달한다.

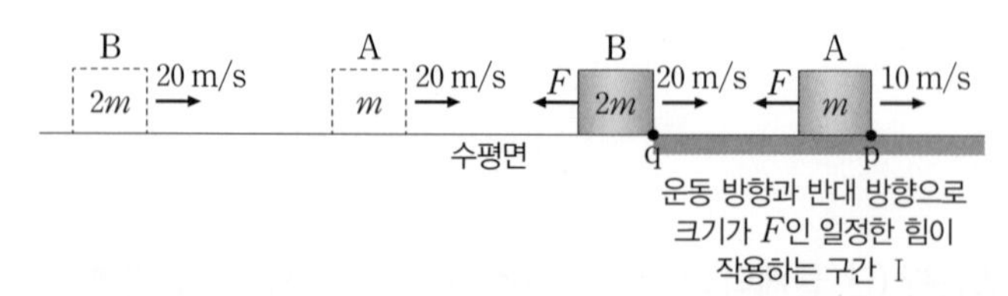

B가 p에 도달하는 순간 B의 속력은? (단, A, B는 동일 직선상에서 운동하며, A, B의 크기는 무시한다.)

① 10 m/s　② $5\sqrt{5}$ m/s　③ 15 m/s
④ $5\sqrt{10}$ m/s　⑤ 18 m/s

05

▸24070-0074

그림과 같이 수평면으로부터 같은 높이의 빗면 위에서 질량이 같은 물체 A, B를 동시에 가만히 놓았더니 A, B가 각각 등가속도 운동을 하며 동시에 수평면에 닿았다. 수평면에 닿기 전까지 빗면에서 A, B가 운동한 거리는 각각 $2L$, L이다. 빗면에서 A, B에 작용한 마찰력의 크기는 서로 다르다.

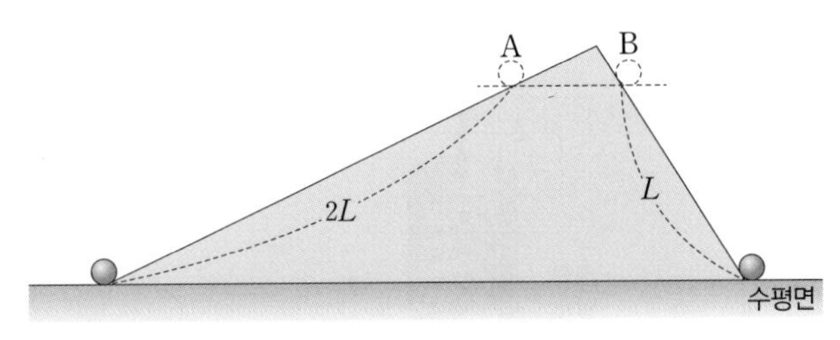

이에 대한 설명으로 옳은 것만을 〈보기〉에서 있는 대로 고른 것은? (단, A, B의 크기는 무시한다.)

보기

ㄱ. A와 B는 같은 속력으로 수평면에 닿는다.

ㄴ. 빗면에서 등가속도 운동을 하는 동안 물체에 작용하는 알짜힘의 크기는 A가 B의 2배이다.

ㄷ. B가 빗면을 내려오는 동안 B의 중력 퍼텐셜 에너지 감소량은 B의 운동 에너지 증가량과 같다.

① ㄱ ② ㄴ ③ ㄱ, ㄷ ④ ㄴ, ㄷ ⑤ ㄱ, ㄴ, ㄷ

06

▸24070-0075

그림과 같이 물체가 높이 $17h$인 빗면 위의 점 a를 속력 v로 통과한 후 높이가 각각 $9h$, H인 빗면 위의 점 b, c를 차례로 지나며 빗면과 수평면이 만나는 점 d에서 물체의 속력이 0이 된다. 물체가 a에서 b까지 운동하는 동안과 b에서 d까지 운동하는 동안 물체는 각각 등가속도 운동을 하고, 두 운동 구간에서 물체의 가속도의 크기는 같고 방향은 반대이다. c를 지날 때 물체의 속력은 $2v$이다.

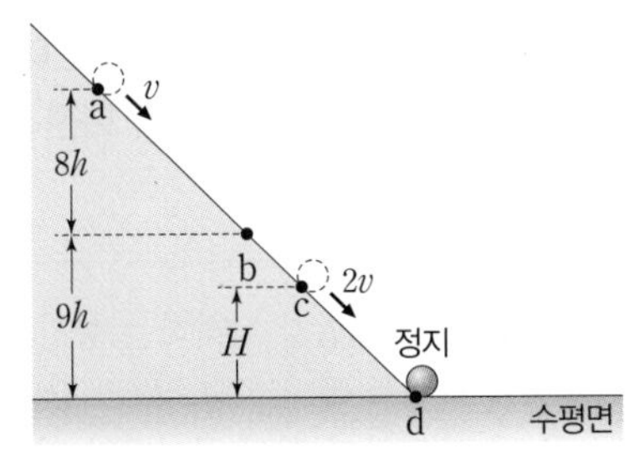

H는? (단, 물체는 동일 연직면에서 운동하며, 물체의 크기는 무시한다.)

① $3h$ ② $\frac{7}{2}h$ ③ $4h$ ④ $\frac{9}{2}h$ ⑤ $5h$

07

▸24070-0076

그림과 같이 질량이 m인 물체를 길이가 $5L$인 실에 매단 후 가만히 놓았더니 물체가 최하점을 속력 v로 지날 때 실의 길이가 $4L$인 지점에서 실이 고정핀 p에 걸리고, 이후 실이 수직으로 꺾였을 때 물체의 속력이 0이 되었다.

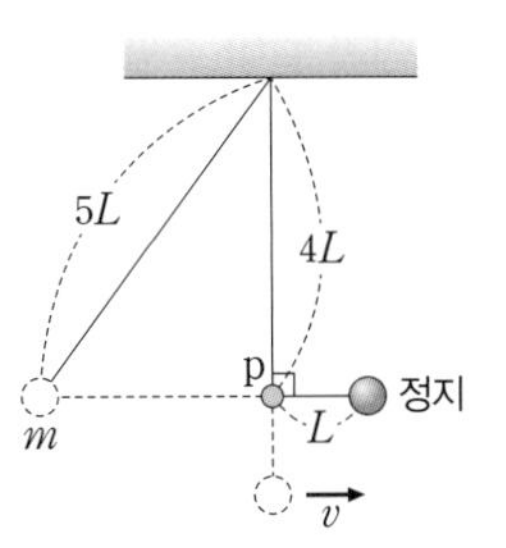

이에 대한 설명으로 옳은 것만을 〈보기〉에서 있는 대로 고른 것은? (단, 중력 가속도는 g이고, 실의 질량, 물체의 크기, p의 크기, 모든 마찰과 공기 저항은 무시한다.)

보기

ㄱ. 물체를 가만히 놓은 순간부터 물체가 최하점에 도달할 때까지 실이 물체에 작용하는 힘이 한 일은 $\frac{1}{2}mv^2$이다.

ㄴ. $v=\sqrt{2gL}$이다.

ㄷ. 실이 물체에 작용하는 힘의 크기는 실이 p에 걸린 직후가 걸리기 직전의 5배이다.

① ㄱ ② ㄴ ③ ㄱ, ㄷ ④ ㄴ, ㄷ ⑤ ㄱ, ㄴ, ㄷ

08

▸24070-0077

그림과 같이 자동차 A, B가 수평인 직선 경로를 따라 기준선 p에서 기준선 q까지 운동 방향으로 각각 크기가 F, $2F$인 일정한 알짜힘을 받으며 등가속도 직선 운동을 한다. p를 지날 때 A, B의 속력은 각각 $2v$, v이고, q를 지날 때 A, B의 속력은 각각 $4v$, $5v$이다.

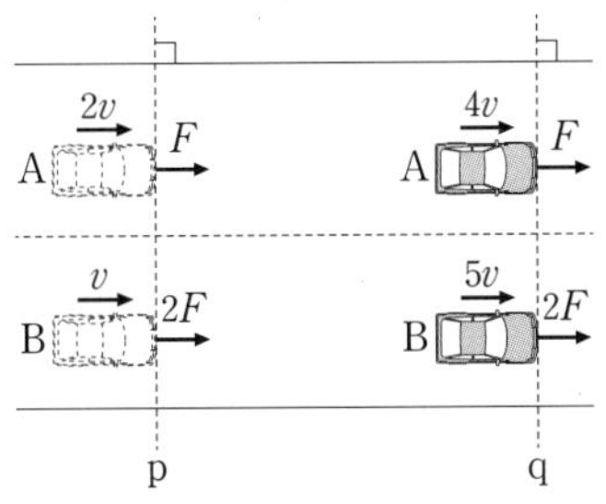

A의 질량이 m일 때, B의 질량은? (단, A, B의 크기는 무시한다.)

① $\frac{m}{4}$ ② $\frac{m}{2}$ ③ m ④ $2m$ ⑤ $4m$

09
▸24070-0078

그림과 같이 수평면으로부터 높이 35 m인 점 O에 한 쪽 끝이 고정된 길이 10 m인 실에 물체를 연결하고 실이 수평면과 나란한 상태에서 물체를 점 p에서 가만히 놓았더니 실과 수평면이 이루는 각이 30°가 되었을 때 실이 끊어지고, 이후 물체는 포물선 운동을 하여 수평면에 닿는다. p로부터 물체가 수평면에 닿은 지점까지 물체의 수평 이동 거리는 x이다.

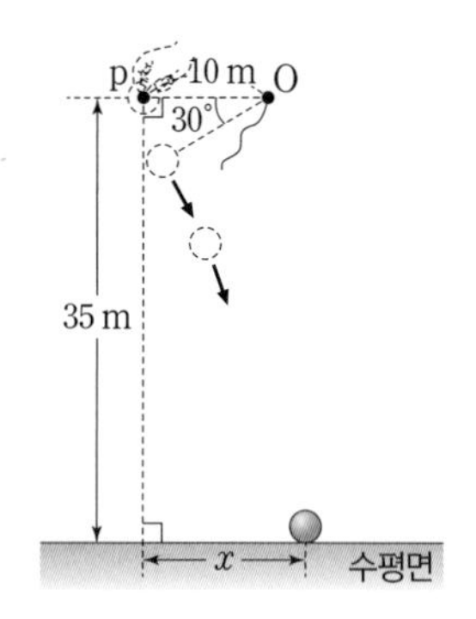

x는? (단, 중력 가속도는 10 m/s^{2}이고, 물체의 크기, 실의 질량, 모든 마찰은 무시한다.)

① 8 m ② 10 m ③ 12 m ④ 14 m ⑤ 15 m

10
▸24070-0079

그림 (가), (나)와 같이 물체 A, B가 길이가 L, $2L$인 실에 연결되어 단진동을 한다. A, B가 최고점일 때 실이 연직 방향과 이루는 각은 각각 θ_1, θ_2이다. 한 번 진동하는 동안 평균 속력은 A와 B가 같다.

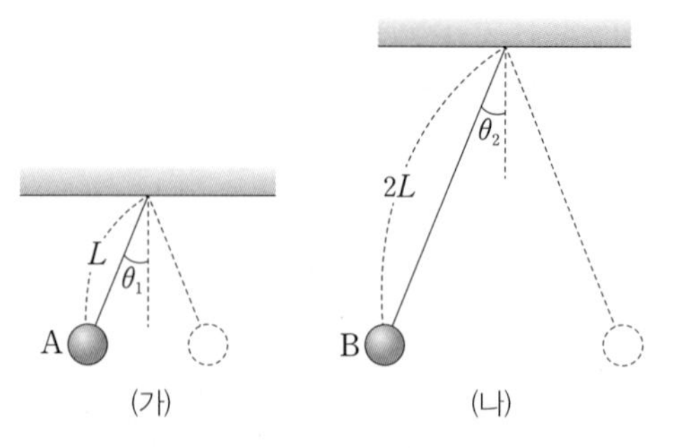

이에 대한 설명으로 옳은 것만을 〈보기〉에서 있는 대로 고른 것은? (단, 중력 가속도는 g이고, 실의 질량과 물체의 크기는 무시한다.)

보기
ㄱ. 주기는 B가 A의 $\sqrt{2}$배이다.
ㄴ. $\theta_1 > \theta_2$이다.
ㄷ. 최하점에서 A의 속력은 $\sqrt{2gL(1-\cos\theta_1)}$이다.

① ㄱ ② ㄴ ③ ㄱ, ㄷ ④ ㄴ, ㄷ ⑤ ㄱ, ㄴ, ㄷ

11
▸24070-0080

그림과 같이 액체가 가득 차 있는 줄의 실험 장치에서 실을 수평 방향으로 크기가 21 N인 일정한 힘으로 10 m만큼 당겼다. 액체의 질량은 0.5 kg이고, 실을 당기기 전 액체의 온도는 21 ℃이며, 회전 날개가 멈추고 충분히 시간이 지난 후 액체의 온도는 21.2 ℃이다.

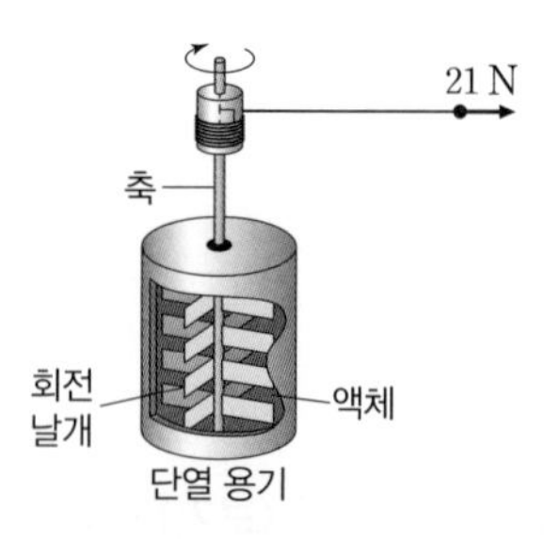

액체의 비열은? (단, 열의 일당량은 4.2 J/cal이고, 실의 질량, 회전 날개와 축의 비열, 축의 마찰과 공기 저항은 무시한다.)

① 0.2 cal/g·℃ ② 0.4 cal/g·℃ ③ 0.5 cal/g·℃ ④ 1.2 cal/g·℃ ⑤ 1.5 cal/g·℃

12
▸24070-0081

그림과 같이 줄의 실험 장치에서 질량 10 kg인 추를 수평면으로부터 높이가 5 m인 지점에서 가만히 놓은 후 추가 3 m만큼 낙하했을 때 실이 끊어지고, 이후 추는 등가속도 운동을 하여 8 m/s의 속력으로 수평면에 닿는다. 단열된 열량계에 가득 차 있는 액체의 질량은 0.2 kg이고 액체의 온도는 추를 가만히 놓기 전보다 추가 낙하한 후 회전 날개가 멈춘 상태에서 충분한 시간이 지난 후가 0.1 ℃만큼 높다.

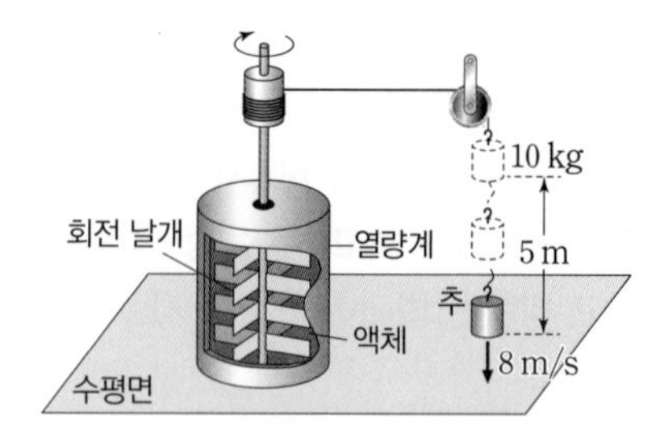

이에 대한 설명으로 옳은 것만을 〈보기〉에서 있는 대로 고른 것은? (단, 중력 가속도는 10 m/s^{2}이고, 실의 질량, 회전 날개와 축의 비열, 축의 마찰과 공기 저항은 무시한다.)

보기
ㄱ. 추를 가만히 놓은 후 3 m만큼 낙하하는 동안 액체가 받은 열량은 추의 중력 퍼텐셜 에너지 감소량과 같다.
ㄴ. 추를 가만히 놓은 순간부터 실이 끊어지기 전까지 실이 추에 작용한 평균 힘의 크기는 60 N이다.
ㄷ. 액체의 비열은 9000 J/kg·℃이다.

① ㄱ ② ㄴ ③ ㄱ, ㄷ ④ ㄴ, ㄷ ⑤ ㄱ, ㄴ, ㄷ

01

▸24070-0082

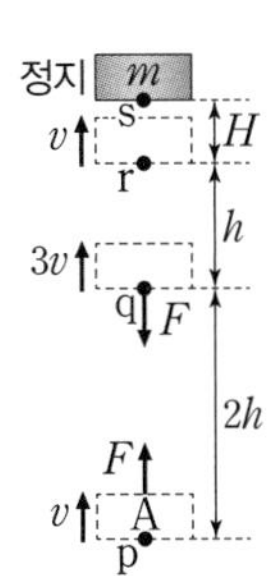

그림과 같이 질량이 m인 물체 A가 동일 연직선상의 점 p, q, r를 각각 속력 v, $3v$, v로 통과한 후 점 s에서 속력이 0이 된다. p에서 q까지 $2h$만큼 이동하는 동안 물체에는 중력과 연직 위로 크기가 F인 힘이, q에서 r까지 h만큼 이동하는 동안 물체에는 중력과 연직 아래로 크기가 F인 힘이 작용하고, r에서 s까지 H만큼 이동하는 동안은 중력만 작용한다.

이에 대한 설명으로 옳은 것만을 〈보기〉에서 있는 대로 고른 것은? (단, 중력 가속도는 g이고, p, q, r, s는 동일 연직선상의 점이며, A의 크기와 공기 저항은 무시한다.)

보기

ㄱ. p에서 q까지 운동하는 동안 A의 역학적 에너지 증가량은 q에서 r까지 운동하는 동안 A의 역학적 에너지 감소량과 같다.

ㄴ. $F=2mg$이다.

ㄷ. $H=\frac{h}{2}$이다.

① ㄱ ② ㄴ ③ ㄷ ④ ㄱ, ㄷ ⑤ ㄱ, ㄴ, ㄷ

02

▸24070-0083

그림과 같이 물체가 수평면으로부터 높이 $3h$인 빗면 위의 점 o를 속력 v로 통과한 후 빗면을 따라 점 p, q를 차례로 지나 수평면에서 속력이 $2v$가 된 후 수평면으로부터 높이 H인 빗면인 지점에서 속력이 0이 되었다. 물체가 p에서 q까지 운동하는 동안 물체에는 운동 방향으로 일정한 힘을 가하였고 물체의 가속도의 크기는 p에서 q까지 운동하는 동안이 o에서 p까지 운동하는 동안의 3배이다. o와 p, p와 q 사이의 높이차는 h로 같다.

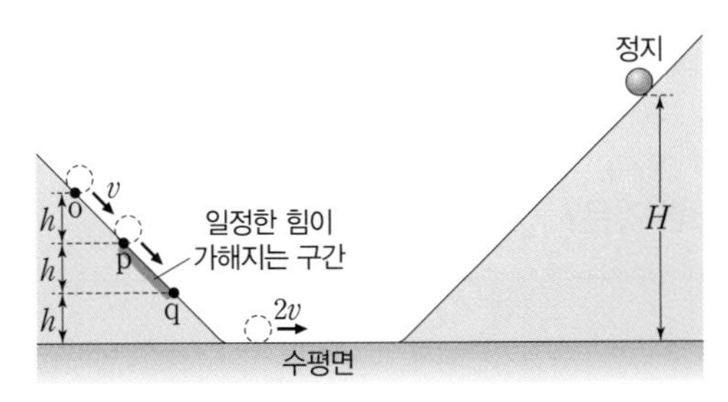

H는? (단, 물체는 동일 연직면에서 운동하며, 물체의 크기, 공기 저항과 모든 마찰은 무시한다.)

① $4h$ ② $\frac{14}{3}h$ ③ $5h$ ④ $6h$ ⑤ $\frac{20}{3}h$

03

▸24070-0084

그림과 같이 수평면으로부터 높이 $4h$인 레일 위에서 질량 m인 물체를 가만히 놓은 후 수평면을 지날 때 운동 방향으로 크기가 mg인 일정한 힘을 거리 x만큼 이동하는 동안 작용하였더니 높이 $3h$인 레일의 끝점에서 수평면에 대해 $60°$의 각으로 발사되어 수평면으로부터 높이 $4h$인 최고점을 통과하였다.

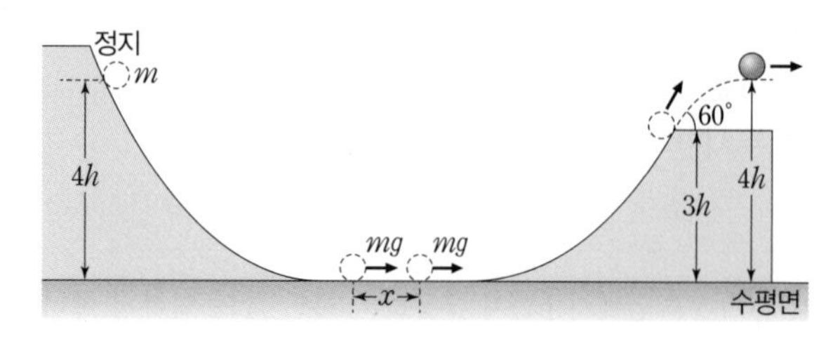

x는? (단, 중력 가속도는 g이고, 물체는 동일 연직면에서 운동하며, 물체의 크기, 공기 저항과 모든 마찰은 무시한다.)

① $\frac{1}{4}h$ ② $\frac{1}{3}h$ ③ $\frac{1}{2}h$ ④ h ⑤ $2h$

04

▸24070-0085

다음은 단진자의 단진동에 대한 실험이다.

[실험 과정]

(가) 그림과 같이 질량이 m인 추를 이용해 길이가 L인 단진자 실험 장치를 준비한다.

(나) 실이 연직 방향과 $5°$를 이루도록 추를 당겼다가 가만히 놓은 후, 추가 10회 왕복하는 시간을 측정하여 진자의 주기를 구한다.

(다) 추의 질량을 $2m$, 단진자의 길이를 L로 한 후 (나)를 반복한다.

(라) 추의 질량을 m, 단진자의 길이를 $2L$로 한 후 (나)를 반복한다.

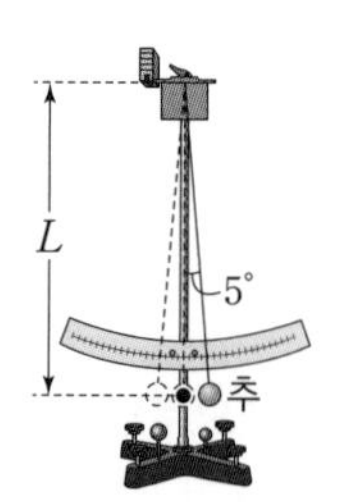

[실험 결과]

과정	추의 질량	단진자의 길이	주기
(나)	m	L	T
(다)	$2m$	L	㉠
(라)	m	$2L$	㉡

이에 대한 설명으로 옳은 것만을 <보기>에서 있는 대로 고른 것은?

보기

ㄱ. ㉠은 T보다 작다.

ㄴ. 추의 최대 속력은 (라)에서가 (나)에서의 2배이다.

ㄷ. ㉡은 $\sqrt{2}T$이다.

① ㄱ ② ㄷ ③ ㄱ, ㄴ ④ ㄴ, ㄷ ⑤ ㄱ, ㄴ, ㄷ

05

▸24070-0086

다음은 열의 일당량에 대한 실험이다.

[실험 과정]

(가) 질량이 0.2 kg이고, 비열이 1.5 cal/g·℃인 액체를 단열된 열량계에 가득 채운다.

(나) 질량이 m인 추를 낙하시킨다.

(다) 추가 일정한 속력으로 거리 s만큼 낙하한 구간에서 액체의 온도 변화를 측정하여 열의 일당량을 구한다.

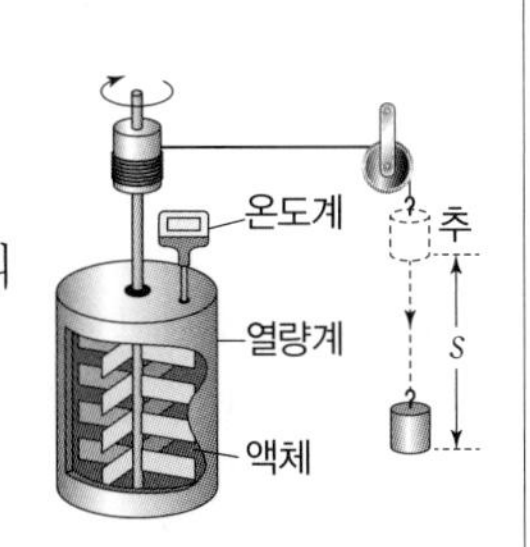

[실험 결과]

액체의 온도 변화(℃)	액체가 흡수한 열량(cal)	추의 감소한 역학적 에너지	열의 일당량 (J/cal)
0.1	㉠	mgs	4.2

이에 대한 설명으로 옳은 것만을 〈보기〉에서 있는 대로 고른 것은? (단, 중력 가속도는 g이고, 실의 질량은 무시하며, 추의 역학적 에너지 변화량은 모두 액체의 온도 변화에만 사용된다.)

보기

ㄱ. ㉠은 30이다.

ㄴ. mgs=126 J이다.

ㄷ. 비열이 3 cal/g·℃인 액체로 동일한 실험을 하면 열의 일당량은 8.4 J/cal가 된다.

① ㄱ ② ㄷ ③ ㄱ, ㄴ ④ ㄴ, ㄷ ⑤ ㄱ, ㄴ, ㄷ

06

▸24070-0087

그림과 같이 수평면에 정지해 있던 질량이 m인 물체에 수평 방향으로 크기가 F인 힘을 거리 h만큼 작용하였더니 물체가 높이 h인 경사면의 끝점 p를 지나 포물선 경로를 따라 운동하며 높이 $2h$인 최고점 q를 속력 v로 지나고, q로부터 수평 거리가 $4h$인 수평면 위의 점 r에 도달한다.

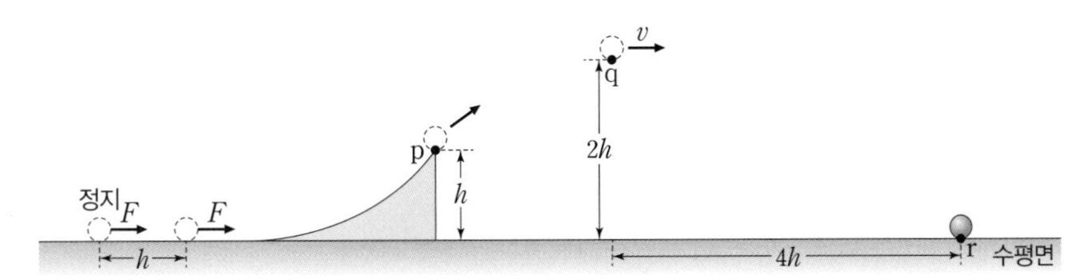

이에 대한 설명으로 옳은 것만을 〈보기〉에서 있는 대로 고른 것은? (단, 중력 가속도는 g이고, 물체의 크기와 모든 마찰은 무시한다.)

보기

ㄱ. r에서 물체의 속력은 $\sqrt{2}v$이다.

ㄴ. $F=4mg$이다.

ㄷ. p와 q 사이의 수평 거리는 $2\sqrt{2}h$이다.

① ㄱ ② ㄷ ③ ㄱ, ㄴ ④ ㄴ, ㄷ ⑤ ㄱ, ㄴ, ㄷ

06 전기장과 정전기 유도

1 전기장과 전기력선

(1) 쿨롱 법칙

① 대전과 대전체: 물체가 전기를 띠는 현상을 대전, 전기를 띤 물체를 대전체라고 한다.

② 전하: 모든 전기 현상의 근원을 전하라고 하며, 그 양을 전하량이라고 한다. 예 기본 전하량(e): 1.602×10^{-19} C

③ 전하의 종류: 양(+)전하, 음(−)전하

④ 마찰 전기: 서로 다른 두 물체의 마찰에 의한 전자의 이동으로 형성된 전기를 마찰 전기라고 한다.

예 털가죽과 에보나이트 막대를 마찰시켰을 때 털가죽은 양(+)전하를, 에보나이트 막대는 음(−)전하를 띤다.

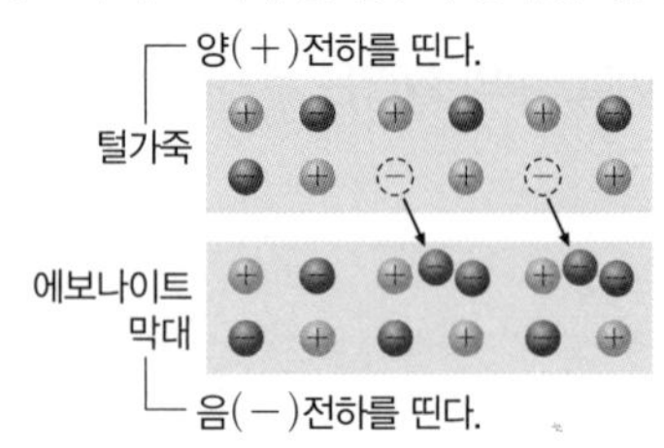

⑤ 전기력: 전하들 사이에 작용하는 힘을 전기력이라고 한다. 같은 종류의 전하 사이에는 미는 힘(척력), 다른 종류의 전하 사이에는 당기는 힘(인력)이 작용한다.

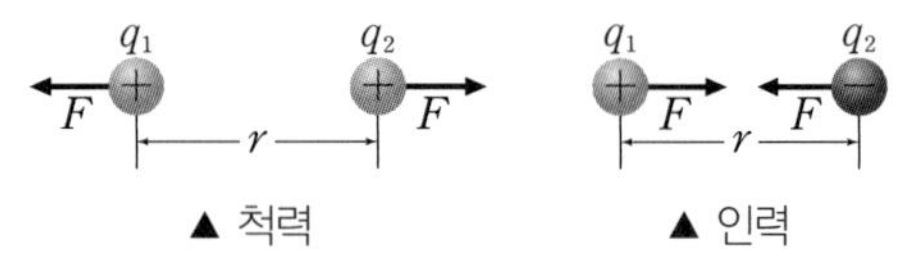

▲ 척력 ▲ 인력

⑥ 쿨롱 법칙: 두 점전하 사이의 전기력의 크기는 각 전하량의 곱에 비례하고 거리의 제곱에 반비례하며, 두 전하를 잇는 직선상에서 작용한다. 거리 r만큼 떨어져 있는 전하량 q_1, q_2인 두 점전하 사이에 작용하는 전기력의 크기는 $F=k\frac{q_1q_2}{r^2}$이다. k는 쿨롱 상수로, $k=8.99\times10^9\ \mathrm{N\cdot m^2/C^2}$이다.

(2) 전기장: 전하 주위에는 전기장이 형성되어 다른 전하에 전기력이 작용한다. 전기장의 세기와 방향은 단위 양전하(+1 C)를 놓아 측정할 수 있다.

① 전기장의 세기: 전기장 내의 한 점에 단위 양전하(+1C)를 놓았을 때 이 단위 양전하에 작용하는 전기력의 크기를 그 점에서의 전기장의 세기라 하고, 기호 E로 표시한다. 전기장의 세기가 E인 지점에 전하량이 q인 전하를 놓았을 때 전하에 작용하는 전기력의 크기를 F라고 하면 전기장의 세기 E는 다음과 같다.

$$E=\frac{F}{q}\ (\text{단위: N/C})$$

② 전기장의 방향: 전기장 내의 한 지점에 놓여 있는 양(+)전하에 작용하는 전기력의 방향이다.

예 양(+)전하 주위에서의 전기장의 방향은 양(+)전하에서 멀어지는 쪽을 향하고, 음(−)전하 주위에서의 전기장의 방향은 음(−)전하를 향한다.

③ 점전하 주위의 전기장: 전하량이 Q인 점전하로부터 떨어진 거리가 r인 곳에서 전하량이 q인 점전하에 작용하는 전기력의 크기를 F라 하면 전하량이 Q인 점전하로부터 떨어진 거리가 r인 곳에서의 전기장의 세기 E는 다음과 같다.

$$E=\frac{F}{q}=k\frac{Q}{r^2}$$

$+Q$ $+q$ F E r (전기력의 방향과 전기장의 방향이 같다.) $+Q$ F $-q$ E r (전기력의 방향과 전기장의 방향이 반대이다.)

(3) 전기력선

① 전기력선: 양(+)전하에 작용하는 전기력의 방향을 연속적으로 연결한 선이다.

② 전기력선의 특징

- 양(+)전하에서 나오는 방향, 음(−)전하로 들어가는 방향이다.
- 서로 교차하거나 분리되거나 끊어지지 않는다.
- 전기력선 위의 한 점에서 그은 접선의 방향이 그 점에서 전기장의 방향이다.
- 전기력선의 밀도(전기장에 수직인 단위 면적을 지나는 전기력선의 수)가 클수록 전기장의 세기가 큰 곳이다.

더 알기 균일한 전기장에 수직으로 입사한 전자의 운동

① 균일한 전기장에서 운동하는 전자는 전기장의 방향과 반대 방향으로 일정한 크기의 전기력을 받아 등가속도 운동을 한다. 세기가 E로 균일한 전기장에서 전하량이 $-e$, 질량이 m인 전자가 운동할 때 받는 전기력의 크기는 $F=eE=ma$이다.

② 전자는 $+y$방향으로 형성된 전기장에 수직인 x 방향으로는 전기력을 받지 않으므로 등속도 운동을, y 방향으로는 가속도의 크기가 $\frac{eE}{m}$인 등가속도 운동을 한다. 즉, 전자는 포물선 운동을 한다.

③ v_0의 속력으로 전기장에 수직으로 입사한 전자의 t초 후 x, y방향의 속도의 크기와 변위의 크기는 다음과 같다.

$$v_x=v_0,\ v_y=at=\frac{eEt}{m},\ x_0=v_0t,\ y_0=\frac{1}{2}\left(\frac{eE}{m}\right)t^2$$

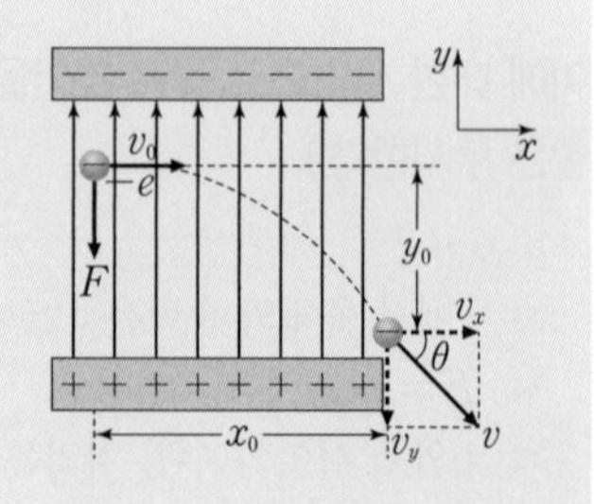

② 정전기 유도와 유전 분극

(1) 도체와 절연체

① 도체: 비저항이 작아 전류가 잘 흐르는 물질을 도체라고 한다.

예 구리, 알루미늄, 금과 같은 금속, 탄소 막대, 전해질 수용액 등

- 도체 내부에서 전기장은 0이다.
- 도체가 대전되면 전하는 표면에만 분포한다.
- 금속이나 탄소 막대에는 특정 원자에 속박되지 않고 여러 원자 사이를 자유롭게 이동할 수 있는 자유 전자가 많다.

② 절연체: 비저항이 커서 전류가 잘 흐르지 못하는 물질을 절연체 또는 부도체라고 한다.

예 유리, 종이, 고무, 나무, 순수한 물(증류수) 등

- 절연체의 전자들은 대부분 원자에 구속되어 있으며, 자유 전자가 없다.
- 절연체에도 열 또는 강한 전기장을 가하거나 불순물을 첨가하면 전류를 흐르게 할 수 있다.

(2) 정전기 유도와 유전 분극

① 도체에서의 정전기 유도: 대전되지 않은 도체에 대전체를 가까이 하면 도체 내의 자유 전자가 이동하여 대전체와 가까운 쪽에는 대전체와 다른 종류의 전하가, 먼 쪽에는 대전체와 같은 종류의 전하가 유도되는 현상이다.

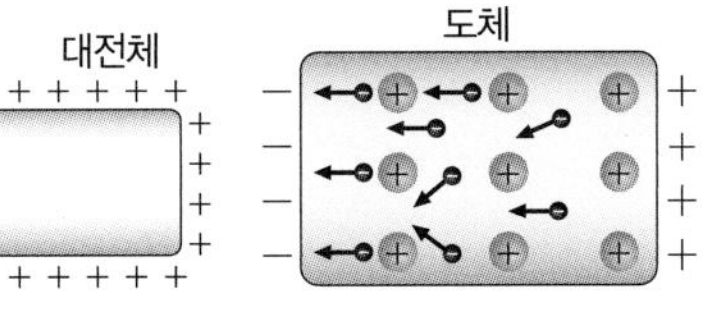

▲ 도체에서의 정전기 유도

② 절연체에서의 정전기 유도(유전 분극): 절연체 내부에는 자유 전자가 없기 때문에 도체와 같은 전자의 이동에 의한 정전기 유도 현상은 일어나지 않지만 분자나 원자 내부에서 전기력에 의하여 분극이 일어난다. 따라서 절연체에 대전체를 가까이 하면 대전체와 가까운 쪽에는 대전체와 다른 종류의 전하가, 먼 쪽에는 대전체와 같은 종류의 전하가 유도된다.

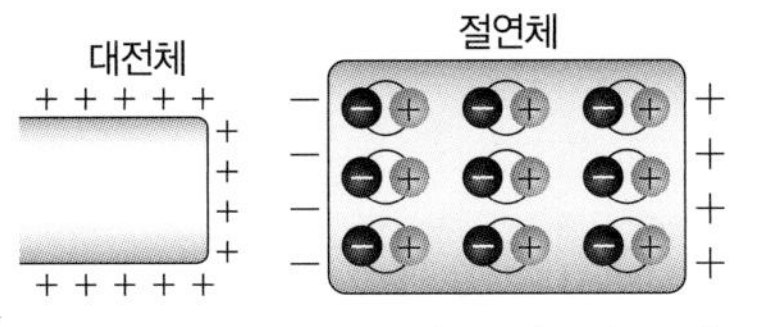

▲ 절연체에서의 정전기 유도(유전 분극)

(3) 검전기: 도체에서의 정전기 유도 현상을 이용하여 대전 유무, 대전된 전하량의 대소 관계, 전하의 종류를 알아보는 기구이다.

(4) 정전기 유도 현상의 이용

① 전기 집진기: 먼지 제거 기구이다. 집진기 내에 대전된 극판을 배열시키고 방전 극과 집진 극 사이에 높은 전압을 걸어 주면 방전 극에서 발생한 전자에 의해 먼지가 음(−)전하로 대전되어 (+)극인 집진 극으로 끌려가 모인다.

② 정전 도장: 물체를 접지시키고 페인트를 뿌리는 분무 장치에 강한 (−)극을 걸어 페인트 입자를 음(−)전하로 대전시키면 음(−)전하로 대전된 페인트의 정전기 유도 효과로 접지된 물체는 양(+)전하로 대전되고, 둘 사이에 전기적 인력이 작용하여 페인트가 물체에 달라붙는다.

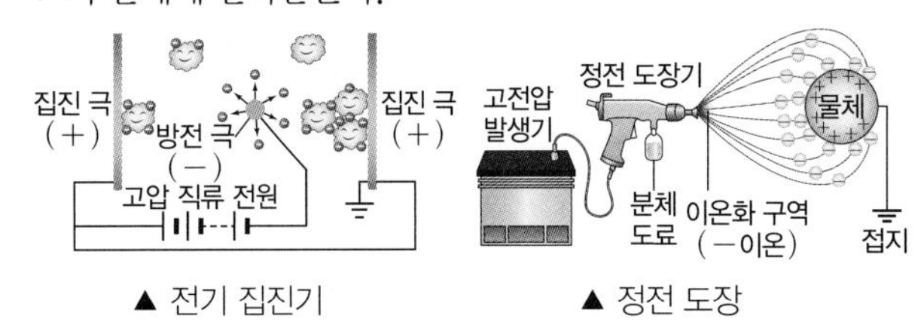

▲ 전기 집진기 ▲ 정전 도장

③ 음식물 포장 랩: 랩을 분리할 때 대전된 랩이 그릇이나 다른 랩에 유전 분극에 의한 표면 전하를 유도하여 랩끼리 또는 랩과 그릇을 서로 잘 달라붙게 한다.

④ 복사기의 복사 원리: 종이에서 반사된 빛이 양(+)전하로 대전된 드럼을 비추면 빛이 닿은 부분은 전하를 띠지 않고 빛이 닿지 않은 부분은 그대로 양(+)전하를 띤다. 드럼이 회전하면 음(−)전하를 띠는 토너가 드럼의 양(+)전하로 대전된 부분에 붙는다.

(5) 방전과 접지

① 방전: 대전된 물체가 전하를 잃고 전기적으로 중성이 되거나, 기체 등의 절연체가 전기장으로 인해 절연성을 잃고 전류가 흐르는 현상이다. 번개는 대전된 구름과 지표 사이의 방전 현상이다.

② 접지: 감전, 정전기에 의한 화재나 고장 등을 방지할 목적으로 전기 기기를 지면과 도선으로 연결하는 것이다. 접지된 피뢰침을 이용하여 번개에 의한 건물의 피해를 예방하고, 주유기를 접지하여 방전에 의한 화재를 예방한다.

더 알기 전기장 영역에서 도체와 절연체 내부의 전기장

전기장에 도체가 놓여 있을 때 도체에서는 정전기 유도가 일어나 외부 전기장과 반대 방향으로 도체 내부에 전기장이 형성된다. 이때 외부 전기장과 내부 전기장의 합이 0이 될 때까지 자유 전자가 이동한다. 따라서 도체 내부의 알짜 전기장은 0이다.

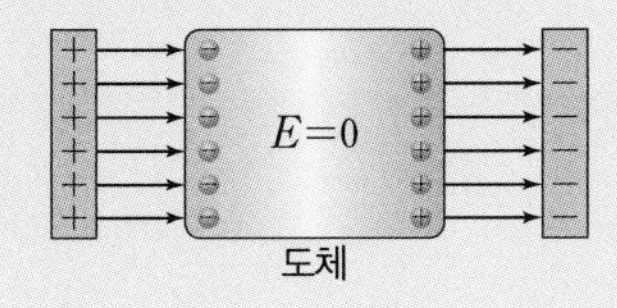

전기장에 절연체가 놓여 있을 때 절연체에서는 유전 분극이 일어나 외부 전기장과 반대 방향으로 절연체 내부에 전기장이 형성된다. 이때 절연체 내부 전기장의 세기는 외부 전기장의 세기보다 작으므로 절연체에서는 내부의 알짜 전기장이 0이 되지는 않는다.

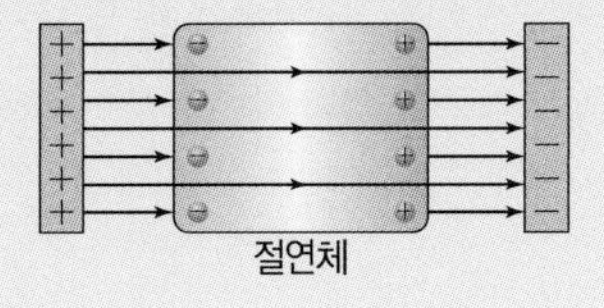

테마 대표 문제

| 2024학년도 수능 |

그림과 같이 점전하 A, B, C가 xy 평면에서 각각 y축상의 $y=2d$와 x축상의 $x=-\sqrt{3}d$, $x=\sqrt{3}d$에 고정되어 있다. y축상의 $y=d$인 점에서 전기장의 크기는 E이고, 방향은 $-x$방향이다. A, B의 전하의 종류와 전하량의 크기는 같다.
이에 대한 설명으로 옳은 것만을 〈보기〉에서 있는 대로 고른 것은?

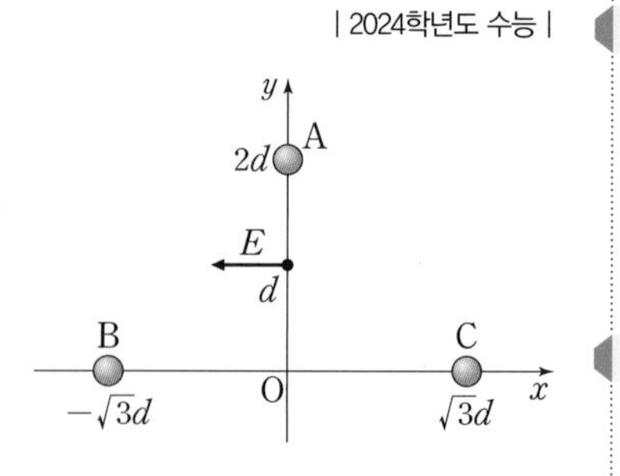

보기
ㄱ. A는 양(+)전하이다.
ㄴ. 전하량의 크기는 C가 A의 7배이다.
ㄷ. 원점 O에서 전기장의 x성분은 $-\sqrt{3}E$이다.

① ㄴ ② ㄷ ③ ㄱ, ㄴ ④ ㄱ, ㄷ ⑤ ㄱ, ㄴ, ㄷ

접근 전략

$y=d$인 점에서 전기장의 x성분과 y성분을 각각 나누어 분석하여 A, B, C의 전하의 종류와 전하량의 상대적 크기를 알아낸다.

간략 풀이

ⓞㄱ. $y=d$인 점에서 전기장의 y성분이 0이고 전기장의 방향이 $-x$방향이라는 조건을 만족하기 위해서는 B와 C의 전하의 종류는 양(+)전하로 같고 전하량의 크기는 C가 B보다 커야 한다.

ⓞㄴ. A, B의 전하량의 크기를 q_0, C의 전하량의 크기를 q_C, 쿨롱 상수를 k라 하면, $0=k\frac{(q_C+q_0)}{(2d)^2}\times\frac{1}{2}-k\frac{q_0}{d^2}$에서 $q_C=7q_0$이다.

✕ㄷ. $E=k\frac{(q_C-q_0)}{(2d)^2}\times\frac{\sqrt{3}}{2}=\frac{3\sqrt{3}}{4}k\frac{q_0}{d^2}$이고, 원점 O에서 전기장의 x성분은 B와 C에 의한 전기장의 합과 같으므로 $k\frac{(q_0-7q_0)}{(\sqrt{3}d)^2}=-2k\frac{q_0}{d^2}=-\frac{8\sqrt{3}}{9}E$이다.

정답 | ③

닮은 꼴 문제로 유형 익히기

정답과 해설 19쪽

▸24070-0088

그림과 같이 점전하 A, B, C가 xy 평면에서 각각 y축상의 $y=l$과 $(-\sqrt{3}d, -d)$, $(\sqrt{3}d, -d)$에 각각 고정되어 있다. 원점 O에서 전기장의 방향은 $+x$방향이고, O에서 A에 의한 전기장의 크기는 B에 의한 전기장의 크기보다 크고, C에 의한 전기장의 크기의 $\frac{4}{7}$배이다. A, B의 전하의 종류는 같고, 전하량의 크기는 A가 B의 2배이다.
이에 대한 설명으로 옳은 것만을 〈보기〉에서 있는 대로 고른 것은?

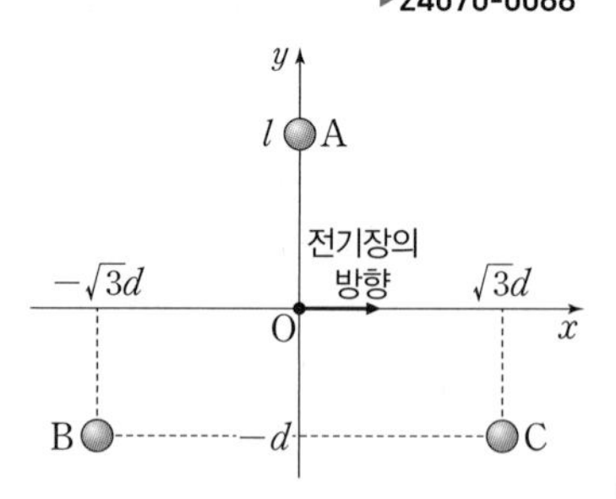

보기
ㄱ. A는 음(−)전하이다.
ㄴ. 전하량의 크기는 C가 B의 7배이다.
ㄷ. $l=\frac{3}{2}d$이다.

① ㄱ ② ㄷ ③ ㄱ, ㄴ ④ ㄴ, ㄷ ⑤ ㄱ, ㄴ, ㄷ

유사점과 차이점

문제에 주어진 정보로부터 A, B, C의 전하의 종류와 전하량의 크기를 판단하는 것은 유사하지만 O에서 A와 C에 의한 전기장의 상대적 세기에 대한 정보로부터 A의 위치를 파악해야하는 점이 대표 문제와 다르다.

배경 지식

전하량이 q인 점전하로부터 거리 r만큼 떨어진 지점에서 전기장의 세기는 $k\frac{q}{r^2}$이다.

01

▸24070-0089

그림과 같이 x축상에 점전하 A, B, C가 서로 d만큼 떨어져 고정되어 있다. A, B, C의 전하량은 각각 $+q$, $+2q$, $-3q$이다. A의 위치에서 B와 C에 의한 전기장은 E_A, B의 위치에서 A와 C에 의한 전기장은 E_B, C의 위치에서 A와 B에 의한 전기장은 E_C이다.

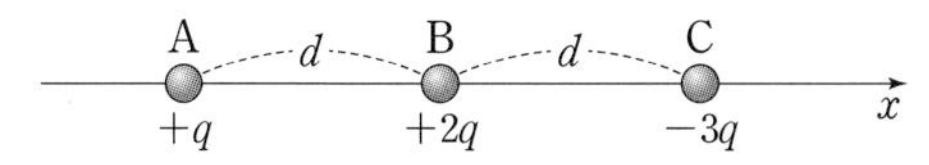

이에 대한 설명으로 옳은 것만을 〈보기〉에서 있는 대로 고른 것은?

보기

ㄱ. E_A와 E_B의 방향은 같다.
ㄴ. E_C의 방향은 $-x$방향이다.
ㄷ. B가 A와 C로부터 받는 전기력의 크기는 C가 A와 B로부터 받는 전기력의 크기보다 크다.

① ㄱ ② ㄷ ③ ㄱ, ㄴ ④ ㄴ, ㄷ ⑤ ㄱ, ㄴ, ㄷ

02

▸24070-0090

그림과 같이 전하량이 Q인 점전하 A는 원점 O에, 전하량이 -2 C인 점전하 B는 x축상의 $x=d$인 지점에 고정되어 있다. y축상의 $y=d$인 점 p에서 A, B에 의한 전기장의 방향은 $+x$방향이다.

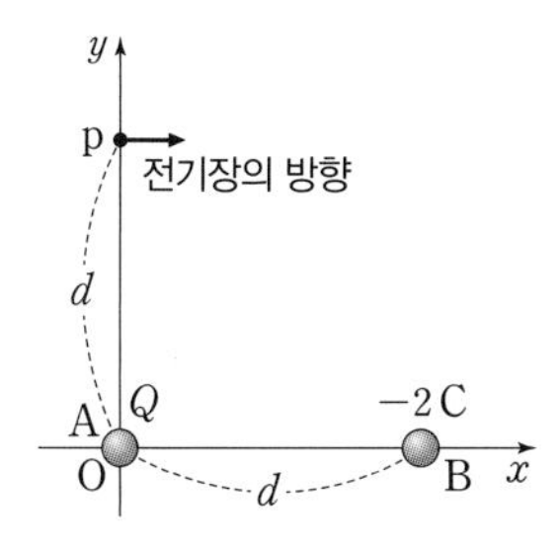

Q는?

① $-\sqrt{2}$ C ② $-\frac{\sqrt{2}}{2}$ C ③ $+\frac{\sqrt{2}}{2}$ C ④ $+\sqrt{2}$ C ⑤ $+2$ C

03

▸24070-0091

그림 (가), (나)는 xy 평면에 $+x$방향으로 균일한 전기장 영역이 형성되어 있을 때 대전된 금속구 A를 매단 실이 y축과 30°의 각을 이루며 A는 정지해 있고, 대전된 금속구 B는 y축과 45°의 각을 이루며 등가속도 직선 운동을 하는 것을 나타낸 것이다. A, B에 작용하는 중력의 방향은 $-y$방향이고, A와 B의 질량은 같다.

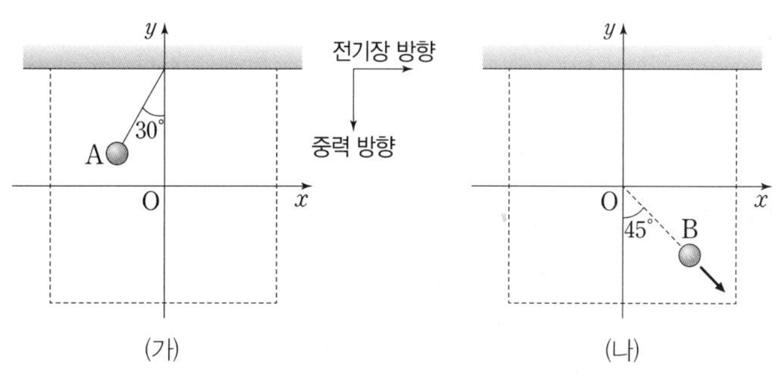

이에 대한 설명으로 옳은 것만을 〈보기〉에서 있는 대로 고른 것은? (단, 실의 질량, A, B의 크기는 무시한다.)

보기

ㄱ. A는 양(+)전하로 대전되어 있다.
ㄴ. A에 작용하는 전기력의 크기는 중력의 크기보다 작다.
ㄷ. 전하량의 크기는 B가 A의 $\sqrt{2}$배이다.

① ㄱ ② ㄴ ③ ㄱ, ㄴ ④ ㄴ, ㄷ ⑤ ㄱ, ㄴ, ㄷ

04

▸24070-0092

그림은 두 점전하 A, B가 각각 x축상의 $x=0$, $x=6d$에 고정되어 있을 때 x축상의 $0<x<6d$인 구간에서 A, B에 의한 전기장을 x에 따라 나타낸 것이다. $x=4d$에서 A, B에 의한 전기장은 0이다. 전기장의 방향은 $+x$방향이 양(+)이다.

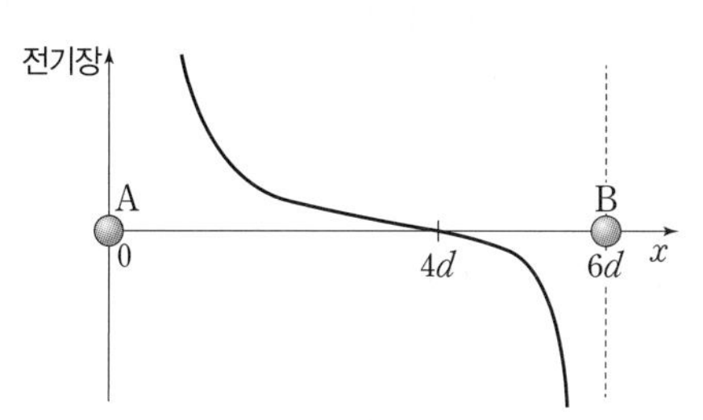

이에 대한 설명으로 옳은 것만을 〈보기〉에서 있는 대로 고른 것은?

보기

ㄱ. A는 양(+)전하이다.
ㄴ. 전하량의 크기는 A가 B의 4배이다.
ㄷ. x축상의 $x=7d$에서 전기장의 방향은 $+x$방향이다.

① ㄴ ② ㄷ ③ ㄱ, ㄴ ④ ㄱ, ㄷ ⑤ ㄱ, ㄴ, ㄷ

05

▸24070-0093

그림 (가)는 x축상에 고정된 두 점전하 A, B에 의한 전기장을 전기력선으로 방향 표시 없이 나타낸 것이고, (나)는 (가)에서 B 대신 B와 전하량의 크기가 같은 점전하 C를 고정하였을 때 전기력선을 나타낸 것이다. 점 p, q는 x축상의 지점이고, p에서 전기장의 방향은 $-x$방향이다.

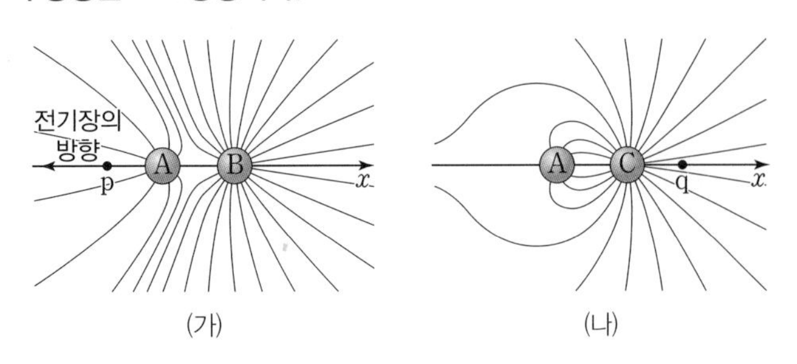

(가) (나)

이에 대한 설명으로 옳은 것만을 〈보기〉에서 있는 대로 고른 것은?

보기
ㄱ. 전하량의 크기는 A가 B보다 크다.
ㄴ. (가)에서 A와 B는 서로 당기는 전기력이 작용한다.
ㄷ. (나)의 q에서 전기장의 방향은 $-x$방향이다.

① ㄱ ② ㄷ ③ ㄱ, ㄴ ④ ㄴ, ㄷ ⑤ ㄱ, ㄴ, ㄷ

06

▸24070-0094

그림과 같이 점전하 A는 x축상에, B는 원점 O에 고정되어 있을 때 y축상의 점 p에서 전기장의 방향은 $+x$방향이다. A, B와 p 사이의 거리는 각각 r, d이다. 전하량의 크기는 A가 B의 8배이다.

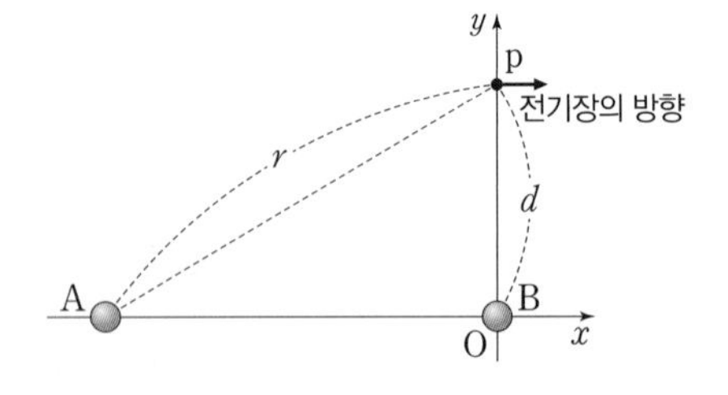

이에 대한 설명으로 옳은 것만을 〈보기〉에서 있는 대로 고른 것은?

보기
ㄱ. B는 양(+)전하이다.
ㄴ. $r=2d$이다.
ㄷ. p에서 A에 의한 전기장의 세기는 B에 의한 전기장의 세기의 2배이다.

① ㄱ ② ㄴ ③ ㄱ, ㄷ ④ ㄴ, ㄷ ⑤ ㄱ, ㄴ, ㄷ

07

▸24070-0095

그림 (가)는 음(−)전하로 대전된 대전체와 대전되지 않은 절연체 A와 도체 B를 대전체 양쪽에 고정시켜 놓은 것을 나타낸 것이다. B의 오른쪽은 접지되어 있다. 그림 (나)는 (가)에서 접지선을 제거하고 대전체를 멀리한 후 A와 B를 가까이 고정시킨 것을 나타낸 것이다.

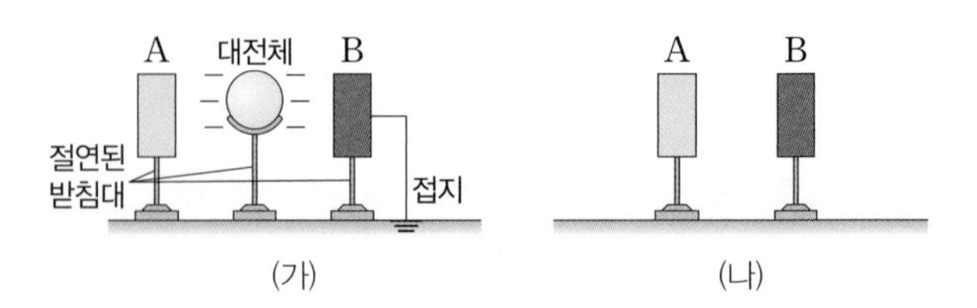

(가) (나)

이에 대한 설명으로 옳은 것만을 〈보기〉에서 있는 대로 고른 것은?

보기
ㄱ. (가)에서 A의 대전체에 가까운 쪽은 양(+)전하가 유도된다.
ㄴ. (나)에서 B는 양(+)전하로 대전되어 있다.
ㄷ. (나)에서 A와 B 사이에는 서로 당기는 전기력이 작용한다.

① ㄱ ② ㄴ ③ ㄱ, ㄷ ④ ㄴ, ㄷ ⑤ ㄱ, ㄴ, ㄷ

08

▸24070-0096

그림 (가)는 음(−)전하로 대전된 대전체를 대전되지 않은 도체구 A와 접촉시킨 것을, (나)는 (가)에서 대전체를 제거한 후 A와 도체구 B를 가까이 고정시켰을 때 A와 B 사이에 서로 미는 전기력이 작용하는 것을, (다)는 (나)의 B와 도체구 C를 가까이 고정시킨 것을 나타낸 것이다. B와 C 중 하나는 대전되어 있지 않다.

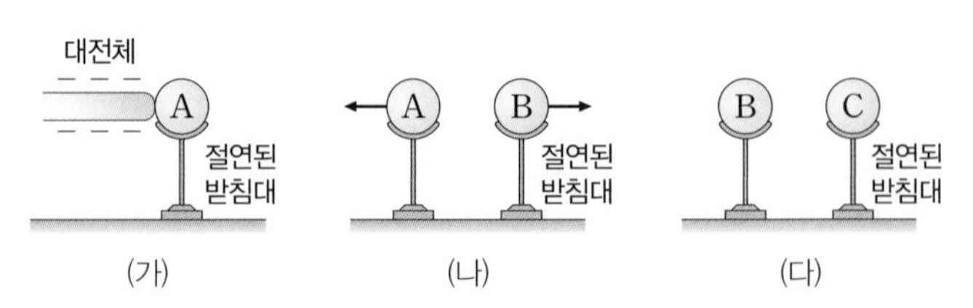

(가) (나) (다)

이에 대한 설명으로 옳은 것만을 〈보기〉에서 있는 대로 고른 것은?

보기
ㄱ. (가)에서 A는 음(−)전하로 대전된다.
ㄴ. B는 양(+)전하로 대전되어 있다.
ㄷ. (다)에서 B와 C 사이에는 전기력이 작용하지 않는다.

① ㄱ ② ㄷ ③ ㄱ, ㄴ ④ ㄴ, ㄷ ⑤ ㄱ, ㄴ, ㄷ

01

▸24070-0097

그림과 같이 점전하 A, B가 xy 평면에서 각각 y축상의 $y=d$, $y=-d$에 고정되어 있다. A의 전하량은 $+q$이고, x축상의 $x=\sqrt{3}d$인 점 p에서 전기장의 방향은 $-y$방향이다. p로부터 거리가 d인 지점에 점전하 C를 놓으면 p에서 전기장은 0이다.

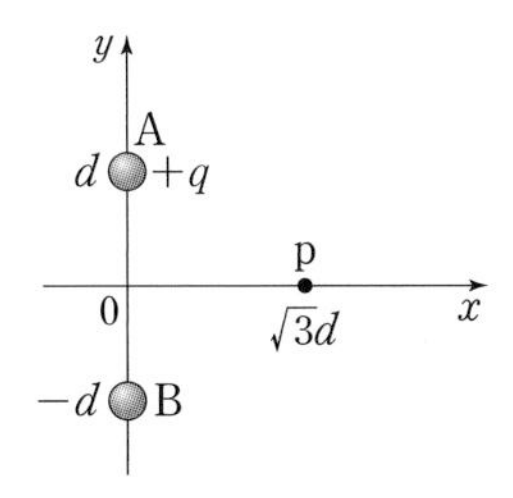

이에 대한 설명으로 옳은 것만을 〈보기〉에서 있는 대로 고른 것은?

보기

ㄱ. B의 전하량은 $-q$이다.
ㄴ. p에서 A와 B에 의한 전기장의 세기는 A에 의한 전기장의 세기보다 크다.
ㄷ. C의 전하량의 크기는 $2q$이다.

① ㄱ ② ㄴ ③ ㄱ, ㄷ ④ ㄴ, ㄷ ⑤ ㄱ, ㄴ, ㄷ

02

▸24070-0098

그림은 x축상의 $x=0$, $x=5d$, $x=8d$에 세 점전하 A, B, C가 고정되어 있을 때 x축상의 $0<x<8d$인 구간에서 A, B, C에 의한 전기장을 x에 따라 나타낸 것으로, $x=2d$에서 A, B, C에 의한 전기장은 0이다. 전기장의 방향은 $+x$방향이 양(+)이다. 전하량의 크기는 C가 A의 7배이다.

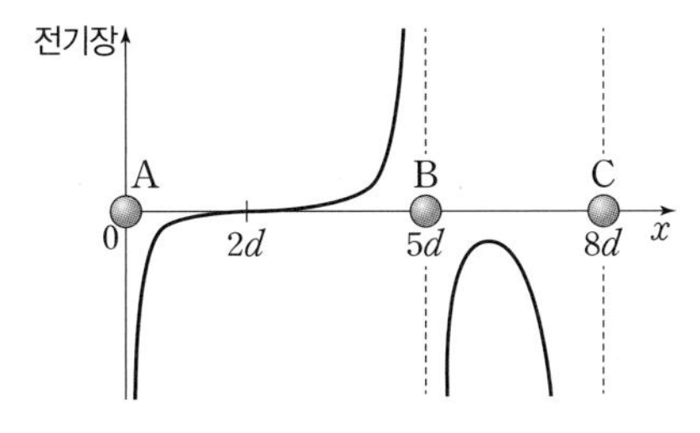

이에 대한 설명으로 옳은 것만을 〈보기〉에서 있는 대로 고른 것은?

보기

ㄱ. 전하의 종류는 A와 B가 같다.
ㄴ. C는 양(+)전하이다.
ㄷ. 전하량의 크기는 B가 A의 5배이다.

① ㄱ ② ㄷ ③ ㄱ, ㄴ ④ ㄴ, ㄷ ⑤ ㄱ, ㄴ, ㄷ

03

▸24070-0099

그림과 같이 xy 평면에 y축과 나란한 방향의 균일한 전기장 영역 Ⅰ, Ⅱ가 있다. x축상의 $x=-2d$인 점에서 양(+) 전하를 띤 입자를 x축과 60°의 각을 이루며 비스듬히 속력 v_0으로 발사하였더니 Ⅰ과 Ⅱ의 경계인 y축상을 $+x$방향으로 속력 v로 통과하였다. Ⅰ, Ⅱ에서 균일한 전기장의 방향은 같고, 세기는 Ⅱ에서가 Ⅰ에서의 2배이다.

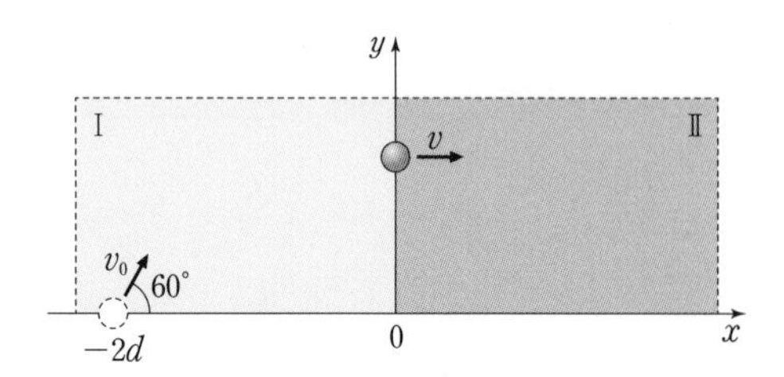

이에 대한 설명으로 옳은 것만을 〈보기〉에서 있는 대로 고른 것은? (단, 입자의 크기, 마찰과 공기 저항, 전자기파의 발생은 무시한다.)

보기

ㄱ. Ⅰ에서 전기장의 방향은 $-y$방향이다.
ㄴ. $v_0=2v$이다.
ㄷ. Ⅱ에서 운동한 후 입자는 $(d,\ 0)$인 지점을 지난다.

① ㄴ ② ㄷ ③ ㄱ, ㄴ ④ ㄱ, ㄷ ⑤ ㄱ, ㄴ, ㄷ

04

▸24070-0100

그림은 x축상에 고정된 두 점전하 A, B에 의한 전기장을 전기력선으로 방향 표시 없이 나타낸 것이다. A, B는 x축상의 $x=0$, $x=4d$에 고정되어 있고, 점 p, q는 각각 $x=3d$, $x=6d$인 x축상의 점이다. p에서 전기장의 방향은 $-x$방향이고, 전하량의 크기는 A가 B의 3배이다.

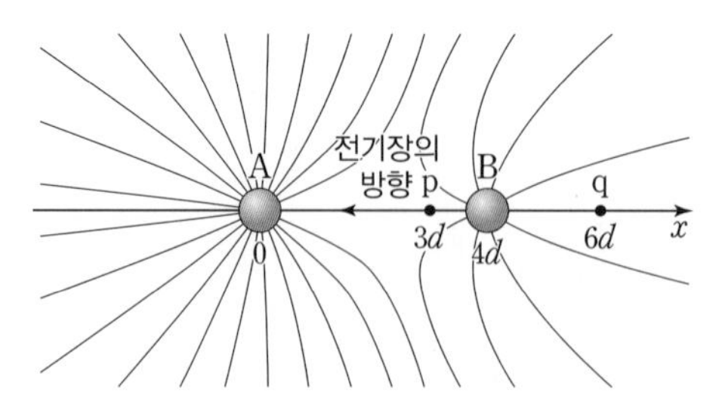

이에 대한 설명으로 옳은 것만을 〈보기〉에서 있는 대로 고른 것은?

보기

ㄱ. A는 음(−)전하이다.
ㄴ. q에서 전기장의 방향은 $+x$방향이다.
ㄷ. 전기장의 세기는 p에서가 q에서의 2배이다.

① ㄱ ② ㄷ ③ ㄱ, ㄴ ④ ㄴ, ㄷ ⑤ ㄱ, ㄴ, ㄷ

05

▸24070-0101

그림 (가)는 대전되지 않은 금속구 A, B가 서로 접촉해 있을 때 대전체를 A에 가까이 가져간 것을, (나)는 (가)에서 B를 A에서 떼어내고 B가 균일한 전기장 영역에 놓이도록 하였을 때 B를 매단 절연된 실이 연직선에 대해 기울어져 B가 정지해 있는 모습을 나타낸 것이다.

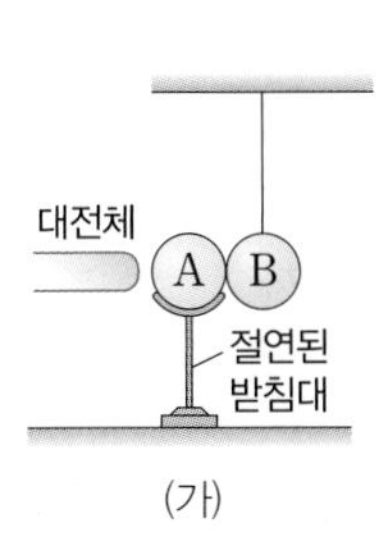

(가)

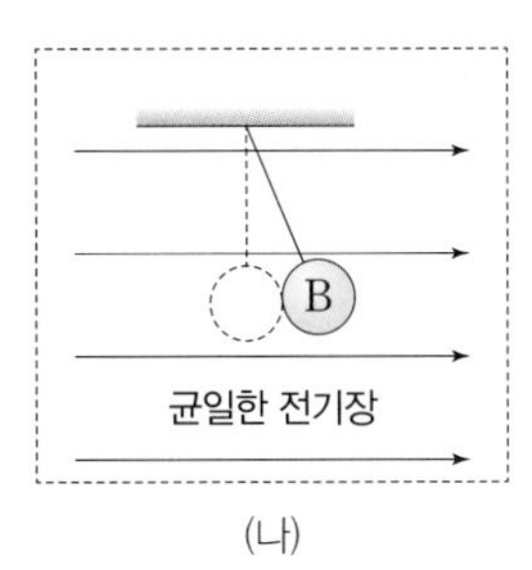

(나)

이에 대한 설명으로 옳은 것만을 〈보기〉에서 있는 대로 고른 것은?

보기

ㄱ. (나)에서 B는 양(+)전하로 대전되어 있다.
ㄴ. (가)에서 대전체는 음(−)전하로 대전되어 있다.
ㄷ. (가)에서 대전체를 A에 가까이 가져갈 때, 전자는 A에서 B로 이동하였다.

① ㄱ ② ㄴ ③ ㄱ, ㄷ ④ ㄴ, ㄷ ⑤ ㄱ, ㄴ, ㄷ

06

▸24070-0102

그림 (가)는 대전되지 않은 동일한 도체구 A, B를 붙여 놓은 후 양(+)전하로 대전된 막대를 A에 가까이 가져간 것을, (나)는 (가)에서 A와 B를 떼어 놓은 후 막대를 치운 것을 나타낸 것이다. 그림 (다)는 (나)의 A 또는 B를 도체구 C와 가까이 매달았을 때 서로 밀어내는 전기력이 작용하는 것을 나타낸 것이다.

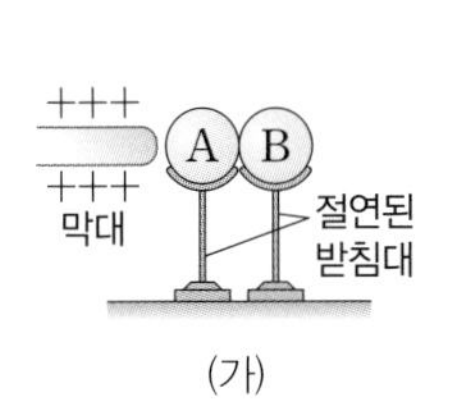

(가)

A B

(나)

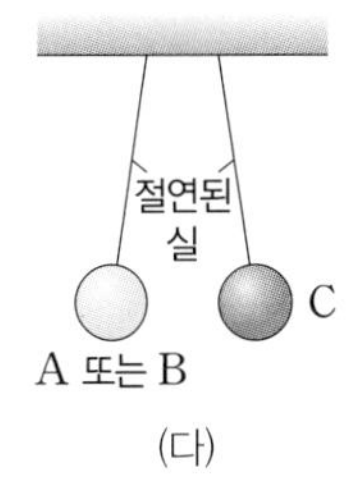

(다)

이에 대한 설명으로 옳은 것만을 〈보기〉에서 있는 대로 고른 것은?

보기

ㄱ. (가)에서 자유 전자의 개수는 A가 B보다 많다.
ㄴ. (나)에서 A와 B 사이에는 서로 미는 전기력이 작용한다.
ㄷ. (다)에서 C를 매달기 전 C는 대전되지 않은 상태이다.

① ㄱ ② ㄷ ③ ㄱ, ㄴ ④ ㄴ, ㄷ ⑤ ㄱ, ㄴ, ㄷ

테마

07 저항의 연결과 전기 에너지

1 전압(전위차)과 전류

(1) **전위**: 단위 양전하(+1 C)를 전기장 내의 기준점으로부터 어떤 점까지 이동시키는 데 필요한 일로, 단위 양전하(+1 C)가 가지는 전기력에 의한 퍼텐셜 에너지를 나타낸다.

① 전위의 대소 관계: 양(+)전하 주위는 음(−)전하 주위보다 전위가 높다. 저항이 없는 도체 내부는 전위가 모두 같다.

② 전위차: 두 지점 사이의 전위의 차를 전위차 또는 전압이라고 한다. 전하량이 $+q$인 전하를 전기장 내의 한 점 A에서 다른 점 B까지 이동시키는 데 필요한 일을 W라고 하면, 두 지점 사이의 전위차 ΔV는 다음과 같다.

$$\Delta V = V_B - V_A = \frac{W}{q} \text{ [단위: J/C 또는 V]}$$

(2) **균일한 전기장에서의 일**: 균일한 전기장(E)에서 전하량이 $+q$인 전하를 극판 A에서 d만큼 떨어진 극판 B까지 옮기는 데 필요한 일 W는 다음과 같다.

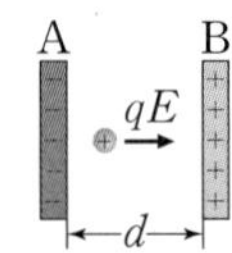

$$W = Fd = qEd = q\Delta V,\ \Delta V = Ed$$

(3) **전류**: 전하를 띤 입자의 흐름이다.

① 전류의 방향: 양(+)전하가 이동하는 방향으로 정한다. 음(−)전하인 전자가 이동하는 방향의 반대 방향이다.

② 전류의 세기(I): 단위 시간(1초) 동안 도선의 단면을 통과하는 전하량이다. 도선의 단면을 t초 동안 통과한 전하량을 Q라고 하면 전류의 세기 I는 다음과 같다.

$$I = \frac{Q}{t} \text{ [단위: A(암페어) 또는 C/s]}$$

(4) **전기 저항과 옴의 법칙**

① 전기 저항(R): 전류의 흐름을 방해하는 정도를 수치로 나타낸 값이다.

$$R = \rho\frac{l}{S} \text{ [단위: Ω(옴), } \rho\text{: 비저항, } l\text{: 길이, } S\text{: 단면적]}$$

② 옴의 법칙: 저항에 흐르는 전류의 세기 I는 저항에 걸린 전압 V에 비례하고, 저항의 저항값 R에 반비례한다.

$$I = \frac{V}{R}$$

2 저항의 연결

(1) **직렬연결**

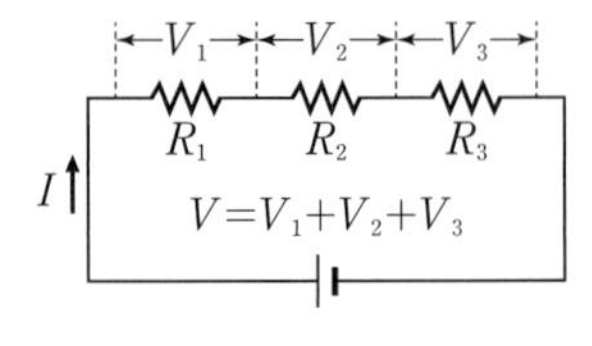

① 전자가 한 개의 닫힌 회로를 따라 이동하므로 전하량 보존 법칙에 따라 각각의 저항에 흐르는 전류의 세기 I는 같다.

② 전체 전압 V는 각 저항에 걸리는 전압의 합과 같다.

$$V = V_1 + V_2 + V_3$$

③ 합성 저항값 R는 $R = R_1 + R_2 + R_3$이다.

④ 각 저항에 걸리는 전압의 비는 각 저항값의 비와 같다.

⑤ 전기 저항의 직렬연결은 저항의 길이가 길어지는 효과이므로 합성 저항값은 저항값이 가장 큰 저항의 저항값보다 크다.

(2) **병렬연결**

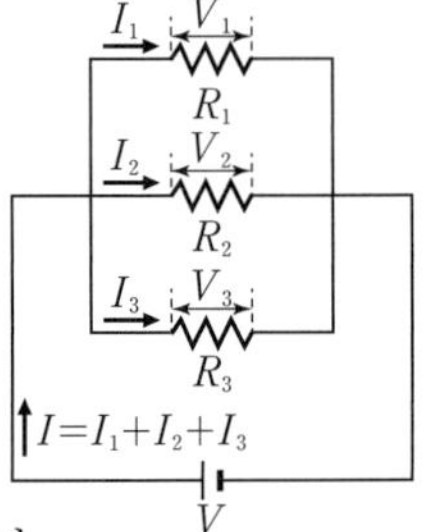

① 각 저항의 양단이 전원에 직접 연결되어 있으므로 각 저항에 걸리는 전압이 같다.

$$V = V_1 = V_2 = V_3$$

② 전하량 보존 법칙에 따라 전체 전류는 각 저항에 흐르는 전류의 합과 같다.

$$I = I_1 + I_2 + I_3$$

③ 합성 저항값 R는 $\frac{1}{R} = \frac{1}{R_1} + \frac{1}{R_2} + \frac{1}{R_3}$이다.

④ 전기 저항의 병렬연결은 저항의 단면적이 커지는 효과이므로 합성 저항값은 저항값이 가장 작은 저항의 저항값보다 작다.

(3) **전기 에너지**: 저항에 세기가 I인 전류가 시간 t 동안 흐르면 이동한 전하량은 $q = It$가 되므로 이 전하가 받은 일은 다음과 같다.

$$W = qV = VIt = I^2Rt = \frac{V^2}{R}t \text{ [단위: J]}$$

(4) **전력**: 단위 시간(1초) 동안에 소비하거나 공급되는 전기 에너지

① 저항값이 R인 저항에 걸린 전압이 V일 때 저항에 세기가 I인 전류가 시간 t 동안 흐른다면 전력 P는 다음과 같다.

$$P = \frac{W}{t} = VI = I^2R = \frac{V^2}{R} \text{ [단위: J/s=W]}$$

② 전류의 열작용: 저항에 전류가 흐르면 전기 에너지가 열에너지로 전환된다.

더 알기 미지의 저항의 저항값을 측정하는 휘트스톤 브리지

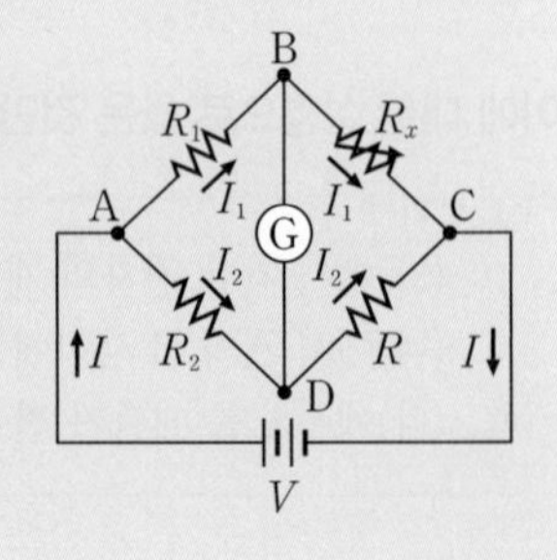

휘트스톤 브리지는 4개의 저항을 대칭으로 연결하여 미지의 저항의 저항값을 측정할 수 있는 회로이다. 저항값을 알고 있는 저항의 저항값을 각각 R_1, R_2, 가변 저항의 저항값을 R_x, 미지의 저항의 저항값을 R라고 하자. 그림과 같이 4개의 저항과 검류계를 전원에 연결한 후 가변 저항을 조절하여 검류계에 전류가 흐르지 않도록 한다.

검류계에 전류가 흐르지 않는다는 것은 점 B와 D의 전위가 같다는 것을 의미한다. 즉, 저항값이 각각 R_1, R_2인 저항 양단에 걸리는 전위차가 같다. 저항값이 각각 R_1, R_2인 저항에 흐르는 전류의 세기를 각각 I_1, I_2라고 하면 $I_1R_1 = I_2R_2$이다. 마찬가지로 가변 저항과 미지의 저항 양단에 걸리는 전위차도 같으므로 $I_1R_x = I_2R$이다. 이를 정리하면

$\frac{I_1}{I_2} = \frac{R_2}{R_1} = \frac{R}{R_x}$이므로 $R = \frac{R_2R_x}{R_1}$이다.

테마 대표 문제

| 2024학년도 수능 |

그림과 같이 저항값이 각각 R, $2R$인 저항을 연결하였다. 표는 단자 a, b, c 중 두 단자를 전압이 V인 전원 장치에 연결하여 회로를 구성하였을 때, 회로의 소비 전력을 나타낸 것이다.

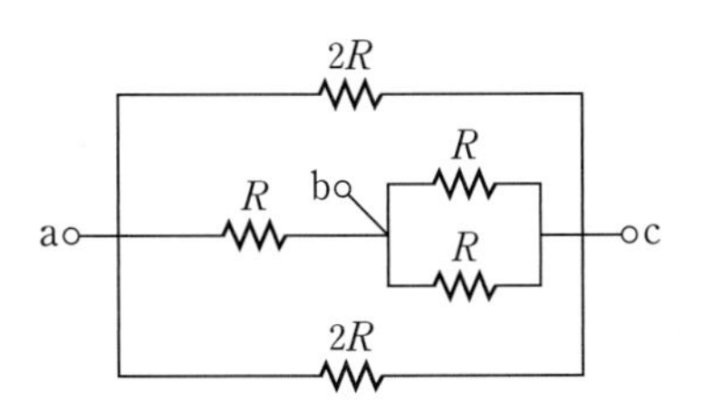

전원 장치 연결 단자	회로의 소비 전력
a, b	P_0
a, c	P

$\frac{P}{P_0}$는?

① $\frac{1}{2}$ ② $\frac{2}{3}$ ③ $\frac{4}{5}$ ④ 1 ⑤ $\frac{4}{3}$

접근 전략

회로를 파악하기 쉽게 두 단자가 회로의 좌우 양 끝에 오도록 저항을 재배치하여 회로를 그리고 분석한다.

간략 풀이

전원 장치의 연결 단자가 a, c일 때 회로의 합성 저항값은 $2R$와 $R+\frac{R}{2}$, $2R$의 병렬연결이므로 $\frac{3}{5}R$이다. 전원 장치의 연결 단자가 a, b일 때 그림과 같이 나타낼 수 있으므로 회로의 합성 저항값은 $\frac{3}{5}R$이다.

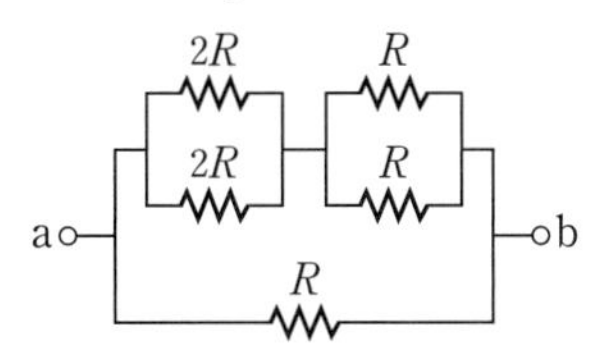

두 단자 사이의 합성 저항값이 같으므로 각 경우에서 회로의 소비 전력은 같다.

정답 | ④

닮은 꼴 문제로 유형 익히기

정답과 해설 22쪽

▸24070-0103

그림과 같이 저항값이 각각 R, $2R$인 저항과 전류계를 연결하였다. 표는 단자 a, b, c 중 두 단자를 전압이 V인 전원 장치에 연결하여 회로를 구성하였을 때, 전류계에 흐르는 전류의 세기와 회로의 소비 전력을 나타낸 것이다.

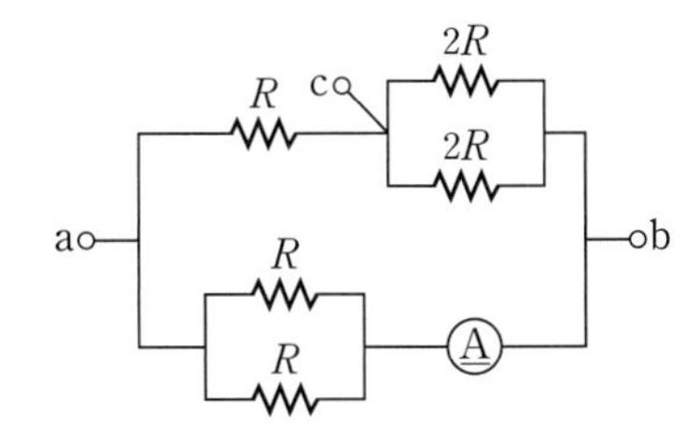

전원 장치 연결 단자	전류계에 흐르는 전류의 세기	회로의 소비 전력
a, b	I_0	P_0
b, c	I	P

이에 대한 설명으로 옳은 것만을 〈보기〉에서 있는 대로 고른 것은?

보기

ㄱ. 전원 장치 연결 단자가 a, b일 때 회로의 합성 저항값은 $\frac{3}{5}R$이다.

ㄴ. $I=\frac{1}{3}I_0$이다.

ㄷ. $P=P_0$이다.

① ㄴ ② ㄷ ③ ㄱ, ㄴ ④ ㄱ, ㄷ ⑤ ㄱ, ㄴ, ㄷ

유사점과 차이점

회로에서 전원 장치와의 연결 단자에 따른 합성 저항값과 소비 전력을 비교하는 것은 유사하지만 회로에 흐르는 전류의 세기를 비교하는 것이 대표 문제와 다르다.

배경 지식

저항값 R_1, R_2인 두 저항이 병렬연결되어 있을 때 합성 저항값을 R라 하면 $\frac{1}{R}=\frac{1}{R_1}+\frac{1}{R_2}$이 성립하고, 병렬연결된 두 저항에 흐르는 전류의 세기는 각 저항의 저항값에 반비례한다.

01

▸24070-0104

그림은 xy 평면에서 균일한 전기장을 전기력선으로 나타낸 것으로, 점전하 A를 a점에 가만히 놓았더니 A는 $+x$방향으로 등가속도 운동을 하였다. 점 a, b, c는 전기장 영역의 점이다.

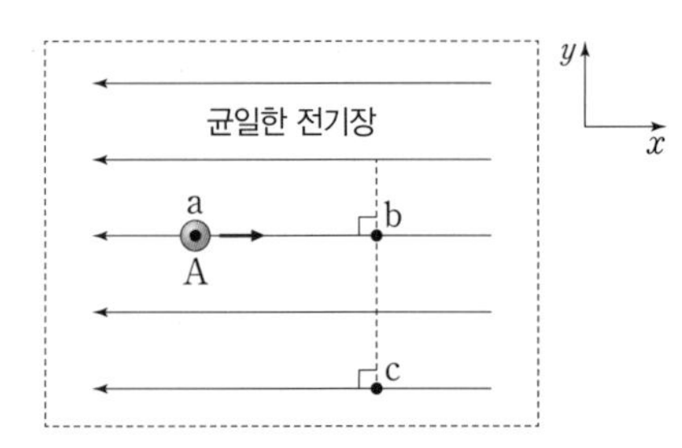

이에 대한 설명으로 옳은 것만을 〈보기〉에서 있는 대로 고른 것은? (단, 입자에는 균일한 전기장에 의한 전기력만 작용한다.)

보기

ㄱ. A는 양(+)전하이다.
ㄴ. 전위는 a에서가 b에서보다 낮다.
ㄷ. 단위 양(+)전하를 옮기는 데 필요한 일은 a에서 b까지가 a에서 c까지보다 작다.

① ㄱ ② ㄴ ③ ㄱ, ㄷ ④ ㄴ, ㄷ ⑤ ㄱ, ㄴ, ㄷ

02

▸24070-0105

그림은 전하량의 크기가 q인 입자 A를 균일한 전기장 영역의 $x=0$인 점에 가만히 놓았을 때 A가 x축상의 점 a, b를 차례로 통과하는 것을 나타낸 것이다. 전위는 b가 a보다 V만큼 높다.

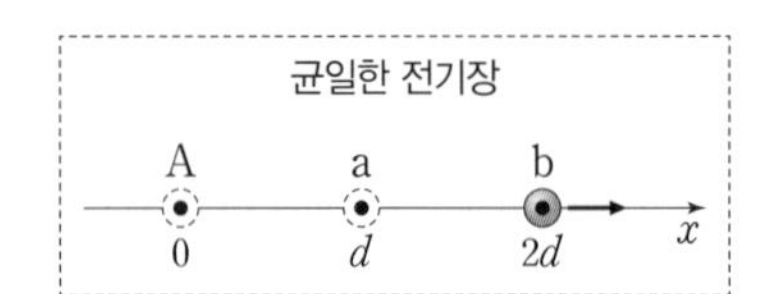

이에 대한 설명으로 옳은 것만을 〈보기〉에서 있는 대로 고른 것은? (단, 전자기파의 발생, 입자의 크기와 모든 마찰은 무시한다.)

보기

ㄱ. A는 음(−)전하이다.
ㄴ. 균일한 전기장의 방향은 $+x$방향이다.
ㄷ. b에서 A의 운동 에너지는 qV이다.

① ㄱ ② ㄷ ③ ㄱ, ㄴ ④ ㄴ, ㄷ ⑤ ㄱ, ㄴ, ㄷ

03

▸24070-0106

그림은 양(+)전하를 띤 입자가 x축과 나란한 방향의 균일한 전기장 영역 Ⅰ, Ⅱ를 $+x$방향으로 차례로 통과하는 모습을, 표는 전위를 위치 x에 따라 나타낸 것이다. 입자에는 균일한 전기장에 의한 전기력만 작용한다. $x=0$에서 입자의 운동 에너지는 E_0이다.

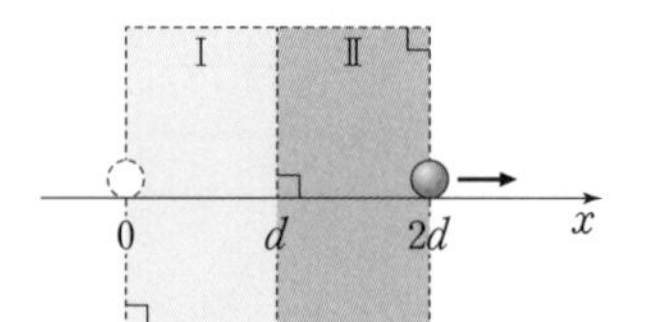

위치	전위
0	$2V$
$x=d$	V
$x=2d$	$3V$

이에 대한 설명으로 옳은 것만을 〈보기〉에서 있는 대로 고른 것은? (단, 전자기파의 발생, 입자의 크기, 모든 마찰은 무시한다.)

보기

ㄱ. Ⅰ에서 전기장의 방향은 $+x$방향이다.
ㄴ. 전기장의 세기는 Ⅰ에서와 Ⅱ에서가 같다.
ㄷ. $x=2d$에서 입자의 운동 에너지는 E_0보다 작다.

① ㄱ ② ㄴ ③ ㄱ, ㄷ ④ ㄴ, ㄷ ⑤ ㄱ, ㄴ, ㄷ

04

▸24070-0107

그림 (가), (나)와 같이 저항값이 20 Ω, R인 저항, 전압이 V로 일정한 전원으로 회로를 구성하였다. 저항값이 R인 저항에 흐르는 전류의 세기는 (가)에서가 (나)에서의 6배이다.

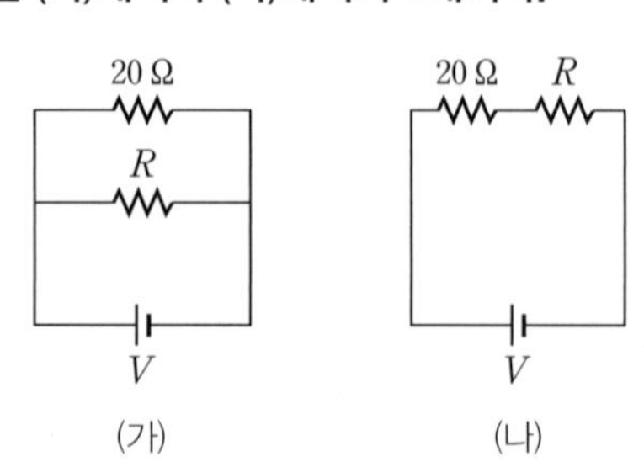

(나)에서 저항값이 R인 저항 양단에 걸리는 전압은?

① $\frac{V}{6}$ ② $\frac{V}{3}$ ③ $\frac{V}{2}$ ④ $\frac{2V}{3}$ ⑤ $\frac{5V}{6}$

05

▸24070-0108

그림과 같이 전압이 일정한 전원, 저항값이 6 Ω, R인 저항, 전류계, 스위치 S로 회로를 구성하였다. 전류계에 흐르는 전류의 세기는 S를 닫은 후가 S를 닫기 전의 1.5배이다.

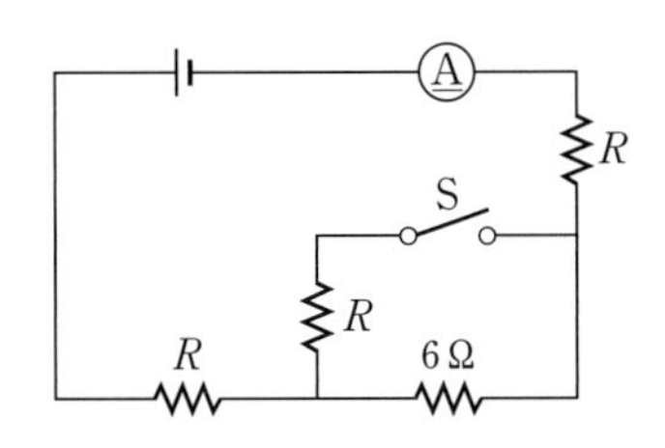

R는?

① 1 Ω ② 2 Ω ③ 3 Ω ④ 4 Ω ⑤ 5 Ω

06

▸24070-0109

그림과 같이 원통형 금속 막대 A, B, 전류계, 스위치 S, 전압이 일정한 전원으로 회로를 구성하였다. 표는 A, B의 비저항, 단면적, 길이를 나타낸 것이다. 전류계에 흐르는 전류의 세기는 S를 a에 연결할 때가 b에 연결할 때의 $\frac{1}{2}$배이다.

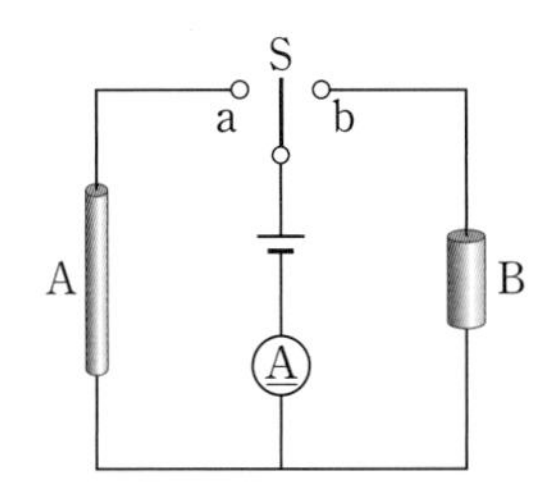

저항	비저항	단면적	길이
A	㉠	S	$2L$
B	ρ	$2S$	L

이에 대한 설명으로 옳은 것만을 <보기>에서 있는 대로 고른 것은?

보기

ㄱ. 저항값은 A가 B의 2배이다.
ㄴ. ㉠은 2ρ이다.
ㄷ. 저항에서 소비되는 전력은 S를 a에 연결할 때가 b에 연결할 때의 2배이다.

① ㄱ ② ㄷ ③ ㄱ, ㄴ ④ ㄴ, ㄷ ⑤ ㄱ, ㄴ, ㄷ

07

▸24070-0110

그림과 같이 저항 A, B, 저항값이 6 Ω인 저항, 전류계, 스위치 S, 전압이 일정한 전원으로 회로를 구성하였다. S를 열었을 때 저항값이 6 Ω인 저항과 A에 흐르는 전류의 세기는 각각 1 A, 2 A이고, S를 닫았을 때 A에서 소비되는 전력은 48 W이다.

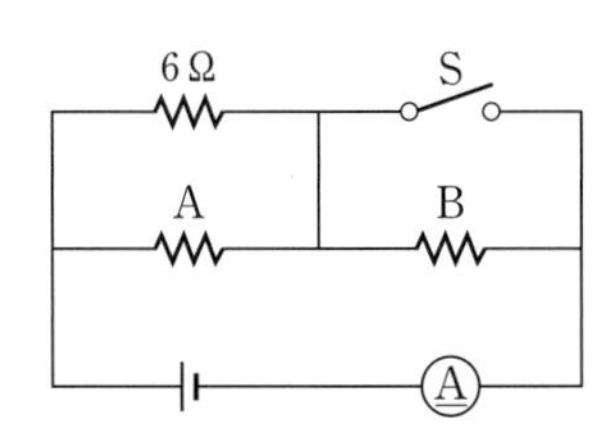

이에 대한 설명으로 옳은 것만을 <보기>에서 있는 대로 고른 것은?

보기

ㄱ. 전원의 전압은 6 V이다.
ㄴ. S를 열었을 때, 저항 양단에 걸리는 전압은 A와 B가 같다.
ㄷ. S를 열었을 때, 회로 전체의 합성 저항값은 4 Ω이다.

① ㄱ ② ㄷ ③ ㄱ, ㄴ ④ ㄴ, ㄷ ⑤ ㄱ, ㄴ, ㄷ

08

▸24070-0111

그림과 같이 전압이 V로 일정한 전원, 저항값이 R인 저항 A, 길이가 $3L$인 균일한 재질의 원통형 금속 막대로 회로를 구성하였다. 전원의 (−)단자와 금속 막대를 도선으로 연결한 접점이 막대의 왼쪽 끝에서 L만큼 떨어진 점 a일 때 A의 양단에 걸린 전압은 $\frac{3}{4}V$이고, A에서 소비되는 전력은 P_0이다. 점 b는 금속 막대의 오른쪽 끝 지점이다.

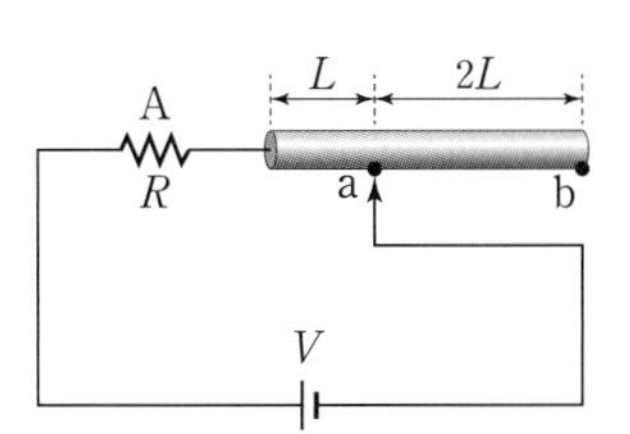

이에 대한 설명으로 옳은 것만을 <보기>에서 있는 대로 고른 것은?

보기

ㄱ. 길이가 $3L$인 금속 막대의 저항값은 $3R$이다.
ㄴ. 전원과 금속 막대를 도선으로 연결한 접점이 a일 때 A에 흐르는 전류의 세기는 $\frac{V}{2R}$이다.
ㄷ. 전원과 금속 막대를 도선으로 연결한 접점이 b일 때 A에서 소비되는 전력은 $\frac{4}{9}P_0$이다.

① ㄱ ② ㄷ ③ ㄱ, ㄴ ④ ㄴ, ㄷ ⑤ ㄱ, ㄴ, ㄷ

01

▸24070-0112

그림은 균일한 전기장을 전기력선으로 나타낸 것으로, 기준선 Ⅰ 위의 점 a와 기준선 Ⅲ 위의 점 b에 입자 A, B를 동시에 가만히 놓았더니 A, B가 각각 등가속도 직선 운동을 하여 기준선 Ⅱ에 동시에 도달하였다. Ⅰ, Ⅱ, Ⅲ은 전기력선에 수직이고, 질량은 B가 A의 3배이다.

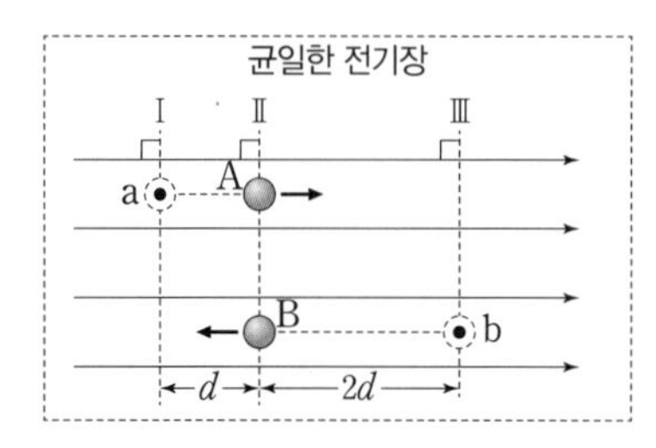

이에 대한 설명으로 옳은 것만을 〈보기〉에서 있는 대로 고른 것은? (단, A, B에는 균일한 전기장에 의한 전기력만 작용하고, 입자의 크기와 전자기파의 발생은 무시한다.)

보기

ㄱ. 전위는 a에서가 b에서보다 높다.
ㄴ. 전하량의 크기는 B가 A의 3배이다.
ㄷ. Ⅱ에 도달하는 순간 운동 에너지는 B가 A의 6배이다.

① ㄱ ② ㄷ ③ ㄱ, ㄴ ④ ㄴ, ㄷ ⑤ ㄱ, ㄴ, ㄷ

02

▸24070-0113

그림과 같이 수평면과 나란한 균일한 전기장이 형성된 영역에 질량 m, 전하량 q인 입자를 점 a에서 가만히 놓았더니 입자는 a에서 거리 d만큼 떨어진 점 b를 향해 등가속도 직선 운동을 하였다. 전기장의 세기는 E이다.

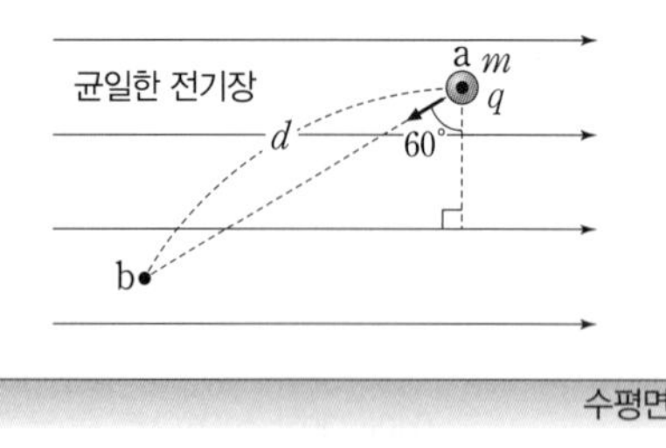

이에 대한 설명으로 옳은 것만을 〈보기〉에서 있는 대로 고른 것은? (단, 입자에는 중력과 균일한 전기장에 의한 전기력만 작용하고, 전자기파의 발생은 무시한다.)

보기

ㄱ. 입자는 음(−)전하이다.
ㄴ. 입자가 a에서 b까지 운동하는 동안 중력이 입자에 한 일은 $\frac{qEd}{2}$이다.
ㄷ. b에서 입자의 운동 에너지는 $\sqrt{3}qEd$이다.

① ㄱ ② ㄷ ③ ㄱ, ㄴ ④ ㄴ, ㄷ ⑤ ㄱ, ㄴ, ㄷ

03

▸24070-0114

그림은 전압이 12V인 전원, 전류계, 저항값이 R_1, R_2, 1 Ω인 저항, 스위치 S로 구성한 회로를 나타낸 것이다. S를 닫은 후 전류계에 흐르는 전류의 세기는 3 A이고, 전원과 직렬로 연결되어 있는 저항값이 R_2인 저항 P의 양단에 걸리는 전압은 저항값이 1 Ω인 저항 양단에 걸리는 전압의 3배이다.

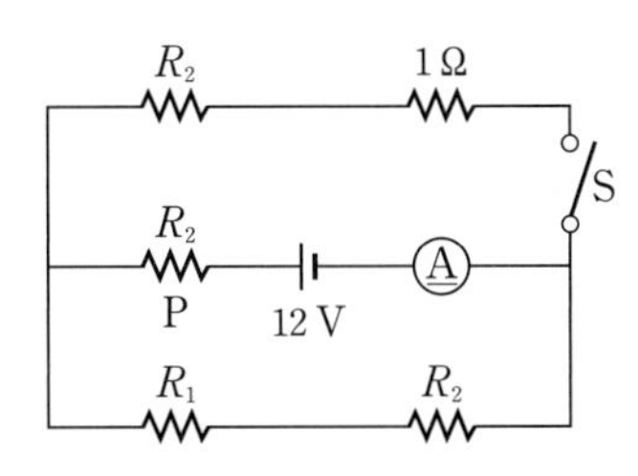

S를 닫기 전 저항값이 R_1인 저항 양단에 걸리는 전압은?

① 2 V ② 3 V ③ 4 V ④ 5 V ⑤ 6 V

04

▸24070-0115

그림은 전압이 9V인 전원, 전류계, 저항값이 1 Ω, R인 저항, 저항값이 3 Ω인 저항 P, 스위치 S로 구성한 회로를 나타낸 것이다. 전류계에 흐르는 전류의 세기는 S를 닫기 전과 닫은 후가 I_0으로 같다.

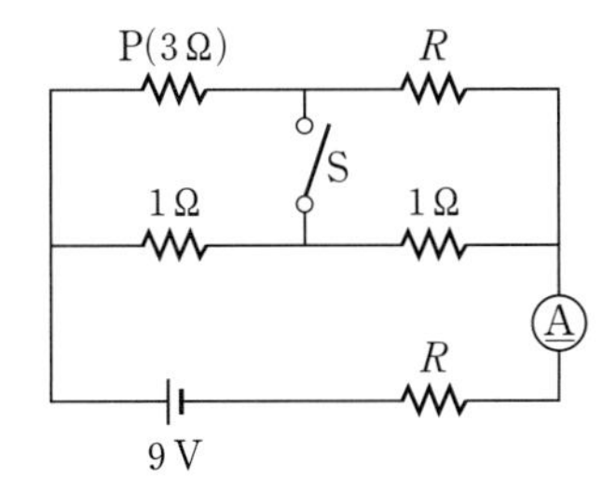

이에 대한 설명으로 옳은 것만을 〈보기〉에서 있는 대로 고른 것은?

보기

ㄱ. R=1.5 Ω이다.
ㄴ. I_0=2 A이다.
ㄷ. S를 닫기 전, P 양단에 걸린 전압은 3 V이다.

① ㄱ ② ㄴ ③ ㄱ, ㄷ ④ ㄴ, ㄷ ⑤ ㄱ, ㄴ, ㄷ

05

▸24070-0116

그림과 같이 균일한 재질의 동일한 금속 막대 6개를 이용하여 정사면체 모양의 회로를 구성하였다 A, B, C, D는 막대들이 서로 연결되는 지점이고, A와 B 사이에는 전압이 V로 일정한 전원이 연결되어 있다.

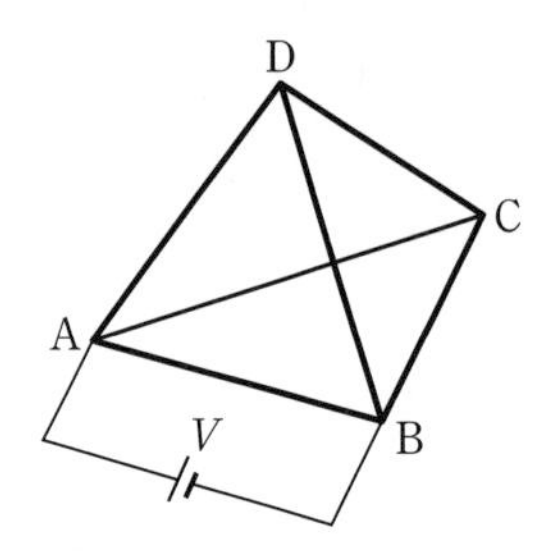

금속 막대 한 개의 저항값이 R일 때, 이에 대한 설명으로 옳은 것만을 〈보기〉에서 있는 대로 고른 것은?

보기

ㄱ. A와 C 사이에 걸린 전압은 $\frac{V}{3}$이다.
ㄴ. 회로 전체의 합성 저항값은 R보다 작다.
ㄷ. A와 B 사이의 막대에서 소비되는 전력은 B와 C 사이의 막대에서 소비되는 전력의 2배이다.

① ㄴ ② ㄷ ③ ㄱ, ㄴ ④ ㄱ, ㄷ ⑤ ㄱ, ㄴ, ㄷ

06

▸24070-0117

그림 (가)와 같이 동일한 재질의 원통형 금속 막대 A와 B, 전류계, 스위치 S를 전원 장치에 연결하여 회로를 구성하였다. 단면적은 B가 A의 2배이다. 그림 (나)는 S를 열거나 닫았을 때 전원 장치의 전압에 따라 전류계에 흐르는 전류의 세기를 순서 없이 ㉠, ㉡으로 나타낸 것이다.

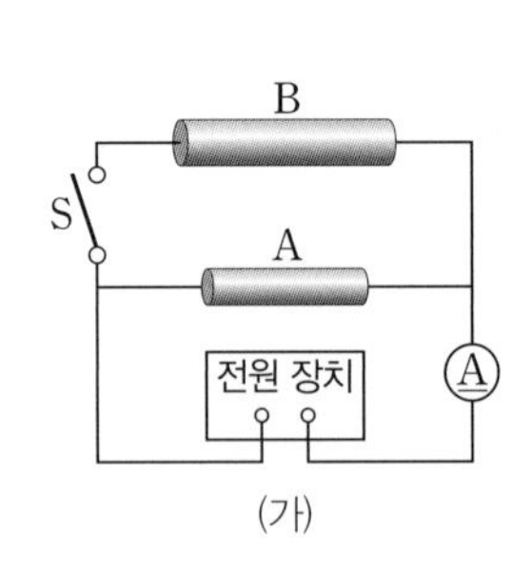

(가)

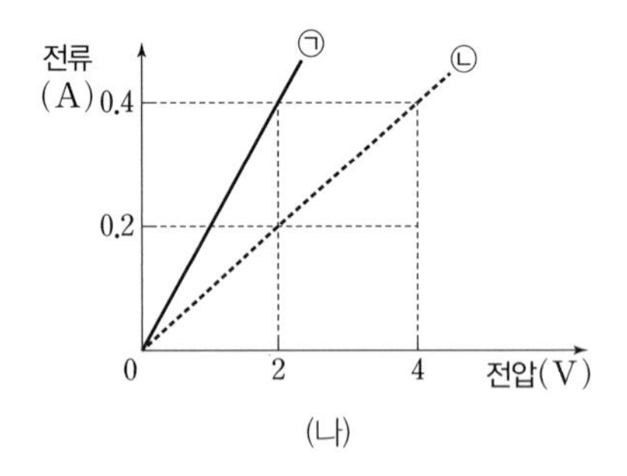

(나)

이에 대한 설명으로 옳은 것만을 〈보기〉에서 있는 대로 고른 것은?

보기

ㄱ. S를 열었을 때의 그래프는 ㉡이다.
ㄴ. 금속 막대의 길이는 B가 A의 1.5배이다.
ㄷ. S를 닫고 전원 장치의 전압이 4 V일 때, A와 B 전체의 소비 전력은 1.6 W이다.

① ㄱ ② ㄷ ③ ㄱ, ㄴ ④ ㄴ, ㄷ ⑤ ㄱ, ㄴ, ㄷ

트랜지스터와 축전기

1 트랜지스터

(1) **트랜지스터**: p−n 접합 반도체에 p형 반도체나 n형 반도체를 추가하여 만든 반도체 소자이다.

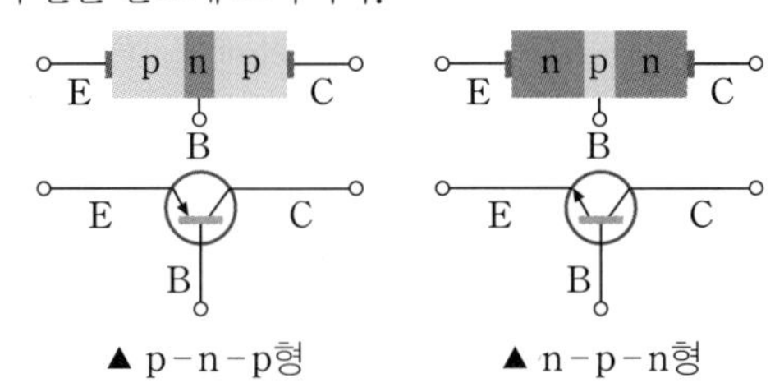

▲ p−n−p형 ▲ n−p−n형

① 구조: 이미터(E), 베이스(B), 컬렉터(C)의 세 개의 단자가 있고 이미터와 컬렉터 사이의 베이스는 두께가 수 μm 정도로 매우 얇게 제작된다.

② 역할: 트랜지스터는 회로에서 증폭 작용과 스위칭 작용을 한다.

(2) **트랜지스터의 작동 원리**: 그림과 같이 n−p−n형 트랜지스터의 이미터와 베이스 사이에 순방향 전압 V_{BE}를 걸고 컬렉터와 베이스 사이에 역방향 전압 V_{CB}를 걸면 베이스에서 이미터로 전류가 흐른다. 이미터에서 베이스로 이동하는 전자의 대부분이 얇은 베이스를 지나 컬렉터로 이동하여 컬렉터에도 전류가 흐르게 된다. 이미터와 베이스에 역방향 전압을 걸어 베이스에 전류가 흐르지 않으면 컬렉터에 흐르는 전류도 0이 된다. 이처럼 트랜지스터는 베이스에 흐르는 전류를 이용하여 컬렉터에 흐르는 전류를 조절할 수 있다.

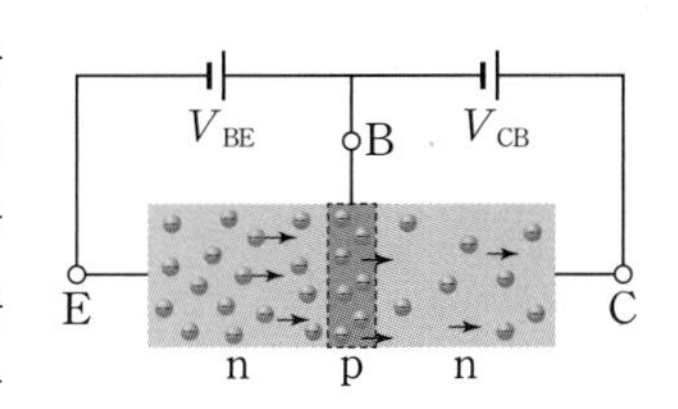

• 이미터에 흐르는 전류의 세기 I_E는 베이스에 흐르는 전류의 세기 I_B와 컬렉터에 흐르는 전류의 세기 I_C의 합이다.
➡ $I_E=I_B+I_C$

(3) **증폭 작용**: 트랜지스터의 베이스가 매우 얇고, $V_{BE} \ll V_{CB}$이므로 이미터에서 이동한 전자의 대부분은 베이스를 지나 컬렉터로 흐른다. 따라서 $I_B \ll I_C$이고, I_B의 작은 변화가 I_C의 큰 변화를 유도하여 베이스에 흐르는 작은 교류 신호를 컬렉터에서 크게 증폭할 수 있다.

• 전류 증폭률(β): I_B에 대한 I_C의 비이다. ➡ $\beta=\frac{I_C}{I_B}$

(4) **스위칭 작용**: 베이스에 전류가 흐르면 컬렉터에도 전류가 흐르고, 베이스에 전류가 흐르지 않으면 컬렉터에도 전류가 흐르지 않는다. 이처럼 트랜지스터를 이용해 회로의 전류 흐름 여부를 조절하는 것을 스위칭 작용이라고 한다. 디지털 논리 회로에서 스위칭 작용을 이용해 회로의 전류 흐름 여부를 제어할 수 있다.

(5) **바이어스 전압**: 트랜지스터를 원활하게 작동시키기 위해서는 이미터와 베이스, 베이스와 컬렉터 사이에 적절한 전압을 걸어 주어야 하는데, 이 전압을 바이어스 전압이라고 한다.

① 바이어스 전압을 걸지 않았을 때: p−n−p형 트랜지스터에서 이미터와 베이스 단자에 바이어스 전압이 걸려 있지 않은 상태에서는 입력된 교류 신호의 (+)쪽 신호(순방향 전압)에만 반응하여 컬렉터 전류가 흐르고, (−)쪽 신호(역방향 전압)에는 컬렉터 전류가 흐르지 않는다.

② 바이어스 전압을 걸었을 때: 베이스에 공급되는 신호 전압의 진폭이 0.1 V라고 할 때 이미터와 베이스 사이에 바이어스 전압을 1.0 V 걸어 주면 (+)쪽은 바이어스 전압과 신호 전압이 더한 값인 1.1 V가 되고, (−)쪽은 바이어스 전압에서 신호 전압을 뺀 값인 0.9 V가 되므로 모든 신호가 증폭되어 출력된다.

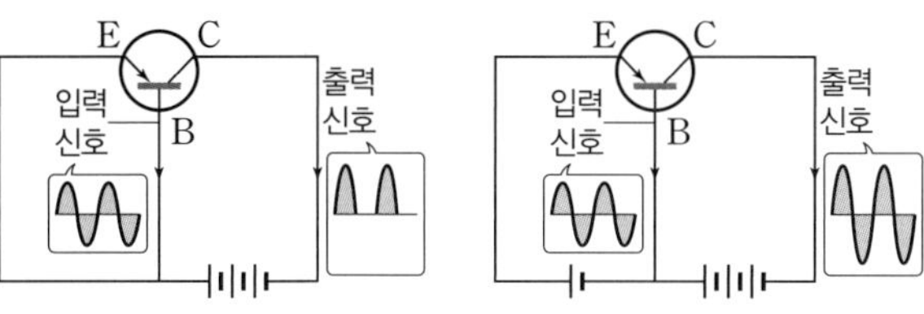

▲ 바이어스 전압을 걸지 않았을 때 ▲ 바이어스 전압을 걸었을 때

③ 증폭 회로에서 바이어스 전압: n−p−n형 트랜지스터를 전원에 연결하여 일정한 전류 증폭률로 작동시킬 때 베이스와 이미터 사이의 일정한 전압을 V_{BE}로, 컬렉터와 이미터 사이의 일정한 전압을 V_{CE}로 정해 놓고 이때 이미터 단자 전위를 V_E로 정하면, 베이스 단자 전위는 $V_B=V_E+V_{BE}$이고 컬렉터 단자 전위는 $V_C=V_E+V_{CE}$이다.

④ 전압 분할로 바이어스 전압 결정하기: 그림과 같은 회로에서 I_B가 매우 작다면, V_{CC}를 두 저항 $R_1 : R_2$로 분할하여 $V_B=\frac{R_2}{R_1+R_2}V_{CC}$가 되도록 하는 R_1과 R_2를 선택한다. 또 $R_E=\frac{V_E}{I_E} \fallingdotseq \frac{V_E}{I_C}$, $R_C=\frac{V_{CC}-V_C}{I_C}$가 되도록 R_E, R_C를 선택한다. 이처럼 트랜지스터의 각 단자에 적절한 저항을 추가하는 방법으로 V_{CC}를 분할하여 바이어스 전압을 결정할 수 있다.

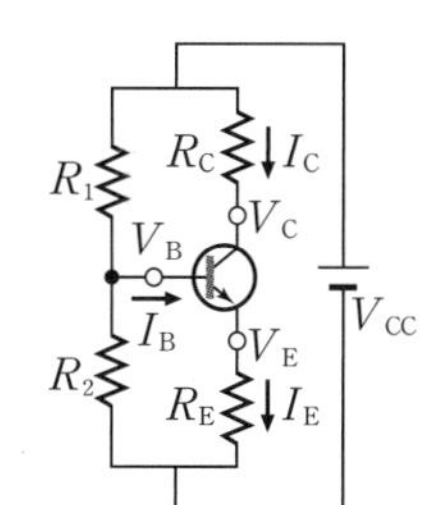

2 축전기

(1) **평행판 축전기**: 평행한 두 금속판 사이에 전하를 모아 전기 에너지를 저장할 수 있는 장치로, 전하를 모으는 충전 과정과 전하를 방출하는 방전 과정이 있다.

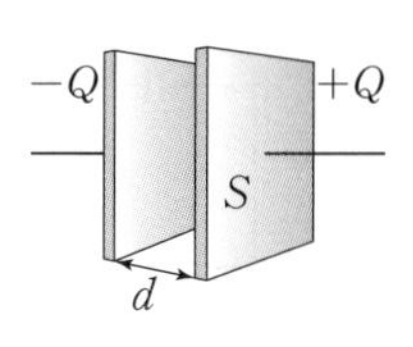

① 전기 용량(C): 축전기에 충전되는 전하량 Q는 두 극판 사이의 전위차 V에 비례한다. ➡ $Q=CV$ (C: 전기 용량)

• 전기 용량 C는 극판의 면적 S에 비례하고, 극판 사이의 간격 d에 반비례한다.
➡ $C=\varepsilon\frac{S}{d}$ (ε: 유전율)

② 축전기 내부에서 전기장: 극판 간격이 d인 평행판 축전기에 전원을 연결하면 두 금속판에는 전원의 전압과 같은 전위차(V)가 형성될 때까지 양(+)전하, 음(−)전하가 저장되고, 완전히 충전된 후에는 전류가 흐르지 않는다. 이때 두 금속판 사이에는 균일한 전기장(E)이 형성된다. ➡ $V=Ed$

(2) 유전체의 역할

① 유전체: 유리, 종이, 나무, 플라스틱과 같은 부도체

② 축전기 속에 유전체를 넣으면 유전체의 유전 분극에 의해 축전기에 전하를 더 많이 모을 수 있다.

③ 유전체와 전기 용량: 유전율이 ε인 유전체를 축전기 속에 넣으면 전기 용량은 진공 상태일 때의 $\frac{\varepsilon}{\varepsilon_0}$배가 된다.($\varepsilon_0$: 진공의 유전율)

(3) 평행판 축전기에서 극판 간격이 변하는 경우

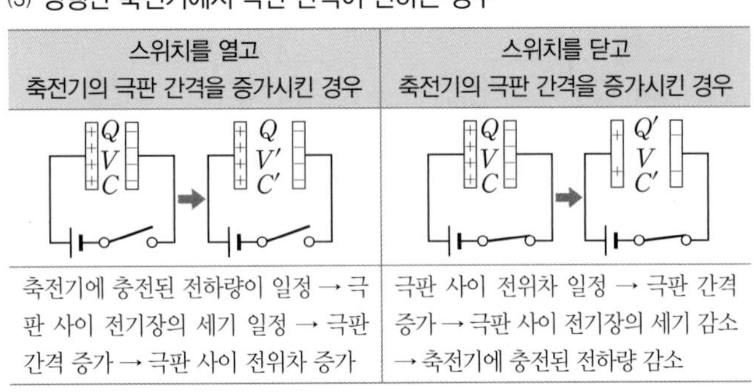

스위치를 열고 축전기의 극판 간격을 증가시킨 경우	스위치를 닫고 축전기의 극판 간격을 증가시킨 경우
축전기에 충전된 전하량이 일정 → 극판 사이 전기장의 세기 일정 → 극판 간격 증가 → 극판 사이 전위차 증가	극판 사이 전위차 일정 → 극판 간격 증가 → 극판 사이 전기장의 세기 감소 → 축전기에 충전된 전하량 감소

(4) 축전기의 전기 에너지

① 충전 과정: 전기 용량이 C인 축전기에 전압이 일정한 전원을 연결하면 전하가 축전기 극판의 양단에 모이는 동안 전하량 Q와 축전기 양 극판의 전위차 V가 비례하여 충전된다.

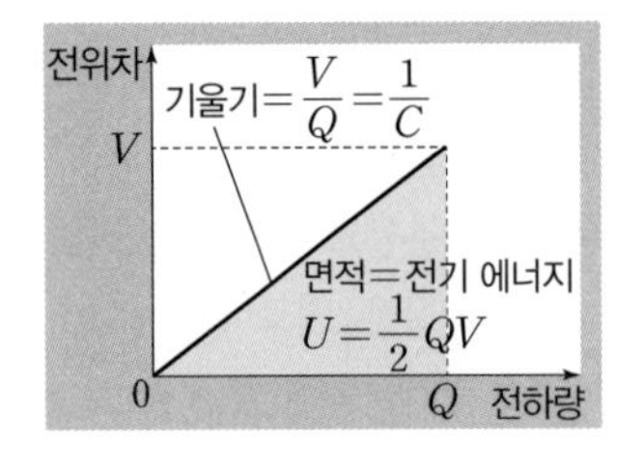

② 전기 에너지: 전위차 - 전하량 그래프 아래의 면적과 같다.

$$U=\frac{1}{2}QV=\frac{1}{2}CV^2=\frac{1}{2}\frac{Q^2}{C}$$

(5) 축전기의 이용

① 에너지 저장 장치로 축전기를 활용한 사례

- 카메라 플래시: 축전기에 저장된 전기 에너지를 이용하여 짧은 시간 동안 강한 빛을 낼 수 있다.
- 자동 제세동기(심장 충격기): 축전기에 저장된 전기 에너지를 순간적으로 한꺼번에 방전시켜 심장 부근에 강한 전류를 흘려 심장 기능을 회복한다.

② 전기 용량의 변화를 활용한 사례

- 키보드: 컴퓨터 키보드의 글자판에는 글자판과 연결된 금속판과 고정된 금속판이 연결되어 나란하게 배치되어 있어서 글자판을 누르면 두 금속판 사이의 간격이 줄어 전기 용량이 증가하고 전류의 변화를 인식하여 글자를 입력한다.

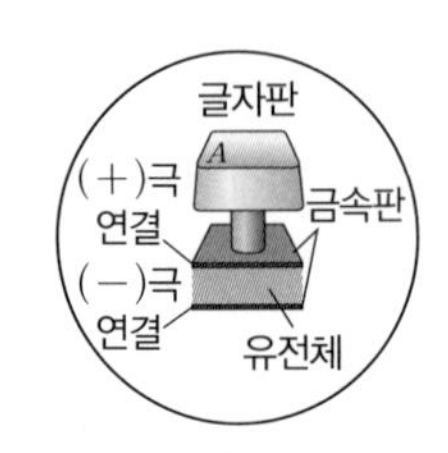

▲ 키보드

- 콘덴서 마이크: 전지에 연결된 두 금속판이 나란하게 배치되어 있어 소리에 의해 얇은 금속판이 진동할 때 두 금속판 사이의 간격이 달라지면 전기 용량이 변하게 된다.
- 터치스크린: 유리 한쪽 표면의 전도성을 높게 만든 후 작은 전위차를 걸어 주어 균일한 전기장을 만들고 손가락과 같은 도체가 유리 표면에 닿으면 유리 표면의 전하량이 변하여 유리 사이에 형성된 균일한 전기장이 변한다. 이때 유리판의 네 모서리에 있는 센서가 전기장의 변화를 감지하여 손가락의 위치를 인식한다.

더 알기 축전기의 직렬연결과 합성 전기 용량

• 축전기의 직렬연결

① 축전기를 직렬연결하면 전원에 의해 양 끝에 있는 극판에 전하가 충전된다. 이때 중간에 있는 극판 사이에는 정전기 유도에 의해 전하가 유도되어 충전된다. 중간 부분은 전원에서 떨어져 있으므로 알짜 전하량은 0이다.

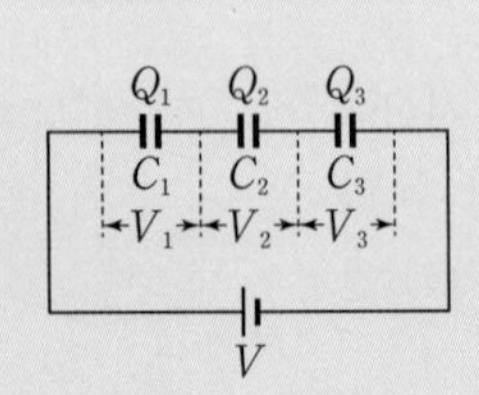

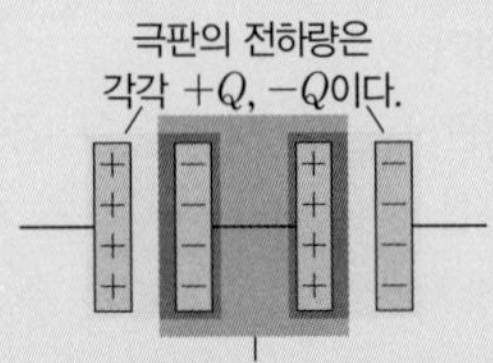

② 전체 전하량은 하나의 축전기에 충전된 전하량과 같다.

$$Q=Q_1=Q_2=Q_3$$

③ 각 축전기에 걸리는 전압은 전기 용량에 반비례한다.

$$V_1=\frac{Q}{C_1},\ V_2=\frac{Q}{C_2},\ V_3=\frac{Q}{C_3}$$

• 직렬연결된 축전기의 합성 전기 용량과 전기 에너지

① $V=V_1+V_2+V_3$이므로 이 식을 대입하면 합성 전기 용량 C는 다음과 같다.

$$\frac{1}{C}=\frac{1}{C_1}+\frac{1}{C_2}+\frac{1}{C_3}$$

이때 합성 전기 용량 C는 C_1, C_2, C_3 중 가장 작은 것보다 작다.

② 축전기를 직렬연결하면 두 극판 사이의 간격이 증가하는 것과 같은 효과를 낸다.

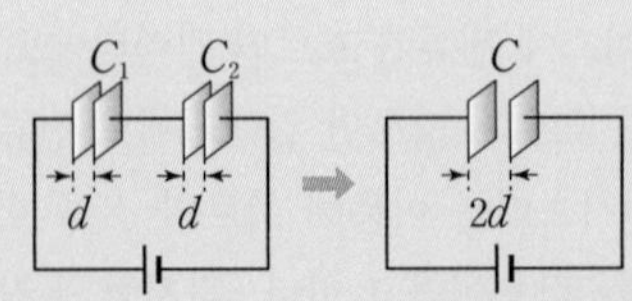

③ 축전기에 저장된 전기 에너지는 각 축전기에 저장되는 전기 에너지의 합이다.

$$U=U_1+U_2+U_3=\frac{1}{2}Q^2\left(\frac{1}{C_1}+\frac{1}{C_2}+\frac{1}{C_3}\right)$$

테마 대표 문제

| 2024학년도 수능 |

그림 (가)는 전압이 V로 일정한 전원에 극판의 면적이 서로 같고 극판 사이의 간격이 d로 같은 평행판 축전기 A, B가 연결되어 완전히 충전된 모습을, (나)는 (가)에서 B의 극판 사이의 간격을 $2d$로 바꾸고 유전율이 $2\varepsilon_0$인 유전체를 채워 A, B가 완전히 충전된 모습을 나타낸 것이다.

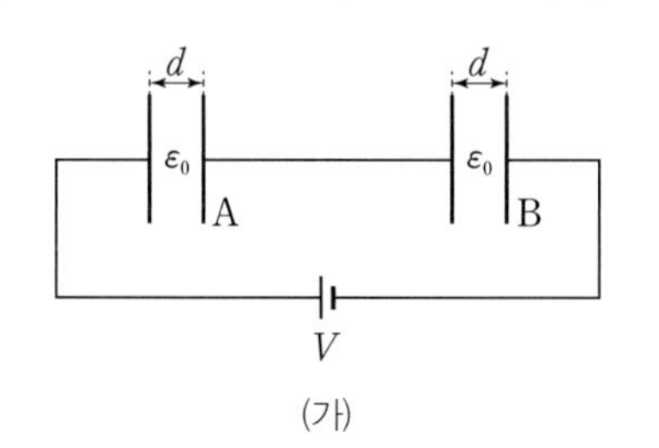

(가)

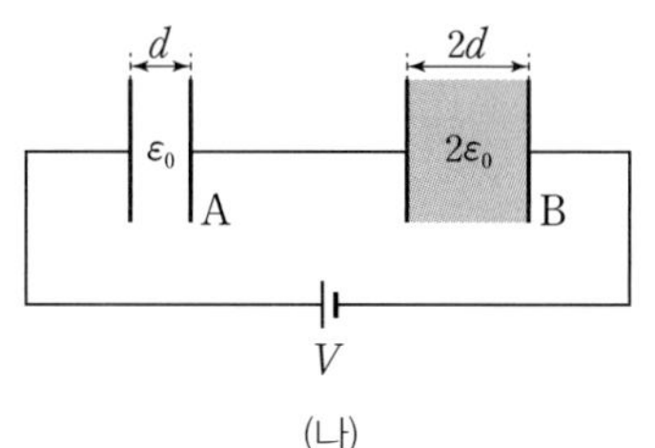

(나)

이에 대한 설명으로 옳은 것만을 <보기>에서 있는 대로 고른 것은? (단, ε_0은 진공의 유전율이다.)

보기
ㄱ. (가)에서, A와 B에 충전된 전하량은 서로 같다.
ㄴ. (나)에서, 전기 용량은 A가 B의 2배이다.
ㄷ. (나)에서, A와 B에 저장된 전기 에너지는 서로 같다.

① ㄱ ② ㄴ ③ ㄱ, ㄷ ④ ㄴ, ㄷ ⑤ ㄱ, ㄴ, ㄷ

접근 전략

축전기의 전기 용량이 극판 면적과 극판 간격, 극판 사이에 채워진 유전체의 유전율에 따라 어떻게 달라지는지를 파악하고, 축전기 양단에 걸린 전압과 전기 용량에 따라 충전된 전하량과 저장된 전기 에너지를 분석한다.

간략 풀이

㉠ A, B가 직렬연결되어 있으므로 충전된 전하량은 같다.
ⓧ 극판 면적이 일정할 때, 전기 용량은 유전체의 유전율에 비례하고, 극판 사이 간격에 반비례하므로 (나)에서 A와 B의 전기 용량은 같다.
㉢ (나)에서 A, B의 전기 용량과 충전된 전하량이 같으므로 저장된 전기 에너지는 같다.

정답 | ③

닮은 꼴 문제로 유형 익히기

정답과 해설 25쪽

▸24070-0118

그림 (가)는 전압이 V로 일정한 전원에 극판의 면적이 서로 같고 극판 사이의 간격이 d로 같은 평행판 축전기 A, B가 연결되어 완전히 충전된 모습을, (나)는 (가)에서 B의 극판 사이의 간격을 $2d$로 바꾸고 유전율이 ε_B인 유전체를 채워 A, B가 완전히 충전된 모습을 나타낸 것이다. (나)에서 충전된 전하량은 B가 A의 2배이다.

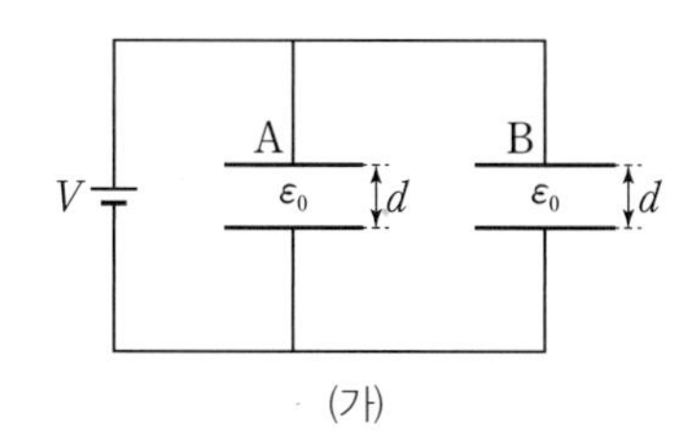

(가)

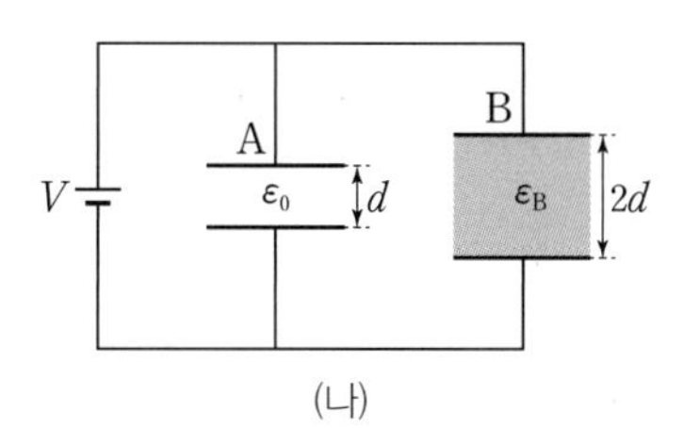

(나)

이에 대한 설명으로 옳은 것만을 <보기>에서 있는 대로 고른 것은? (단, ε_0은 진공의 유전율이다.)

보기
ㄱ. (가)에서, A와 B에 충전된 전하량은 서로 같다.
ㄴ. $\varepsilon_B=2\varepsilon_0$이다.
ㄷ. (나)에서, 축전기에 저장된 전기 에너지는 B가 A의 4배이다.

① ㄱ ② ㄷ ③ ㄱ, ㄴ ④ ㄴ, ㄷ ⑤ ㄱ, ㄴ, ㄷ

유사점과 차이점

A, B에 충전된 전하량, 전기 용량, 저장된 전기 에너지를 묻는 것은 유사하지만 두 축전기가 병렬연결된 상황이 대표 문제와 다르다.

배경 지식

두 평행판 축전기가 병렬연결되어 있을 때 축전기 양단의 전위차가 같으므로 각 축전기에 충전된 전하량과 저장된 전기 에너지는 전기 용량에 비례한다.

01

▸24070-0119

그림은 n형과 p형 반도체로 구성된 트랜지스터가 연결된 회로를 나타낸 것이다. B, C, E는 각각 트랜지스터의 베이스, 컬렉터, 이미터에 연결된 단자이다.

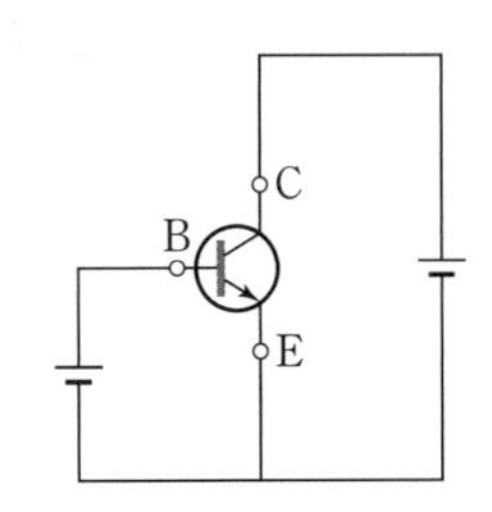

이 트랜지스터가 증폭 작용을 하여 C에 전류가 흐르고 있을 때, 이에 대한 설명으로 옳은 것만을 〈보기〉에서 있는 대로 고른 것은?

보기
ㄱ. n-p-n형 트랜지스터이다.
ㄴ. B와 E 사이에는 역방향 전압이 걸려 있다.
ㄷ. B에 흐르는 전류의 세기가 증가하면 C에 흐르는 전류의 세기도 증가한다.

① ㄱ ② ㄴ ③ ㄱ, ㄷ ④ ㄴ, ㄷ ⑤ ㄱ, ㄴ, ㄷ

02

▸24070-0120

그림과 같이 n형과 p형 반도체로 구성된 트랜지스터와 가변 저항 R, 전압이 일정한 전원으로 회로를 구성하였더니 트랜지스터의 각 단자에는 세기가 각각 I_1, I_2, I_3인 전류가 흘렀다. 트랜지스터의 전류 증폭률은 β이다.

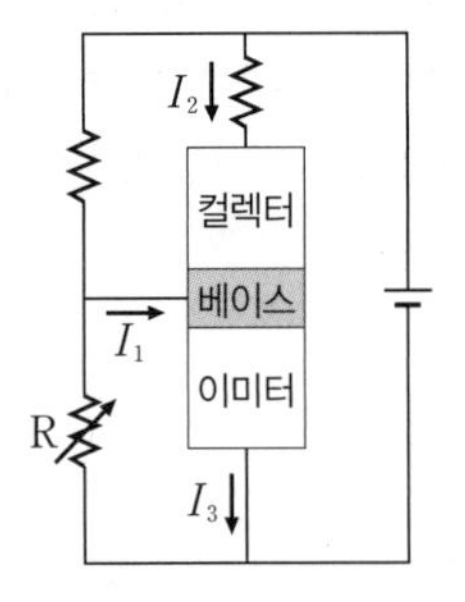

트랜지스터가 전류 증폭기로 동작할 때, 이에 대한 설명으로 옳은 것만을 〈보기〉에서 있는 대로 고른 것은?

보기
ㄱ. 베이스에 흐르는 전류의 세기가 감소하면 컬렉터에 흐르는 전류의 세기도 감소한다.
ㄴ. $I_2=\beta I_3$이다.
ㄷ. R의 저항값을 감소시키면 컬렉터에 흐르는 전류의 세기는 증가한다.

① ㄱ ② ㄷ ③ ㄱ, ㄴ ④ ㄴ, ㄷ ⑤ ㄱ, ㄴ, ㄷ

03

▸24070-0121

그림은 트랜지스터가 연결된 회로에서 베이스에 입력 신호를 주었을 때 컬렉터에서 출력 신호가 증폭되는 것을 나타낸 것이다. 트랜지스터의 전류 증폭률은 β이다.

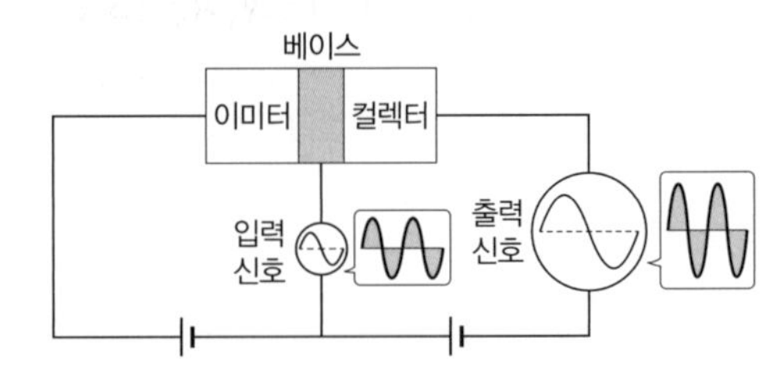

이에 대한 설명으로 옳은 것만을 〈보기〉에서 있는 대로 고른 것은?

보기
ㄱ. 이미터와 베이스 사이에는 순방향 전압이 걸린다.
ㄴ. p-n-p형 트랜지스터이다.
ㄷ. 출력 신호 진폭은 입력 신호 진폭의 β배이다.

① ㄱ ② ㄷ ③ ㄱ, ㄴ ④ ㄴ, ㄷ ⑤ ㄱ, ㄴ, ㄷ

04

▸24070-0122

그림은 트랜지스터를 전압이 10 V인 전원과 전압을 조절할 수 있는 가변 전원, 저항값이 2 kΩ, 100 Ω인 저항, 전류계 P, Q로 구성한 회로를 나타낸 것이다. Q에 흐르는 전류의 세기는 40 mA이고, 트랜지스터의 전류 증폭률은 200이다. B, C, E는 각각 트랜지스터의 각 반도체에 연결된 단자이다.

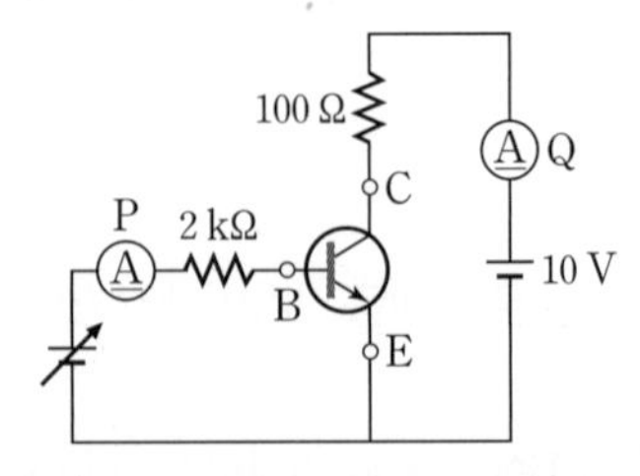

이에 대한 설명으로 옳은 것만을 〈보기〉에서 있는 대로 고른 것은?

보기
ㄱ. B는 E보다 전위가 높다.
ㄴ. C와 E 사이의 전위차는 6 V이다.
ㄷ. B에 흐르는 전류의 세기는 200 μA이다.

① ㄱ ② ㄷ ③ ㄱ, ㄴ ④ ㄴ, ㄷ ⑤ ㄱ, ㄴ, ㄷ

05
▸24070-0123

그림은 평행판 축전기 A, B를 전압이 V로 일정한 전원에 연결하고 완전히 충전한 것을 나타낸 것이고, 표는 A, B의 극판 사이에 채워진 유전체의 유전율, 극판의 면적, 극판 사이의 간격을 나타낸 것이다. 축전기에 저장된 전기 에너지는 B가 A의 2배이다.

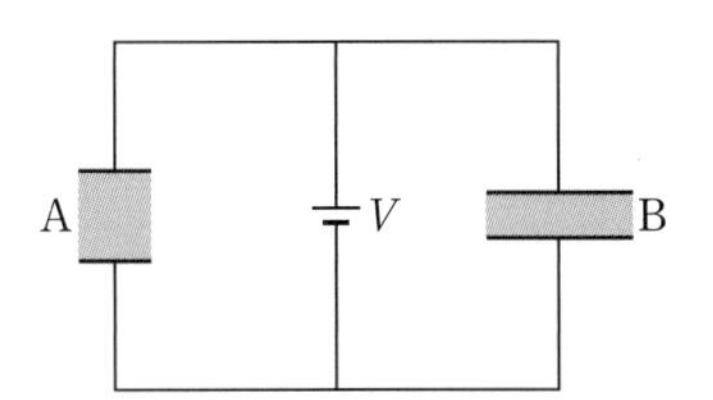

축전기	유전율	극판 면적	극판 간격
A	ε_A	S	$2d$
B	ε_B	$2S$	d

이에 대한 설명으로 옳은 것만을 〈보기〉에서 있는 대로 고른 것은?

보기
ㄱ. 전기 용량은 B가 A의 2배이다.
ㄴ. 축전기에 충전된 전하량은 A와 B가 서로 같다.
ㄷ. $\varepsilon_A=3\varepsilon_B$이다.

① ㄱ ② ㄷ ③ ㄱ, ㄴ ④ ㄴ, ㄷ ⑤ ㄱ, ㄴ, ㄷ

06
▸24070-0124

그림은 극판 면적이 동일하고 극판 사이의 간격이 d인 평행판 축전기 A, B와 극판 면적이 A의 2배인 평행판 축전기 C를 전압이 일정한 전원에 연결한 것을 나타낸 것이다. B는 유전율이 $2\varepsilon_0$인 유전체로 채워져 있고, C의 극판 사이의 간격은 x이다. A, B, C가 완전히 충전되었을 때 B와 C의 양단에 걸린 전압은 같다.

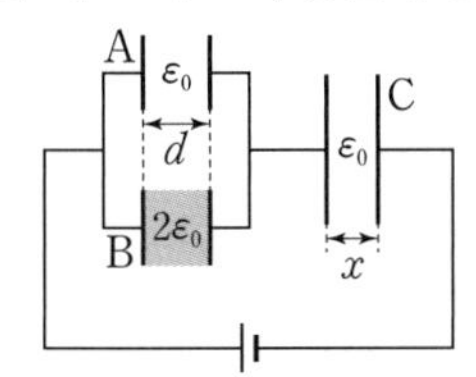

이에 대한 설명으로 옳은 것만을 〈보기〉에서 있는 대로 고른 것은? (단, ε_0은 진공의 유전율이다.)

보기
ㄱ. 축전기에 저장된 전하량은 C가 A의 3배이다.
ㄴ. 전기 용량은 B와 C가 서로 같다.
ㄷ. $x=\frac{3}{4}d$이다.

① ㄱ ② ㄷ ③ ㄱ, ㄴ ④ ㄴ, ㄷ ⑤ ㄱ, ㄴ, ㄷ

07
▸24070-0125

그림 (가), (나), (다)는 평행판 축전기 A, B, C가 전압이 각각 V, $2V$, V로 일정한 전원에 연결되어 완전히 충전된 것을 나타낸 것이다. A, B의 극판 면적은 $2S$, 극판 사이의 간격은 d로 같고, C의 극판 면적은 S, 극판 간격은 $2d$이다. A, B, C에는 유전율이 각각 ε, ε_B, ε_C인 유전체가 채워져 있다. 충전된 전하량은 A와 C가 같고, 저장된 전기 에너지는 B가 C의 4배이다.

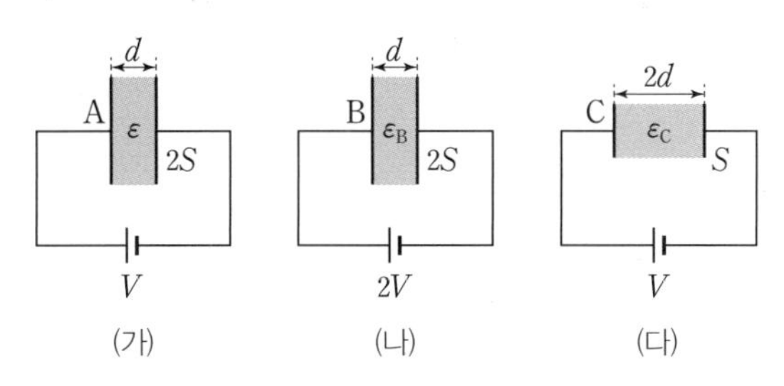

이에 대한 설명으로 옳은 것만을 〈보기〉에서 있는 대로 고른 것은?

보기
ㄱ. 축전기에 저장된 전기 에너지는 A가 C의 2배이다.
ㄴ. 전기 용량은 B와 C가 서로 같다.
ㄷ. ε_B는 ε보다 크다.

① ㄱ ② ㄴ ③ ㄱ, ㄷ ④ ㄴ, ㄷ ⑤ ㄱ, ㄴ, ㄷ

08
▸24070-0126

그림과 같이 동일한 평행판 축전기 A, B, 저항값이 R인 저항, $2R$인 저항을 전압이 일정한 전원에 연결하여 A, B를 완전히 충전하였다. B의 양단에 걸린 전압은 V이다.

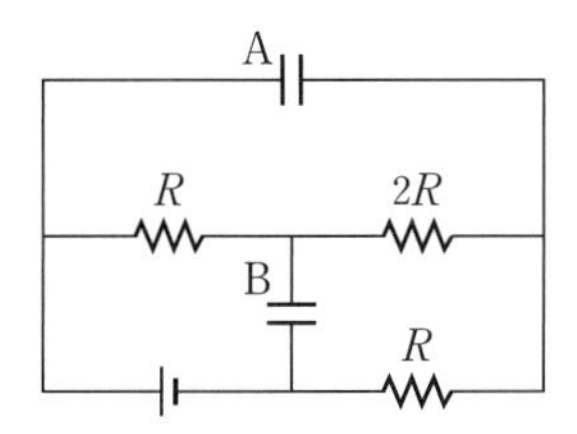

이에 대한 설명으로 옳은 것만을 〈보기〉에서 있는 대로 고른 것은?

보기
ㄱ. 전원의 전압은 $2V$이다.
ㄴ. 축전기에 저장된 전하량은 A와 B가 서로 같다.
ㄷ. 축전기에 저장된 전기 에너지는 A가 B의 2배이다.

① ㄱ ② ㄴ ③ ㄱ, ㄷ ④ ㄴ, ㄷ ⑤ ㄱ, ㄴ, ㄷ

01

▸24070-0127

그림 (가)는 트랜지스터가 연결된 회로에서 베이스에 교류 신호를 입력하여 컬렉터에서 출력 신호 증폭이 일어나는 회로를, (나), (다), (라)는 (가)의 회로에서 베이스와 이미터 사이에 바이어스 전압을 걸어 주었을 때 베이스에 흐르는 바이어스 전류 I_B, 베이스에 입력되는 신호 전류 i_S, 컬렉터에서 출력 전류 I_C를 각각 나타낸 것이다. (라)에서 증폭된 신호의 일부가 제대로 출력되지 않는다.

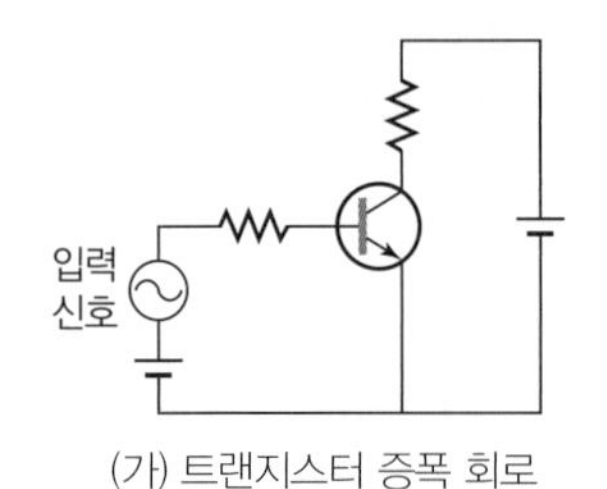

(가) 트랜지스터 증폭 회로

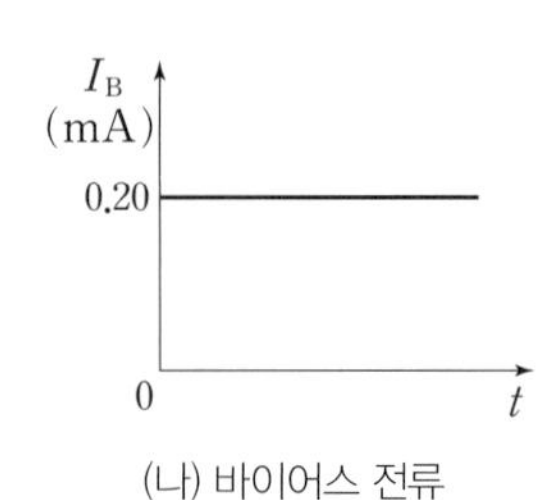

(나) 바이어스 전류

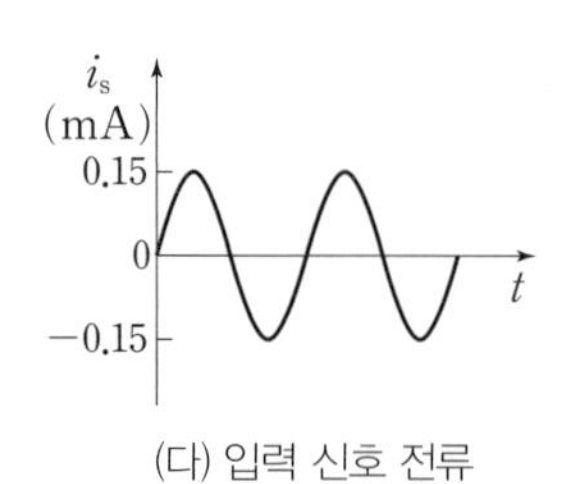

(다) 입력 신호 전류

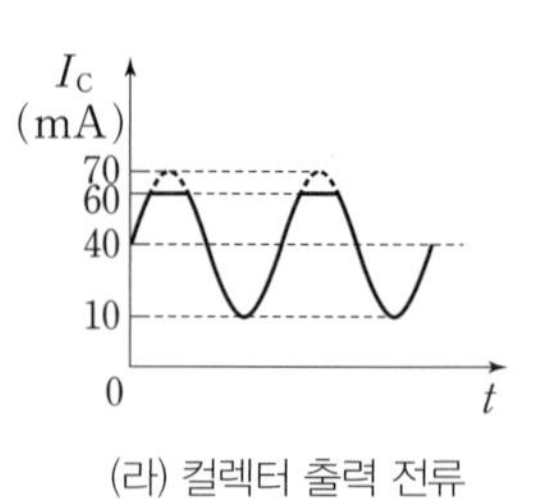

(라) 컬렉터 출력 전류

이에 대한 설명으로 옳은 것만을 <보기>에서 있는 대로 고른 것은?

보기

ㄱ. 트랜지스터의 베이스와 컬렉터 사이에는 순방향 전압이 걸려 있다.

ㄴ. $\beta=200$이다.

ㄷ. 베이스와 이미터 사이에 걸어 준 바이어스 전압을 증가시키면 모든 입력 신호가 증폭되어 출력될 수 있다.

① ㄱ ② ㄴ ③ ㄱ, ㄷ ④ ㄴ, ㄷ ⑤ ㄱ, ㄴ, ㄷ

02

▸24070-0128

그림은 사각파 입력 신호 V_{in}을 트랜지스터와 p−n 접합 발광 다이오드(LED)로 구성된 회로의 입력 단자에 걸어 주었을 때 LED가 '켜졌다 꺼졌다'를 반복하는 동작을 하는 회로를 나타낸 것이다. B, C, E는 각각 트랜지스터의 베이스, 컬렉터, 이미터에 연결된 단자이다. 입력 신호의 ON, OFF 상태는 입력 단자에 각각 0보다 큰 전압이 걸리거나 0 V의 전압이 걸리는 상태이다.

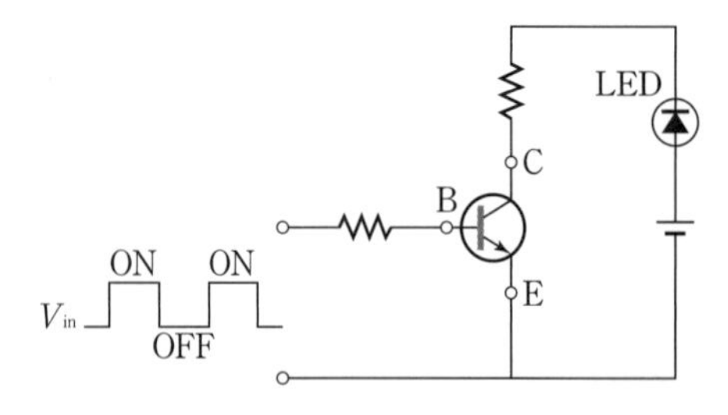

이에 대한 설명으로 옳은 것만을 <보기>에서 있는 대로 고른 것은?

보기

ㄱ. 트랜지스터는 스위칭 작용을 한다.

ㄴ. 베이스는 n형 반도체이다.

ㄷ. 입력 신호가 ON 상태일 때, 트랜지스터의 베이스와 이미터 사이에는 순방향 전압이 걸린다.

① ㄱ ② ㄴ ③ ㄱ, ㄷ ④ ㄴ, ㄷ ⑤ ㄱ, ㄴ, ㄷ

03

▸24070-0129

그림과 같이 트랜지스터 A, B와 저항, 직류 전원으로 회로를 구성하였다. A, B는 동일한 전류 증폭률 β로 동작하도록 각 전원에 의한 바이어스 전압이 적절히 조절되어 있고, 이때 저항값이 $16R$인 저항의 소비 전력은 저항값이 $5R$인 저항의 소비 전력의 5배이다. 저항값이 R인 저항에 흐르는 전류의 세기는 I이다.

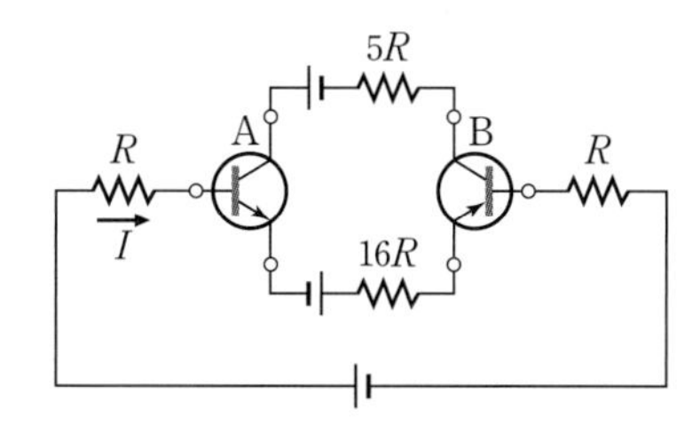

이에 대한 설명으로 옳은 것만을 〈보기〉에서 있는 대로 고른 것은? (단, $\beta>0$이다.)

보기
ㄱ. A는 n-p-n형 트랜지스터이다.
ㄴ. 저항값이 $5R$인 저항에 흐르는 전류의 세기는 βI이다.
ㄷ. $\beta=5$이다.

① ㄱ ② ㄷ ③ ㄱ, ㄴ ④ ㄴ, ㄷ ⑤ ㄱ, ㄴ, ㄷ

04

▸24070-0130

그림은 전기 용량이 각각 C, $4C$인 평행판 축전기 A, B와 저항값이 각각 5 Ω, 15 Ω, 4 Ω인 저항이 전압이 12 V인 전원에 연결된 회로를 나타낸 것이다. 점 a, b, c는 회로상의 지점이고, a와 c 사이의 전위차는 V이다.

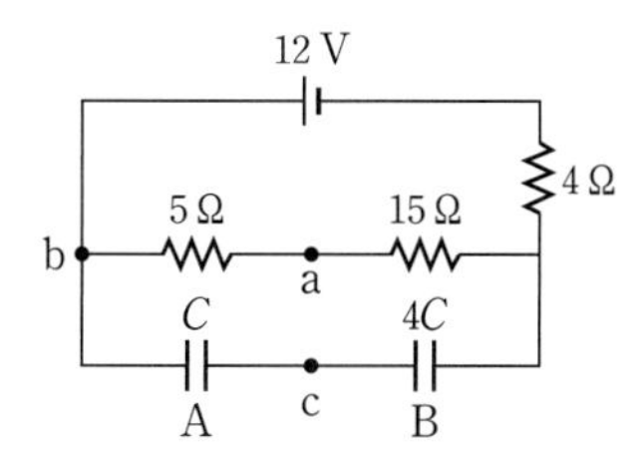

이에 대한 설명으로 옳은 것만을 〈보기〉에서 있는 대로 고른 것은?

보기
ㄱ. a에 흐르는 전류의 세기는 0.5 A이다.
ㄴ. a와 b 사이의 전위차는 B 양단에 걸린 전압보다 크다.
ㄷ. V는 10.5 V이다.

① ㄱ ② ㄷ ③ ㄱ, ㄴ ④ ㄴ, ㄷ ⑤ ㄱ, ㄴ, ㄷ

05

▸24070-0131

그림 (가)는 전기 용량이 각각 C, $4C$인 평행판 축전기 A, B를 전압이 $6V$, V인 전원에 각각 연결하여 완전히 충전한 것을 나타낸 것으로, a, b는 A의 양쪽 단자, c, d는 B의 양쪽 단자이다. 그림 (나), (다)는 (가)에서 A, B가 완전히 충전된 상태로 A, B를 병렬로 연결할 수 있는 두 가지 경우를 나타낸 것이다.

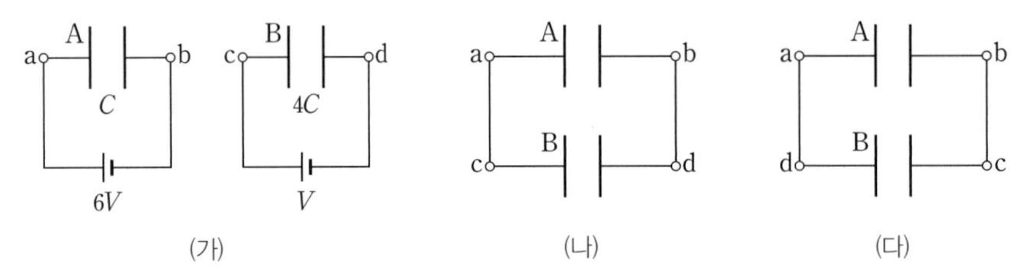

이에 대한 설명으로 옳은 것만을 〈보기〉에서 있는 대로 고른 것은?

보기

ㄱ. (가)에서 축전기에 저장된 전하량은 A가 B의 1.5배이다.

ㄴ. A와 B 전체에 저장된 전하량은 (나)에서가 (다)에서의 2배이다.

ㄷ. a와 b 사이에 걸린 전압은 (나)에서가 (다)에서의 5배이다.

① ㄱ ② ㄴ ③ ㄱ, ㄷ ④ ㄴ, ㄷ ⑤ ㄱ, ㄴ, ㄷ

06

▸24070-0132

그림은 극판 면적이 $2S$이고 극판 사이의 간격이 d인 평행판 축전기 A, B를 전압이 V로 일정한 전원에 연결한 것을 나타낸 것이다. A는 유전율이 ε_1이고 면적이 S, 두께가 d인 유전체가 A의 반만큼 채워져 있고, B는 유전율이 각각 ε_1, ε_2이고 면적이 S, 두께가 d인 두 유전체로 완전히 채워져 있다. A의 전기 용량은 C이고, 충전된 전하량은 B가 A의 2배이다.

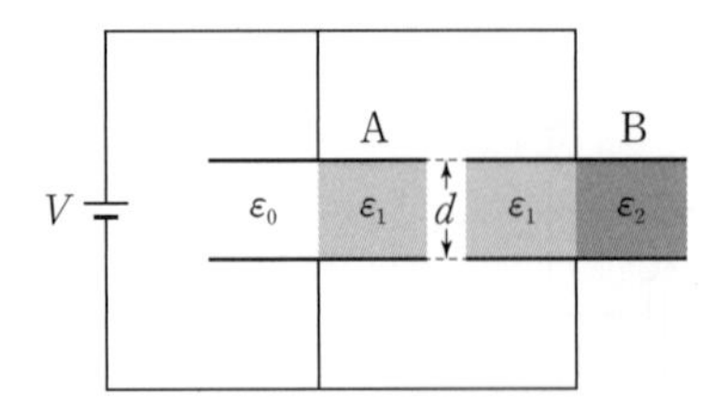

이에 대한 설명으로 옳은 것만을 〈보기〉에서 있는 대로 고른 것은? (단, ε_0은 진공의 유전율이다.)

보기

ㄱ. B의 전기 용량은 $2C$이다.

ㄴ. $\varepsilon_2-\varepsilon_1=\varepsilon_0$이다.

ㄷ. 축전기에 저장된 전기 에너지는 B가 A의 4배이다.

① ㄱ ② ㄷ ③ ㄱ, ㄴ ④ ㄴ, ㄷ ⑤ ㄱ, ㄴ, ㄷ

전류에 의한 자기장

1 자기장과 자기력선

(1) 자기장

① 자기력: 자석 주위에 쇠붙이나 다른 자석을 가까이 하면 서로 당기거나 미는 힘이 작용하는데, 이렇게 자석이 다른 물체와 상호 작용 하는 힘을 자기력이라 한다.

② 자기장: 자기력이 미치는 공간을 자기장이라 한다.

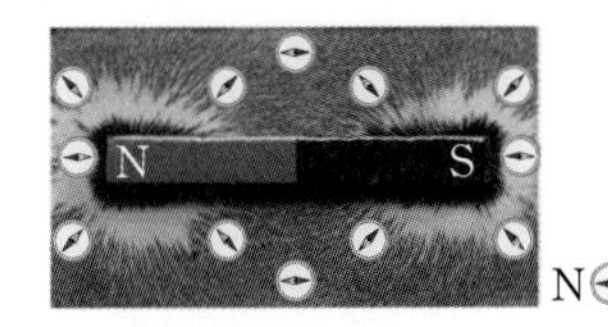

▲ 막대자석 주위의 자기장

(2) 자기력선: 자기력선은 나침반 자침의 N극이 가리키는 방향을 연속적으로 이은 선으로 자기력선이 조밀한 곳일수록 자기장의 세기가 크다. 막대자석 주위에 철가루를 뿌렸을 때, 자석 주위에 배열된 철가루의 모양으로 자기력선의 특징을 알 수 있다.

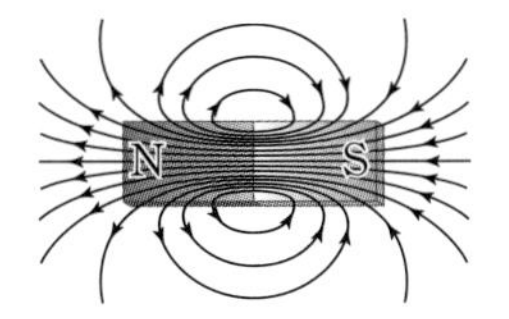

▲ 막대자석에 의한 자기력선

(3) 자기력선의 특징

① 자석의 N극에서 나와서 S극으로 들어가는 폐곡선이다.

② 서로 교차하거나 도중에 갈라지거나 끊어지지 않는다.

③ 자기력선 위의 한 점에서 그은 접선 방향이 그 점에서 자기장의 방향이다.

④ 같은 극과 다른 극 사이에서의 자기력선: 같은 극 사이에는 서로 밀어내는 방향의 자기력이 작용하고, 다른 극 사이에는 서로 당기는 방향의 자기력이 작용한다. 이때 자석 주위에서 자기력선의 모양은 그림과 같다.

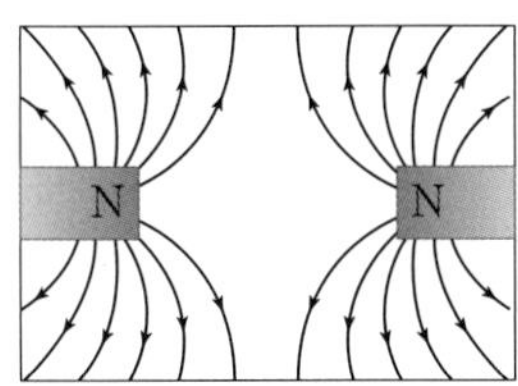

▲ 같은 극 사이의 자기력선

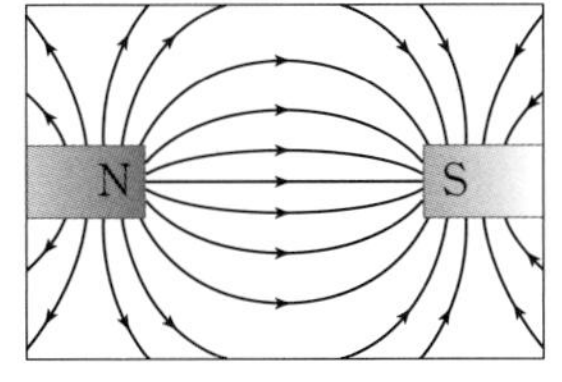

▲ 다른 극 사이의 자기력선

2 직선 전류에 의한 자기장

(1) 전류의 자기 작용: 전류가 흐르는 도선 주위에는 자기장이 형성되며, 이와 같이 전류에 의해 자기장이 형성되는 것을 전류의 자기 작용이라 한다.

(2) 자기장의 세기: 전류가 흐르는 무한히 긴 직선 도선 주위에 만들어지는 자기장의 세기 B는 전류의 세기 I에 비례하고, 도선으로부터의 거리 r에 반비례한다.

$$B=k\frac{I}{r}\ (\text{단위: T, N/A}\cdot\text{m},\ k=2\times10^{-7}\ \text{N/A}^2)$$

(3) 자기장의 방향: 무한히 긴 직선 도선에 전류가 흐르면 도선을 중심으로 동심원 모양의 자기장이 만들어진다. 자기장의 방향은 오른손의 엄지손가락을 전류의 방향으로 향하게 할 때 나머지 네 손가락으로 도선을 감아쥐는 방향이다. 이것은 오른나사의 끝이 전류의 방향을 향하게 할 때 나사가 회전하는 방향과 일치한다.

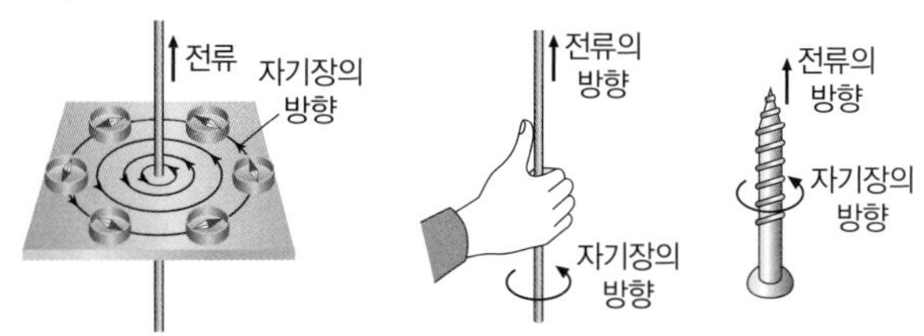

(4) 나란한 두 직선 도선에 전류가 흐를 때 자기력선의 모양: 전류가 흐르는 두 직선 도선이 같은 방향으로 나란하게 놓여 있는 경우 각각의 도선에 흐르는 전류에 의한 자기장이 서로 중첩된다. 이때 도선 주위에서 자기력선의 모양은 그림과 같다.

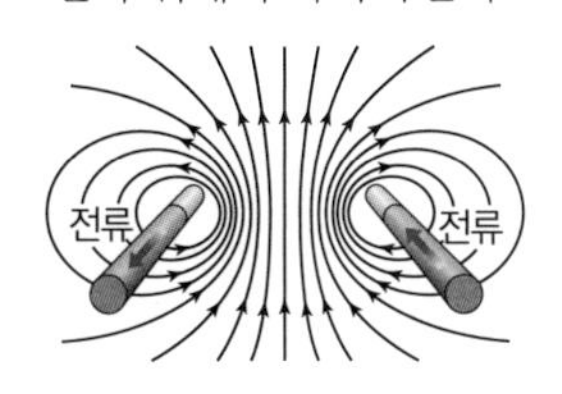

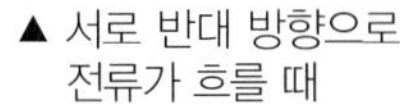
▲ 서로 반대 방향으로 전류가 흐를 때

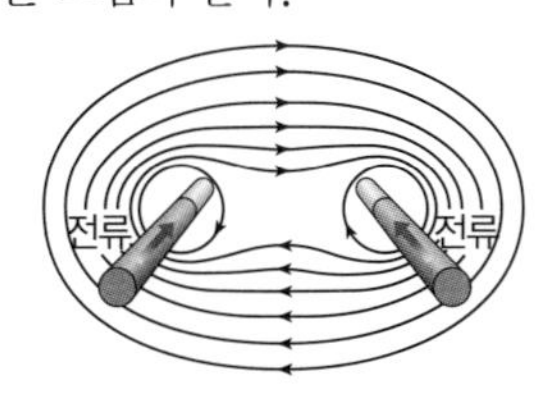

▲ 서로 같은 방향으로 전류가 흐를 때

더 알기 직선 도선에 흐르는 전류에 의한 자기장 합성하기

그림 (가)와 같이 xy 평면에 수직으로 고정된 직선 도선 A, B에 세기가 각각 I_A, I_B인 전류가 흐른다. 원점 O에서 A, B, 점 p까지 거리는 같다.

• p에서 A, B에 의한 합성 자기장의 방향

그림 (나)와 같이 A, B 각각에 의한 자기장을 나타내면 p에서 A, B에 의한 합성 자기장의 방향을 찾기 쉽다. 'A⊗'는 A의 전류의 방향이 xy 평면에 들어가는 방향(⊗)일 때 A에 의한 자기장이다.

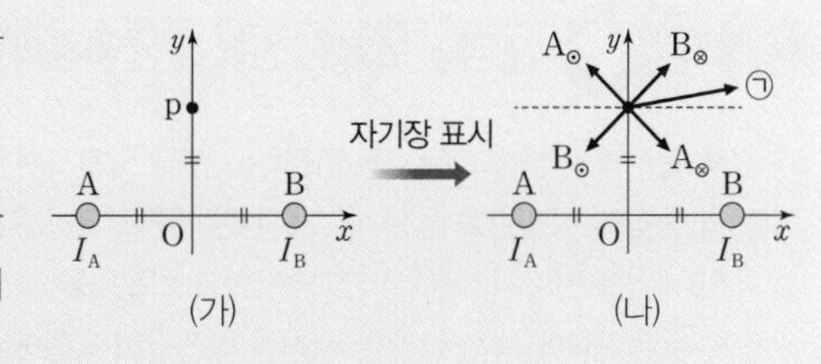

① $I_A=I_B$일 때: 합성 자기장은 x축 또는 y축과 나란하다. A, B의 전류의 방향이 모두 '⊗'이면 합성 자기장의 방향은 $+x$방향이다.

② $I_A\neq I_B$일 때: 합성 자기장은 x, y축 모두에 나란하지 않다. 합성 자기장의 방향이 ㉠이면 A, B의 전류의 방향은 모두 '⊗' 이고 $I_A<I_B$이다.

3 원형 전류에 의한 자기장

(1) 자기장의 모양

① 원형 도선을 매우 작게 자르면 각각의 조각들은 직선 도선에 가깝다. 이 때문에 원형 도선에 전류를 흐르게 하면 이러한 작은 직선 도선에 흐르는 전류에 의해 만들어진 각각의 자기장들이 합성된 자기장이 원형 도선 주위에 생긴다.

② 원형 도선을 이루는 직선 도선 근처에서 자기장의 모양은 원 모양이지만 도선에서 멀어지면 타원 모양이 되다가 원형 도선의 중심에서는 직선 모양이 된다.

(2) 자기장의 세기: 원형 도선 중심에서 자기장의 세기 B는 전류의 세기 I에 비례하고, 도선이 만드는 원의 반지름 r에 반비례한다.

$$B=k'\frac{I}{r} \text{ (단위: T, N/A·m, } k'=2\pi\times10^{-7}\text{ N/A}^2)$$

(3) 자기장의 방향: 원형 도선에 전류가 흐를 때 오른손의 엄지손가락을 전류의 방향으로 향하게 하고 나머지 네 손가락으로 도선을 감아쥘 때 네 손가락이 감아쥐는 방향으로 원형 도선 주위에 회전하는 모양의 자기장이 형성된다. 이때 원형 도선 중심에서 자기장의 방향은 엄지손가락을 제외한 네 손가락이 가리키는 방향이다.

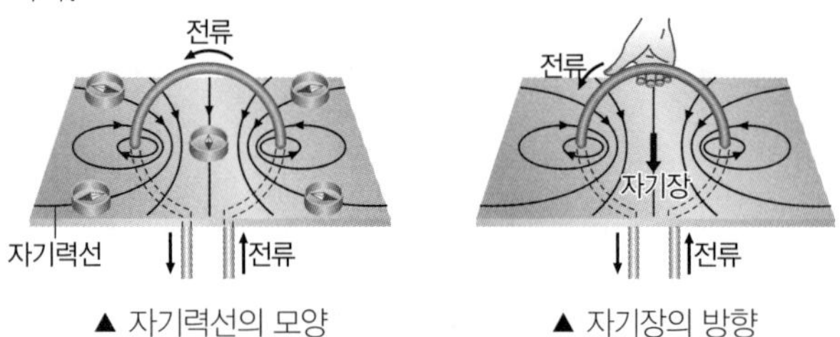

▲ 자기력선의 모양　　▲ 자기장의 방향

4 솔레노이드에 흐르는 전류에 의한 자기장

(1) 솔레노이드에서의 자기장: 긴 원통에 원형 도선을 촘촘하게 감은 것을 솔레노이드라고 한다. 솔레노이드 내부에서는 솔레노이드의 중심축에 나란하고 균일한 자기장이 형성되고, 솔레노이드 외부에서는 막대자석이 만드는 자기장과 비슷한 모양의 자기장이 형성된다.

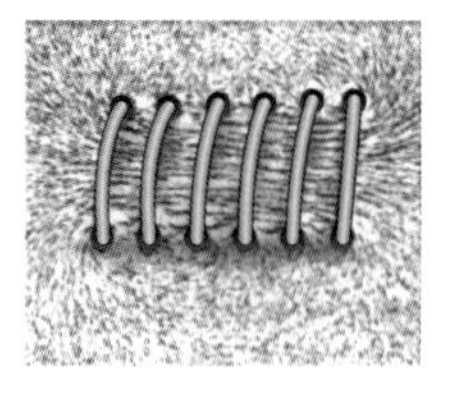

(2) 자기장의 세기: 솔레노이드가 충분히 길 경우, 그 내부에서는 방향과 세기가 일정한 균일한 자기장이 생긴다. 이때 내부에서 자기장의 세기 B는 전류의 세기 I에 비례하고, 단위 길이당 도선의 감은 수 n에 비례한다.

$$B=k''nI \text{ (단위: T, N/A·m, } k''=4\pi\times10^{-7}\text{ N/A}^2)$$

(3) 자기장의 방향: 오른손의 네 손가락으로 솔레노이드에 흐르는 전류의 방향으로 코일을 감아쥘 때 엄지손가락이 가리키는 방향이 솔레노이드 내부에서의 자기장의 방향이다.

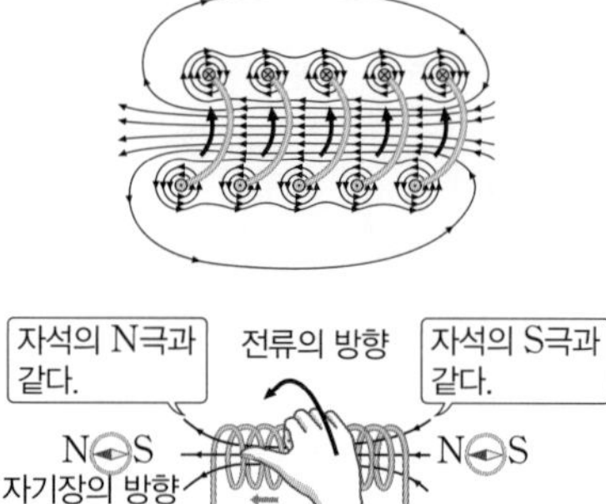

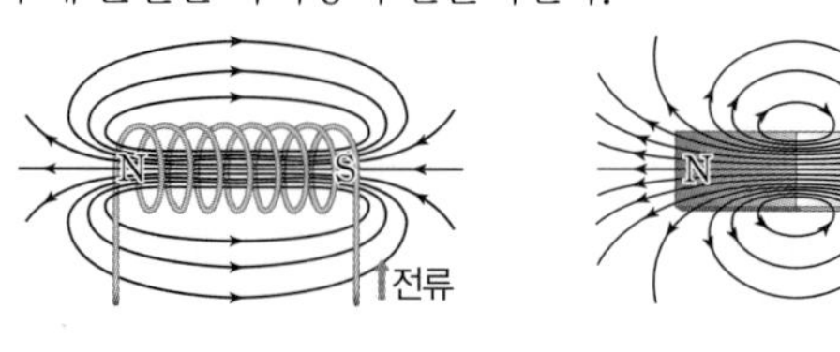

(4) 솔레노이드에 흐르는 전류에 의한 자기장의 특징

① 막대자석에 의한 자기장과 모양이 비슷하다.

② 내부에 균일한 자기장이 만들어진다.

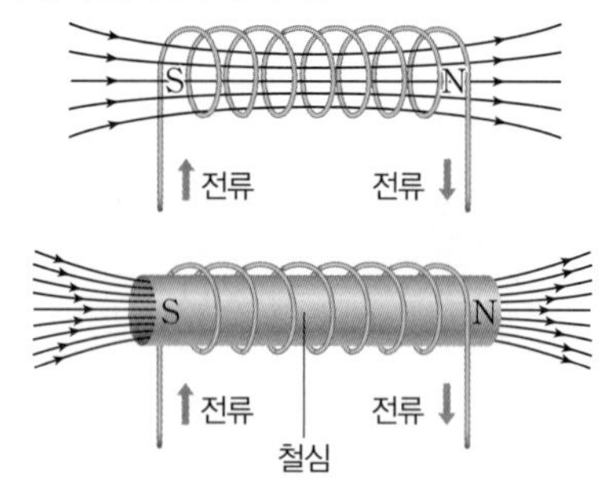

(5) 전자석의 자기장: 솔레노이드 속에 철, 니켈 등과 같은 강자성체로 만들어진 심을 넣으면 심을 넣기 전 솔레노이드에 흐르는 전류에 의한 자기장보다 훨씬 강한 자기장이 생기며 이것이 우리가 생활에서 사용하는 전자석이다.

더 알기 전류가 흐르는 원형 도선 주위의 자기장 실험

- 원형 도선의 중심축과 동서를 연결하는 선을 일치시켜 전기 회로를 구성하고 원형 도선의 중심에 나침반을 놓은 후, 스위치를 닫고 가변 저항기의 저항값을 조절하여 전류의 세기를 변화시키면서 나침반 자침의 회전각을 측정한다.
- 전류가 증가함에 따라 나침반 자침의 회전각이 북쪽에서 동쪽 방향으로 점점 증가한다. 자침의 N극이 가리키는 방향은 지구에 의한 자기장 $B_{지구}$와 전류에 의한 자기장 $B_{전류}$의 벡터 합의 방향이다.

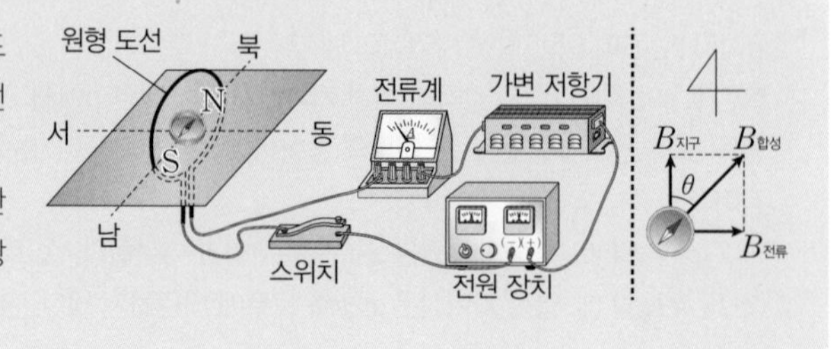

테마 대표 문제

| 2024학년도 수능 |

그림 (가)와 같이 중심이 원점 O인 원형 도선 P가 xy 평면상에 고정되어 있고, 무한히 긴 직선 도선 Q와 R는 xy 평면에 수직으로 고정되어 있다. P와 Q에는 각각 세기와 방향이 일정한 전류가 흐르고 있다. 그림 (나)는 (가)의 O에서 세 도선의 전류에 의한 자기장의 y성분 B_y를 R에 흐르는 전류의 세기 I_R에 따라 나타낸 것이다. $I_R=I_0$일 때, O에서 세 도선의 전류에 의한 자기장의 세기는 B_0이다.

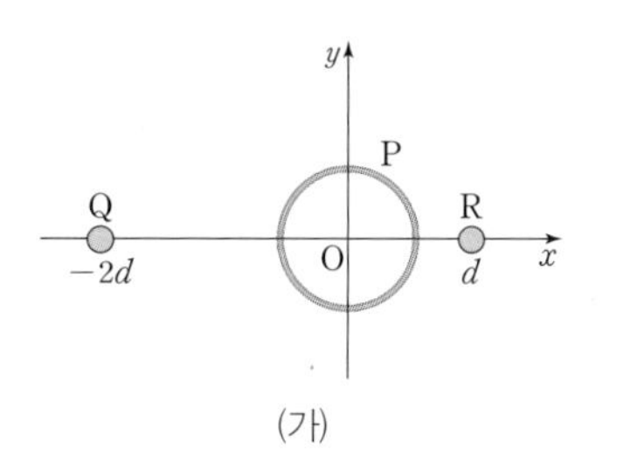

(가)

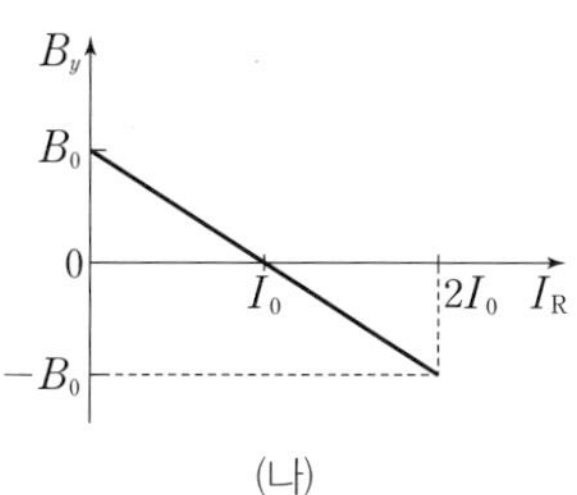

(나)

이에 대한 설명으로 옳은 것만을 〈보기〉에서 있는 대로 고른 것은? (단, 도선의 굵기는 무시한다.)

보기

ㄱ. Q와 R에 흐르는 전류의 방향은 서로 반대이다.
ㄴ. Q에 흐르는 전류의 세기는 $2I_0$이다.
ㄷ. $I_R=2I_0$일 때, O에서 세 도선의 전류에 의한 자기장의 세기는 $\sqrt{2}B_0$이다.

① ㄱ ② ㄴ ③ ㄷ ④ ㄱ, ㄷ ⑤ ㄴ, ㄷ

접근 전략

O에서 P의 전류에 의한 자기장의 방향은 xy 평면에 수직이고, Q, R 각각의 전류에 의한 자기장의 방향은 y축과 나란하다.

간략 풀이

ㄱ. $I_R=I_0$일 때 $B_y=0$이므로 Q와 R에 흐르는 전류의 방향은 서로 같다.

ㄴ. O로부터 떨어진 거리가 Q가 R의 2배이므로 Q에는 세기가 $2I_0$인 전류가 흐른다.

ㄷ. $I_R=I_0$일 때, O에서 P, Q, R의 전류에 의한 자기장의 세기 B_0은 P의 전류에 의한 자기장의 세기이다. 따라서 $I_R=2I_0$일 때, O에서 P, Q, R의 전류에 의한 자기장의 세기는 $\sqrt{B_0^2+B_0^2}=\sqrt{2}B_0$이다.

정답 | ⑤

닮은 꼴 문제로 유형 익히기

정답과 해설 27쪽

▸24070-0133

그림 (가)와 같이 원형 도선 P가 xy 평면상에 고정되어 있고, 무한히 긴 직선 도선 Q와 R는 xy 평면에 수직으로 고정되어 있다. P의 중심은 y축상의 $y=d$인 점이다. P와 Q에는 각각 세기와 방향이 일정한 전류가 흐르고 있다. 그림 (나)는 (가)의 P의 중심에서 세 도선의 전류에 의한 자기장의 y성분 B_y를 R에 흐르는 전류의 세기 I_R에 따라 나타낸 것이다. P의 중심에서 P의 전류에 의한 자기장의 세기는 B_0이다.

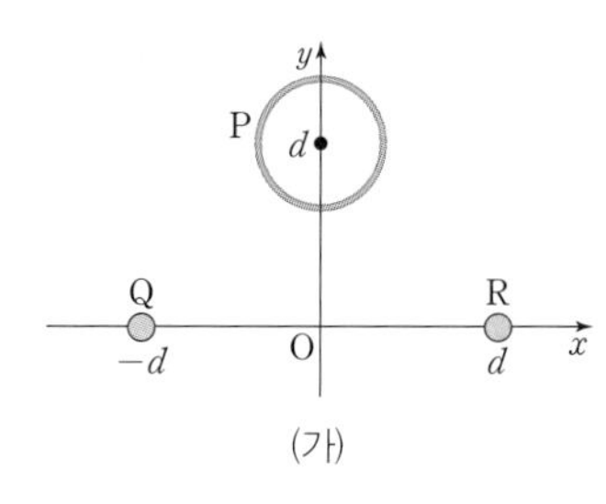

(가)

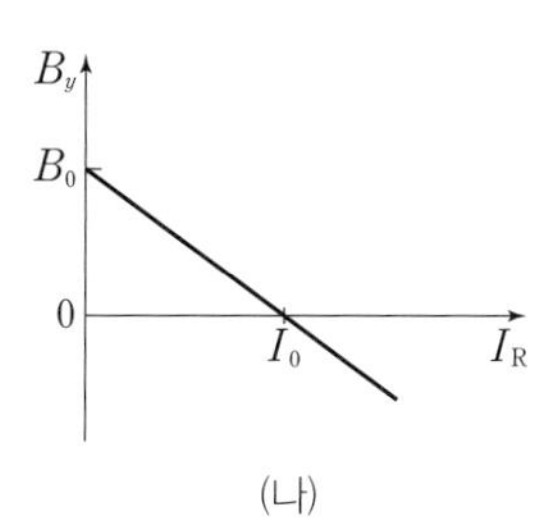

(나)

이에 대한 설명으로 옳은 것만을 〈보기〉에서 있는 대로 고른 것은? (단, 도선의 굵기는 무시한다.)

보기

ㄱ. Q와 R에 흐르는 전류의 방향은 서로 반대이다.
ㄴ. Q에 흐르는 전류의 세기는 I_0이다.
ㄷ. $I_R=I_0$일 때, P의 중심에서 세 도선의 전류에 의한 자기장의 세기는 $\sqrt{2}B_0$이다.

① ㄱ ② ㄴ ③ ㄷ ④ ㄱ, ㄷ ⑤ ㄴ, ㄷ

유사점과 차이점

직선 전류에 의한 자기장과 원형 전류에 의한 자기장을 합성하는 상황은 유사하지만, 원형 도선을 고정한 위치가 다르기 때문에 직선 전류에 의한 자기장을 합성할 때 자기장의 x성분과 y성분을 각각 분석해야 하는 점은 다르다.

배경 지식

직선 도선에 흐르는 전류에 의한 자기장의 세기는 도선에 흐르는 전류의 세기에 비례하고, 도선으로부터 거리에 반비례한다.

01

▸24070-0134

그림은 중심축이 x축이고 일정한 전류가 흐르는 솔레노이드의 전류에 의한 자기장을 방향 표시 없이 자기력선으로 나타낸 것이다. p, q는 중심축상의 점이고, 점 r에서 솔레노이드의 전류에 의한 자기장의 방향은 $+x$방향이다. 솔레노이드에 흐르는 전류의 방향은 ⓐ 또는 ⓑ이다.

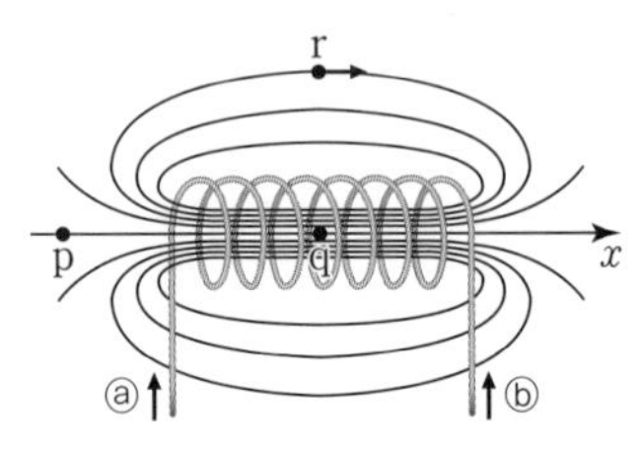

이에 대한 설명으로 옳은 것만을 〈보기〉에서 있는 대로 고른 것은?

보기
ㄱ. 솔레노이드에 흐르는 전류의 방향은 ⓑ이다.
ㄴ. 솔레노이드의 전류에 의한 자기장의 세기는 p에서가 q에서보다 작다.
ㄷ. p에서 솔레노이드의 전류에 의한 자기장의 방향은 $+x$방향이다.

① ㄱ ② ㄷ ③ ㄱ, ㄴ ④ ㄴ, ㄷ ⑤ ㄱ, ㄴ, ㄷ

02

▸24070-0135

그림은 일정한 전류가 흐르는 무한히 긴 직선 도선 A, B를 xy 평면에 수직으로 x축상에 고정시켰을 때, xy 평면에서 A와 B의 전류에 의한 자기장을 자기력선으로 나타낸 것이다. A, B에 흐르는 전류의 세기는 같고, 원점 O에서 A, B까지 거리는 같다. p는 y축상의 점이다.

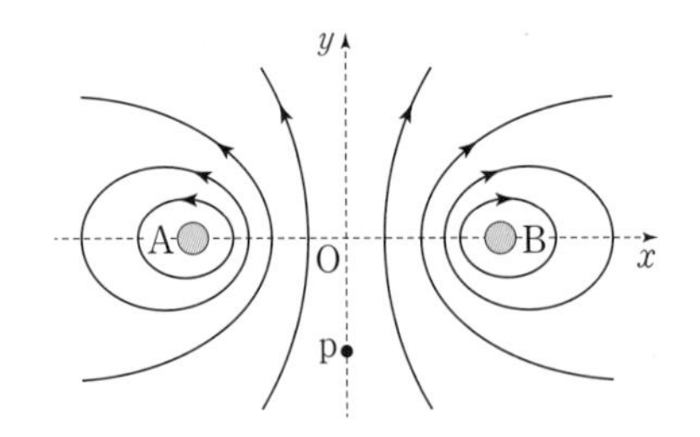

이에 대한 설명으로 옳은 것만을 〈보기〉에서 있는 대로 고른 것은?

보기
ㄱ. A에 흐르는 전류의 방향은 xy 평면에서 수직으로 나오는 방향이다.
ㄴ. x축상의 A와 B 사이에 A, B의 전류에 의한 자기장이 0인 지점이 없다.
ㄷ. p에서 A, B의 전류에 의한 자기장의 방향은 $+y$방향이다.

① ㄱ ② ㄷ ③ ㄱ, ㄴ ④ ㄴ, ㄷ ⑤ ㄱ, ㄴ, ㄷ

03

▸24070-0136

그림과 같이 일정한 전류가 흐르는 무한히 긴 직선 도선 A, B가 xy 평면에 고정되어 있다. x축상의 점 p, q에서 A, B의 전류에 의한 자기장의 세기는 같고, p에서 A, B의 전류에 의한 자기장의 방향은 xy 평면에서 수직으로 나오는 방향이다.

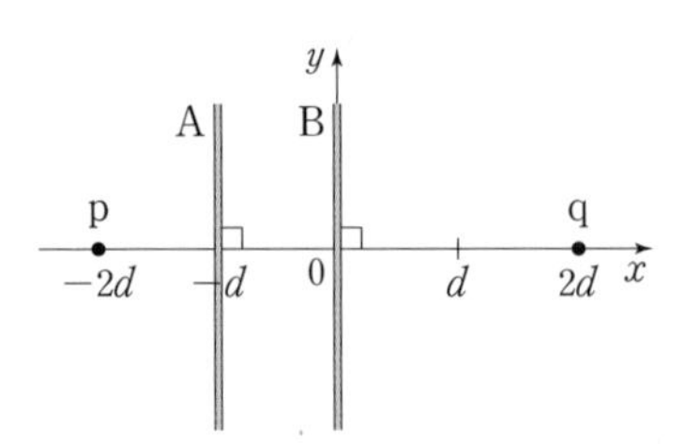

이에 대한 설명으로 옳은 것만을 〈보기〉에서 있는 대로 고른 것은?

보기
ㄱ. A에 흐르는 전류의 방향은 $-y$방향이다.
ㄴ. q에서 A, B의 전류에 의한 자기장의 방향은 xy 평면에서 수직으로 나오는 방향이다.
ㄷ. A에 흐르는 전류의 세기는 B에 흐르는 전류의 세기보다 크다.

① ㄴ ② ㄷ ③ ㄱ, ㄴ ④ ㄱ, ㄷ ⑤ ㄴ, ㄷ

04

▸24070-0137

그림과 같이 일정한 방향으로 전류가 흐르는 무한히 긴 직선 도선 A, B를 수평면에 수직으로 남북 방향과 나란한 y축상에 고정시켰다. A에 흐르는 전류의 세기는 일정하고, y축상의 점 p에서 A, B까지 거리는 같다. 표는 B에 흐르는 전류의 세기가 I_0, $4I_0$일 때 p에 놓은 나침반의 자침이 y축을 기준으로 45°만큼 회전하여 정지해 있는 모습을 나타낸 것이다.

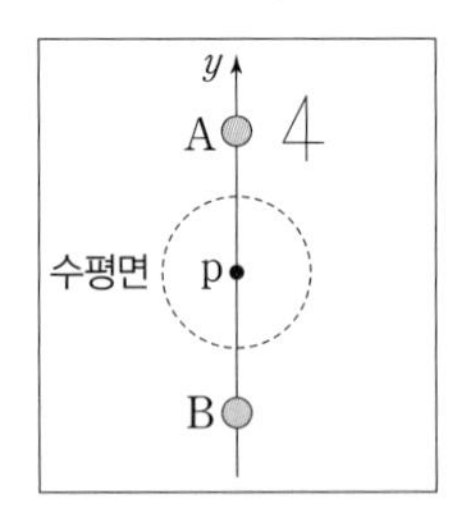

B에 흐르는 전류의 세기	I_0	$4I_0$
나침반의 자침이 회전한 모습	y, 45°, N	y, 45°, N

이에 대한 설명으로 옳은 것만을 〈보기〉에서 있는 대로 고른 것은? (단, 자침의 크기는 무시한다.)

보기
ㄱ. A에 흐르는 전류의 방향은 수평면에 수직으로 들어가는 방향이다.
ㄴ. A에 흐르는 전류의 세기는 $\frac{5}{2}I_0$이다.
ㄷ. p에서 A의 전류에 의한 자기장의 세기는 p에서 지구 자기장의 세기의 $\frac{5}{3}$배이다.

① ㄱ ② ㄴ ③ ㄱ, ㄷ ④ ㄴ, ㄷ ⑤ ㄱ, ㄴ, ㄷ

05

▸24070-0138

그림과 같이 세기가 각각 I_A, I_B인 전류가 흐르는 무한히 긴 직선 도선 A, B가 xy 평면에 수직으로 고정되어 있다. p는 xy 평면상의 (d, d)인 점이다. y축상의 $y=d$인 점에서 A, B의 전류에 의한 자기장의 방향은 $-y$방향이고, 세기는 B_0이다.

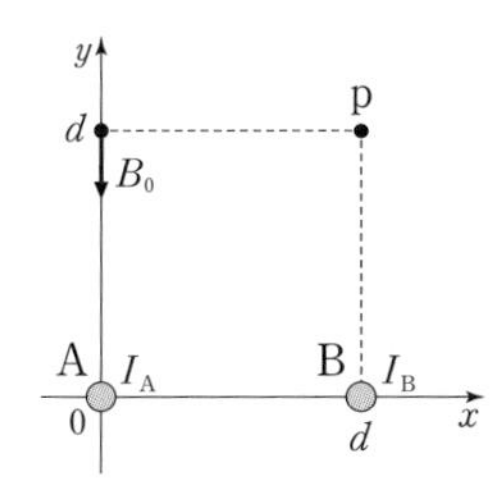

이에 대한 설명으로 옳은 것만을 〈보기〉에서 있는 대로 고른 것은?

보기
ㄱ. A, B에 흐르는 전류의 방향은 서로 같다.
ㄴ. $I_B=2I_A$이다.
ㄷ. p에서 B의 전류에 의한 자기장의 세기는 $2B_0$이다.

① ㄱ ② ㄴ ③ ㄱ, ㄷ ④ ㄴ, ㄷ ⑤ ㄱ, ㄴ, ㄷ

06

▸24070-0139

그림 (가)와 같이 일정한 전류가 흐르는 무한히 긴 직선 도선 A, B가 xy 평면에 수직으로 고정되어 있다. 그림 (나)는 (가)에서 A만 회전시켜 x축상에 고정시킨 것을 나타낸 것이다. p, q는 xy 평면상의 점이다. p에서 A, B의 전류에 의한 자기장의 세기는 (가)에서가 (나)에서의 $\sqrt{2}$배이다.

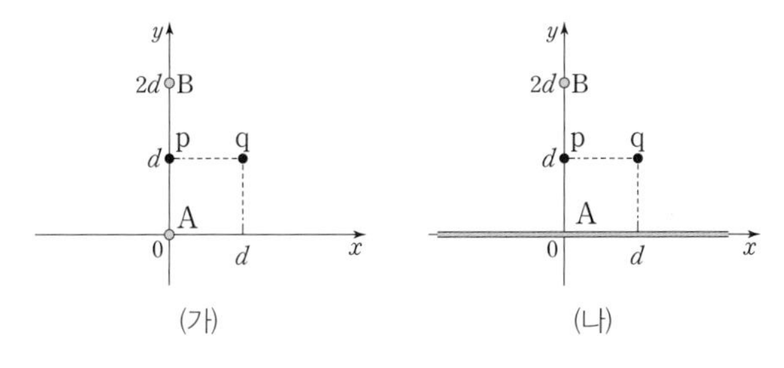

이에 대한 설명으로 옳은 것만을 〈보기〉에서 있는 대로 고른 것은?

보기
ㄱ. A, B에 흐르는 전류의 세기는 서로 같다.
ㄴ. (가)에서 A, B에 흐르는 전류의 방향은 서로 같다.
ㄷ. q에서 A, B의 전류에 의한 자기장의 세기는 (가)에서가 (나)에서보다 크다.

① ㄱ ② ㄴ ③ ㄷ ④ ㄱ, ㄴ ⑤ ㄱ, ㄷ

07

▸24070-0140

그림 (가)는 원형 도선 A와 무한히 긴 직선 도선 B를 종이면에 고정시키고 무한히 긴 직선 도선 C를 종이면에 수직으로 고정시킨 것을, (나)는 (가)에서 B를 종이면에서 A와 가깝게 이동시켜 고정시킨 것을 나타낸 것이다. A, B, C에 흐르는 전류는 일정하고, B에는 화살표 방향으로 전류가 흐른다. A의 중심 O에서 A, B, C의 전류에 의한 자기장의 세기는 (가)에서와 (나)에서가 서로 같다.

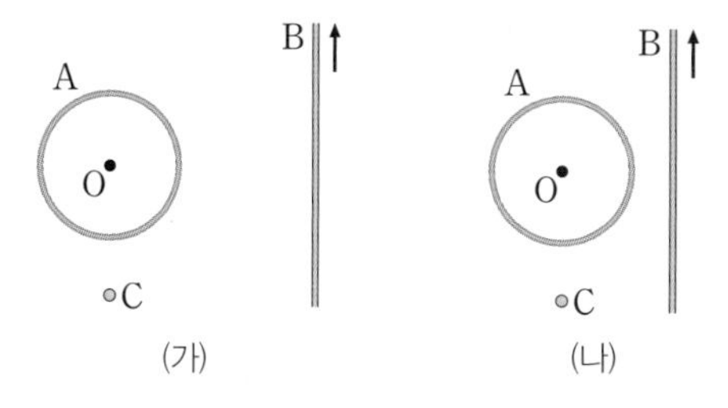

이에 대한 설명으로 옳은 것만을 〈보기〉에서 있는 대로 고른 것은?

보기
ㄱ. O에서 A의 전류에 의한 자기장의 방향은 종이면에서 수직으로 나오는 방향이다.
ㄴ. A에 흐르는 전류의 방향은 시계 방향이다.
ㄷ. O에서 A, B, C의 전류에 의한 자기장의 방향은 (가)에서와 (나)에서가 서로 같다.

① ㄱ ② ㄴ ③ ㄱ, ㄴ ④ ㄱ, ㄷ ⑤ ㄴ, ㄷ

08

▸24070-0141

그림과 같이 화살표 방향으로 전류가 흐르는 원형 도선 A와 일정한 전류가 흐르는 무한히 긴 직선 도선 B, C가 xy 평면에 수직으로 고정되어 있다. A는 y축을 지나고 B와 C는 x축을 지난다. A의 중심 p에서 A의 전류에 의한 자기장의 방향은 x축과 나란하고, A, B, C의 전류에 의한 자기장은 0이다. 원점 O로부터 p, B, C까지 거리는 같다.

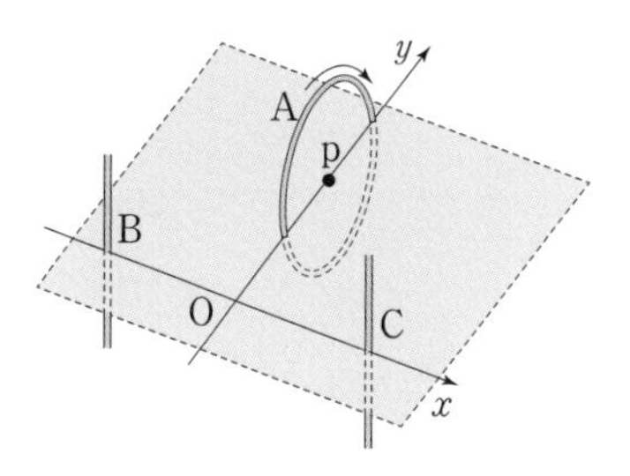

이에 대한 설명으로 옳은 것만을 〈보기〉에서 있는 대로 고른 것은?

보기
ㄱ. p에서 A의 전류에 의한 자기장의 방향은 $-x$방향이다.
ㄴ. B, C에 흐르는 전류의 방향은 서로 반대이다.
ㄷ. B, C에 흐르는 전류의 세기는 서로 같다.

① ㄱ ② ㄴ ③ ㄷ ④ ㄱ, ㄴ ⑤ ㄱ, ㄷ

정답과 해설 29쪽

01

▸24070-0142

그림과 같이 일정한 전류가 흐르는 무한히 긴 직선 도선 A, B, C가 xy 평면에 수직으로 고정되어 있다. y축상의 점 p에서 A, B, C의 전류에 의한 자기장은 0이다. A에 흐르는 전류의 세기는 I_0이고 방향은 xy 평면에 수직으로 들어가는 방향이다.

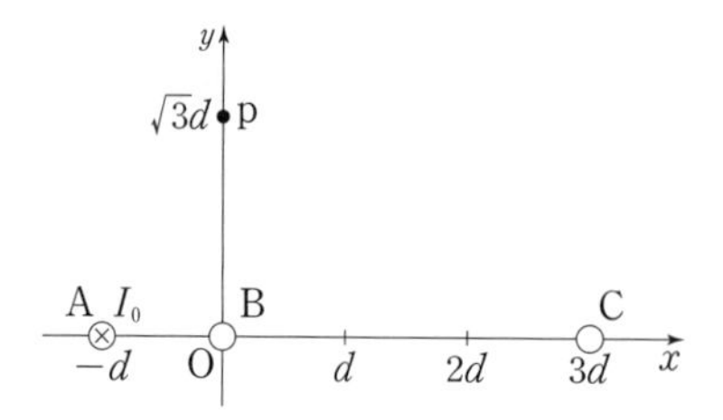

이에 대한 설명으로 옳은 것만을 〈보기〉에서 있는 대로 고른 것은?

보기

ㄱ. B에 흐르는 전류의 방향은 xy 평면에서 수직으로 나오는 방향이다.
ㄴ. p에서 A의 전류에 의한 자기장의 세기는 C의 전류에 의한 자기장의 세기의 $\sqrt{3}$배이다.
ㄷ. B에 흐르는 전류의 세기는 I_0이다.

① ㄱ ② ㄷ ③ ㄱ, ㄴ ④ ㄴ, ㄷ ⑤ ㄱ, ㄴ, ㄷ

02

▸24070-0143

그림과 같이 일정한 전류가 흐르는 무한히 긴 직선 도선 A, B, C가 xy 평면에 수직으로 고정되어 있다. 원점 O에서 A, B, C의 전류에 의한 자기장의 방향은 x축과 θ의 각을 이루며, $\tan\theta = \frac{1}{2}$이다. x축상의 $x=d$인 점에서 A, B, C의 전류에 의한 자기장의 방향은 $+x$방향이고 세기는 B_0이다.

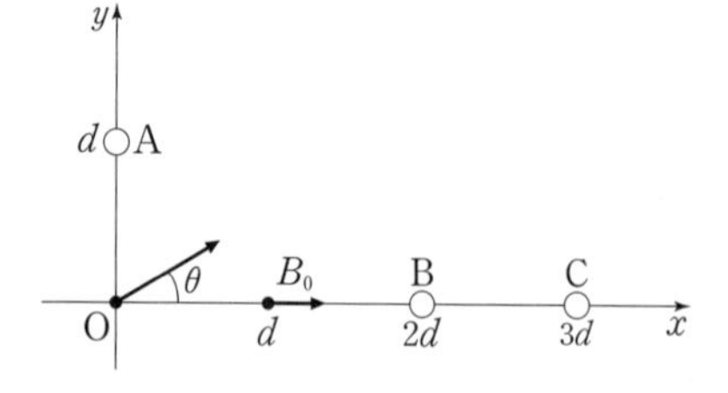

이에 대한 설명으로 옳은 것만을 〈보기〉에서 있는 대로 고른 것은?

보기

ㄱ. B와 C에 흐르는 전류의 방향은 서로 반대이다.
ㄴ. O에서 A의 전류에 의한 자기장의 세기는 $\sqrt{2}B_0$이다.
ㄷ. 도선에 흐르는 전류의 세기는 C에서가 B에서의 2배이다.

① ㄱ ② ㄴ ③ ㄱ, ㄴ ④ ㄱ, ㄷ ⑤ ㄴ, ㄷ

03

▸24070-0144

그림과 같이 일정한 전류가 흐르는 무한히 긴 직선 도선 A, B, C를 각각 xy 평면에 수직으로 고정시켰다. A, B에 흐르는 전류의 세기는 서로 같고, A에 흐르는 전류의 방향은 xy 평면에서 수직으로 나오는 방향이다. 원점 O, 점 p에서 A, B, C의 전류에 의한 자기장의 세기는 서로 같고, 방향은 서로 반대이다.

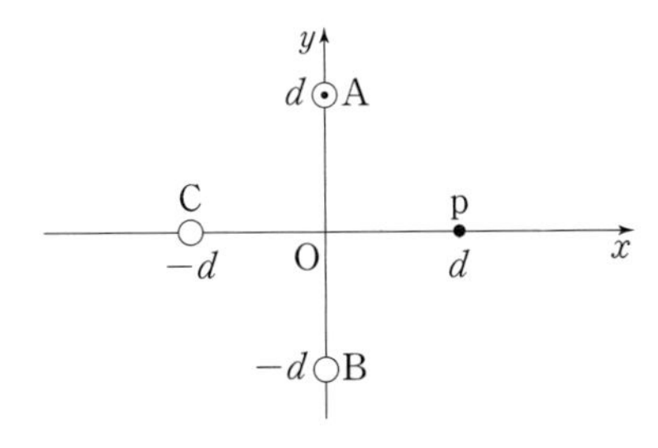

이에 대한 설명으로 옳은 것만을 〈보기〉에서 있는 대로 고른 것은?

보기

ㄱ. B에 흐르는 전류의 방향은 xy 평면에서 수직으로 나오는 방향이다.

ㄴ. C에 흐르는 전류의 방향은 xy 평면에서 수직으로 나오는 방향이다.

ㄷ. 도선에 흐르는 전류의 세기는 C에서가 A에서의 $\frac{2}{3}$배이다.

① ㄱ ② ㄴ ③ ㄷ ④ ㄱ, ㄷ ⑤ ㄱ, ㄴ, ㄷ

04

▸24070-0145

그림 (가)와 같이 세기가 각각 I_A, I_B인 전류가 흐르는 원형 도선 A, B가 xy 평면에 고정되어 있다. A, B의 반지름은 각각 d, $2d$이고, 중심은 원점 O로 같다. 그림 (나)는 (가)에서 B만을 y축을 회전축으로 하여 회전시킬 때 회전각 θ에 따라 O에서 A, B의 전류에 의한 자기장의 세기를 나타낸 것이다. O에서 A, B의 전류에 의한 자기장의 방향은 $\theta=0°$일 때와 $\theta=180°$일 때가 서로 같다.

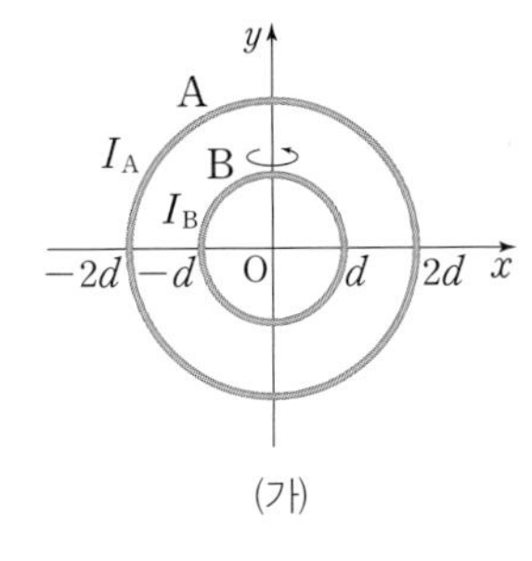

(가)

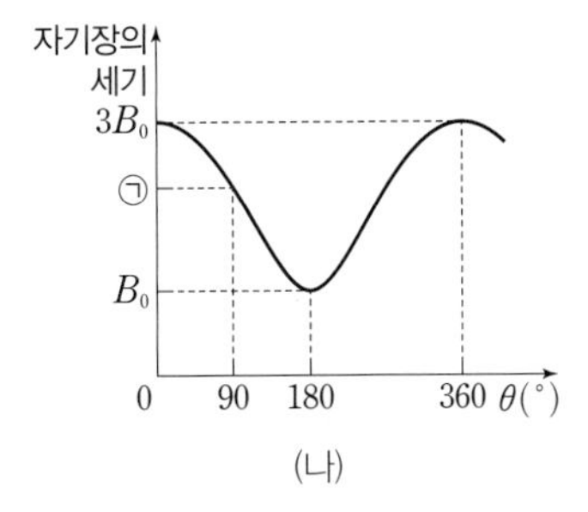

(나)

이에 대한 설명으로 옳은 것만을 〈보기〉에서 있는 대로 고른 것은? (단, A, B의 상호 작용은 무시한다.)

보기

ㄱ. $I_B=\frac{1}{4}I_A$이다.

ㄴ. ㉠은 $\sqrt{5}B_0$이다.

ㄷ. $\theta=90°$일 때, O에서 A, B의 전류에 의한 자기장의 방향이 x축과 이루는 각은 30°이다.

① ㄱ ② ㄷ ③ ㄱ, ㄴ ④ ㄴ, ㄷ ⑤ ㄱ, ㄴ, ㄷ

테마

10 전자기 유도와 상호유도

1 전자기 유도

(1) **전자기 유도:** 코일을 통과하는 자기 선속(자속)이 변할 때 코일에 전류가 흐르는 현상을 전자기 유도라고 하고, 이때 흐르는 전류를 유도 전류라고 한다. 또한 유도 전류를 흐르게 하는 기전력을 유도 기전력이라고 한다.

(2) **자기 선속(자속):** 자기장에 수직인 단면을 지나가는 자기력선의 총 개수를 자기 선속이라고 한다. 자기 선속 Φ는 자기장의 세기 B가 클수록, 자기장이 통과하는 면적 A가 클수록 크다. 면의 법선과 자기장 방향이 이루는 각이 θ일 때 자기 선속은 $\Phi=BA\cos\theta$이고, $\theta=0$일 때 $\Phi=BA$ [단위: Wb(웨버)]이다.

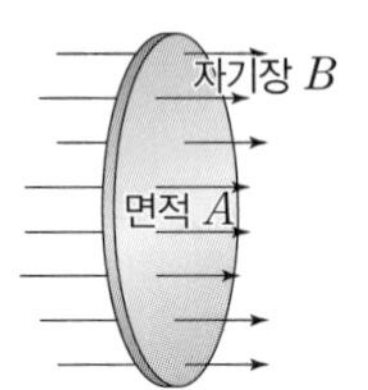

(3) **렌츠 법칙:** 렌츠 법칙은 유도 전류의 방향에 대한 법칙이다. 유도 전류는 코일을 통과하는 자기 선속의 변화를 방해하는 방향으로 흐르며, 이를 렌츠 법칙이라고 한다.

(4) **유도 전류의 방향:** 그림 (가)와 같이 자석의 N극을 솔레노이드에 가까이 접근시키면 솔레노이드 내부를 지나는 자기 선속이 증가한다. 렌츠 법칙을 적용하면 유도 전류는 자기 선속이 증가하는 것을 방해하기 위해 B → Ⓖ → A 방향으로 흐른다.

그림 (나)와 같이 자석의 N극이 솔레노이드에서 멀어지면 솔레노이드 내부를 지나는 자기 선속이 감소한다. 렌츠 법칙을 적용하면 유도 전류는 자기 선속이 감소하는 것을 방해하기 위해 A → Ⓖ → B 방향으로 흐른다.

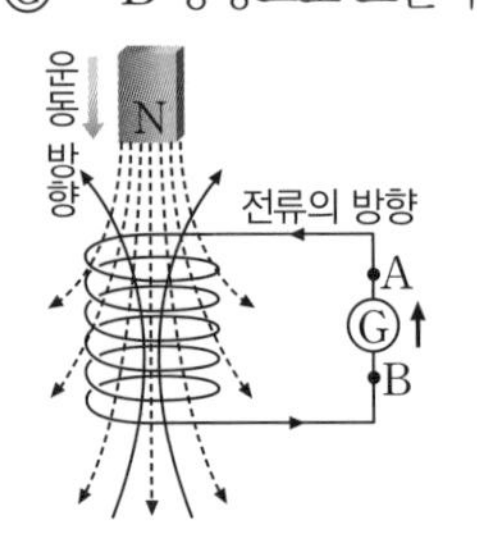

(가) 자기 선속이 증가할 때

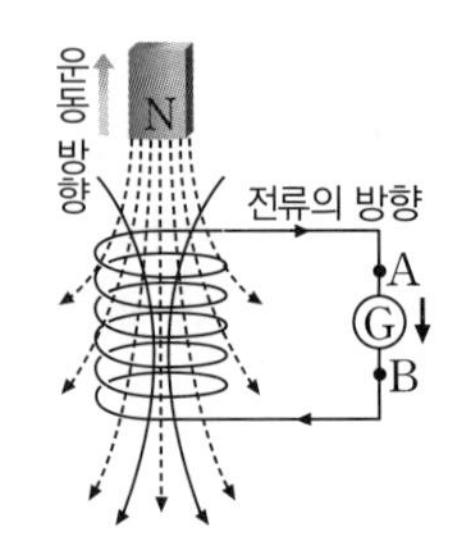

(나) 자기 선속이 감소할 때

(5) **패러데이 법칙:** 유도 기전력의 크기에 대한 법칙이다. 유도 기전력 V는 코일의 감은 수 N과 자기 선속의 시간에 따른 변화율(자기 선속의 시간당 변화율) $\frac{\Delta\Phi}{\Delta t}$에 비례하고, 유도 기전력의 방향은 자기 선속의 변화를 방해하는 방향이다. (−) 부호는 렌츠 법칙을 나타낸다.

$$V=-N\frac{\Delta\Phi}{\Delta t}\text{ (단위: V)}$$

2 전자기 유도의 적용

(1) **도선의 운동에 의한 전자기 유도:** 한 변의 길이가 l이고 저항값이 R인 정사각형 도선이 세기가 B이고 종이면에 수직으로 들어가는 방향의 균일한 자기장 영역에 들어갈 때 정사각형 도선을 통과하는 자기 선속이 증가하므로 정사각형 도선에는 시계 반대 방향으로 유도 전류가 흐른다.

- 유도 기전력의 크기: 자기장의 세기가 B이고, 자기장 영역에 포함된 면적은 $A=lx$이므로 자기 선속은 $\Phi=BA=Blx$이다. 자기장의 세기 B와 도선의 길이 l은 일정하므로 자기 선속의 변화는 $\Delta\Phi=Bl\Delta x$이다. 따라서 유도 기전력의 크기는 $V=\frac{Bl\Delta x}{\Delta t}=Blv$이다.

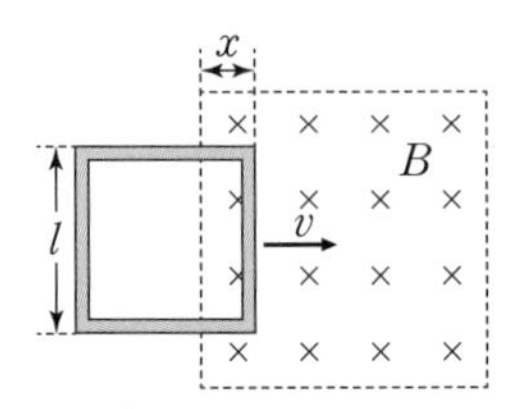

(2) **전자기 유도의 이용**

① 발전기: 코일을 회전시키면 코일면을 통과하는 자기 선속이 시간에 따라 계속 변하므로 유도 기전력이 발생한다.

② 전기 기타: 그림과 같이 픽업 장치의 자석에 의해 자기화된 기타 줄이 진동하면 코일을 통과하는 자기 선속이 변하기 때문에 코일에 전류가 유도되어 전기 신호가 발생한다. 이 전기 신호를 증폭하여 스피커를 진동시키면 소리가 발생한다.

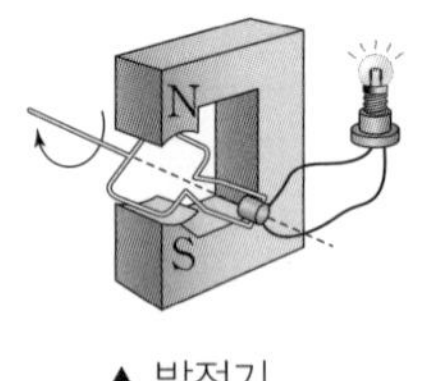

▲ 발전기

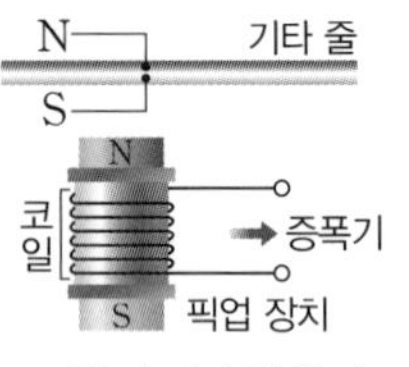

▲ 전기 기타의 원리

더 알기 균일한 자기장 영역에서 회전하는 금속 고리에 유도되는 기전력의 크기

그림은 xy 평면에 수직이고 세기가 B_0인 자기장이 형성된 xy 평면에서 반원형 금속 고리가 각속도 ω로 회전할 때, $t=0$일 때와 반 주기 후인 $t=\frac{\pi}{\omega}$일 때의 모습이다.

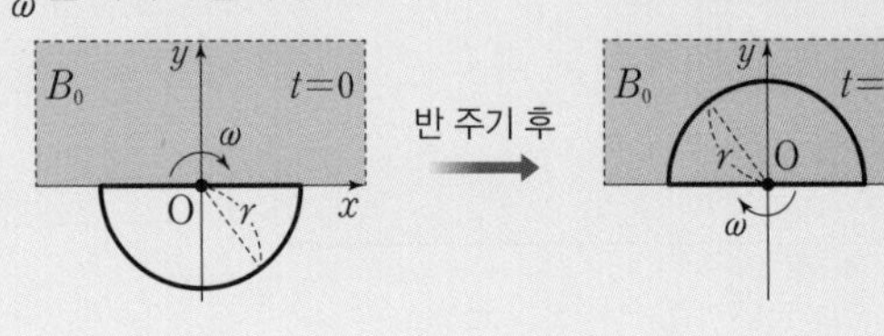

- 금속 고리가 자기장 영역으로 들어가는 동안 유도 기전력의 크기 V_0은 다음과 같다.

$$V_0=N\frac{\Delta\Phi}{\Delta t}=\frac{\Delta(B_0S)}{\Delta t}=\frac{B_0\Delta S}{\Delta t}$$

$\Delta t=\frac{\pi}{\omega}$ 동안 자기장 영역으로 들어간 고리의 면적이 $\Delta S=\frac{\pi r^2}{2}$이므로, 위의 식에 Δt, ΔS를 대입하면, $V_0=\frac{B_0\Delta S}{\Delta t}=\frac{B_0\omega r^2}{2}$이다.

(3) **자석이 솔레노이드 안을 통과할 때 전자기 유도:** 그림과 같이 N극이 아래로 향하게 하여 자석을 떨어뜨리면 N극이 솔레노이드에 가까워지면서 솔레노이드에는 자석의 운동을 방해하는 위 방향의 자기장을 유도하는 기전력이 발생한다. 반대로 자석의 S극이 빠져나갈 때는 솔레노이드에는 아래 방향의 자기장을 유도하는 기전력이 발생하여 자석의 운동을 방해한다.

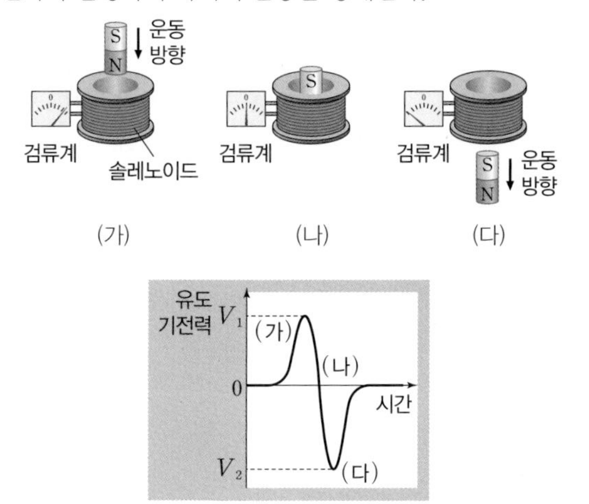

자석이 솔레노이드에 들어갈 때와 나올 때 유도 기전력의 최댓값 V_1과 V_2가 다른 까닭은 중력과 자기력에 의해 가속된 자석의 속력이 달라 솔레노이드를 통과하는 자기 선속의 시간에 따른 변화율이 다르기 때문이다.

3 상호유도

(1) **상호유도:** 인접한 두 코일 사이에 발생하는 전자기 유도로 1차 코일의 전류 변화에 의한 자기 선속의 변화에 의해 2차 코일에 유도 기전력이 발생하는 현상이다.

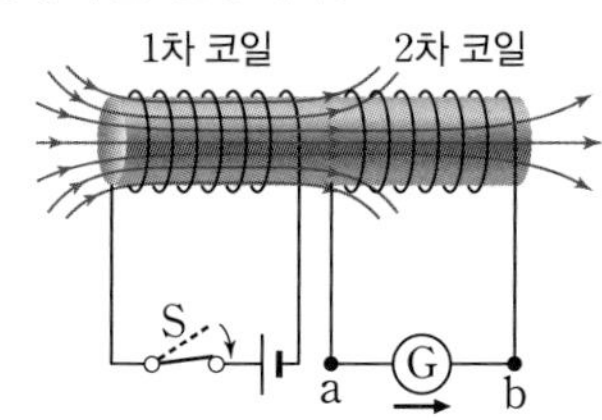

(2) **상호 인덕턴스(M):** 2차 코일의 감은 수가 N_2이고 Δt 동안 1차 코일에 흐르는 전류가 ΔI_1만큼 변할 때 2차 코일에서 발생하는 유도 기전력을 V라고 하면

$V=-N_2\dfrac{\Delta\Phi_2}{\Delta t}=-N_2\dfrac{\Delta\Phi_2}{\Delta I_1}\dfrac{\Delta I_1}{\Delta t}=-M\dfrac{\Delta I_1}{\Delta t}$이고,

상호 인덕턴스의 단위는 H(헨리)이다.

① 유도 기전력은 상호 인덕턴스와 1차 코일에 흐르는 전류의 시간에 따른 변화율에 비례한다. 이때 상호 인덕턴스는 코일의 모양, 감은 수, 위치, 코일 내부의 물질 등에 의해 결정된다.

② 상호유도 기전력의 방향은 렌츠 법칙에 따라 1차 코일의 전류에 의해 생기는 자기장의 변화를 방해하는 방향이다.

(3) **교류에 의한 상호유도:** 그림과 같이 1차 코일에 교류가 흐르면 1차 코일을 통과하는 자기 선속의 변화가 2차 코일에도 영향을 미쳐 상호유도에 의해 2차 코일에 유도 전류가 흐른다.

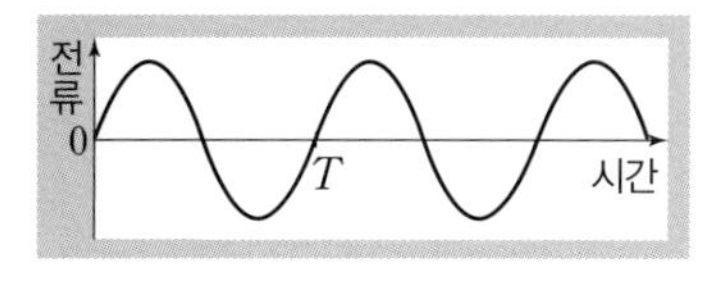

▲ 1차 코일에 흐르는 전류

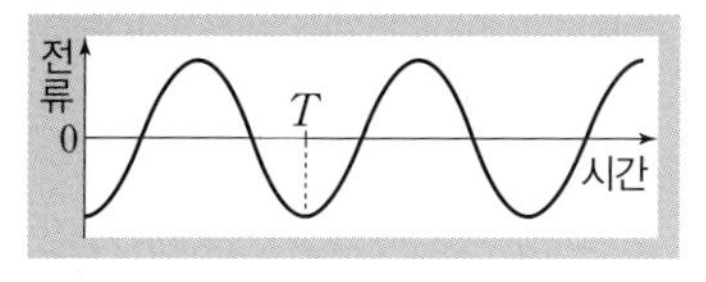

▲ 2차 코일에 유도된 전류

4 변압기

(1) **변압기:** 상호유도를 이용하여 교류 전압을 변화시키는 장치이다. 1차 코일과 2차 코일의 감은 수의 비에 따라 전압이 결정된다.

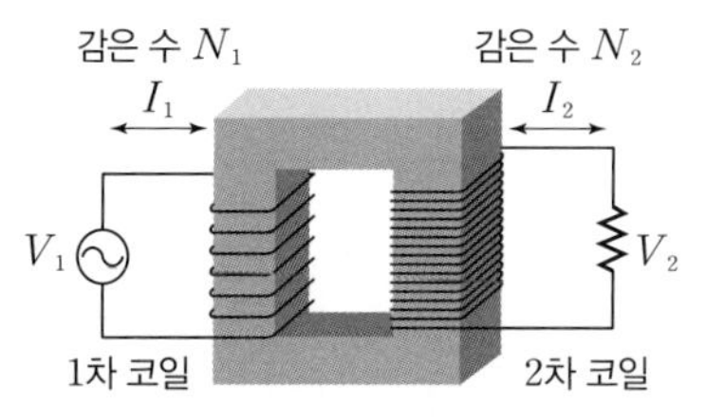

(2) **유도 기전력:** 코일의 감은 수가 각각 N_1, N_2이고, 1차 코일과 2차 코일을 통과하는 자기 선속의 변화가 같다고 하면,

$V_1=-N_1\dfrac{\Delta\Phi_1}{\Delta t}$, $V_2=-N_2\dfrac{\Delta\Phi_2}{\Delta t}$이므로 $\dfrac{V_2}{V_1}=\dfrac{N_2}{N_1}$이다.

1차 코일에 공급된 전력은 $P_1=V_1I_1$이고 2차 코일에 상호유도에 의해 전달된 전력은 $P_2=V_2I_2$이다. 변압기에서 전기 에너지 손실이 없다면 2차 코일에 전달된 전력은 1차 코일에서 공급된 전력과 같으므로 $I_1V_1=I_2V_2$에서 $\dfrac{V_2}{V_1}=\dfrac{I_1}{I_2}$이다. 따라서 두 코일의 감은 수, 코일에 걸리는 전압, 코일에 흐르는 전류의 관계는 다음과 같다.

$$\frac{N_2}{N_1}=\frac{V_2}{V_1}=\frac{I_1}{I_2}$$

더 알기 상호유도의 이용

- 금속 탐지기: 금속 탐지기에서 1차 코일에 흐르는 교류에 의해 발생한 자기 선속이 코일 아래에 있는 금속 물질에 전류를 유도한다. 이 유도 전류에 의해 발생하는 자기장의 변화를 금속 탐지기의 2차 코일이 감지하여 금속 물질을 탐지한다.
- 스마트폰 무선 충전기: 충전 패드에 있는 1차 코일에 교류 전원이 연결되면 스마트폰에 있는 2차 코일에서 유도 기전력이 발생하여 충전한다.
- 고압 방전 장치: 자동차에서 연료를 점화하는 데 사용되는 고압 방전 장치는 두 금속 사이에 순간적으로 큰 전압을 걸어 방전이 일어나도록 하는 장치로, 1차 코일에 전류를 흐르게 하다가 갑자기 끊으면 상호유도에 의해 2차 코일에 유도 기전력이 발생한다. 이때 유도 기전력이 충분히 크면 2차 코일에 연결된 두 금속 사이에 불꽃이 튀는 방전 현상이 나타난다.

테마 대표 문제

| 2024학년도 수능 |

그림 (가)와 같이 저항값이 R이고 한 변의 길이가 $2L$인 정사각형 금속 고리를 균일한 자기장 영역 Ⅰ, Ⅱ가 있는 xy 평면상에서 $+x$방향으로 운동시킨다. 고리의 한 점 P는 $0\leq x\leq L$, $L<x\leq 2L$에서 각각 속력 v_1, v_2로 등속도 운동을 한다. 그림 (나)는 P의 위치에 따라 고리에 유도되는 전류의 세기 I를 나타낸 것이다. Ⅰ, Ⅱ에서 자기장의 세기는 B로 같고, 자기장의 방향은 xy 평면에 수직으로 각각 들어가는 방향, 나오는 방향이다.

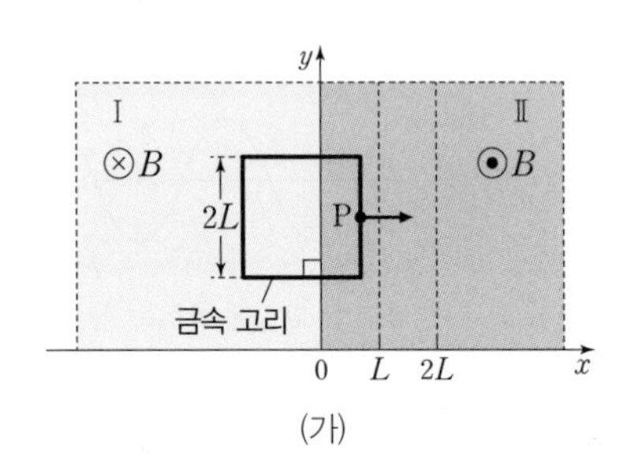

(가)

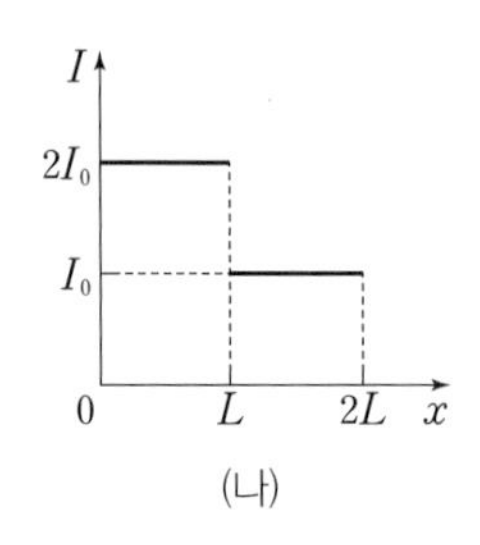

(나)

v_1+v_2는? (단, 금속 고리의 굵기는 무시한다.)

① $\dfrac{5I_0R}{8BL}$ ② $\dfrac{3I_0R}{4BL}$ ③ $\dfrac{7I_0R}{8BL}$ ④ $\dfrac{I_0R}{BL}$ ⑤ $\dfrac{9I_0R}{8BL}$

접근 전략

금속 고리가 Ⅰ에서 Ⅱ로 일정한 속력 v로 이동하는 동안 유도 기전력의 크기 V는 다음과 같다.

$V=2B\dfrac{\Delta S}{\Delta t}=2B\dfrac{2Lv\Delta t}{\Delta t}=4BLv$

간략 풀이

$V=IR$에서 $V=4BLv=IR$이다. 따라서 P가 $0\leq x\leq L$인 구간에서 운동하는 동안 $V=4BLv_1=2I_0R$이고, P가 $L<x\leq 2L$인 구간에서 운동하는 동안 $V=4BLv_2=I_0R$이다. 따라서 $v_1+v_2=\dfrac{3I_0R}{4BL}$이다.

정답 | ②

닮은 꼴 문제로 유형 익히기

정답과 해설 30쪽

▸24070-0146

그림 (가)는 균일한 자기장 영역 Ⅰ, Ⅱ가 있는 xy 평면상에서 반원형 금속 고리가 원점 O를 중심으로 시계 방향으로 회전할 때, 시간 $t=0$인 순간의 모습을 나타낸 것이다. 금속 고리의 반지름은 d이고 저항값은 R이다. 그림 (나)는 (가)의 도선이 시계 방향으로 회전하는 동안 도선에 흐르는 유도 전류 I를 t에 따라 나타낸 것이다. $0\leq t\leq 2t_0$, $2t_0<t\leq 3t_0$ 동안 고리의 각속도는 각각 ω_1, ω_2로 일정하다. Ⅰ, Ⅱ에서 자기장의 세기는 B로 같고, 자기장의 방향은 xy 평면에 수직으로 각각 들어가는 방향, 나오는 방향이다.

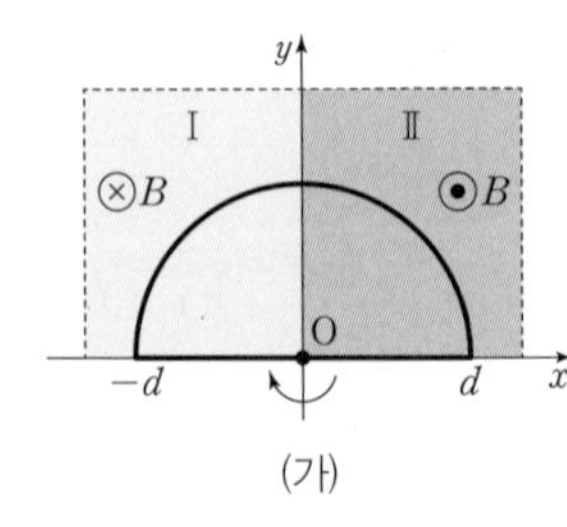

(가)

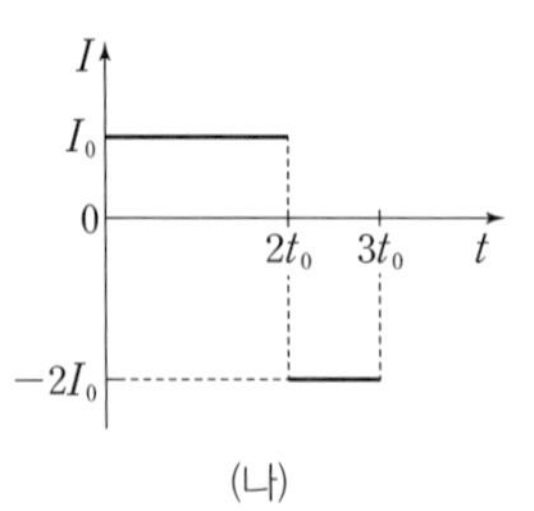

(나)

$\omega_1+\omega_2$는? (단, 금속 고리의 굵기는 무시한다.)

① $\dfrac{I_0R}{2Bd^2}$ ② $\dfrac{I_0R}{Bd^2}$ ③ $\dfrac{2I_0R}{Bd^2}$ ④ $\dfrac{4I_0R}{Bd^2}$ ⑤ $\dfrac{6I_0R}{Bd^2}$

유사점과 차이점

금속 고리에 흐르는 유도 전류로부터 금속 고리의 운동을 분석하는 것은 유사하지만, 원형 도선이 회전하는 상황에서 각속도와 유도 전류의 관계를 질문하는 것은 다르다.

배경 지식

Ⅰ의 자기장의 방향이 일정하므로 금속 고리가 $t=0$인 순간부터 90° 회전하는 동안 금속 고리에 흐르는 유도 전류의 방향은 일정하다.

정답과 해설 30쪽

01

▸24070-0147

그림과 같이 종이면에 수직인 균일한 자기장 영역 Ⅰ, Ⅱ가 형성된 종이면에 면적이 같은 정사각형 금속 고리 A, B, C가 고정되어 있다. A를 통과하는 자기 선속의 크기와 B를 통과하는 자기 선속의 크기는 Φ_0으로 같다.

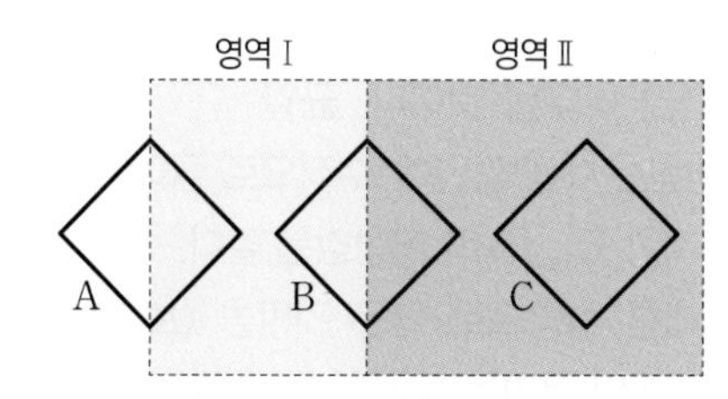

C를 통과하는 자기 선속의 크기는? (단, 금속 고리의 굵기는 무시한다.)

① Φ_0 ② $2\Phi_0$ ③ $3\Phi_0$ ④ $4\Phi_0$ ⑤ $8\Phi_0$

02

▸24070-0148

그림 (가)는 자석이 전류 센서가 연결된 코일의 중심축을 따라 낙하하는 모습을 나타낸 것이고, (나)는 전류 센서로 측정한 유도 전류를 나타낸 것이다. 시간이 각각 t_1, t_2일 때 자석은 코일의 중심으로부터 같은 거리만큼 떨어진 지점을 지난다. t_1, t_2일 때 유도 전류의 세기는 각각 I_1, I_2이고, $I_1 < I_2$이다.

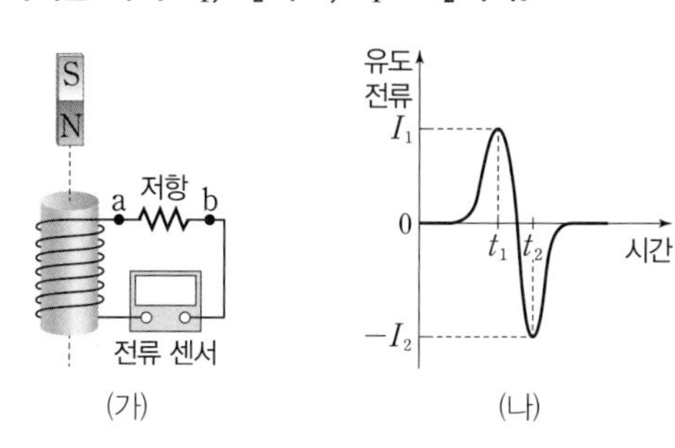

(가) (나)

이에 대한 설명으로 옳은 것만을 〈보기〉에서 있는 대로 고른 것은?

> **보기**
> ㄱ. 자석이 코일로부터 받는 자기력의 방향은 t_1일 때와 t_2일 때가 서로 반대이다.
> ㄴ. t_1일 때 유도 전류의 방향은 a → 저항 → b이다.
> ㄷ. 자석의 속력은 t_1일 때가 t_2일 때보다 크다.

① ㄱ ② ㄴ ③ ㄷ ④ ㄱ, ㄷ ⑤ ㄴ, ㄷ

03

▸24070-0149

그림은 xy 평면에 수직인 균일한 자기장 영역 Ⅰ, Ⅱ가 형성된 xy 평면에서 등속도 운동을 하는 정사각형 금속 고리 A, B, C의 시간 $t=0$일 때의 모습을 나타낸 것이다. $t=0$일 때 A와 C에 유도되는 기전력의 크기는 서로 같다. A, B, C의 속력은 같고 운동 방향은 각각 $+x$방향, $+x$방향, $-y$방향이다. Ⅰ, Ⅱ의 자기장의 세기는 B_1, B_2이고, $B_1 \neq B_2$이다.

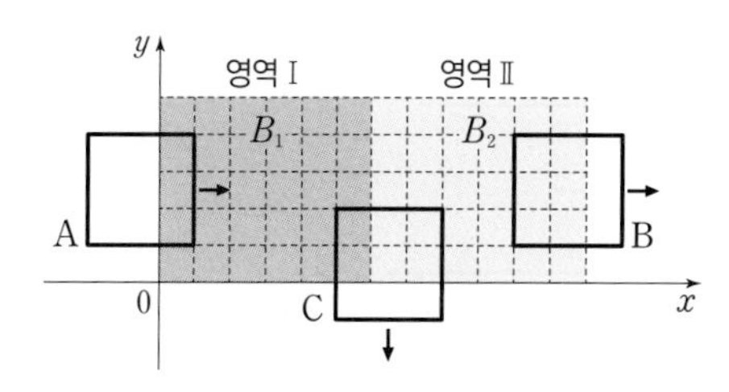

$t=0$일 때에 대한 설명으로 옳은 것만을 〈보기〉에서 있는 대로 고른 것은? (단, 모눈의 간격은 동일하고, 금속 고리의 굵기와 금속 고리 사이의 상호 작용은 무시한다.)

> **보기**
> ㄱ. Ⅰ, Ⅱ의 자기장의 방향은 서로 반대이다.
> ㄴ. $B_2=2B_1$이다.
> ㄷ. 유도 기전력의 크기는 B에서가 A에서의 2배이다.

① ㄱ ② ㄷ ③ ㄱ, ㄴ ④ ㄴ, ㄷ ⑤ ㄱ, ㄴ, ㄷ

04

▸24070-0150

그림 (가)와 같이 xy 평면에서 $+x$방향으로 운동하는 한 변의 길이가 $2d$인 정사각형 금속 고리 A가 시간 $t=0$일 때 균일한 자기장 영역에 들어간다. 균일한 자기장의 방향은 xy 평면에서 수직으로 나오는 방향이고, 세기는 B_0이다. p는 A 위의 한 점이다. 그림 (나)는 p의 위치 x를 t에 따라 나타낸 것이다.

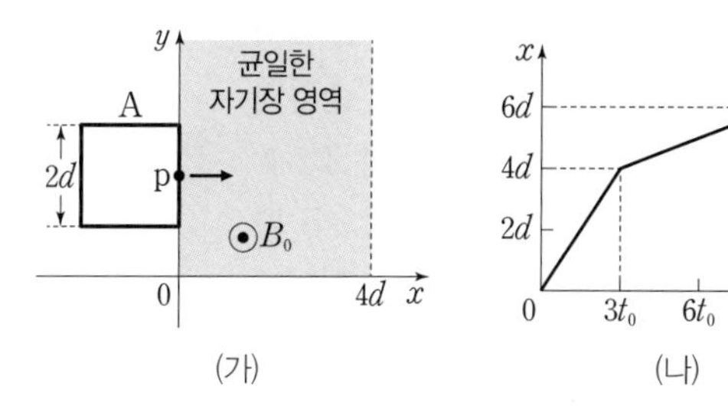

(가) (나)

이에 대한 설명으로 옳은 것만을 〈보기〉에서 있는 대로 고른 것은? (단, A의 굵기는 무시한다.)

> **보기**
> ㄱ. A를 통과하는 균일한 자기장에 의한 자기 선속은 $t=2t_0$일 때가 $t=6t_0$일 때의 2배이다.
> ㄴ. $t=t_0$일 때, p에 흐르는 유도 전류의 방향은 $+y$방향이다.
> ㄷ. $t=6t_0$일 때, A에 유도되는 기전력의 크기는 $\frac{B_0d^2}{t_0}$이다.

① ㄱ ② ㄷ ③ ㄱ, ㄴ ④ ㄱ, ㄷ ⑤ ㄴ, ㄷ

05

▸24070-0151

그림 (가)와 같이 일정한 전류가 흐르는 무한히 긴 직선 도선과 저항이 연결된 ㄷ 모양의 도선이 xy 평면에 고정되어 있고, y축과 나란한 금속 막대 A가 ㄷ 모양의 도선 위에서 x축과 나란한 방향으로 운동한다. 그림 (나)는 A의 위치 x를 시간 t에 따라 나타낸 것이다. $t=t_0$일 때 저항에 흐르는 유도 전류의 방향은 $+y$방향이다.

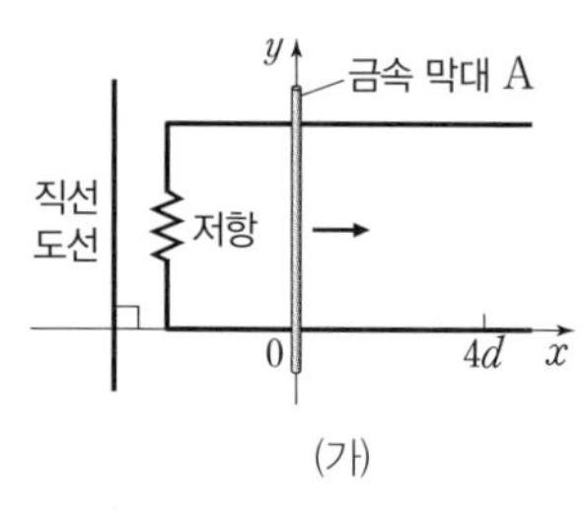

(가)

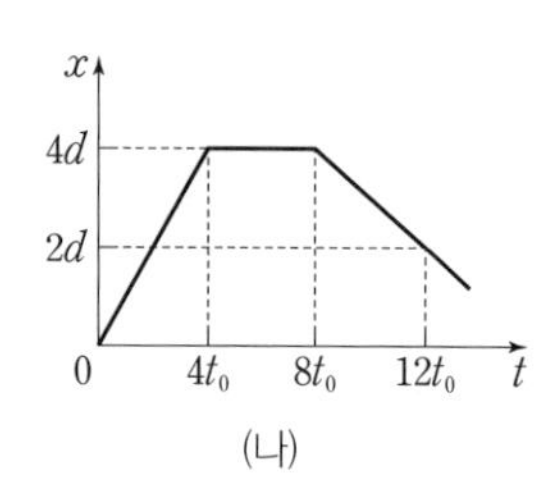

(나)

이에 대한 설명으로 옳은 것만을 〈보기〉에서 있는 대로 고른 것은? (단, A의 저항은 무시한다.)

보기

ㄱ. 직선 도선에 흐르는 전류의 방향은 $-y$방향이다.

ㄴ. $t=t_0$부터 $t=3t_0$까지 저항 양단에 걸리는 전압은 일정하다.

ㄷ. 저항에 흐르는 유도 전류의 세기는 $t=2t_0$일 때가 $t=12t_0$일 때보다 크다.

① ㄱ ② ㄴ ③ ㄱ, ㄷ ④ ㄴ, ㄷ ⑤ ㄱ, ㄴ, ㄷ

06

▸24070-0152

그림은 반원형 금속 고리 A가 xy 평면에서 원점 O를 중심으로 시계 반대 방향으로 일정한 각속도로 회전할 때 시간 $t=0$인 순간의 모습을 나타낸 것이다. 균일한 자기장 Ⅰ, Ⅱ의 자기장의 세기는 같고, 방향은 각각 xy 평면에 수직으로 들어가는 방향과 xy 평면에서 수직으로 나오는 방향이다. p, q는 A상의 점이다.

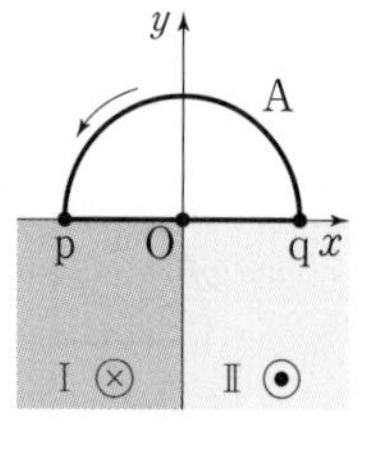

A가 한 바퀴 회전하는 동안 A에 흐르는 유도 전류 I를 t에 따라 나타낸 것으로 가장 적절한 것은? (단, 전류의 방향은 p → O → q를 양(+)으로 한다.)

① 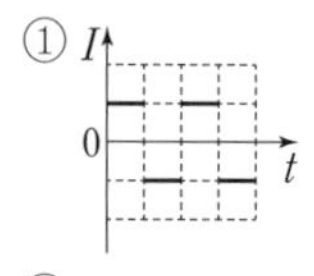

② 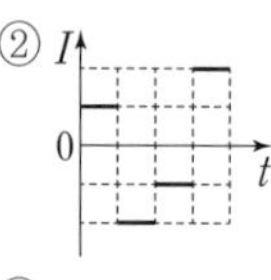

③ 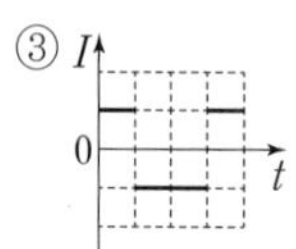

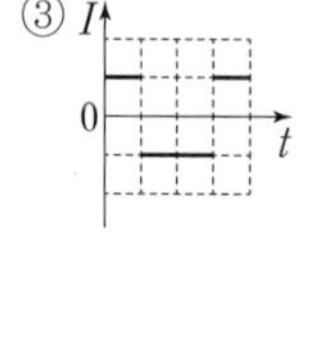

④ 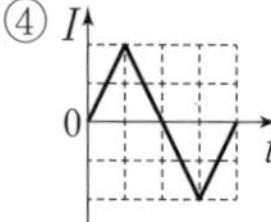

⑤ 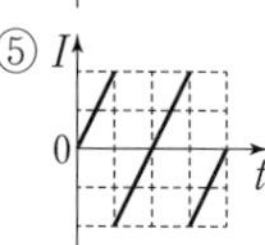

07

▸24070-0153

그림은 균일한 자기장 영역을 포함한 xy 평면에 고정되어 있는 반지름이 r인 반원형 도선 위에서 금속 막대 A가 원점 O를 회전축으로 일정한 각속도 ω로 시계 방향으로 회전할 때, 시간 $t=0$인 순간의 모습을 나타낸 것이다. 균일한 자기장의 방향은 xy 평면에 수직으로 들어가는 방향이고, 세기는 B_0이다. 저항 R_1, R_2의 저항값은 같다.

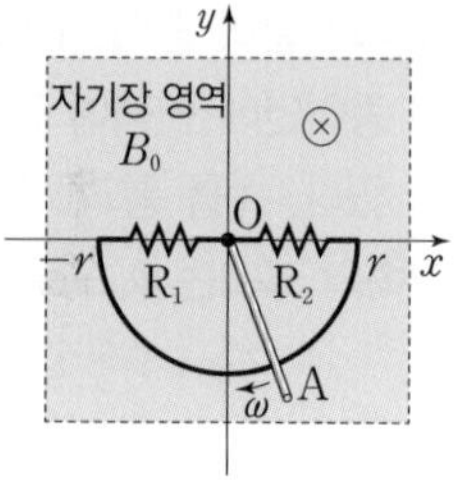

$t=0$일 때에 대한 설명으로 옳은 것만을 〈보기〉에서 있는 대로 고른 것은? (단, A의 굵기는 무시한다.)

보기

ㄱ. R_1에 흐르는 유도 전류의 방향은 $-x$방향이다.

ㄴ. A에 흐르는 유도 전류의 세기는 R_1에 흐르는 유도 전류의 세기보다 크다.

ㄷ. R_1 양단에 걸리는 전압은 $B_0\omega r^2$이다.

① ㄱ ② ㄴ ③ ㄷ ④ ㄱ, ㄴ ⑤ ㄱ, ㄴ, ㄷ

08

▸24070-0154

그림 (가)는 종이면에 고정된 반지름이 r, 중심이 O인 원형 금속 고리와 종이면에 수직인 균일한 자기장 영역을 나타낸 것이다. 그림 (나)는 균일한 자기장 영역의 자기장 B를 시간 t에 따라 나타낸 것이다. $t=3t_0$일 때 고리에 흐르는 유도 전류의 방향은 화살표 방향이다.

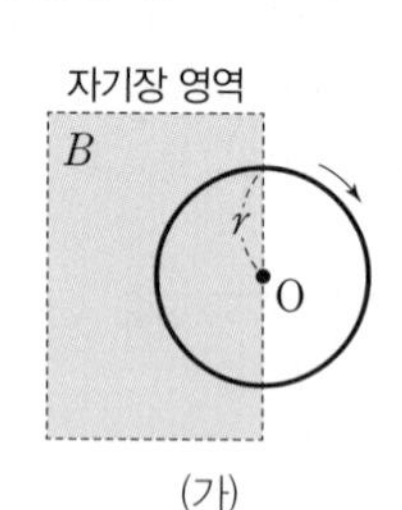

(가)

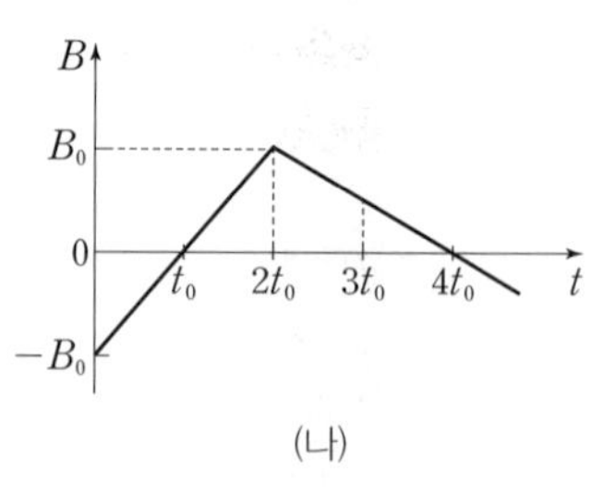

(나)

$t=3t_0$일 때에 대한 설명으로 옳은 것만을 〈보기〉에서 있는 대로 고른 것은? (단, 금속 고리의 굵기는 무시한다.)

보기

ㄱ. B의 방향은 종이면에서 수직으로 나오는 방향이다.

ㄴ. 유도 기전력의 크기는 $t=t_0$일 때보다 작다.

ㄷ. 유도 기전력의 크기는 $\frac{\pi B_0 r^2}{4t_0}$이다.

① ㄱ ② ㄴ ③ ㄱ, ㄷ ④ ㄴ, ㄷ ⑤ ㄱ, ㄴ, ㄷ

09

▸24070-0155

그림 (가)는 균일한 자기장 영역에서 사각형 금속 고리가 y축을 회전축으로 일정한 각속도로 회전하는 어느 순간을 나타낸 것이고, (나)는 (가)의 순간부터 금속 고리를 통과하는 균일한 자기장에 의한 자기 선속을 시간 t에 따라 나타낸 것이다. 균일한 자기장의 방향은 $+x$방향이고, p는 금속 고리 위의 점이다.

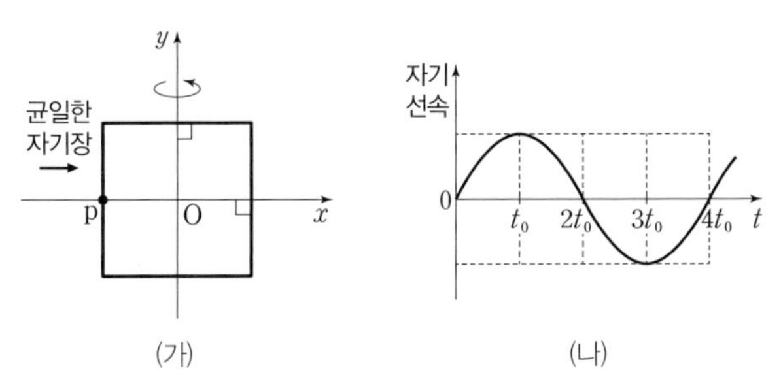

이에 대한 설명으로 옳은 것만을 〈보기〉에서 있는 대로 고른 것은?

보기

ㄱ. 금속 고리의 회전 주기는 $2t_0$이다.
ㄴ. 균일한 자기장에 의해 금속 고리에 흐르는 유도 전류의 세기는 $t=t_0$일 때가 $t=2t_0$일 때보다 작다.
ㄷ. $t=2t_0$일 때, 균일한 자기장에 의해 p에 흐르는 유도 전류의 방향은 $-y$방향이다.

① ㄱ ② ㄴ ③ ㄱ, ㄴ ④ ㄱ, ㄷ ⑤ ㄴ, ㄷ

10

▸24070-0156

다음 A, B, C는 전자기 유도 현상을 활용하는 장치의 예이다.

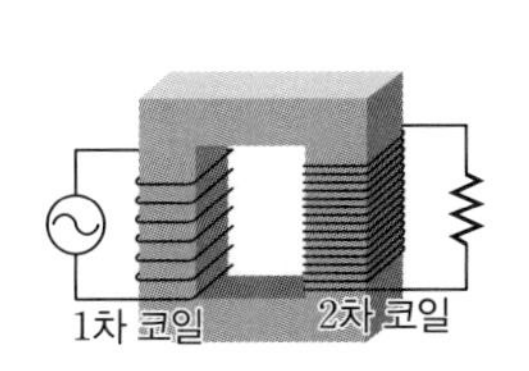

A. 변압기

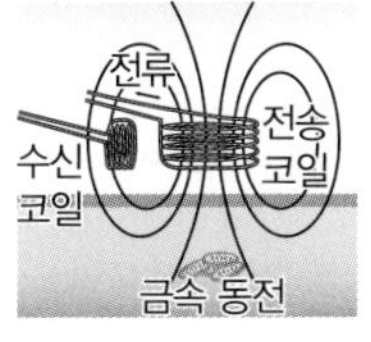

B. 금속 탐지기

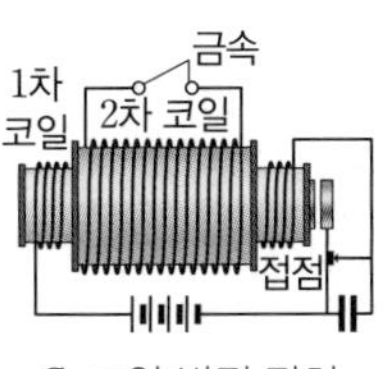

C. 고압 방전 장치

A, B, C 중 상호유도를 활용하는 것만을 있는 대로 고른 것은?

① A ② B ③ A, C ④ B, C ⑤ A, B, C

11

▸24070-0157

그림 (가)는 전원 장치에 연결된 1차 코일과 검류계가 연결된 2차 코일이 고정되어 있는 모습을 나타낸 것이다. 1차 코일에 흐르는 전류의 방향은 화살표 방향이다. 그림 (나)는 1차 코일에 흐르는 전류 I_1을 시간 t에 따라 나타낸 것이다.

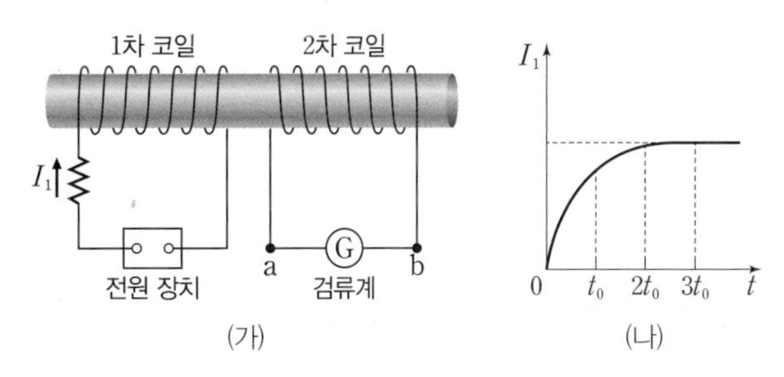

이에 대한 설명으로 옳은 것만을 〈보기〉에서 있는 대로 고른 것은?

보기

ㄱ. 2차 코일을 통과하는 I_1에 의한 자기 선속은 $t=t_0$일 때가 $t=3t_0$일 때보다 크다.
ㄴ. 상호유도에 의해 2차 코일에 유도되는 기전력의 크기는 $t=t_0$일 때가 $t=2t_0$일 때보다 크다.
ㄷ. $t=t_0$일 때, 상호유도에 의해 2차 코일에 흐르는 유도 전류의 방향은 a → 검류계 → b이다.

① ㄴ ② ㄷ ③ ㄱ, ㄴ ④ ㄱ, ㄷ ⑤ ㄴ, ㄷ

12

▸24070-0158

그림과 같이 변압기의 1차 코일에는 전압이 일정한 교류 전원이, 2차 코일에는 저항값이 같은 저항 2개와 스위치가 연결되어 있다. 스위치를 열었을 때 1차 코일에 흐르는 전류의 세기는 I_0이다.

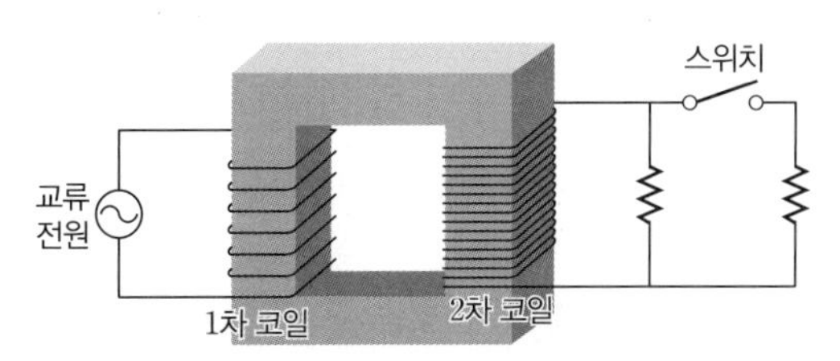

스위치를 닫은 후 1차 코일에 흐르는 전류의 세기는? (단, 변압기에서의 에너지 손실은 무시한다.)

① $\frac{1}{4}I_0$ ② $\frac{1}{2}I_0$ ③ I_0 ④ $2I_0$ ⑤ $4I_0$

01

▸24070-0159

그림과 같이 한 변의 길이가 d인 정사각형 금속 고리 A가 xy 평면에서 균일한 자기장 영역 Ⅰ, Ⅱ를 $+x$방향의 일정한 속력으로 통과한다. 시간 $t=0$일 때 A의 한 변의 중점 p가 y축상의 Ⅰ과 Ⅱ의 경계를 지나고 $t=6t_0$일 때 p가 $x=3d$인 직선을 지난다. Ⅰ과 Ⅱ의 자기장의 방향은 xy 평면에 수직이다. $t=t_0$일 때와 $t=5t_0$일 때, A에 흐르는 유도 전류는 방향이 같고 세기가 I_0으로 같다.

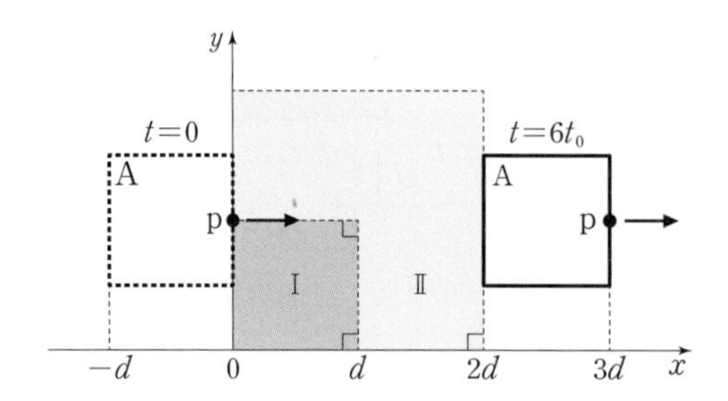

$t=3t_0$일 때, A에 흐르는 유도 전류의 세기는? (단, A의 굵기는 무시한다.)

① $\frac{1}{4}I_0$ ② $\frac{1}{2}I_0$ ③ I_0 ④ $2I_0$ ⑤ $4I_0$

02

▸24070-0160

그림 (가)와 같이 저항이 연결된 너비 $8d$인 ⊥⊤ 모양의 도선이 xy 평면에 고정되어 있고, y축과 나란한 금속 막대 A, B가 도선 위에서 x축과 나란한 방향으로 운동한다. xy 평면에 수직인 균일한 자기장 영역 Ⅰ, Ⅱ의 자기장의 세기는 각각 $3B_0$, $2B_0$이고, Ⅱ의 자기장의 방향은 xy 평면에 수직으로 들어가는 방향이다. 그림 (나)는 A, B의 위치 x를 시간 t에 따라 각각 나타낸 것이다. $t=t_0$일 때 저항에 흐르는 유도 전류의 방향은 $+y$방향이다.

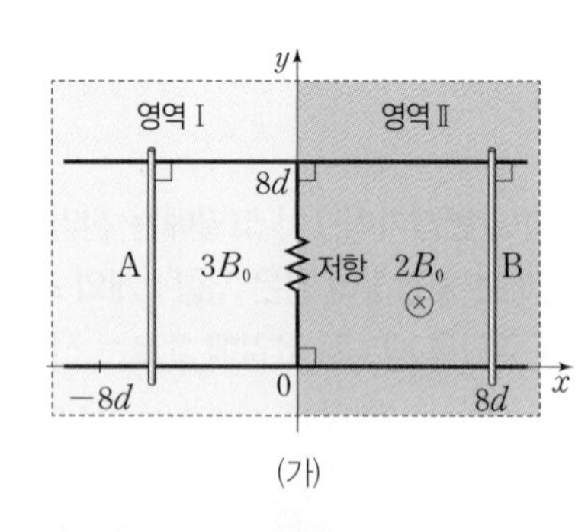

(가)

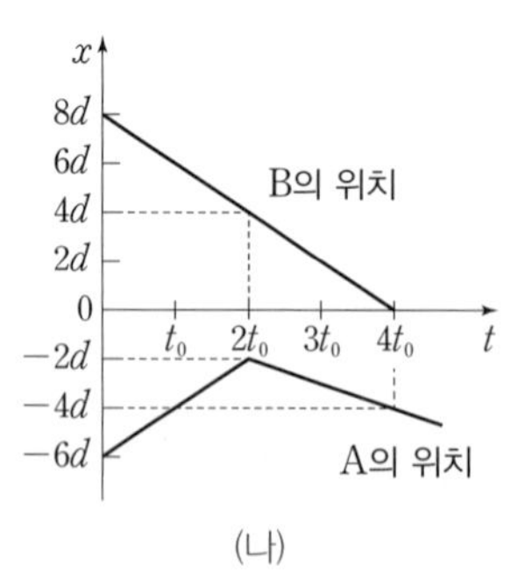

(나)

이에 대한 설명으로 옳은 것만을 〈보기〉에서 있는 대로 고른 것은? (단, A, B의 굵기는 무시한다.)

보기

ㄱ. Ⅰ의 자기장의 방향은 xy 평면에서 수직으로 나오는 방향이다.

ㄴ. $t=3t_0$일 때, 저항에 흐르는 전류의 방향은 $-y$방향이다.

ㄷ. $t=3t_0$일 때, 저항 양단에 걸리는 전압은 $\frac{8B_0d^2}{t_0}$이다.

① ㄱ ② ㄴ ③ ㄱ, ㄷ ④ ㄴ, ㄷ ⑤ ㄱ, ㄴ, ㄷ

03

▸24070-0161

그림 (가)는 균일한 자기장 영역 Ⅰ, Ⅱ를 포함한 xy 평면에서 사분원 모양의 금속 고리가 원점 O를 중심으로 시계 방향으로 일정한 각속도로 회전할 때 시간 $t=0$인 순간의 모습을 나타낸 것이다. Ⅰ, Ⅱ의 자기장의 방향은 xy 평면에 수직이고, 고리의 회전 주기는 $4T$이다. 그림 (나)는 (가)에서 Ⅰ, Ⅱ의 자기장의 세기를 t에 따라 나타낸 것이다. $t=\frac{T}{2}$일 때 금속 고리에 유도되는 기전력의 크기는 V_0이다.

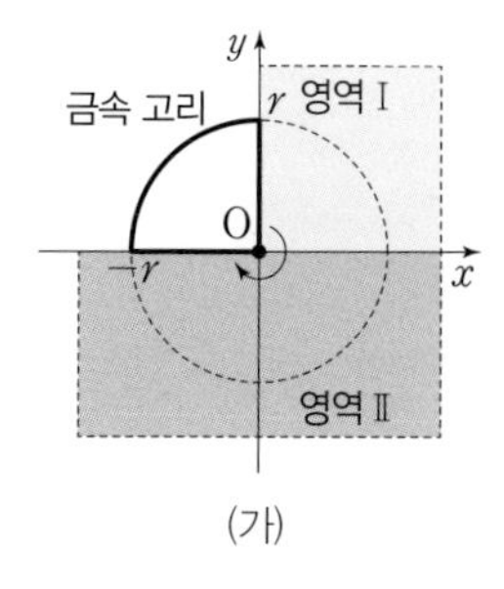

(가)

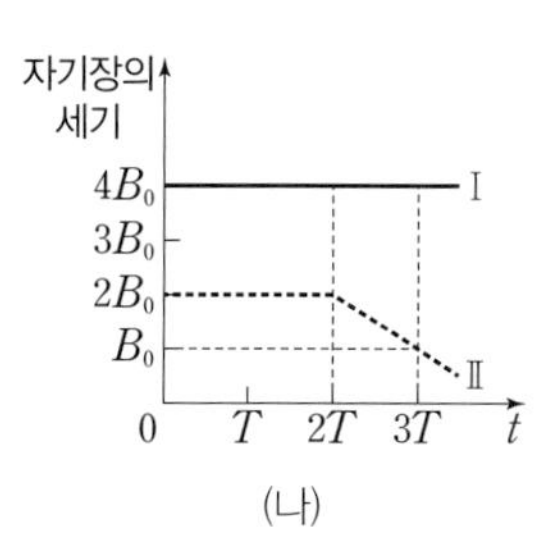

(나)

$t=\frac{5}{2}T$일 때 금속 고리에 유도되는 기전력의 크기는? (단, 금속 고리의 굵기는 무시한다.)

① $\frac{V_0}{4}$ ② $\frac{V_0}{2}$ ③ V_0 ④ $2V_0$ ⑤ $4V_0$

04

▸24070-0162

그림 (가)는 종이면에 고정된 한 변의 길이가 $3L$인 정사각형 금속 고리 P, Q와 종이면에 수직인 균일한 자기장 영역 Ⅰ, Ⅱ를 나타낸 것이다. 그림 (나)의 X, Y는 Ⅰ, Ⅱ의 자기장의 세기를 시간 t에 따라 순서 없이 나타낸 것으로, $t=t_0$일 때 P, Q에 유도되는 기전력의 크기가 같다.

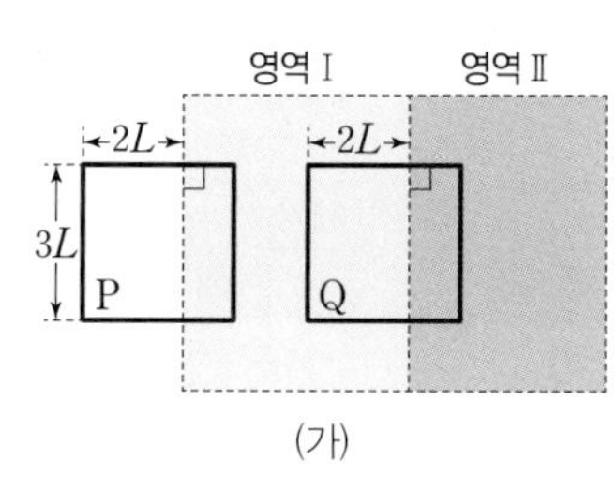

(가)

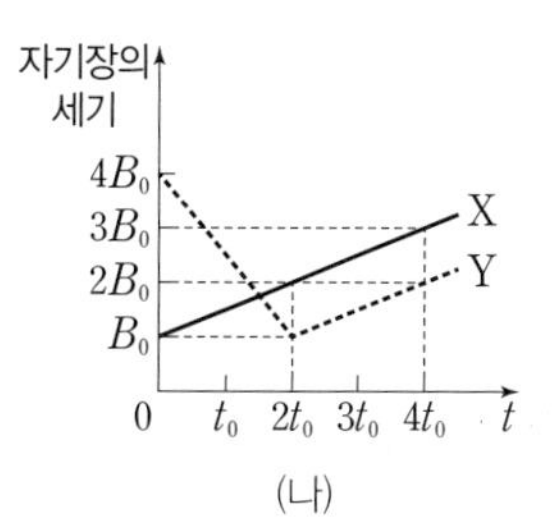

(나)

이에 대한 설명으로 옳은 것만을 <보기>에서 있는 대로 고른 것은? (단, P, Q의 굵기, P와 Q 사이의 상호 작용은 무시한다.)

보기

ㄱ. Ⅰ, Ⅱ의 자기장의 방향은 서로 같다.
ㄴ. X는 Ⅰ의 자기장의 세기를 나타낸 것이다.
ㄷ. $t=3t_0$일 때, 유도 기전력의 크기는 Q에서가 P에서의 3배이다.

① ㄱ ② ㄴ ③ ㄱ, ㄷ ④ ㄴ, ㄷ ⑤ ㄱ, ㄴ, ㄷ

05

▸24070-0163

그림 (가)는 전원 장치에 연결된 1차 코일과 저항이 연결된 2차 코일을 중심축이 같도록 고정시킨 모습을 나타낸 것이다. 1차 코일에는 화살표 방향으로 전류 I_1이 흐른다. 그림 (나)는 상호유도에 의해 2차 코일에 흐르는 유도 전류 I_2를 시간 t에 따라 나타낸 것이다. I_2의 방향은 a → 저항 → b를 양(+)으로 한다.

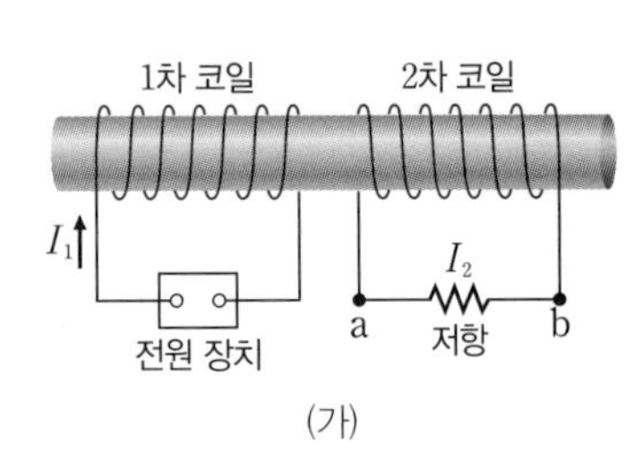

(가)

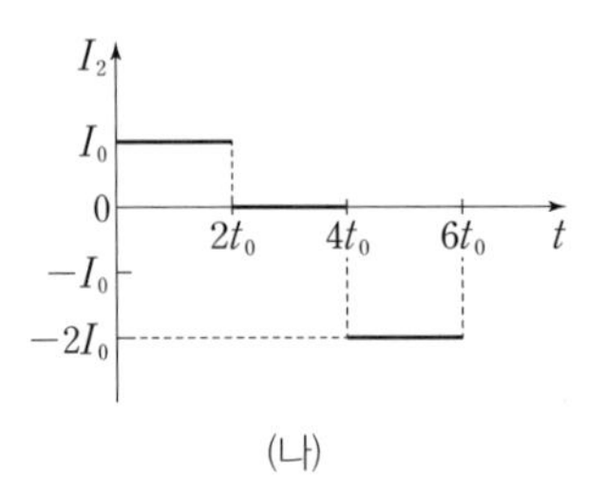

(나)

이에 대한 설명으로 옳은 것만을 〈보기〉에서 있는 대로 고른 것은?

보기

ㄱ. $t=t_0$일 때, 2차 코일의 중심에서 I_2에 의한 자기장의 방향은 오른쪽이다.
ㄴ. I_1의 변화량의 크기는 $t=4t_0$부터 $t=6t_0$까지가 $t=0$부터 $t=2t_0$까지의 2배이다.
ㄷ. I_1의 세기는 $t=3t_0$일 때가 $t=t_0$일 때보다 크다.

① ㄱ ② ㄴ ③ ㄷ ④ ㄱ, ㄴ ⑤ ㄴ, ㄷ

06

▸24070-0164

그림과 같이 변압기의 1차 코일에는 전압이 V_0인 교류 전원이 연결되어 있고, 2차 코일에는 가변 저항이 연결되어 있다. 1차 코일과 2차 코일의 감은 수는 각각 N_1, N_2이다. 표는 1차 코일과 2차 코일에 흐르는 전류의 세기를 가변 저항의 저항값에 따라 나타낸 것이다.

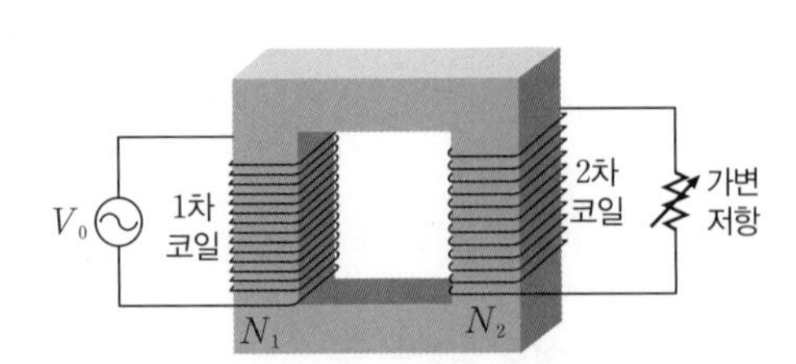

가변 저항의 저항값	전류의 세기	
	1차 코일	2차 코일
R_1	I	$\frac{5}{2}I_0$
R_2	$\frac{8}{5}I_0$	I

이에 대한 설명으로 옳은 것만을 〈보기〉에서 있는 대로 고른 것은? (단, 변압기에서 에너지 손실은 무시한다.)

보기

ㄱ. $I=2I_0$이다.
ㄴ. $N_1 : N_2=R_1 : R_2$이다.
ㄷ. 가변 저항의 저항값이 R_1일 때, 가변 저항의 소비 전력은 $2V_0I_0$이다.

① ㄱ ② ㄴ ③ ㄷ ④ ㄱ, ㄴ ⑤ ㄱ, ㄷ

11 전자기파의 간섭과 회절

1 전자기파의 간섭

(1) 파동의 중첩과 간섭

① 파동의 중첩: 두 개 이상의 파동이 만나 겹쳐지며 파동의 변위가 합성되는 현상

② 파동의 간섭: 두 개 이상의 파동이 서로 중첩될 때 중첩된 파동의 진폭이 커지거나 작아지는 현상

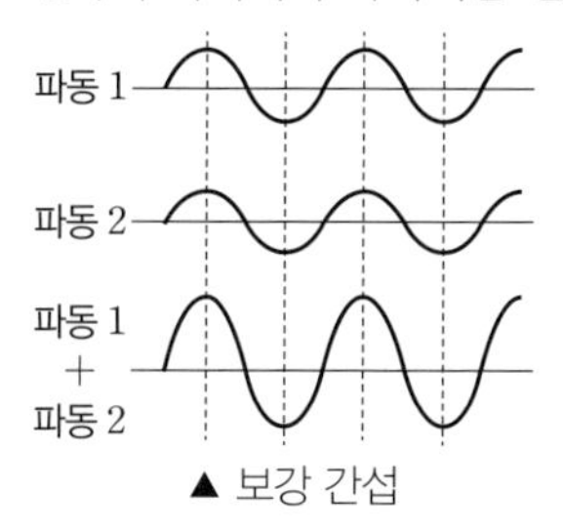

▲ 보강 간섭

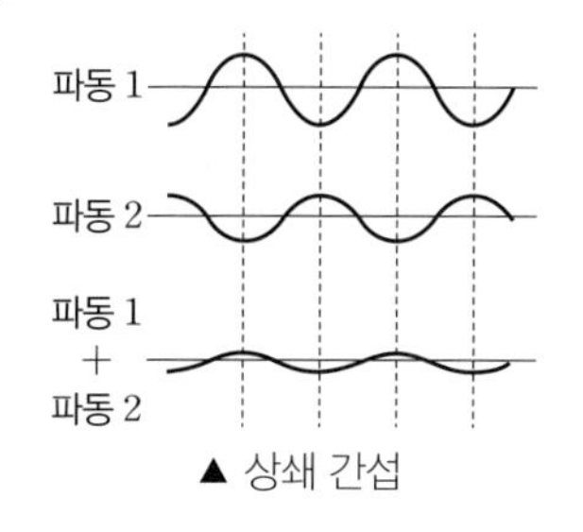

▲ 상쇄 간섭

(2) 전자기파의 간섭

① 1801년 영의 이중 슬릿 실험은 빛이 파동이라는 것을 밝힌 최초의 실험이다.

② 빛이 보강 간섭된 지점에서는 밝은 무늬가, 상쇄 간섭된 지점에서는 어두운 무늬가 나타난다.

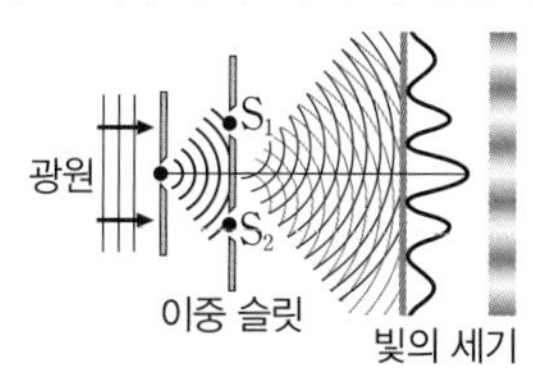

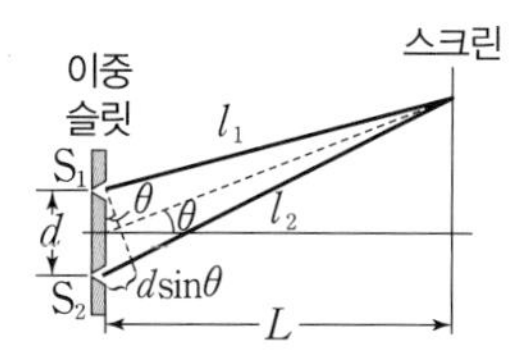

③ 보강 간섭 조건: 같은 위상의 빛이 중첩되는 곳이며, 경로차 Δ가 $\Delta=|l_2-l_1|=d\sin\theta=\frac{\lambda}{2}(2m)$ $(m=0,\ 1,\ 2,\ \cdots)$으로 반파장의 짝수 배가 되는 지점이다.

④ 상쇄 간섭 조건: 반대 위상의 빛이 중첩되는 곳이며, 경로차 Δ가 $\Delta=|l_2-l_1|=d\sin\theta=\frac{\lambda}{2}(2m+1)$ $(m=0,\ 1,\ 2,\ \cdots)$으로 반파장의 홀수 배가 되는 지점이다.

⑤ 빛의 파장이 λ, 슬릿 사이의 간격이 d, 슬릿과 스크린 사이의 거리가 L일 때 이웃한 밝은(어두운) 무늬 사이의 간격 $\Delta x=\frac{L\lambda}{d}$이다.

2 전자기파의 회절

(1) 파동의 회절: 진행하던 파동이 좁은 틈을 통과하여 퍼져 나가거나 장애물의 뒤쪽까지 전파되는 현상

(2) 단일 슬릿에 의한 회절 무늬의 간격

① 슬릿의 폭이 좁을수록 회절 무늬의 간격이 넓어진다.

② 파동의 파장이 길수록 회절 무늬의 간격이 넓어진다.

(3) 전자기파의 회절: 빛이 단일 슬릿을 통과하면 회절하면서 서로 간섭하여 스크린에는 밝은 무늬와 어두운 무늬가 반복해서 나타나는 회절 무늬가 만들어진다.

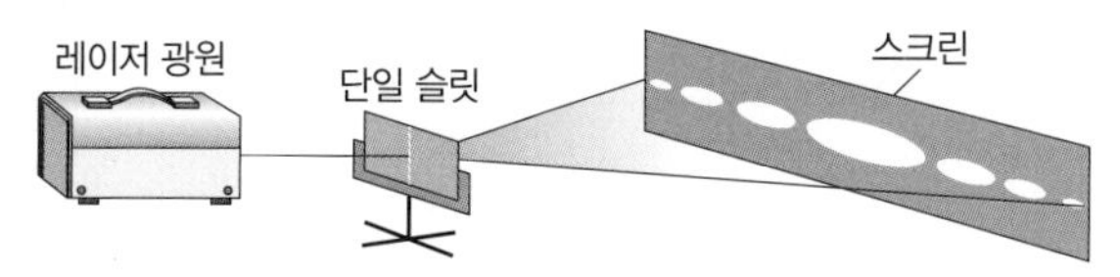

① 간섭무늬와 회절 무늬의 차이: 간섭무늬는 밝은 무늬가 일정한 폭과 간격으로 나타나지만, 회절 무늬는 중앙의 밝은 무늬의 폭이 인접한 밝은 무늬의 폭보다 넓다.

▲ 간섭무늬

▲ 회절 무늬

② 회절은 빛의 파장이 길수록, 슬릿의 폭이 좁을수록 잘 나타난다.
➡ 중앙의 밝은 무늬의 폭이 넓어진다.

③ 빛의 파장이 λ, 슬릿의 폭이 a, 슬릿과 스크린 사이의 거리가 L일 때 스크린 중앙에서 첫 번째 어두운 지점까지의 거리는 $x=\frac{L\lambda}{a}$이다.

3 전자기파의 간섭과 회절의 이용

(1) 간섭의 이용

얇은 막에 의한 간섭		미세한 요철에 의한 간섭	
코팅렌즈	뉴턴링 곡률 검사	공작 깃털	CD의 정보 재생
	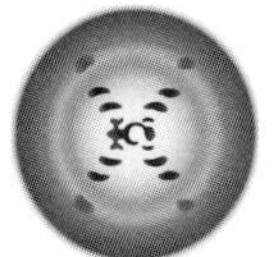	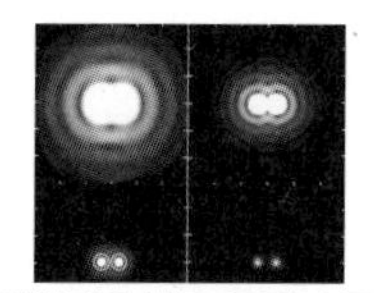	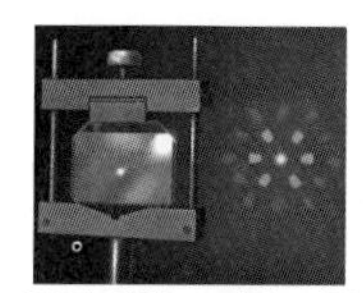
렌즈 표면의 반사광을 상쇄시킴	렌즈의 곡률에 의해 동심원 모양의 간섭무늬가 생김	나노 입자의 규칙적 배열에 의해 간섭이 됨	랜드와 피트에서 반사된 빛이 간섭함

(2) 회절의 이용

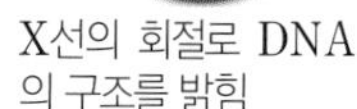

X선의 회절로 DNA의 구조를 밝힘

망원경의 렌즈 구경이 클수록 분해능이 좋아짐

회절 광학 소자를 이용한 초소형 카메라 렌즈

더 알기 영의 간섭 실험에서 밝은 무늬 사이의 간격

슬릿으로부터 스크린까지의 거리 L은 슬릿 사이의 간격 d보다 매우 크므로 S_1, S_2에서 나와 스크린의 한 지점 P에서 만나는 두 빛은 거의 평행하다고 할 수 있다. 이때 경로차 Δ는 $d\sin\theta$이고 각 θ가 매우 작을 때에는 $\sin\theta \fallingdotseq \tan\theta$이므로 $\Delta=d\sin\theta \fallingdotseq d\tan\theta=\frac{dx}{L}$이다. 이웃한 밝은 무늬 사이의 간격은 $\Delta x=x_m-x_{m-1}=\frac{\lambda L}{2d}(2m)-\frac{\lambda L}{2d}(2m-2)=\frac{L\lambda}{d}$이다.

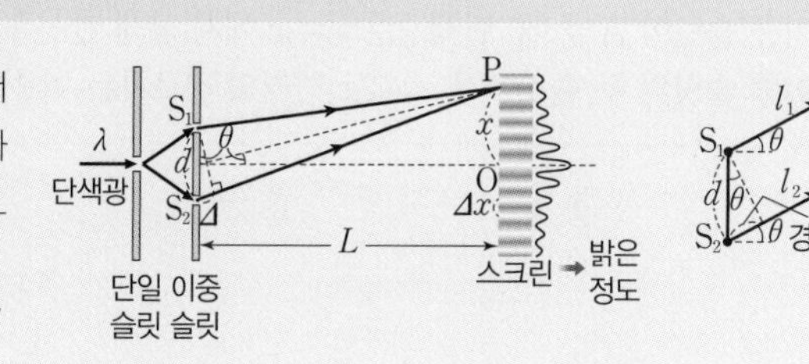

테마 대표 문제

| 2024학년도 수능 |

그림 (가)와 같이 단색광 레이저 A 또는 B를 이중 슬릿에 비춘 후, 레이저의 진행 방향과 수직이 되도록 설치한 스크린에 나타나는 간섭무늬를 광센서로 측정한다. 그림 (나)는 A, B에 의해 나타난 간섭무늬의 밝기 I를 스크린상의 위치 x에 따라 각각 나타낸 것이다. $x=0$인 점은 가장 밝은 무늬의 중심이고, A, B의 파장은 각각 λ_A, λ_B이다.

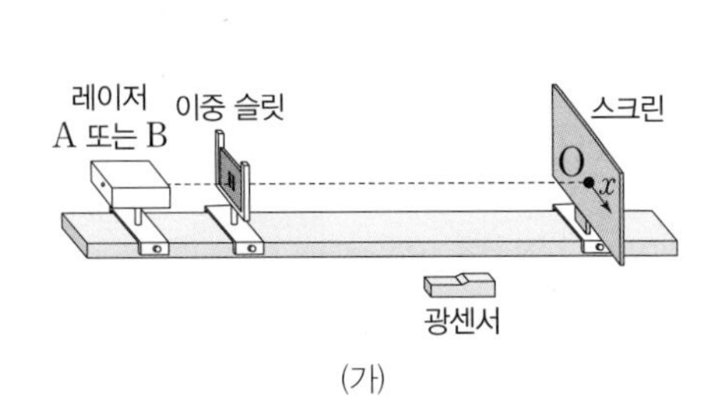

(가)

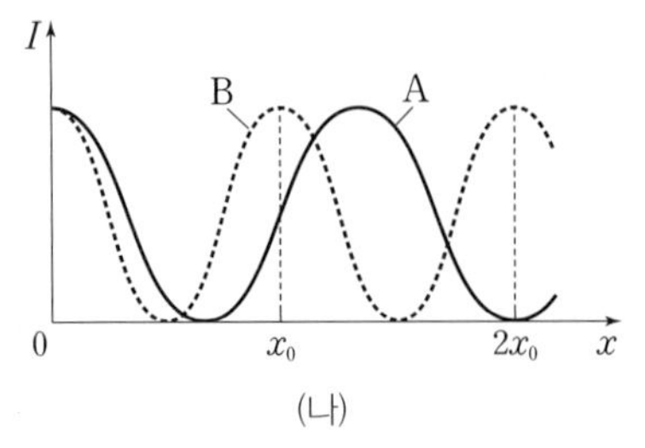

(나)

이에 대한 설명으로 옳은 것만을 <보기>에서 있는 대로 고른 것은?

보기
ㄱ. $\lambda_A > \lambda_B$이다.
ㄴ. A는 $x=2x_0$에서 보강 간섭을 한다.
ㄷ. B는 $x=x_0$에서 상쇄 간섭을 한다.

① ㄱ ② ㄷ ③ ㄱ, ㄴ ④ ㄴ, ㄷ ⑤ ㄱ, ㄴ, ㄷ

접근 전략

이중 슬릿을 통과한 빛이 보강 간섭하면 밝은 무늬가 나타나고, 상쇄 간섭하면 어두운 무늬가 나타난다. 이웃한 밝은 무늬 사이의 간격은 빛의 파장에 비례한다.

간략 풀이

ㄱ. 이웃한 밝은 무늬 사이의 간격은 단색광의 파장에 비례하므로 $\lambda_A > \lambda_B$이다.

ㄴ. A를 비출 때, $x=2x_0$에서 어두운 무늬가 나타나므로 A는 $x=2x_0$에서 상쇄 간섭을 한다.

ㄷ. B를 비출 때, $x=x_0$에서 밝은 무늬가 나타나므로 B는 $x=x_0$에서 보강 간섭을 한다.

정답 | ①

닮은 꼴 문제로 유형 익히기

정답과 해설 33쪽

▸24070-0165

그림 (가)와 같이 단색광 레이저를 이중 슬릿 A 또는 B에 비춘 후, 레이저의 진행 방향과 수직이 되도록 설치한 스크린에 나타나는 간섭무늬를 광센서로 측정한다. 그림 (나)는 A, B에 의해 나타난 간섭무늬의 밝기 I를 스크린상의 위치 x에 따라 각각 나타낸 것이다. $x=0$인 점은 가장 밝은 무늬의 중심이고, A, B의 슬릿 간격은 각각 d_A, d_B이다.

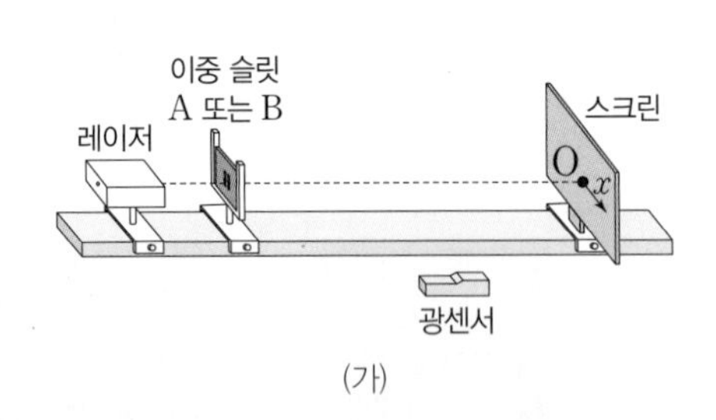

(가)

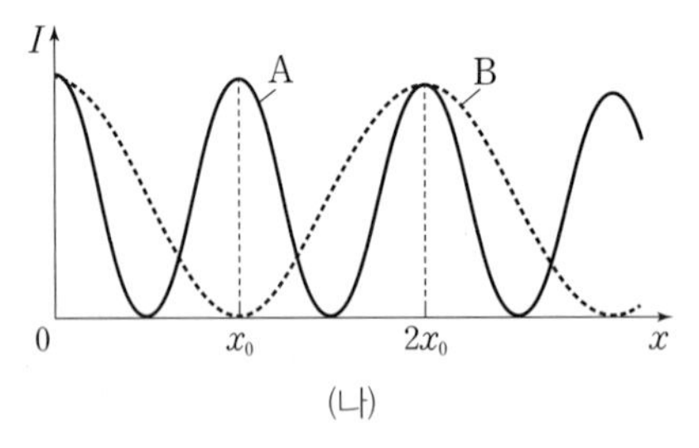

(나)

이에 대한 설명으로 옳은 것만을 <보기>에서 있는 대로 고른 것은?

보기
ㄱ. $d_A > d_B$이다.
ㄴ. 이중 슬릿이 A일 때, 단색광은 $x=x_0$에서 상쇄 간섭을 한다.
ㄷ. 이중 슬릿의 두 슬릿에서 $x=2x_0$까지의 경로차는 이중 슬릿이 A일 때가 B일 때보다 크다.

① ㄱ ② ㄴ ③ ㄱ, ㄷ ④ ㄴ, ㄷ ⑤ ㄱ, ㄴ, ㄷ

유사점과 차이점

간섭무늬의 밝기가 위치에 따라 다른 까닭을 설명하고 이웃한 밝은 무늬 사이의 간격을 비교하여 문제를 해결하는 점에서 대표 문제와 유사하지만 단색광의 파장이 아닌 슬릿 간격이 다른 이중 슬릿을 이용한다는 점에서 대표 문제와 다르다.

배경 지식

이웃한 밝은 무늬 사이의 간격은 이중 슬릿의 간격에 반비례한다.

01

▸24070-0166

그림과 같이 이중 슬릿과 스크린을 레이저의 진행 방향과 수직이 되도록 설치한 후, 파장이 λ인 레이저를 이중 슬릿에 비추었더니 스크린에 간섭무늬가 나타났다. 스크린상의 점 O는 가장 밝은 무늬의 중심이고, 점 P는 O로부터 첫 번째 밝은 무늬의 중심이다.

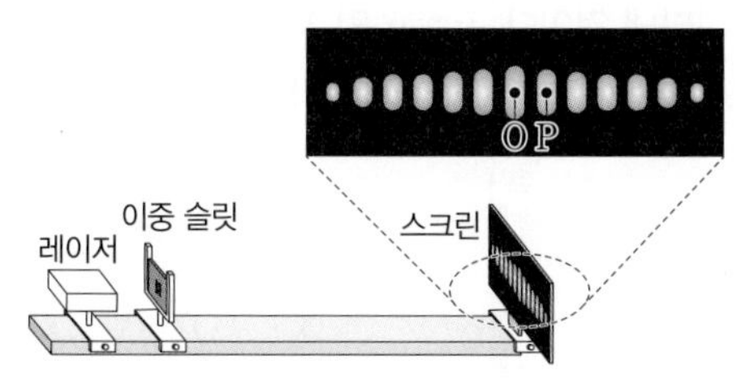

이에 대한 설명으로 옳은 것만을 〈보기〉에서 있는 대로 고른 것은?

보기

ㄱ. 간섭무늬는 빛의 파동성으로 설명할 수 있다.
ㄴ. 레이저 빛은 O에서 보강 간섭을 한다.
ㄷ. 이중 슬릿의 두 슬릿으로부터 P까지의 경로차는 λ이다.

① ㄱ ② ㄷ ③ ㄱ, ㄴ ④ ㄴ, ㄷ ⑤ ㄱ, ㄴ, ㄷ

02

▸24070-0167

그림은 단색광이 단일 슬릿과 이중 슬릿을 통과하여 스크린에 밝고 어두운 무늬가 생기는 것을 나타낸 것으로, 이웃한 밝은 무늬 사이의 간격은 Δx이다.

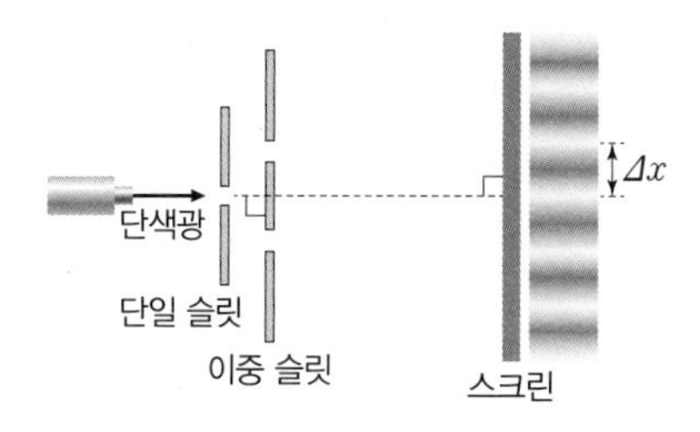

이에 대한 설명으로 옳은 것만을 〈보기〉에서 있는 대로 고른 것은?

보기

ㄱ. 단일 슬릿을 통과한 단색광이 회절하여 이중 슬릿에 도달한다.
ㄴ. 어두운 무늬가 생긴 곳에서는 이중 슬릿의 두 슬릿을 통과한 단색광이 서로 반대 위상으로 중첩된다.
ㄷ. 단일 슬릿의 폭이 좁아지면, Δx는 증가한다.

① ㄱ ② ㄴ ③ ㄷ ④ ㄱ, ㄴ ⑤ ㄱ, ㄷ

03

▸24070-0168

다음은 빛의 회절 실험이다.

[실험 과정]

(가) 그림과 같이 스크린을 빨간색 레이저의 진행 방향과 수직이 되도록 설치한 후, 폭이 a인 단일 슬릿을 스크린으로부터 거리 L인 위치에 스크린과 나란하게 고정한다.

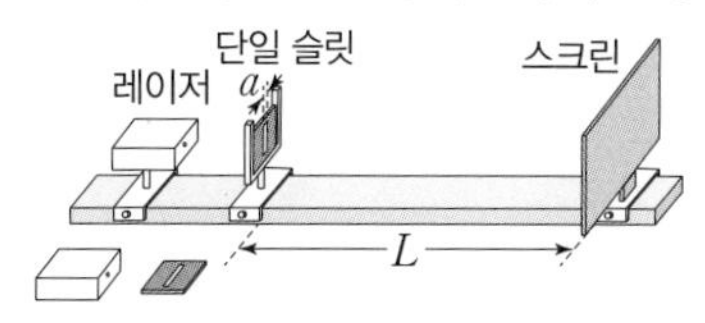

(나) 레이저를 단일 슬릿에 비추고 스크린에 생긴 회절 무늬에서 가운데 밝은 무늬를 중심으로 양쪽 첫 번째 어두운 무늬 사이의 거리 x를 측정한다.

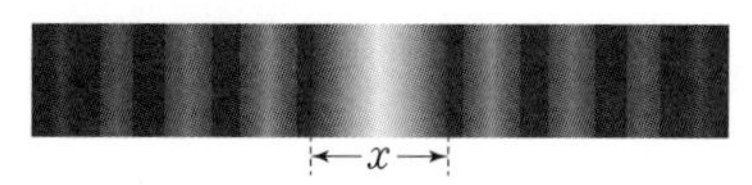

(다) a가 다른 단일 슬릿으로 바꾸어 (나)를 반복한다.
(라) 레이저를 초록색 레이저로 바꾸어 (나), (다)를 반복한다.

[실험 결과]

a(mm)	x(mm)	
	빨간색	초록색
0.1	13	㉡
㉠	26	22

이에 대한 설명으로 옳은 것만을 〈보기〉에서 있는 대로 고른 것은?

보기

ㄱ. 빨간색 레이저를 비출 때가 초록색 레이저를 비출 때보다 회절이 잘 일어난다.
ㄴ. ㉠은 0.1보다 크다.
ㄷ. ㉡은 13보다 작다.

① ㄱ ② ㄴ ③ ㄷ ④ ㄱ, ㄴ ⑤ ㄱ, ㄷ

04

▸24070-0169

그림과 같이 간격이 d인 이중 슬릿에 파장이 λ인 단색광을 비추었을 때, 이중 슬릿으로부터 거리 L만큼 떨어진 스크린에 이웃한 밝은 무늬의 간격이 Δx인 간섭무늬가 생겼다. 표는 d와 L을 변화시키고 측정한 Δx를 나타낸 것이다.

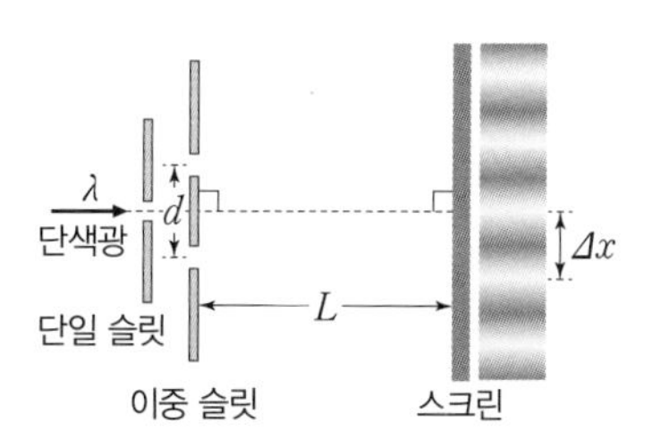

d \ L	L_0	$2L_0$
d_0	x_0	㉠
$2d_0$	㉡	

$\frac{㉠}{㉡}$은?

① $\frac{1}{4}$ ② $\frac{1}{2}$ ③ 1 ④ 2 ⑤ 4

05

▶24070-0170

그림 (가)는 $+x$방향으로 진행하는 전자기파의 어느 순간의 전기장을 위치 x에 따라 나타낸 것이다. 그림 (나)는 $8a$만큼 떨어진 두 안테나 S_1, S_2에서 동일한 위상으로 (가)의 전자기파를 연속적으로 발생시켰을 때 시간 $t=t_0$일 때의 전기장의 마루와 골을 평면상에 나타낸 것이다. 실선과 점선은 각각 마루와 골을 나타내고, 점 P, Q는 평면상에 고정된 지점이다.

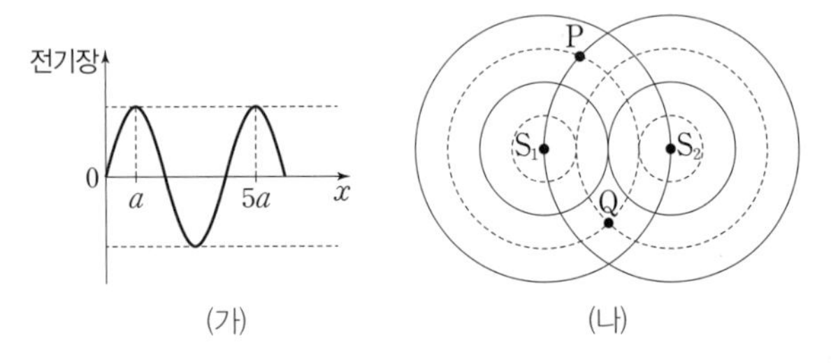

이에 대한 설명으로 옳은 것만을 〈보기〉에서 있는 대로 고른 것은?

보기
ㄱ. S_1, S_2로부터 P까지의 경로차는 $2a$이다.
ㄴ. $t=t_0$일 때, 전기장의 크기는 P에서가 Q에서보다 크다.
ㄷ. 선분 $\overline{S_1S_2}$에서 보강 간섭이 일어나는 이웃한 지점 사이의 간격은 $2a$이다.

① ㄱ ② ㄴ ③ ㄱ, ㄷ ④ ㄴ, ㄷ ⑤ ㄱ, ㄴ, ㄷ

06

▶24070-0171

그림 (가)는 파장이 λ인 단색광이 간격이 d인 이중 슬릿을 통과하여 L만큼 떨어진 스크린에 이웃한 밝은 무늬 사이의 간격이 일정한 간섭무늬를 만드는 모습을 나타낸 것이다. 그림 (나)는 (가)에서 얻은 간섭무늬 A와 (가)에서 한 가지 조건만을 변화시켜 얻은 간섭무늬 B를 나타낸 것이다. A, B에서 스크린상의 점 O에는 가장 밝은 무늬의 중심이, 점 P에는 O로부터 각각 첫 번째와 두 번째 어두운 무늬가 생겼다.

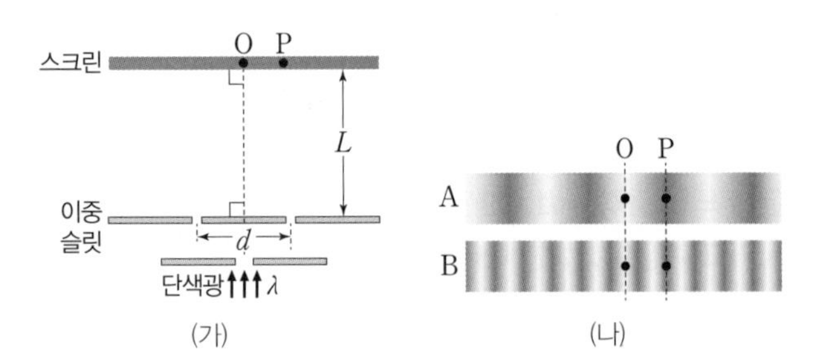

B를 얻기 위한 조건으로 옳은 것만을 〈보기〉에서 있는 대로 고른 것은?

보기
ㄱ. 단색광의 파장을 3λ로 바꿀 때
ㄴ. 이중 슬릿 간격을 $3d$로 바꿀 때
ㄷ. 이중 슬릿과 스크린 사이의 거리를 $2L$로 바꿀 때

① ㄱ ② ㄴ ③ ㄷ ④ ㄱ, ㄴ ⑤ ㄱ, ㄷ

07

▶24070-0172

그림 (가)와 같이 파장이 각각 λ_A, λ_B인 레이저 A, B를 이중 슬릿에 각각 비추었더니, 스크린에 간섭무늬가 생겼다. 스크린상의 $y=0$인 지점 O는 S_1, S_2로부터 같은 거리에 있다. 그림 (나)는 (가)에서 A 또는 B를 비추었을 때, 스크린상의 위치 y에 따른 빛의 세기를 나타낸 것이다. $y=y_0$인 지점에서 A를 비출 때와 B를 비출 때 모두 밝은 무늬의 중심이 나타났다.

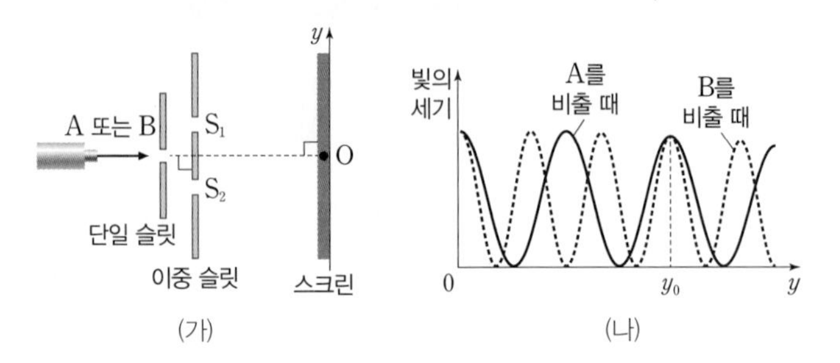

$\frac{\lambda_B}{\lambda_A}$는?

① $\frac{1}{2}$ ② $\frac{2}{3}$ ③ 1 ④ $\frac{3}{2}$ ⑤ 2

08

▶24070-0173

다음은 광학기기의 분해능에 대한 설명이다.

가까이 있는 물체를 구별하는 광학기기의 능력은 빛의 파동성 때문에 한계가 존재한다. 그림 (가)와 같이 폭이 a인 슬릿으로부터 멀리 떨어진 두 광원 S_1, S_2 사이의 거리가 충분히 클 때에는 두 광원을 구별할 수 있다. 그러나 그림 (나)와 같이 S_1, S_2가 서로 가까이 있는 경우에는 ㉠두 광원의 중앙의 밝은 무늬가 서로 겹쳐 구별할 수 없다.

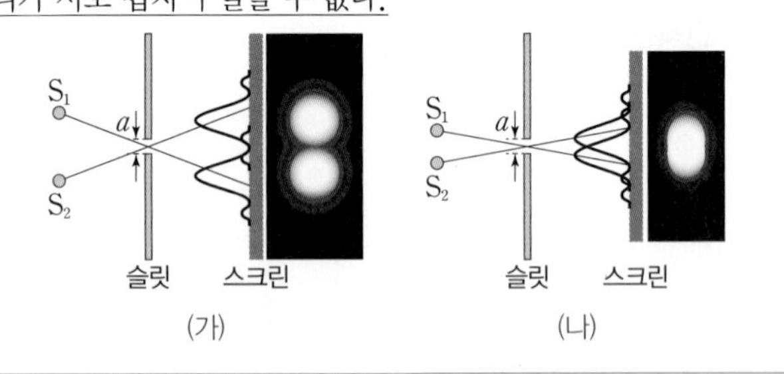

이에 대한 설명으로 옳은 것만을 〈보기〉에서 있는 대로 고른 것은?

보기
ㄱ. ㉠은 빛의 회절에 의한 현상이다.
ㄴ. (가)에서 광원에서 나오는 빛의 파장이 짧으면, 각 광원의 회절 무늬에서 중앙의 밝은 무늬의 폭은 좁아진다.
ㄷ. (나)에서 폭이 a보다 작은 슬릿을 이용하면, S_1, S_2를 구별할 수 있다.

① ㄱ ② ㄷ ③ ㄱ, ㄴ ④ ㄴ, ㄷ ⑤ ㄱ, ㄴ, ㄷ

정답과 해설 35쪽

01

▸24070-0174

그림은 파장이 λ인 단색광이 슬릿 간격이 d인 이중 슬릿을 통과하여 이중 슬릿으로부터 L만큼 떨어진 스크린에 도달하여 간섭무늬가 생긴 것을 나타낸 것이다. 스크린상의 점 O는 슬릿 S_1과 S_2로부터 같은 거리에 있고 가장 밝은 무늬의 중심이며, 점 P에는 O로부터 두 번째 어두운 무늬가 생겼다.

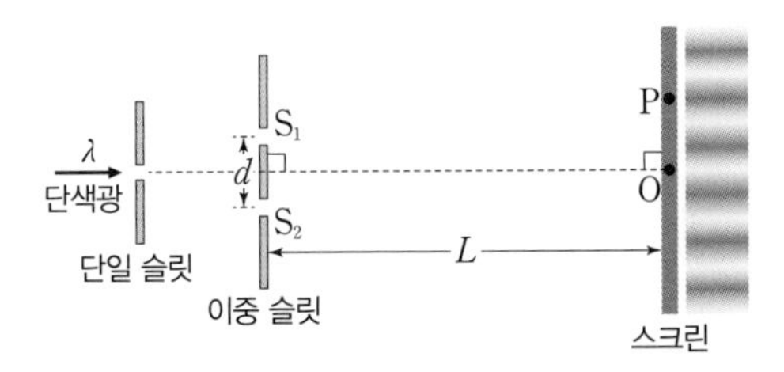

P에 어두운 무늬가 생기는 조건으로 옳은 것만을 <보기>에서 있는 대로 고른 것은?

보기

ㄱ. 이중 슬릿의 간격만을 $3d$로 바꾼다.

ㄴ. 단색광의 파장만을 $\frac{1}{2}\lambda$로 바꾼다.

ㄷ. 이중 슬릿에서 스크린까지의 거리만을 $\frac{3}{5}L$로 바꾼다.

① ㄱ ② ㄴ ③ ㄱ, ㄷ ④ ㄴ, ㄷ ⑤ ㄱ, ㄴ, ㄷ

02

▸24070-0175

그림 (가)는 단색광을 이중 슬릿에 비출 때 스크린에 생긴 간섭무늬의 세기를 나타낸 것으로, 단색광의 파장은 λ_0, 이중 슬릿의 슬릿 간격은 d_0, 이중 슬릿과 스크린 사이의 거리는 L_0이다. 그림 (나)는 (가)에서 슬릿 S_1의 앞에 투명 유리 A를 부착한 것을 나타낸 것이다. (가), (나)에서 스크린상의 점 O는 S_1, S_2로부터 거리가 같은 지점이며, 점 P에는 각각 (가)에서는 밝은 무늬의 중심이, (나)에서는 어두운 무늬가 생겼다.

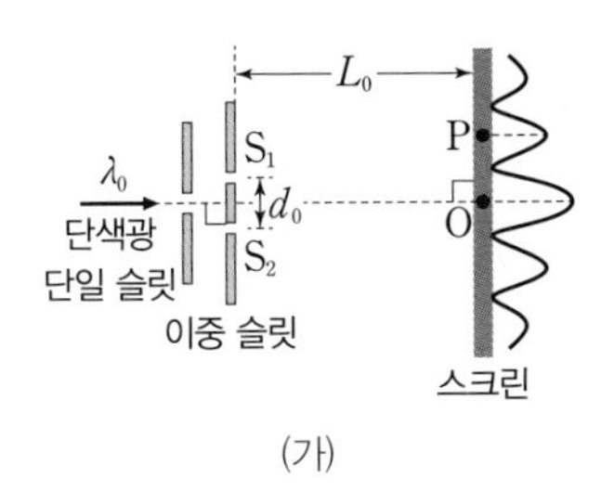

(가)

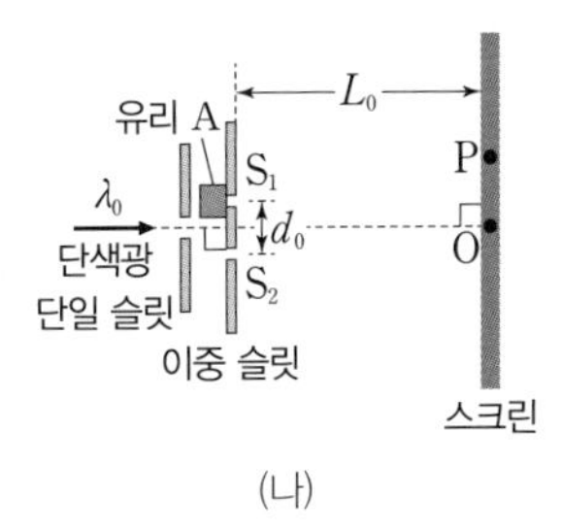

(나)

(나)에 대한 설명으로 옳은 것만을 <보기>에서 있는 대로 고른 것은?

보기

ㄱ. S_1, S_2를 지나 O에 도달한 단색광의 위상은 서로 같다.

ㄴ. 이웃한 밝은 무늬 사이의 간격은 $\frac{L_0\lambda_0}{d_0}$이다.

ㄷ. S_2의 앞에도 S_1에서와 동일하게 A를 부착하면, P에는 밝은 무늬가 나타난다.

① ㄱ ② ㄷ ③ ㄱ, ㄴ ④ ㄴ, ㄷ ⑤ ㄱ, ㄴ, ㄷ

03

▸24070-0176

그림과 같이 파장이 λ인 단색광이 단일 슬릿과 간격이 d인 이중 슬릿을 통과한 후 스크린에 간섭무늬를 만든다. 스크린상의 점 O는 S_1과 S_2로부터 같은 거리에 있고 가장 밝은 무늬의 중심이며, O에서 l만큼 떨어진 점 P에는 O로부터 두 번째 밝은 무늬의 중심이 나타났다. 스크린의 위치만을 x만큼 앞으로 이동시켰더니, P에 어두운 무늬가 나타났다.

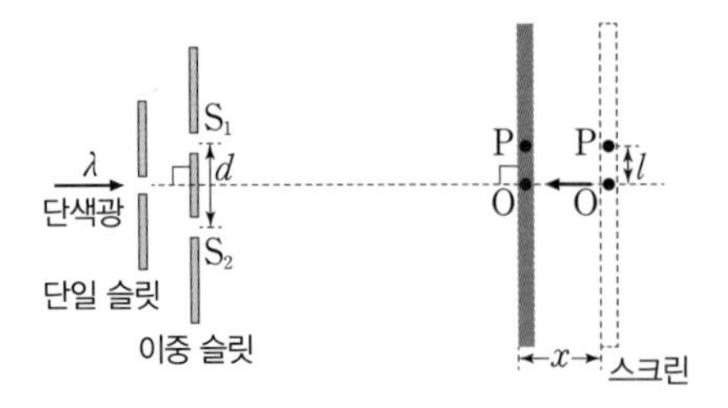

x의 최솟값은?

① $\frac{ld}{10\lambda}$　② $\frac{ld}{8\lambda}$　③ $\frac{ld}{6\lambda}$　④ $\frac{ld}{3\lambda}$　⑤ $\frac{ld}{2\lambda}$

04

▸24070-0177

그림은 파장이 λ인 단색광이 폭이 a인 단일 슬릿을 통과하여 단일 슬릿으로부터 거리 L만큼 떨어진 스크린에 회절 무늬를 만드는 것을 나타낸 것이다. 표는 실험 Ⅰ, Ⅱ, Ⅲ에서 λ, a, L을 바꿀 때, 스크린에 나타난 회절 무늬를 나타낸 것이다.

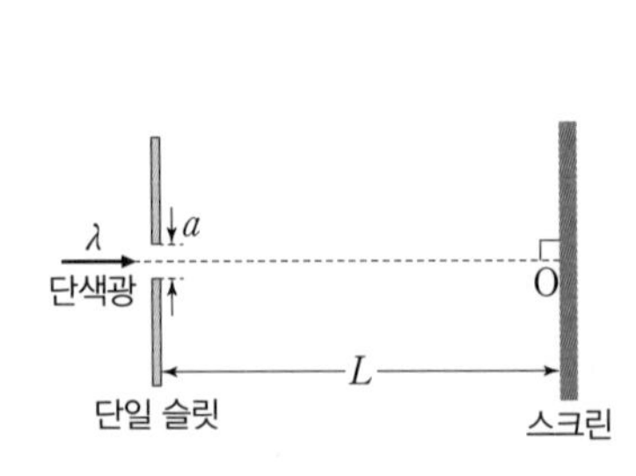

구분	λ	a	L	회절 무늬
Ⅰ	λ_0	a_0	L_0	1 cm
Ⅱ	λ_0	㉠	L_0	1 cm
Ⅲ	㉡	㉠	$2L_0$	1 cm

이에 대한 설명으로 옳은 것만을 <보기>에서 있는 대로 고른 것은?

보기

ㄱ. 단일 슬릿을 통과한 빛의 회절은 Ⅱ에서가 Ⅰ에서보다 잘 일어난다.
ㄴ. ㉠$>a_0$이다.
ㄷ. ㉡$>\lambda_0$이다.

① ㄱ　② ㄴ　③ ㄱ, ㄷ　④ ㄴ, ㄷ　⑤ ㄱ, ㄴ, ㄷ

12 도플러 효과와 전자기파

1 도플러 효과와 그 이용

(1) 도플러 효과

① 파동을 발생시키는 파원과 그 파동을 관측하는 관찰자의 운동 상태에 따라 관찰자가 측정하는 파동의 진동수가 달라지는 현상으로, 파원과 관찰자가 가까워지면 파동의 진동수가 증가하고 멀어지면 파동의 진동수가 감소하는 것으로 관측된다.

▲ 파원이 정지해 있을 때

멀어지는 기차의 경적 소리는 파장이 길어지고 음이 낮아진다. 다가오는 기차의 경적 소리는 파장이 짧아지고 음이 높아진다.

▲ 파원이 운동할 때

② 음원이 정지해 있는 관찰자에게 다가올 때: 관찰자에 대한 소리의 상대 속도는 음속과 같고, 파장이 짧아진다. 같은 시간 동안 관찰자에 도달하는 파면의 수는 증가하고, 관찰자가 측정하는 소리의 진동수 f'도 증가한다.

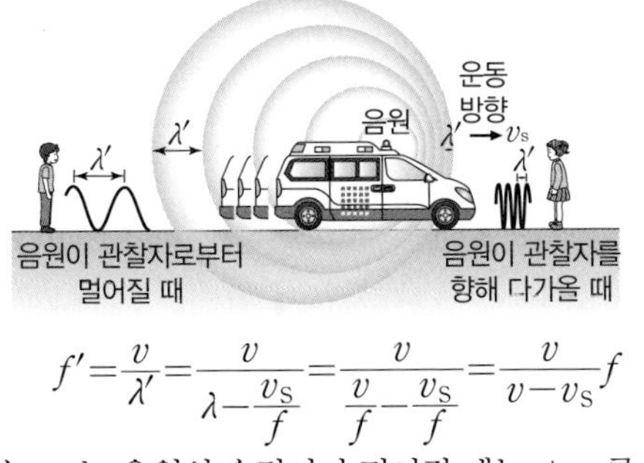

$$f'=\frac{v}{\lambda'}=\frac{v}{\lambda-\frac{v_S}{f}}=\frac{v}{\frac{v}{f}-\frac{v_S}{f}}=\frac{v}{v-v_S}f$$

(v는 음속, v_S는 음원의 속력이며 멀어질 때는 $+v_S$를 사용)

(2) 도플러 효과의 이용

① 속력 측정: 포수 후방에 스피드건을 설치하고 날아오는 공을 향해 극초단파를 쏘아 준 뒤, 공에서 반사된 극초단파의 진동수가 증가하는 정도에 따라 투수가 던진 공의 속력을 측정한다.

② 천체의 이동 속도 분석: 수소 원자나 헬륨 원자 때문에 나타나는 고유한 흡수 선 스펙트럼을 분석하여 천체의 이동 속도를 측정한다.

③ 기상 관측: 라디오파를 대기 중에 쏘아 빗방울이나 얼음 결정과 같이 공기 중의 물체와 충돌 후 반사되어 되돌아오는 라디오파의 진동수 변화를 측정해 구름의 방향 및 속도를 측정한다.

2 전자기파의 발생과 수신

(1) 전자기파의 발생

① 전하가 가속도 운동을 하면 시간에 따라 변하는 전기장은 자기장을 유도하고, 시간에 따라 변하는 자기장은 전기장을 유도하게 되면서 전자기파가 발생하여 주위 공간으로 퍼져 나간다.

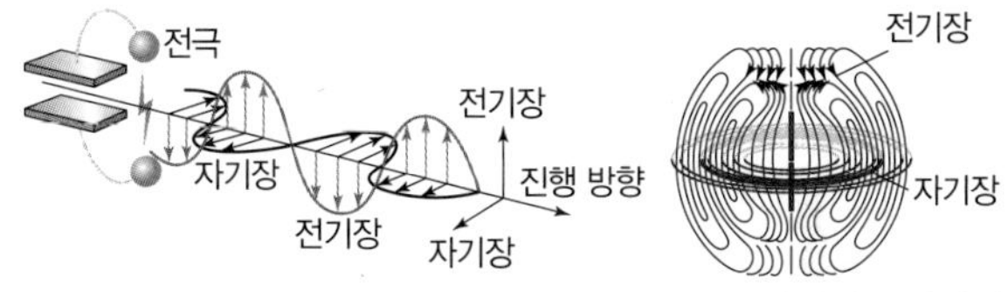

② 전자기파의 송신: 코일-축전기 진동 회로와 변압기, 안테나를 붙여서 만든 회로에 특정한 진동수의 교류 전류가 흐르면 1차 코일에서 발생한 자기 선속의 변화는 상호유도에 의해 2차 코일에 변하는 유도 기전력을 만든다.

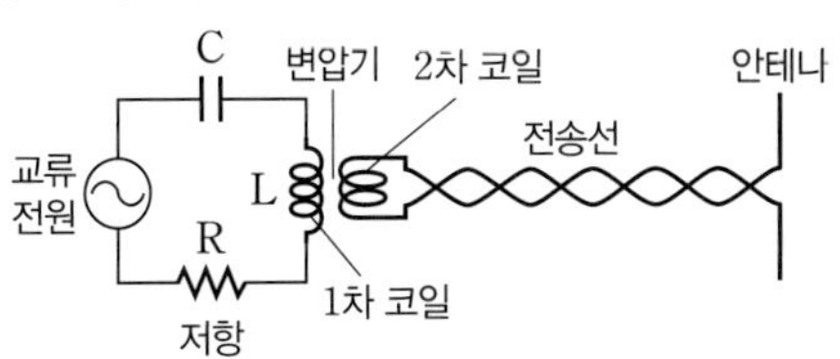

이 유도 기전력이 안테나의 전자들을 진동시켜 전자기파가 송신된다. 이때 발생되는 전자기파의 진동수는 LC 회로의 공명(고유) 진동수와 같다.

더 알기 음원이 관찰자를 향해 다가올 때와 멀어질 때 비교하기

그림은 관찰자 A에서 B를 향해 v_s의 속력으로 등속도 운동하는 음원이 점 S를 지나는 순간의 모습을 나타낸 것으로, 파면 W_1~W_7은 음원이 일정한 간격으로 위치한 점 S_1~S_7를 지날 때 발생한 소리의 파면을 각각 나타낸 것이다. 음원이 발생하는 소리의 진동수는 f이고, 음속은 V이다.

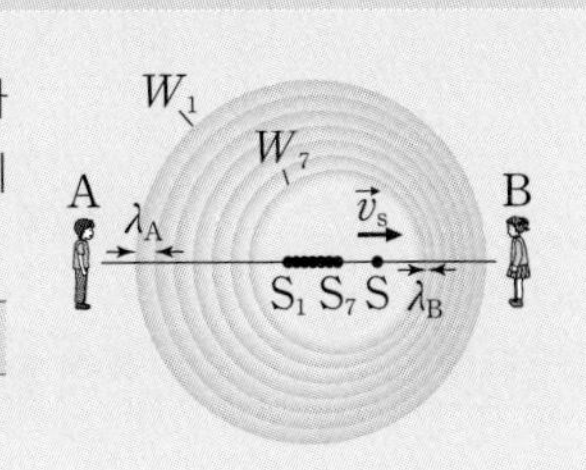

	관찰자 A가 측정하는 소리	관찰자 B가 측정하는 소리
파장	• $\lambda_A=\lambda+\Delta\lambda=\lambda+v_sT=\lambda+\frac{v_s}{f}$ • A가 측정하는 소리의 파장은 음원이 정지했을 때 소리의 파장보다 길다.	• $\lambda_B=\lambda-\Delta\lambda=\lambda-v_sT=\lambda-\frac{v_s}{f}$ • B가 측정하는 소리의 파장은 음원이 정지했을 때 소리의 파장보다 짧다.
진동수	• $f_A=\frac{V}{\lambda_A}=\frac{V}{\lambda+\frac{v_s}{f}}=\frac{V}{\frac{V}{f}+\frac{v_s}{f}}=\left(\frac{V}{V+v_s}\right)f$ • A가 측정하는 소리의 진동수는 음원이 발생하는 소리의 진동수보다 작다.	• $f_B=\frac{V}{\lambda_B}=\frac{V}{\lambda-\frac{v_s}{f}}=\frac{V}{\frac{V}{f}-\frac{v_s}{f}}=\left(\frac{V}{V-v_s}\right)f$ • B가 측정하는 소리의 진동수는 음원이 발생하는 소리의 진동수보다 크다.
특징	• 음원의 속력 v_s가 빠를수록(음속 V에 가까울수록), 음원이 발생하는 소리와 관찰자가 측정하는 소리의 파장과 진동수 차가 크다.	

(2) **전자기파의 수신**: 금속으로 된 안테나에 전파가 도달하면 안테나 속의 전자는 전기장의 방향과 반대 방향으로 전기력을 받으며 진동하여 교류 전류가 흐르게 된다.

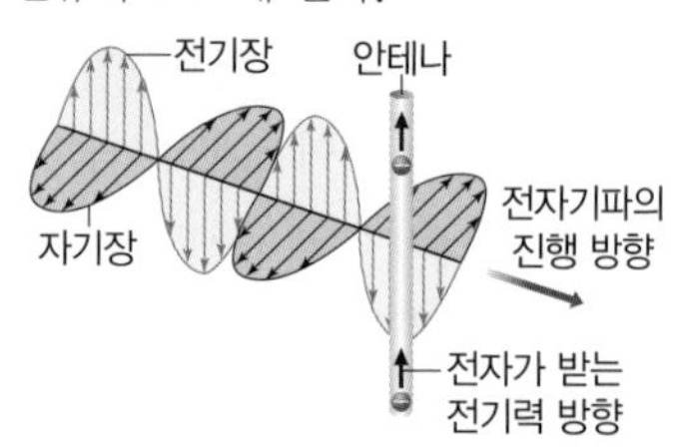

① 전자기파의 수신: 안테나에 여러 진동수의 전자기파가 도달하면 1차 코일에는 전자기파에 의한 전류가 흐르게 되고, 안테나 옆에 LC 회로를 놓게 되면 회로의 공명(고유) 진동수와 동일한 진동수의 전자기파에 의한 유도 전류가 가장 세게 흐르게 된다.

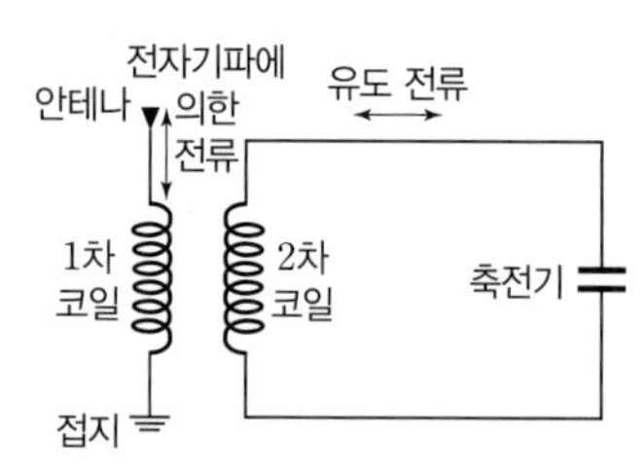

② 전자기파 수신기에서는 코일의 자체 유도 계수와 축전기의 전기 용량을 조절하여 원하는 진동수의 전자기파를 선택할 수 있다.

(3) **교류 회로에서의 공명(고유) 진동수**: 코일과 축전기가 직렬로 연결된 회로에서 코일의 저항 역할은 진동수가 클수록 크고, 축전기의 저항 역할은 진동수가 클수록 작다. 코일과 축전기의 저항 역할이 같을 때 합성 저항 역할이 최소가 되어 전류가 최대로 흐른다. 이때의 진동수 f_0을 LC 회로의 공명(고유) 진동수라고 한다.

① 교류 회로에서 저항만 연결된 경우 교류의 진동수에 관계없이 전류의 세기는 저항에 반비례한다.

② 교류 전원에 저항, 코일, 축전기를 모두 연결하면 교류 전원의 진동수에 따라 전류의 세기가 변한다.

③ 저항, 코일, 축전기가 연결된 교류 회로에서 전류의 값이 최대가 되는 공명(고유) 진동수는 $f_0=\frac{1}{2\pi\sqrt{LC}}$이다.

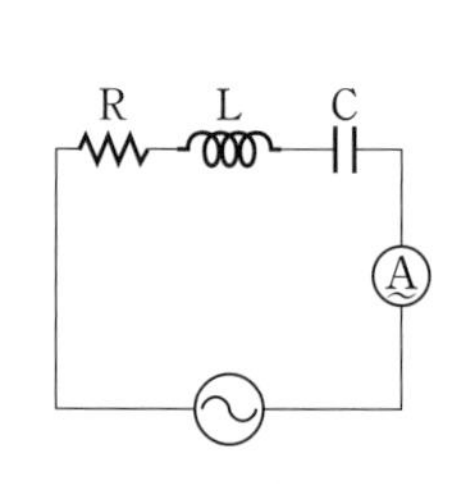

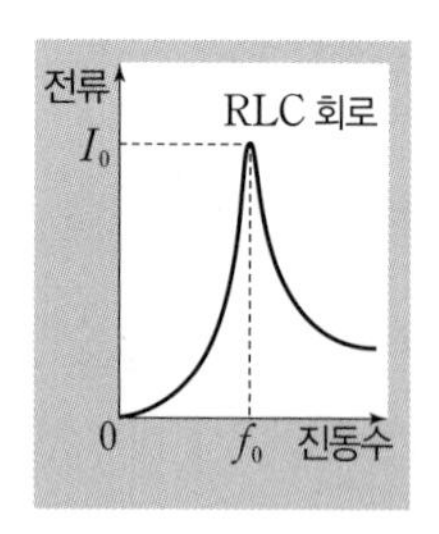

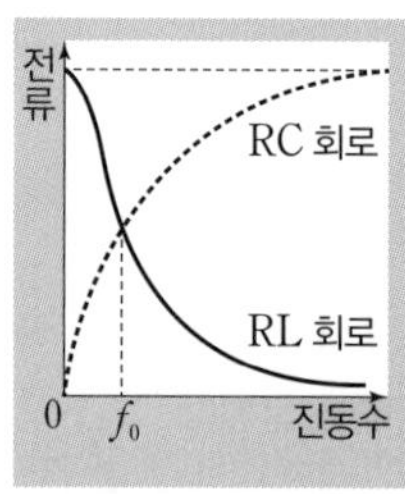

3 전자기파와 정보 통신

(1) **전자기파의 공명**: 전파 발생 회로와 수신 회로의 공명(고유) 진동수가 서로 같을 때 전자기파 공명이 발생하면서 수신 회로에 세기가 큰 전류가 흐른다.

① 전파 발생 장치의 공명(고유) 진동수와 같은 진동수의 전자기파가 가장 강하게 발생된다.

② 전자기파의 진동수와 전파 수신 장치의 공명(고유) 진동수가 같아야 수신 장치에 세기가 큰 전류가 흐른다.

③ 전파 발생 장치에서 발생된 전자기파는 전파 수신 장치에 교류를 발생시키는 교류 전원의 역할을 한다.

(2) **정보 통신 과정**: 음성 신호를 마이크에 입력하여 나온 전기 신호를 증폭기로 증폭한다. 이 전기 신호를 발진기에서 일정한 진동수로 만든 교류 신호에 첨가하는 과정(변조)을 거쳐 송신 안테나로 보낸다. 라디오 수신 안테나에서 수신한 전파로부터 전기 신호를 분리하는 과정(복조)을 거쳐 분리된 전기 신호는 스피커에서 음성 신호로 변환된다.

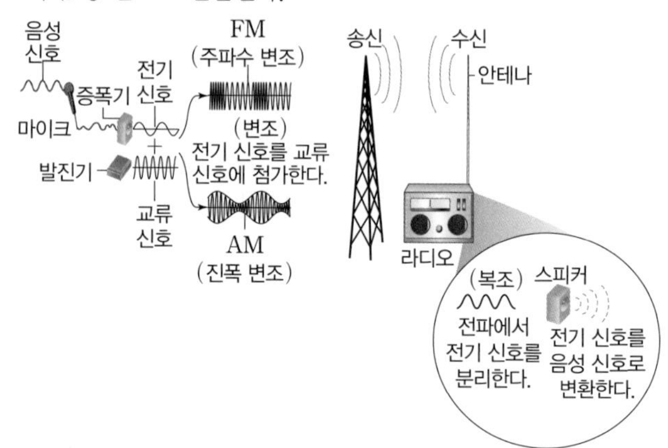

① 진폭 변조(AM): 전기 신호의 세기에 따라 일정한 진동수의 교류 신호의 진폭을 변화시킨다.

② 주파수 변조(FM): 전기 신호의 세기에 따라 일정한 진폭의 교류 신호의 진동수를 변화시킨다.

더 알기 헤르츠의 전자기파 실험

[실험 과정]

(가) 그림과 같이 두 장의 알루미늄박에 구리선을 붙이고 실험대에 수직으로 놓은 후 압전 소자를 연결한다.

(나) 구리선으로 원형 안테나를 만들고 네온램프를 연결하여 알루미늄박에 가까이 위치시킨다.

(다) 안테나를 실험대에 놓은 후 압전 소자를 눌러 구리선 사이에서 불꽃 방전과 네온램프에서 빛 방출 여부를 관찰한다.

(라) (다)에서 알루미늄박과 안테나 사이의 거리만을 변화시키면서 압전 소자를 눌러 네온램프를 관찰한다.

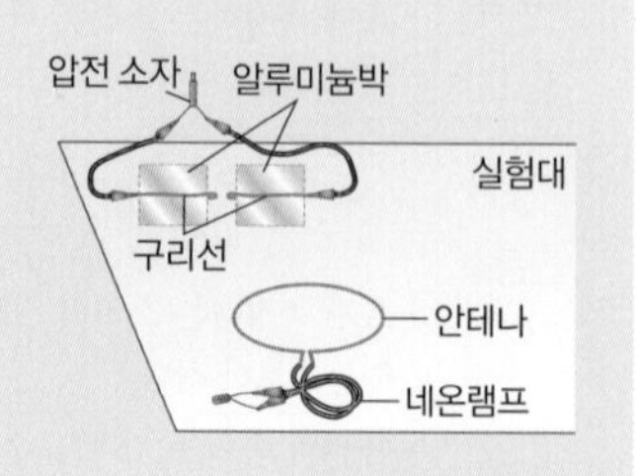

[실험 결과]

- (다)에서 압전 소자를 누를 때 구리선 사이에서 불꽃 방전이 일어나며 네온램프에 불이 켜진다.
- (라)에서 안테나와 알루미늄박 사이의 거리가 멀수록 네온램프에서 방출되는 빛의 최대 밝기는 감소한다.

테마 대표 문제

| 2024학년도 수능 |

그림 (가)는 수평면에서 정지해 있는 음파 측정기 S와 진동수가 각각 f_0, $\frac{4}{3}f_0$인 음파를 발생시키며 직선 운동을 하고 있는 음원 A, B를 나타낸 것이다. 그림 (나)는 (가)의 S로부터 A, B까지의 거리 s_A, s_B를 각각 시간 t에 따라 나타낸 것이다. $t=t_0$일 때 A, B가 발생시킨 음파를 S가 측정한 진동수는 f_1로 같고, $t=3t_0$일 때 B가 발생시킨 음파를 S가 측정한 진동수는 f_2이다.

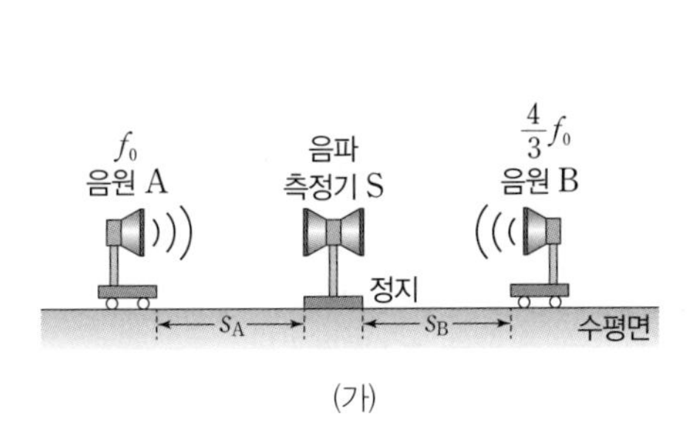

(가)

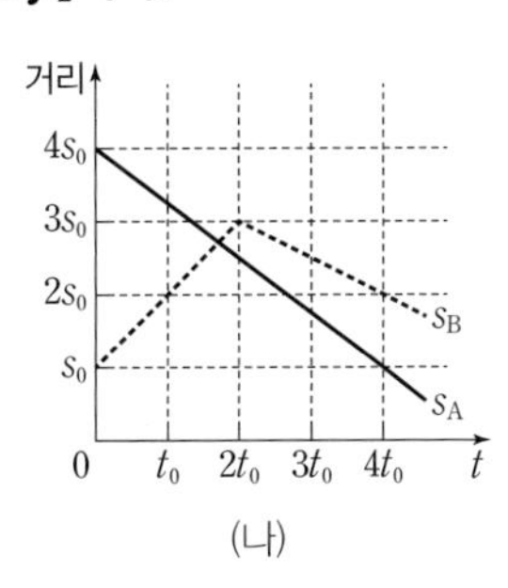

(나)

$\frac{f_2}{f_1}$는? (단, S, A, B는 동일 직선상에 있고, 음속은 일정하다.)

① $\frac{25}{22}$ ② $\frac{13}{11}$ ③ $\frac{27}{22}$ ④ $\frac{14}{11}$ ⑤ $\frac{29}{22}$

접근 전략

진동수가 f_0인 음파를 발생시키는 음원이 음파 측정기를 향해 다가오거나 음파 측정기에서 멀어질 때, 음파 측정기가 측정하는 음파의 진동수는 다음과 같다.

$f=\frac{v}{v\mp v_s}f_0$ (v: 음파의 속력, v_s: 음원의 속력, $-$: 음원이 음파 측정기를 향해 다가감, $+$: 음원이 음파 측정기에서 멀어짐)

간략 풀이

A의 속력을 $\frac{3}{4}v$라고 하면, $t=t_0$일 때와 $t=3t_0$일 때 B의 속력은 각각 v, $\frac{1}{2}v$이다. 따라서 음속을 V라 하면, $t=t_0$일 때 $f_1=\left(\frac{V}{V-\frac{3}{4}v}\right)f_0=\left(\frac{V}{V+v}\right)\frac{4}{3}f_0$이므로 $v=\frac{1}{6}V$, $f_1=\frac{8}{7}f_0$이다. $t=3t_0$일 때 $f_2=\left(\frac{V}{V-\frac{1}{2}v}\right)\frac{4}{3}f_0=\frac{16}{11}f_0$이므로 $\frac{f_2}{f_1}=\frac{14}{11}$이다.

정답 | ④

닮은 꼴 문제로 유형 익히기

정답과 해설 36쪽

▸24070-0178

그림 (가)는 수평면에서 정지해 있는 음파 측정기 S와 진동수가 각각 $5f_0$, $4f_0$인 음파를 발생시키며 직선 운동을 하고 있는 음원 A, B를 나타낸 것이다. 그림 (나)는 (가)의 S로부터 A, B까지의 거리 s_A, s_B를 시간 t에 따라 순서 없이 P, Q로 나타낸 것이다. $t=t_0$일 때 A, B가 발생시킨 음파를 S가 측정한 진동수는 서로 같고, $t=3t_0$일 때 A가 발생시킨 음파를 S가 측정한 진동수는 f_1이다.

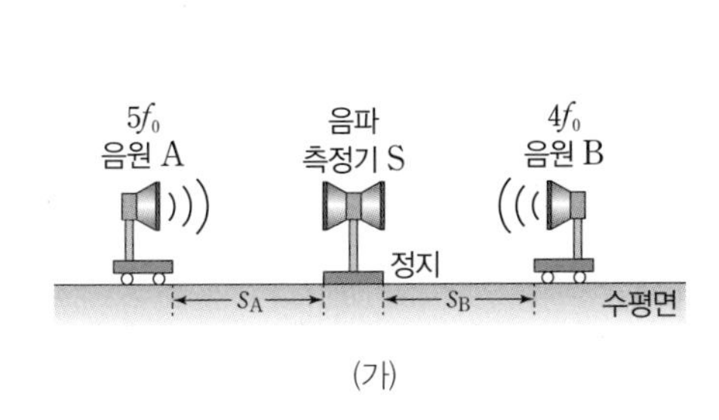

(가)

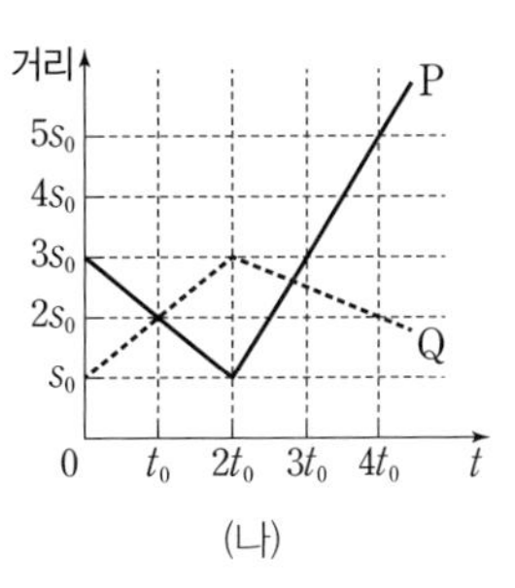

(나)

f_1은? (단, S, A, B는 동일 직선상에 있고, 음속은 일정하다.)

① $\frac{90}{19}f_0$ ② $\frac{45}{11}f_0$ ③ $\frac{90}{17}f_0$ ④ $\frac{45}{8}f_0$ ⑤ $\frac{45}{7}f_0$

유사점과 차이점

음원과 음파 측정기 사이의 거리를 시간에 따라 나타낸 그래프에서 음원의 속도를 분석하는 점에서 대표 문제와 유사하지만, A, B가 발생시킨 음파를 음파 측정기가 측정한 진동수가 서로 같기 위한 조건으로부터 s_A, s_B의 그래프를 찾는다는 점에서 대표 문제와 다르다.

배경 지식

음원이 음파 측정기를 향해 다가오면 음파 측정기가 측정하는 음파의 진동수는 음원이 발생시키는 음파의 진동수보다 크고, 음원이 음파 측정기에서 멀어지면 음파 측정기가 측정하는 음파의 진동수는 음원이 발생시키는 음파의 진동수보다 작다.

01

▸24070-0179

그림은 정지해 있는 음파 측정기 A와 B 사이에서 음원이 일정한 속력 v로 움직이는 것을 나타낸 것이다. 음원은 진동수가 f_0인 음파를 발생시킨다. 음원과 A 사이, 음원과 B 사이에서 음원에서 발생한 음파의 이웃한 파면 사이의 거리는 각각 $4L$, $5L$이다.

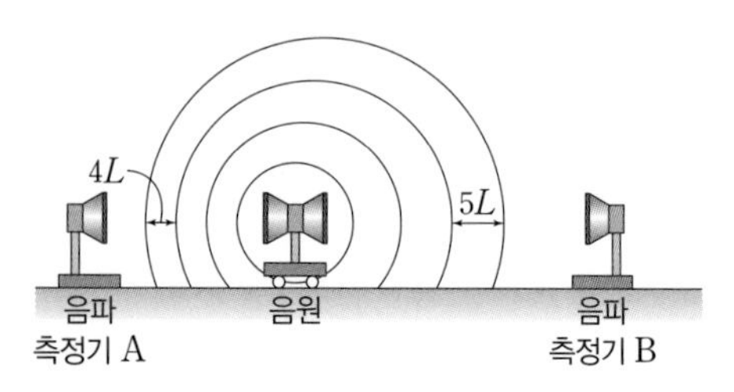

이에 대한 설명으로 옳은 것만을 〈보기〉에서 있는 대로 고른 것은? (단, 음속은 V이고, 음원은 A와 B를 잇는 직선상에서 운동한다.)

보기
ㄱ. 음원은 A를 향해 운동한다.
ㄴ. $v=\frac{1}{9}V$이다.
ㄷ. A가 측정한 음파의 진동수는 $\frac{9}{8}f_0$이다.

① ㄱ ② ㄷ ③ ㄱ, ㄴ ④ ㄴ, ㄷ ⑤ ㄱ, ㄴ, ㄷ

02

▸24070-0180

그림 (가)와 같이 음파 측정기가 정지해 있고, 음원 A, B가 진동수 f_0인 음파를 발생하며 각각 등속도 운동을 하고 있다. 그림 (나)는 음파 측정기와 A, 음파 측정기와 B 사이의 거리를 각각 시간 t에 따라 나타낸 것이다. $t=3t_0$일 때 A, B가 발생시킨 음파를 음파 측정기가 측정한 진동수는 각각 $\frac{10}{11}f_0$, f_B이다.

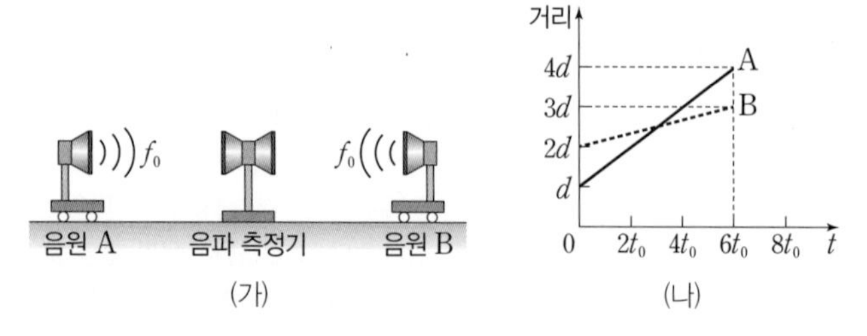

f_B는? (단, 음원과 음파 측정기는 동일 직선상에 있고, 음속은 일정하다.)

① $\frac{10}{11}f_0$ ② $\frac{30}{31}f_0$ ③ f_0 ④ $\frac{30}{29}f_0$ ⑤ $\frac{10}{9}f_0$

03

▸24070-0181

그림은 진동수가 각각 $4f_0$, $6f_0$인 음파를 발생시키며 x축상에서 v의 동일한 속력으로 등속도 운동을 하는 음원 A, B와 x축상에 정지해 있는 음파 측정기를 나타낸 것이다. 음파 측정기가 측정한 A, B의 음파의 진동수는 f_1로 같다.

이에 대한 설명으로 옳은 것만을 〈보기〉에서 있는 대로 고른 것은? (단, 음속은 V이다.)

보기
ㄱ. A의 운동 방향은 $+x$방향이다.
ㄴ. $v=\frac{1}{5}V$이다.
ㄷ. $f_1=5f_0$이다.

① ㄱ ② ㄷ ③ ㄱ, ㄴ ④ ㄴ, ㄷ ⑤ ㄱ, ㄴ, ㄷ

04

▸24070-0182

다음은 뇌혈류 초음파 검사에 대한 광고의 일부이다.

뇌혈류 초음파 검사는 ㉠ 을/를 이용하여 뇌혈관 속 혈액의 속도를 측정해 뇌혈관이 막히거나 좁아졌는지를 알 수 있는 검사입니다. 그림과 같이 검사기에서 방출한 초음파의 진동수(f)와 혈액 내 적혈구에 반사되어 돌아오는 초음파의 진동수(f')의 차를 분석하여 그 값을 화면에 색으로 표시합니다.

— ○○병원 신경과 —

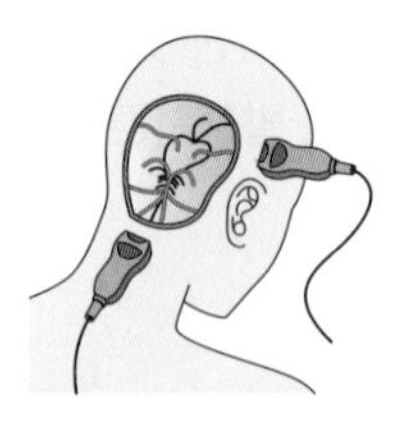
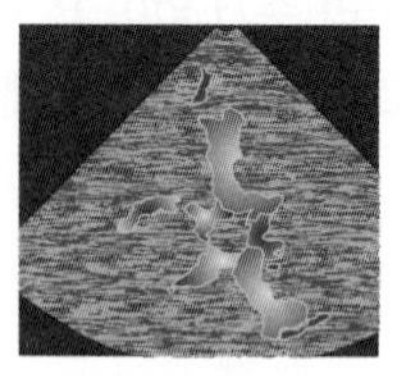

이에 대한 설명으로 옳은 것만을 〈보기〉에서 있는 대로 고른 것은?

보기
ㄱ. '도플러 효과'는 ㉠으로 적절하다.
ㄴ. 검사기를 향해 다가오는 혈액의 속력이 빠를수록 $|f'-f|$는 증가한다.
ㄷ. 초음파 검사기에서 측정되는 초음파의 파장은 혈액이 검사기에 가까워지며 이동할 때가 혈액이 정지해 있을 때보다 짧다.

① ㄱ ② ㄷ ③ ㄱ, ㄴ ④ ㄴ, ㄷ ⑤ ㄱ, ㄴ, ㄷ

05

▸24070-0183

다음은 송신 안테나에 대한 설명이다.

그림은 2차 코일에 연결된 축전기의 양 극판을 벌려서 만든 구조의 안테나를 나타낸 것이다. 1차 코일에 흐르는 진동수가 f인 교류 전류에 의해 발생한 자기 선속의 변화는 2차 코일에 변하는 유도 기전력을 만든다. 이 유도 기전력이 안테나의 전자들을 진동시켜 두 극판 사이에 변하는 ⓐ전기장이 발생되고, 변하는 전기장은 ⓑ자기장을 유도하여 전기장과 자기장이 서로를 유도하면서 ⓒ전자기파가 송신된다. f가 2차 코일과 안테나가 연결된 회로의 [㉠]와/과 같을 때, 안테나에서 가장 강한 전자기파가 발생한다.

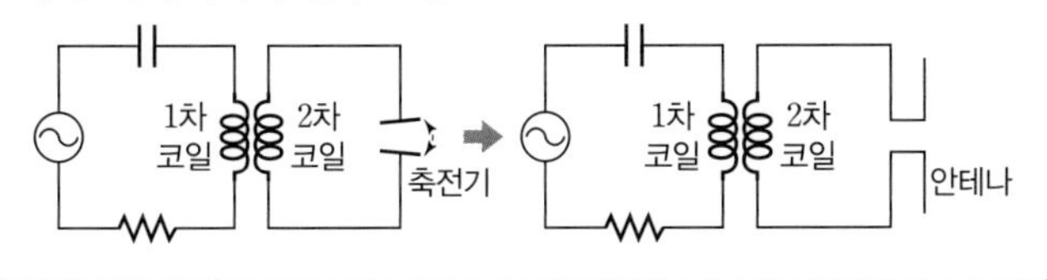

이에 대한 설명으로 옳은 것만을 〈보기〉에서 있는 대로 고른 것은?

보기
ㄱ. ⓐ의 진동 방향과 ⓑ의 진동 방향은 수직이다.
ㄴ. ⓒ의 진동수는 f이다.
ㄷ. '공명 진동수'는 ㉠으로 적절하다.

① ㄱ ② ㄷ ③ ㄱ, ㄴ ④ ㄴ, ㄷ ⑤ ㄱ, ㄴ, ㄷ

06

▸24070-0184

그림 (가)는 전압의 최댓값이 일정한 교류 전원에 저항과 전기 소자 X, Y를 연결한 회로를 나타낸 것이다. X, Y는 코일 또는 축전기를 순서 없이 나타낸 것이다. 그림 (나)는 (가)에서 스위치 S를 각각 a, b에 연결했을 때 회로에 흐르는 전류의 최댓값을 교류 전원의 진동수에 따라 나타낸 것이다.

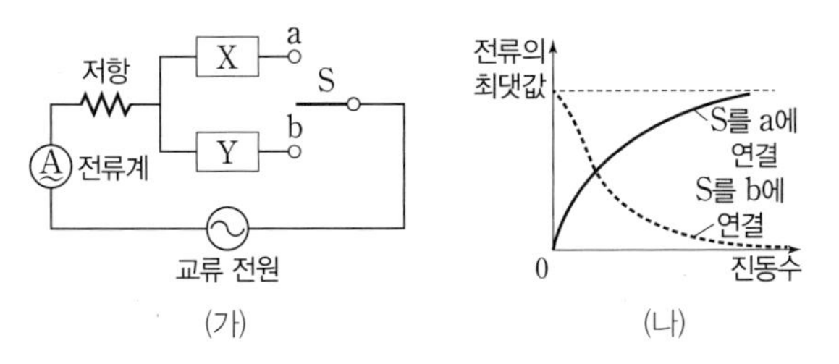

이에 대한 설명으로 옳은 것만을 〈보기〉에서 있는 대로 고른 것은?

보기
ㄱ. X는 코일이다.
ㄴ. S를 a에 연결할 때, X는 진동수가 작은 교류 전류를 잘 흐르지 못하게 하는 성질이 있다.
ㄷ. S를 b에 연결할 때, 교류 전원의 진동수가 클수록 저항 양단에 걸리는 전압의 최댓값은 증가한다.

① ㄱ ② ㄴ ③ ㄱ, ㄴ ④ ㄱ, ㄷ ⑤ ㄴ, ㄷ

07

▸24070-0185

다음은 전자기파의 발생과 송수신에 대한 실험이다.

[자료 조사]
원형 안테나는 고리면을 통과하는 전자기파의 자기장 변화에 의해 유도 전류가 발생하는 것을 이용한다.

[실험 과정]
(가) 알루미늄박을 책상면에 수직으로 세우고, 각 알루미늄박에 고정한 구리선 양쪽에 압전 소자를 연결한다.
(나) 원형 안테나를 책상면에 놓고, 압전 소자를 눌러 네온램프를 관찰한다.
(다) (나)에서 원형 안테나를 알루미늄박으로부터 멀리 이동시킨 후, (나)를 반복한다.

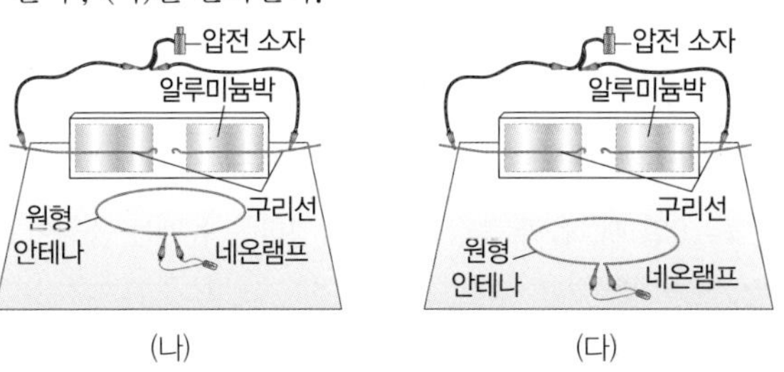

[실험 결과] (나)와 (다)에서 모두 네온램프에서 빛이 방출되며, 방출되는 빛의 최대 밝기는 (나)에서가 (다)에서보다 크다.

이에 대한 설명으로 옳은 것만을 〈보기〉에서 있는 대로 고른 것은?

보기
ㄱ. 알루미늄박에 고정된 구리선은 송신 안테나 역할을 한다.
ㄴ. 원형 안테나에 흐르는 유도 전류의 세기는 일정하다.
ㄷ. 원형 안테나를 통과하는 자기 선속의 시간에 따른 변화율의 최댓값은 (나)에서가 (다)에서보다 크다.

① ㄱ ② ㄴ ③ ㄱ, ㄷ ④ ㄴ, ㄷ ⑤ ㄱ, ㄴ, ㄷ

08

▸24070-0186

그림은 직선형 안테나가 전자기파를 수신하는 모습을 나타낸 것이다. 안테나는 전기장의 진동 방향과 나란하게 놓여 있다. 전기장의 진동 주기는 T이다.

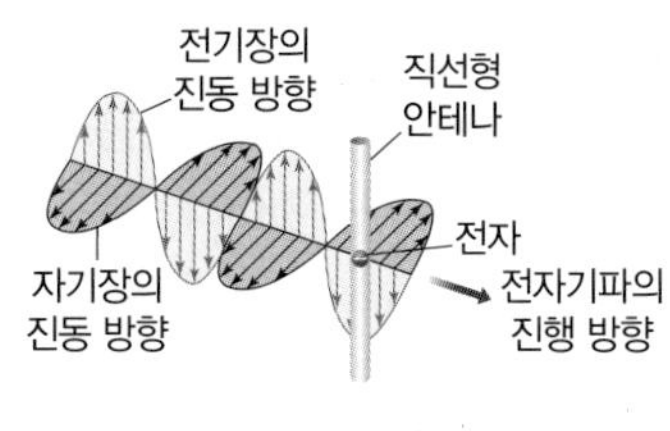

이에 대한 설명으로 옳은 것만을 〈보기〉에서 있는 대로 고른 것은?

보기
ㄱ. 전기장에 의해 안테나 속 전자가 전기력을 받을 때, 전기력의 방향은 전기장의 방향과 서로 같다.
ㄴ. 안테나 속 전자의 진동 주기는 T이다.
ㄷ. 전자기파의 진행 방향, 전기장의 진동 방향, 자기장의 진동 방향은 서로 수직이다.

① ㄱ ② ㄷ ③ ㄱ, ㄴ ④ ㄴ, ㄷ ⑤ ㄱ, ㄴ, ㄷ

정답과 해설 37쪽

01

▸24070-0187

그림 (가)는 진동수가 f_0인 음파를 발생시키며 x축과 나란한 방향으로 v의 속력으로 등속도 운동을 하는 음원이 시간 $t=0$인 순간 $x=6L$인 위치를 지나는 모습을 나타낸 것이다. 음파 측정기는 $x=14L$에 정지해 있다. 그림 (나)는 $t=0$일 때, x축상에서 공기의 압력 중 일부를 x에 따라 나타낸 것이다.

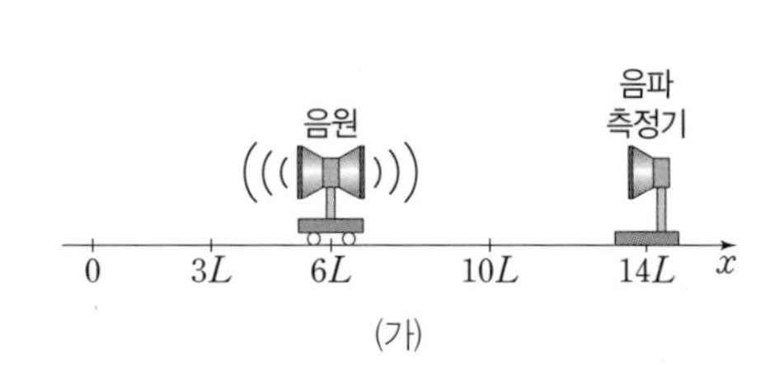

(가)

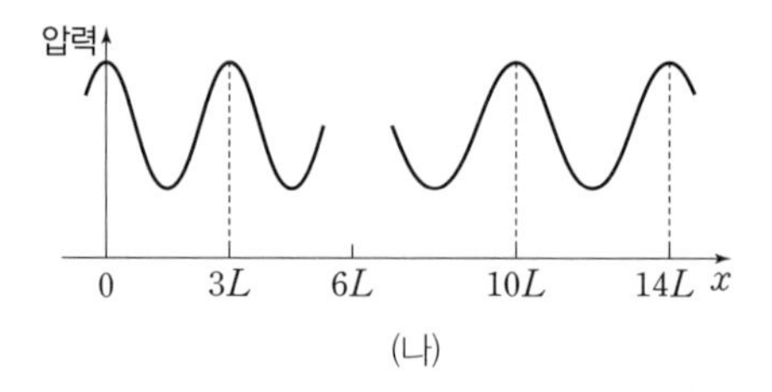

(나)

이에 대한 설명으로 옳은 것만을 〈보기〉에서 있는 대로 고른 것은? (단, 음속은 V이고, 음원과 음파 측정기의 크기는 무시한다.)

보기

ㄱ. $v=\frac{1}{7}V$이다.

ㄴ. 음파 측정기가 측정한 음파의 진동수는 $\frac{7}{8}f_0$이다.

ㄷ. $t=0$일 때, 음파 측정기에서 측정하는 음파는 음원이 $x=7L$인 위치에 있을 때 발생되었다.

① ㄱ ② ㄴ ③ ㄱ, ㄷ ④ ㄴ, ㄷ ⑤ ㄱ, ㄴ, ㄷ

02

▸24070-0188

그림 (가)는 진동수가 f_0인 음파를 발생시키며 수평면에서 등속도 운동을 하는 음원 A, B와 정지해 있는 음파 측정기의 모습을 나타낸 것이다. 그림 (나)는 (가)에서 A와 B 사이의 거리 x를 시간 t에 따라 나타낸 것으로, B는 $t=2t_0$일 때 벽과 충돌하고 벽에 충돌 직후 B의 속력은 충돌 직전과 같다. A, B가 $t=t_0$일 때 발생시킨 음파를 음파 측정기가 측정한 진동수의 차는 A, B가 $t=3t_0$일 때 발생시킨 음파를 음파 측정기가 측정한 진동수의 차와 같다.

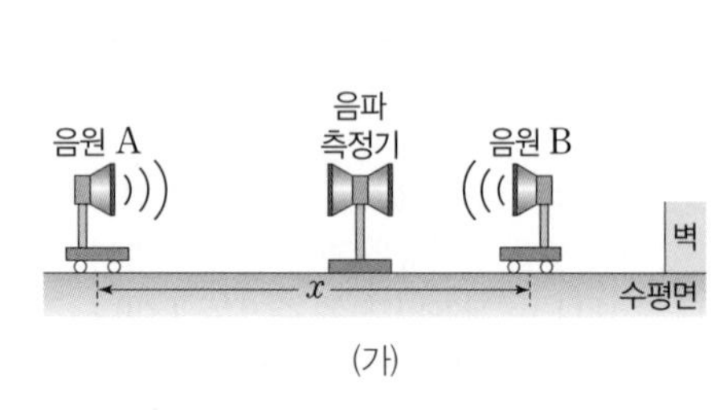

(가)

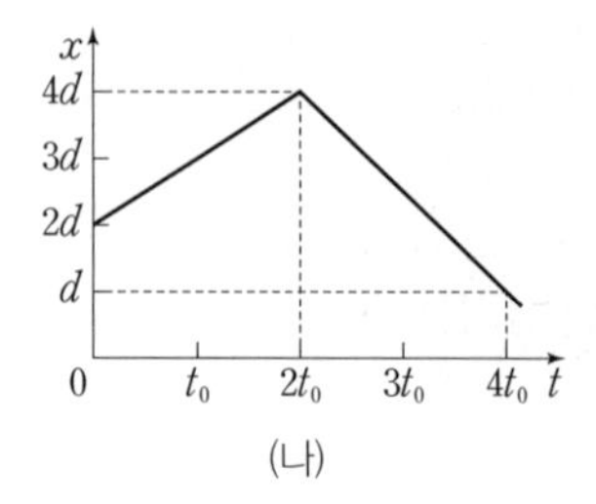

(나)

음속은? (단, 음원과 음파 측정기는 동일 직선상에 있고, 음속은 일정하다.)

① $\frac{9d}{4t_0}$ ② $\frac{4d}{t_0}$ ③ $\frac{25d}{4t_0}$ ④ $\frac{9d}{t_0}$ ⑤ $\frac{49d}{4t_0}$

03

▸24070-0189

다음은 도플러 효과에 대한 실험이다.

[실험 과정]

(가) 정지해 있는 버저에서 음파를 발생시키고, 진동수 측정 장치로 진동수를 측정한다.

(나) 버저를 줄에 매달아 버저가 원운동을 하는 면이 지면에 나란하도록 등속 원운동시킨다.

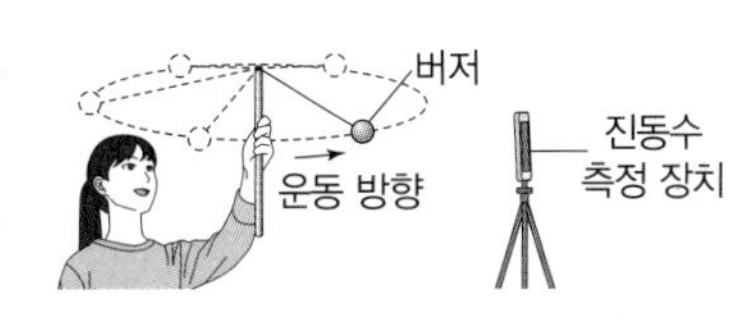

(다) 진동수 측정 장치를 버저가 원운동하는 면과 동일 평면에 놓이게 한 후, 진동수 측정 장치로 진동수를 측정한다.

[실험 결과]

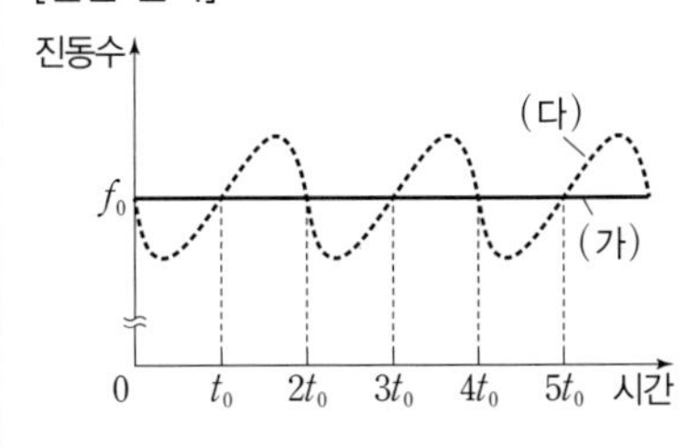

이에 대한 설명으로 옳은 것만을 〈보기〉에서 있는 대로 고른 것은?

보기

ㄱ. 버저의 원운동 주기는 $2t_0$이다.

ㄴ. 진동수 측정 장치가 $1.5t_0$일 때 측정한 음파는 버저가 진동수 측정 장치에 가까워지며 이동할 때 발생한 음파이다.

ㄷ. 진동수 측정 장치가 $2t_0$일 때 측정한 음파는 버저가 진동수 측정 장치로부터 가장 멀리 위치할 때 발생한 음파이다.

① ㄱ ② ㄷ ③ ㄱ, ㄴ ④ ㄴ, ㄷ ⑤ ㄱ, ㄴ, ㄷ

04

▸24070-0190

그림 (가)는 음성 신호가 진동수가 f_1인 전기 신호로 전환되어 진동수가 각각 f_0, $2f_0$인 교류 신호에 첨가되는 변조를 거친 전자기파 A, B를 나타낸 것이다. 그림 (나)는 극판 사이의 간격이 d인 축전기가 연결된 수신 회로의 안테나에 A, B가 도달할 때, 전자기파 공명에 의해 수신 회로에 흐르는 전류의 세기는 최대가 되고 스피커에서는 B에 의한 방송만이 선명하게 나오는 것을 나타낸 것이다.

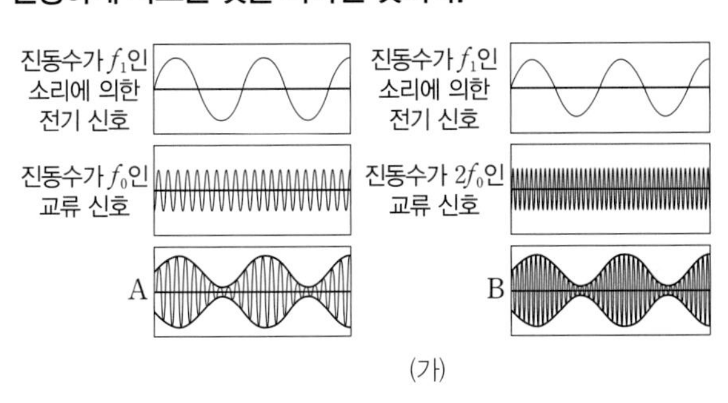

(가)

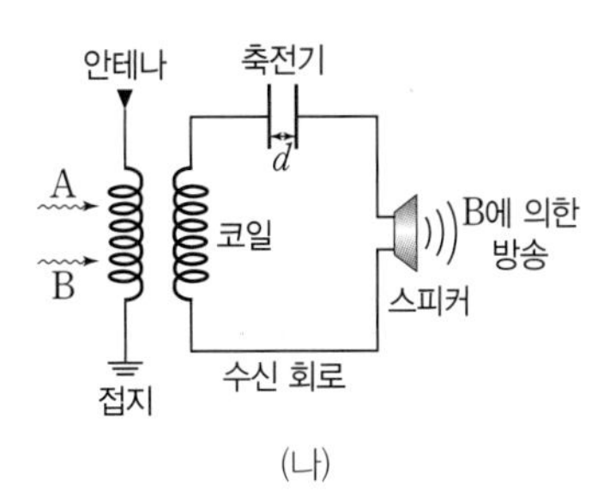

(나)

이에 대한 설명으로 옳은 것만을 〈보기〉에서 있는 대로 고른 것은?

보기

ㄱ. 진폭이 변화하는 주기는 A와 B가 같다.

ㄴ. (나)에서 수신 회로의 공명 진동수는 f_0이다.

ㄷ. (나)에서 축전기의 간격만을 d보다 크게 하면, 스피커에서 A에 의한 방송만이 선명하게 나오게 할 수 있다.

① ㄱ ② ㄷ ③ ㄱ, ㄴ ④ ㄴ, ㄷ ⑤ ㄱ, ㄴ, ㄷ

05

▸24070-0191

그림 (가)와 같이 전압의 최댓값이 일정한 교류 전원, 스위치 S, 전류계, 저항 R, 전기 소자 X, Y, Z를 이용해 회로를 구성하였다. 그림 (나)는 (가)의 회로에서 S를 a, b, c에 연결하였을 때, 교류 전원의 진동수에 따라 회로에 흐르는 전류의 세기를 나타낸 것이다. X, Y, Z는 각각 저항, 코일, 축전기를 순서 없이 나타낸 것이다.

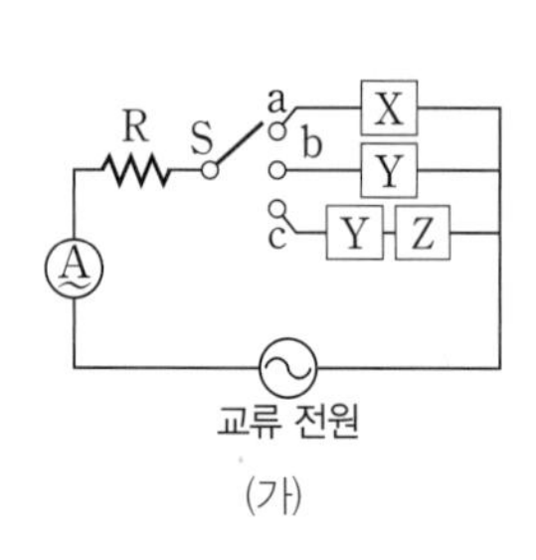

(가)

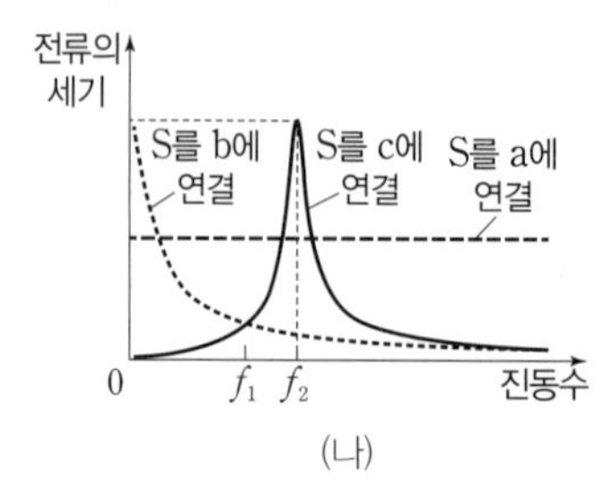

(나)

이에 대한 설명으로 옳은 것만을 〈보기〉에서 있는 대로 고른 것은?

보기
ㄱ. X는 저항이다.
ㄴ. S를 c에 연결할 때, Z의 저항 역할은 교류 전원의 진동수가 f_1일 때가 f_2일 때보다 크다.
ㄷ. S를 c에 연결하고 R를 저항값이 작은 저항으로 바꾸면, 회로의 공명 진동수는 f_2보다 커진다.

① ㄱ ② ㄷ ③ ㄱ, ㄴ ④ ㄴ, ㄷ ⑤ ㄱ, ㄴ, ㄷ

06

▸24070-0192

그림 (가)과 같이 전압의 최댓값이 일정한 교류 전원에 극판의 면적과 간격이 각각 같은 평행판 축전기 A, B와 코일, 저항, 스위치 S를 이용해 회로를 구성하였다. A의 내부는 진공이고 B의 내부는 유전체로 채워져 있다. 그림 (나)는 회로에 흐르는 전류의 최댓값을 교류 전원의 진동수에 따라 나타낸 것이다. P, Q는 S를 a, b에 연결할 때의 결과를 순서 없이 나타낸 것이다.

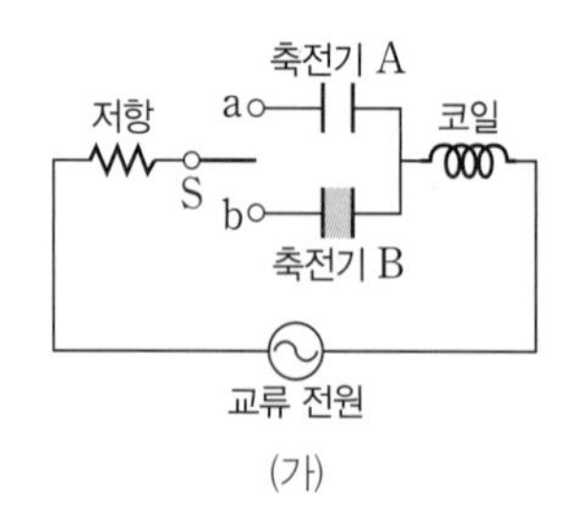

(가)

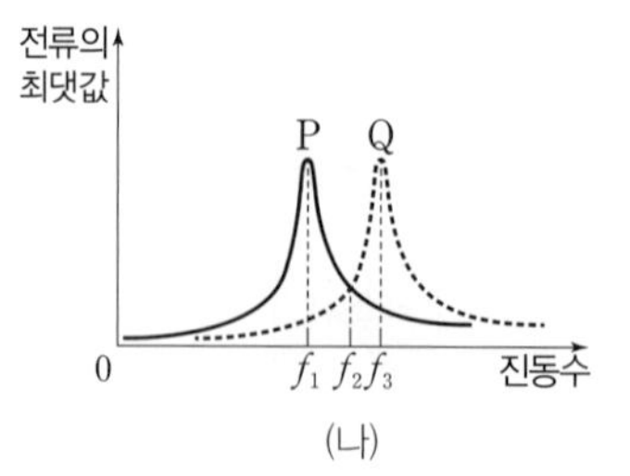

(나)

이에 대한 설명으로 옳은 것만을 〈보기〉에서 있는 대로 고른 것은?

보기
ㄱ. P는 S를 a에 연결할 때의 결과이다.
ㄴ. S를 a에 연결할 때, 저항 양단에 걸리는 전압의 최댓값은 교류 전원의 진동수가 f_1일 때가 f_2일 때보다 작다.
ㄷ. S를 b에 연결할 때, 코일의 저항 역할은 교류 전원의 진동수가 f_2일 때가 f_3일 때보다 작다.

① ㄱ ② ㄷ ③ ㄱ, ㄴ ④ ㄴ, ㄷ ⑤ ㄱ, ㄴ, ㄷ

볼록 렌즈에 의한 상

1 볼록 렌즈에 의한 상

(1) **볼록 렌즈:** 가장자리보다 가운데 부분이 더 두꺼워 입사 광선을 광축 방향으로 모으는 렌즈

① 볼록 렌즈의 초점(F)

- 초점에서 퍼져 나가는 빛은 렌즈에서 굴절된 후 광축에 나란하게 진행한다.
- 광축에 나란하게 입사한 빛은 렌즈에서 굴절된 후 초점에 모인다.

② 초점 거리(f): 렌즈의 중심에서 초점(F)까지의 거리로, 볼록 렌즈의 초점은 렌즈의 양쪽에 같은 초점 거리로 하나씩 있다.

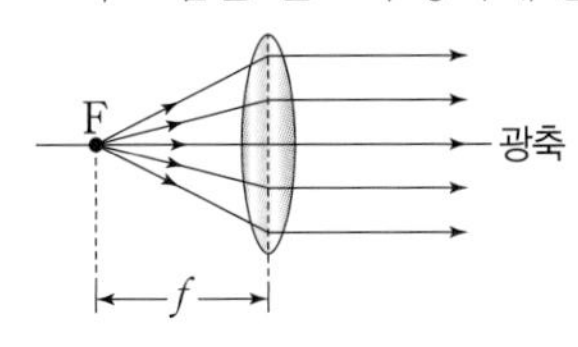

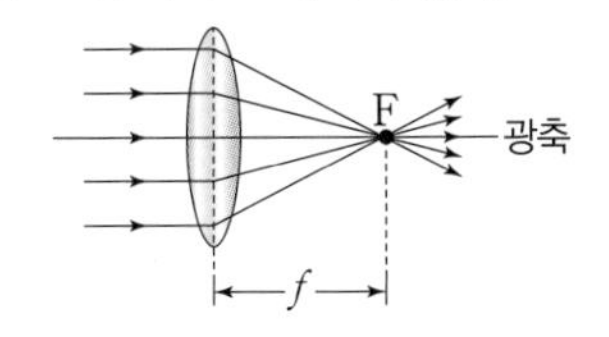

(2) **볼록 렌즈에 의한 광선의 경로(광선 추적)**

① 광축에 나란하게 입사한 광선은 볼록 렌즈에서 굴절한 후 초점(F)을 지난다.

② 초점(F)을 지나 입사한 광선은 볼록 렌즈에서 굴절한 후 광축과 나란하게 진행한다.

③ 볼록 렌즈의 중심을 지나는 광선은 직진한다.

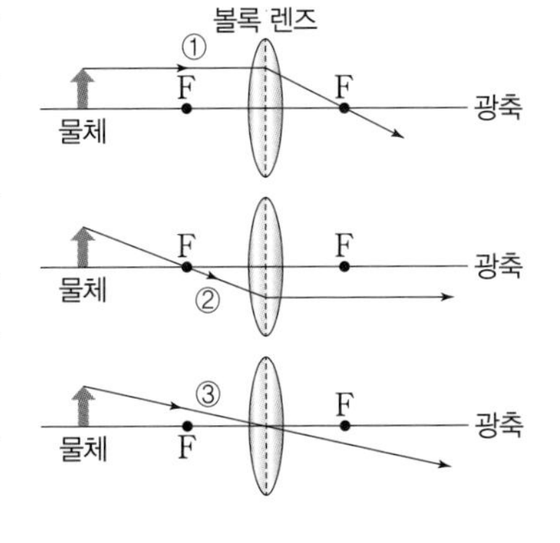

(3) **볼록 렌즈에 의한 상(상의 종류)**

① 실상과 허상

- 실상: 렌즈에서 굴절된 빛이 실제로 모여서 만들어진 상 ➡ 실상이 있는 지점에 스크린을 놓으면 상이 맺힌다.
- 허상: 렌즈에서 굴절된 광선의 연장선이 모여서 만들어진 상 ➡ 허상이 있는 지점에 스크린을 놓으면 상이 맺히지 않는다.

② 정립상과 도립상

- 정립상: 상의 방향이 물체의 방향과 같은 상
- 도립상: 상의 방향이 물체의 방향과 반대인 상

2 렌즈 방정식과 배율

(1) **렌즈 방정식:** 렌즈 중심과 물체 사이의 거리가 a, 렌즈 중심과 상 사이의 거리가 b, 렌즈의 초점 거리가 f일 때, a, b, f 사이에는 다음과 같은 관계식이 성립한다.

$$\frac{1}{a}+\frac{1}{b}=\frac{1}{f}$$

($b>0$: 실상, $b<0$: 허상)

(2) **배율(m):** 물체의 크기에 대한 상의 크기의 비율이다.

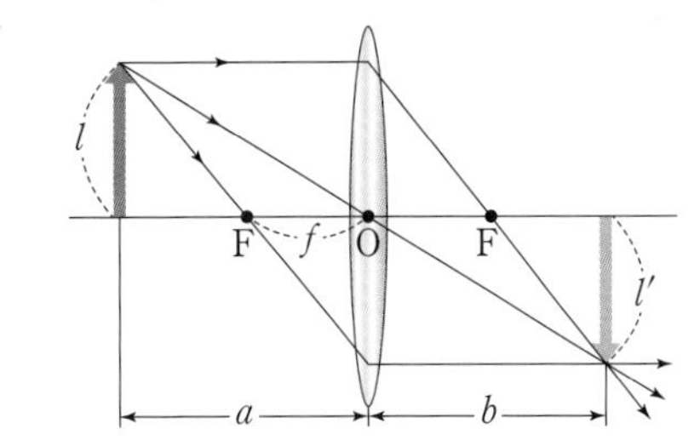

$$m=\frac{l'}{l}=\left|\frac{b}{a}\right|$$

3 볼록 렌즈의 이용

(1) **굴절 망원경(케플러 망원경):** 두 개의 볼록 렌즈를 이용하여 멀리 있는 물체를 관측하는 장치로, 초점 거리가 긴 대물렌즈는 물체에서 나오는 빛을 모아 실상을 만들고, 이 실상은 초점 거리가 짧은 접안렌즈에 의해 확대된 허상으로 보인다.

(2) **광학 현미경:** 두 개의 볼록 렌즈를 이용하여 가까운 곳의 작은 물체를 관측하는 장치로, 대물렌즈에 의해 확대된 실상이, 접안렌즈에 의해 더욱 확대된 허상으로 보인다.

(3) **카메라:** 렌즈를 통과하며 굴절된 빛이 필름(또는 CCD)에 도달하여 상이 맺히게 한다.

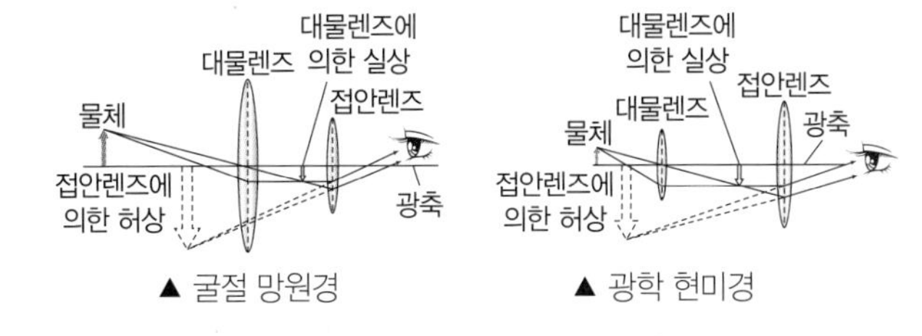

▲ 굴절 망원경　　▲ 광학 현미경

더 알기 물체의 위치에 따른 볼록 렌즈에 의한 상의 변화

- 물체가 볼록 렌즈의 초점 바깥쪽에서 렌즈를 향하여 움직일 때 렌즈에 의한 물체의 상은 렌즈를 중심으로 물체 반대편 초점에서부터 점점 멀어지고 크기는 점점 커진다.
- 물체가 볼록 렌즈의 초점 안쪽에서 렌즈를 향하여 움직일 때 렌즈에 의한 물체의 상은 렌즈를 중심으로 물체와 같은 방향에서 렌즈에 가까워지고 상의 크기는 점점 작아진다.

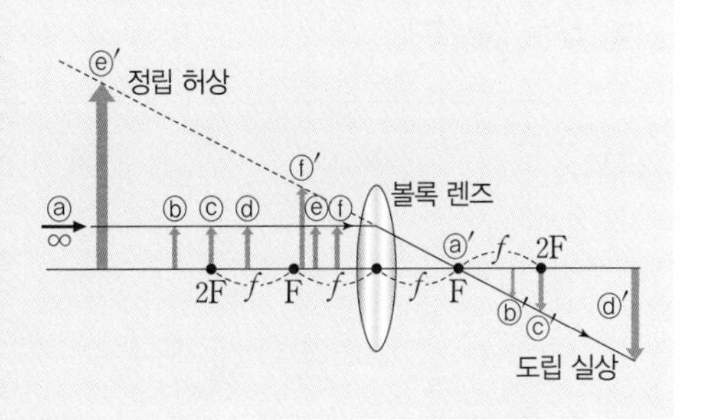

테마 대표 문제

| 2024학년도 수능 |

그림은 물체에서 나온 빛의 일부가 볼록 렌즈 A와 B를 통과하여 진행하는 경로를 나타낸 것이다. A에 의한 상 P는 B에서 $2d$만큼 떨어진 지점에 생기고, 크기는 h이다. B의 초점 거리는 $3d$이고, B에 의한 상 Q의 크기는 H이다.

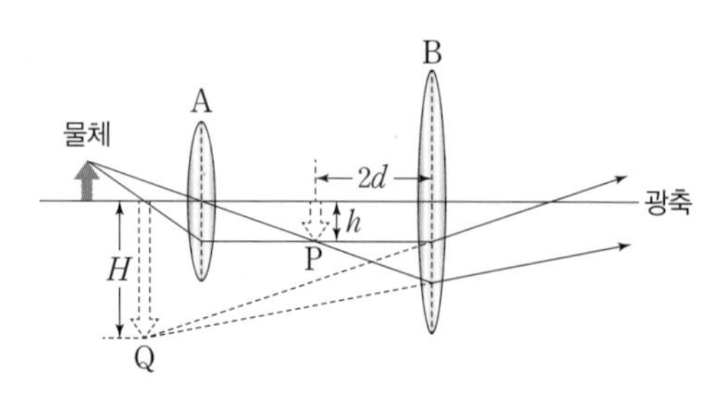

이에 대한 설명으로 옳은 것만을 〈보기〉에서 있는 대로 고른 것은?

보기
ㄱ. 물체와 A 사이의 거리는 A의 초점 거리보다 작다.
ㄴ. Q는 허상이다.
ㄷ. $H=3h$이다.

① ㄱ ② ㄴ ③ ㄱ, ㄷ ④ ㄴ, ㄷ ⑤ ㄱ, ㄴ, ㄷ

접근 전략

A에 의해 도립 실상이 생기는 경우는 물체와 A 사이의 거리가 초점 거리보다 큰 경우이고, B에 의한 P의 상 Q는 허상임을 알아야 한다. 또, 렌즈 방정식과 배율을 통해 상의 크기를 구할 수 있다.

간략 풀이

ㄱ. A에 의한 물체의 상 P는 실상이므로 물체와 A 사이의 거리는 A의 초점 거리보다 크다.

ㄴ 굴절 광선의 연장선이 만나는 지점에 Q가 생기므로 Q는 허상이다.

ㄷ B와 Q 사이의 거리를 b라 하고 렌즈 방정식을 적용하면 $\frac{1}{2d}+\frac{1}{b}=\frac{1}{3d}$이 되어 $b=-6d$이고 B에 의한 P의 상 Q의 배율은 $\left|\frac{-6d}{2d}\right|=3$이므로 $H=3h$이다.

정답 | ④

닮은 꼴 문제로 유형 익히기

정답과 해설 38쪽

▸24070-0193

그림은 크기가 h인 물체에서 나온 빛의 일부가 볼록 렌즈 A와 B를 통과하여 진행하는 경로를 나타낸 것이다. A에 의한 상 P는 B에서 d만큼 떨어진 지점에 물체와 같은 크기로 생기고 B에 의한 상 Q는 A와 B 사이의 중점에 생긴다. A의 초점 거리는 d이고, B에 의한 상 Q의 크기는 H이다.
이에 대한 설명으로 옳은 것만을 〈보기〉에서 있는 대로 고른 것은?

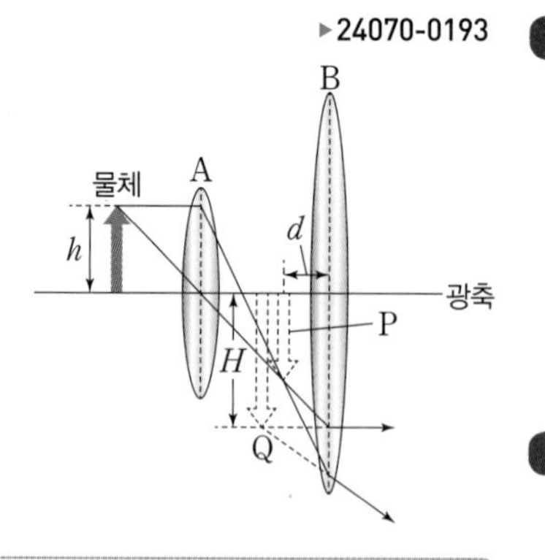

보기
ㄱ. 물체와 A 사이의 거리는 $2d$이다.
ㄴ. B의 초점 거리는 $3d$이다.
ㄷ. $H=\frac{3}{2}h$이다.

① ㄱ ② ㄴ ③ ㄱ, ㄷ ④ ㄴ, ㄷ ⑤ ㄱ, ㄴ, ㄷ

유사점과 차이점

물체와 볼록 렌즈 사이의 거리, 물체의 크기에 대한 상의 크기를 다룬다는 점에서 대표 문제와 유사하지만 대칭성을 이용하여 B와 Q 사이의 거리를 유도하여 B의 초점 거리를 묻는다는 점에서 대표 문제와 다르다.

배경 지식

- 물체와 P의 크기가 같으므로 물체와 A 사이의 거리는 초점 거리의 2배이다.
- 볼록 렌즈와 물체 사이의 거리가 a, 볼록 렌즈와 상 사이의 거리가 b, 볼록 렌즈의 초점 거리가 f일 때 렌즈 방정식은 $\frac{1}{a}+\frac{1}{b}=\frac{1}{f}$이다.

01

▸24070-0194

그림과 같이 초점 거리가 f인 볼록 렌즈를 고정한다.

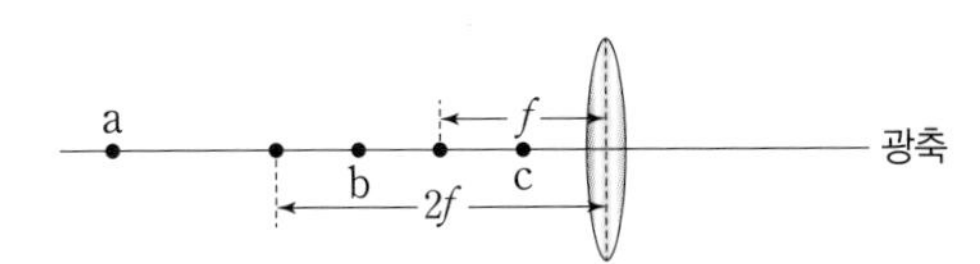

광축상의 점 a, b, c에 물체를 각각 고정할 때, a~c 중 상의 크기가 물체의 크기보다 큰 지점만을 있는 대로 고른 것은?

① a ② b ③ a, b ④ a, c ⑤ b, c

02

▸24070-0195

그림과 같이 초점 거리가 f인 볼록 렌즈 P와 물체를 두고, 광축 위에서 물체를 x축상의 $x=-3f$인 지점에서 $x=-\frac{1}{2}f$인 지점까지 이동시킬 때 생기는 상을 관찰하였다. x축상의 $x=0$은 P의 중심이다. 광축은 x축이다.

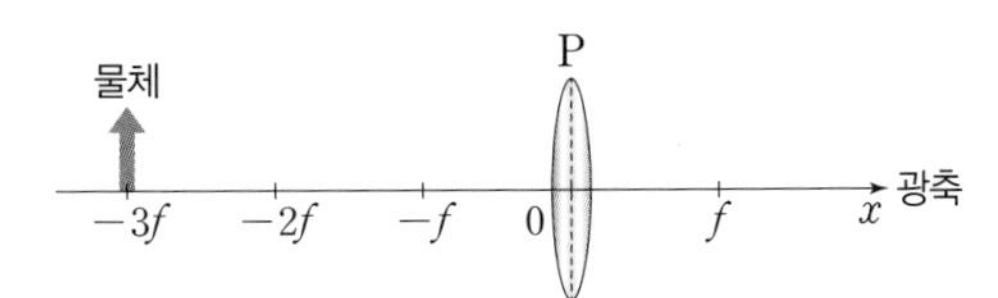

물체가 P로 접근하는 동안 상의 크기가 커지는 물체의 위치 구간만을 〈보기〉에서 있는 대로 고른 것은?

보기

ㄱ. $x=-3f$와 $x=-2f$ 사이

ㄴ. $x=-2f$와 $x=-f$ 사이

ㄷ. $x=-f$와 $x=-\frac{1}{2}f$ 사이

① ㄱ ② ㄷ ③ ㄱ, ㄴ ④ ㄴ, ㄷ ⑤ ㄱ, ㄴ, ㄷ

03

▸24070-0196

그림 (가)와 (나)는 동일한 볼록 렌즈의 중심으로부터 각각 거리 a, $2a$만큼 떨어진 지점에 동일한 물체를 놓은 것을 나타낸 것이다. (가)와 (나)에서 상의 크기는 같다.

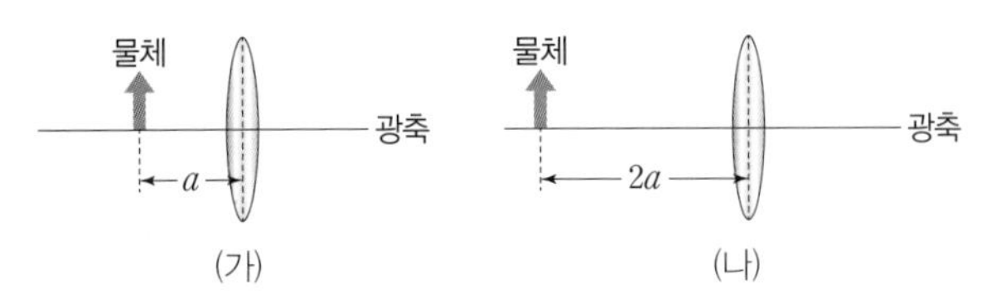

이에 대한 설명으로 옳은 것만을 〈보기〉에서 있는 대로 고른 것은?

보기

ㄱ. (가)에서의 상은 실상이다.

ㄴ. (나)에서의 상의 크기는 물체의 크기보다 작다.

ㄷ. 렌즈의 초점 거리는 $\frac{3}{2}a$이다.

① ㄱ ② ㄴ ③ ㄷ ④ ㄱ, ㄴ ⑤ ㄱ, ㄷ

04

▸24070-0197

그림 (가)와 같이 볼록 렌즈의 중심으로부터 a만큼 떨어진 지점에 물체를 놓으면, 배율이 1인 실상이 생긴다. 그림 (나)는 물체를 렌즈의 중심으로부터 $\frac{3}{4}a$만큼 떨어진 지점으로 이동시킨 것을 나타낸 것이다.

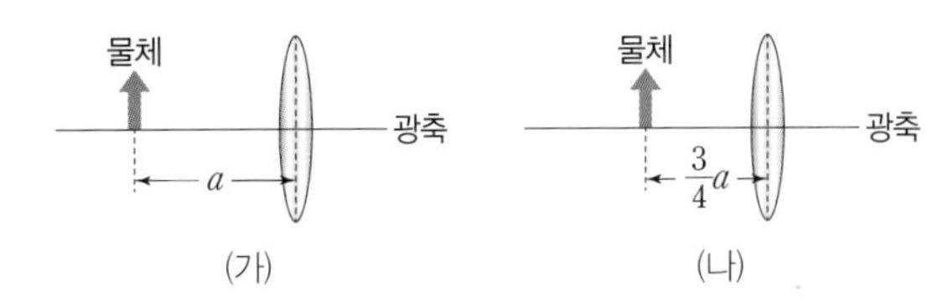

이에 대한 설명으로 옳은 것만을 〈보기〉에서 있는 대로 고른 것은?

보기

ㄱ. (가)에서 물체의 크기가 상의 크기보다 크다.

ㄴ. (나)에서 물체의 상은 실상이다.

ㄷ. (나)에서 상의 배율은 2이다.

① ㄱ ② ㄴ ③ ㄱ, ㄴ ④ ㄱ, ㄷ ⑤ ㄴ, ㄷ

05

▸24070-0198

그림 (가), (나)와 같이 초점 거리가 f인 볼록 렌즈 앞에 크기가 h인 물체를 놓았더니 크기가 각각 h_1, h_2인 상이 생겼다. (가)와 (나)에서 물체와 렌즈 중심 사이의 거리는 각각 a, $\frac{1}{2}a$이고, 상과 렌즈 중심 사이의 거리는 각각 b, $2b$이며, 상은 각각 실상, 허상이다.

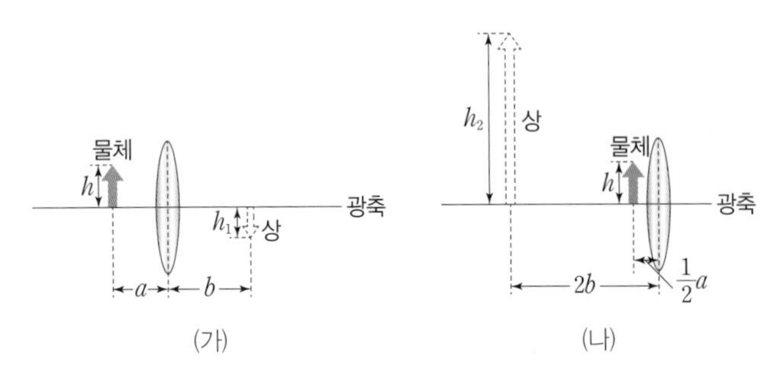

f와 h_2로 옳은 것은?

	f	h_2
①	$\frac{2}{5}a$	$2h_1$
②	$\frac{2}{5}a$	$4h_1$
③	$\frac{3}{5}a$	$2h_1$
④	$\frac{3}{5}a$	$4h_1$
⑤	$\frac{3}{5}a$	$8h_1$

06

▸24070-0199

그림 (가)와 같이 초점 거리가 f인 볼록 렌즈의 중심으로부터 a만큼 떨어진 점 p에 물체를 고정시켰더니 렌즈 중심으로부터 a만큼 떨어진 점에 상이 생겼다. 그림 (나)와 같이 (가)에서 물체를 렌즈 중심으로부터 $\frac{2}{3}a$만큼 떨어진 점 q에 고정시켰더니 렌즈 중심으로부터 x만큼 떨어진 점에 상이 생겼다.

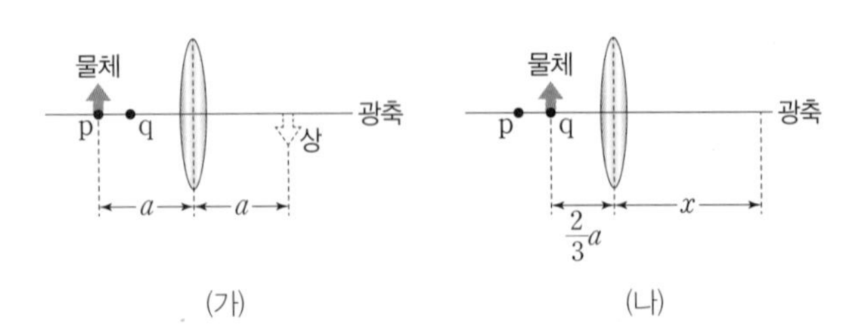

이에 대한 설명으로 옳은 것만을 〈보기〉에서 있는 대로 고른 것은?

보기

ㄱ. $a=2f$이다.

ㄴ. $x=4f$이다.

ㄷ. (나)에서 상의 크기는 물체의 크기보다 크다.

① ㄱ ② ㄴ ③ ㄱ, ㄷ ④ ㄴ, ㄷ ⑤ ㄱ, ㄴ, ㄷ

07

▸24070-0200

그림 (가)는 물체 A와 볼록 렌즈 중심을 각각 x축상의 $x=-2.5f$, $x=0$인 지점에 고정시킨 모습을 나타낸 것이고, (나)는 (가)에서 A를 $x=0$과 $x=f$ 사이로 옮겨 고정시킨 것을 나타낸 것이다. 볼록 렌즈의 초점 거리는 f이고 (가)와 (나)에서 A의 상이 생기는 위치는 x축상의 점 p로 같다. 광축은 x축이다.

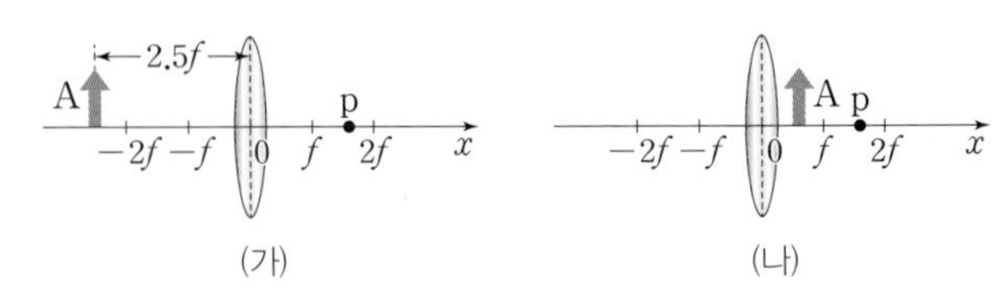

(나)에서 렌즈 중심으로부터 A와 p까지의 거리를 각각 d_A, d_p라 할 때, $\frac{d_p}{d_A}$는?

① $\frac{5}{4}$ ② $\frac{4}{3}$ ③ $\frac{3}{2}$ ④ $\frac{5}{3}$ ⑤ $\frac{8}{3}$

08

▸24070-0201

그림 (가)는 초점 거리가 f인 볼록 렌즈의 중심으로부터 $4f$만큼 떨어진 지점에 물체를 놓은 것을, (나)는 (가)에서 물체를 렌즈 중심으로부터 거리 a_1만큼 떨어진 지점에 놓은 것을 나타낸 것이다. (가)와 (나)에서는 모두 실상이 생기고, 상의 크기는 (나)에서가 (가)에서의 3배이다.

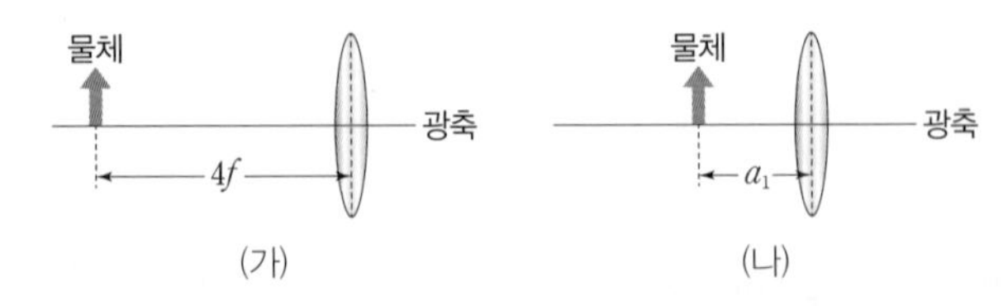

이에 대한 설명으로 옳은 것만을 〈보기〉에서 있는 대로 고른 것은?

보기

ㄱ. (나)에서 상은 정립상이다.

ㄴ. (가)에서 상과 렌즈 중심 사이의 거리는 $\frac{4}{3}f$이다.

ㄷ. $a_1=2f$이다.

① ㄱ ② ㄷ ③ ㄱ, ㄴ ④ ㄴ, ㄷ ⑤ ㄱ, ㄴ, ㄷ

01

▸24070-0202

그림 (가), (나)와 같이 레이저 광원 A에서 나온 빛이 초점을 지나고 레이저 광원 B에서 나온 빛은 광축과 나란하게 진행하여 볼록 렌즈 P, Q에 각각 도달한다. (가)와 (나)에서 광축과 A에서 나온 빛의 진행 방향이 이루는 각은 각각 30°, 60°이다. 초점 거리는 P가 Q의 2배이다.

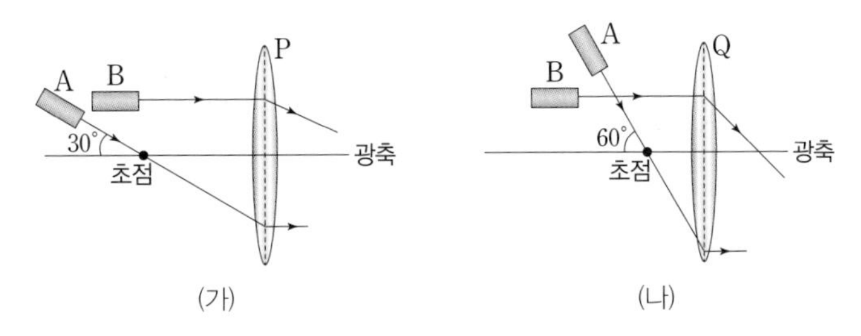

(가)와 (나)에서 A와 B에서 나온 빛이 렌즈를 지나 만나는 지점과 광축 사이의 거리를 각각 $h_{(가)}$, $h_{(나)}$라 할 때, $\frac{h_{(나)}}{h_{(가)}}$는?
(단, 레이저에서 나온 빛들은 동일한 평면상에서 진행한다.)

① 1 ② $\frac{3}{2}$ ③ 2 ④ $\frac{5}{2}$ ⑤ 3

02

▸24070-0203

그림은 크기가 h_0인 물체와 초점 거리가 f인 볼록 렌즈를 광축에 놓은 것을 나타낸 것이다. 표는 볼록 렌즈 중심과 물체 사이의 거리 a에 따른 상의 크기를 나타낸 것이다.

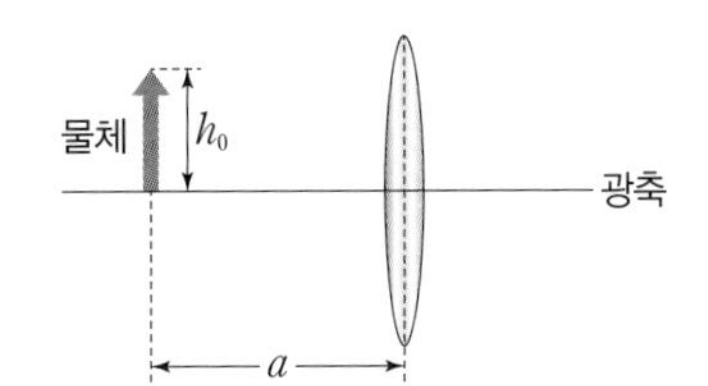

a	상의 크기
$\frac{1}{2}f$	㉠
$2f$	h

이에 대한 설명으로 옳은 것만을 〈보기〉에서 있는 대로 고른 것은?

보기
ㄱ. $a=3f$일 때 생기는 상은 도립상이다.
ㄴ. $h=\frac{1}{2}h_0$이다.
ㄷ. ㉠$=\frac{3}{2}h_0$이다.

① ㄱ ② ㄷ ③ ㄱ, ㄴ ④ ㄴ, ㄷ ⑤ ㄱ, ㄴ, ㄷ

03

▸24070-0204

그림은 광학대 위에 광원, 물체, 스크린을 고정시키고 물체와 스크린 사이에 볼록 렌즈를 놓은 것을 나타낸 것이다. 물체와 스크린 사이의 거리는 L이고 물체의 크기는 h이다. 볼록 렌즈를 이동시켜 물체와 볼록 렌즈 사이의 거리 x가 a_1일 때 스크린에 상의 배율이 2인 선명한 상이 생겼고, a_2일 때 상의 배율이 $\frac{1}{2}$인 선명한 상이 생겼다. $a_1 < a_2$이다.

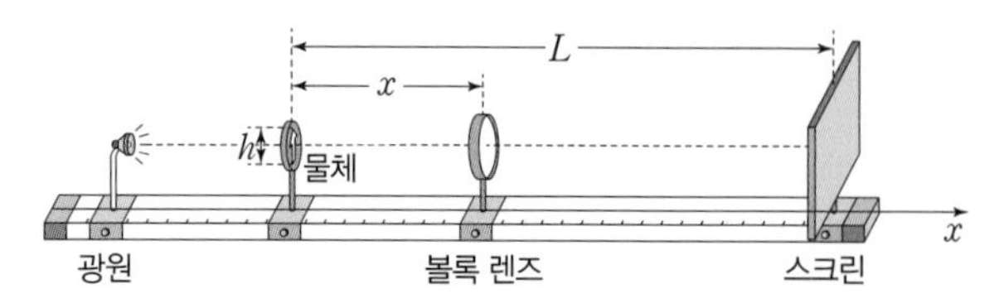

이에 대한 설명으로 옳은 것만을 〈보기〉에서 있는 대로 고른 것은?

보기

ㄱ. $a_2 = \frac{3}{5}L$이다.

ㄴ. 렌즈의 초점 거리는 $\frac{2}{3}a_1$이다.

ㄷ. $x = \frac{1}{3}a_2$일 때 렌즈와 스크린 사이에 선명한 상이 생기는 지점이 있다.

① ㄱ　② ㄴ　③ ㄱ, ㄷ　④ ㄴ, ㄷ　⑤ ㄱ, ㄴ, ㄷ

04

▸24070-0205

그림 (가)와 (나)는 초점 거리가 f인 볼록 렌즈와 물체를 광축 위에 고정시킨 것을 나타낸 것이다. (가)와 (나)에서 물체와 렌즈 중심 사이의 거리는 각각 $\frac{2}{3}f$, $\frac{1}{3}f$이다.

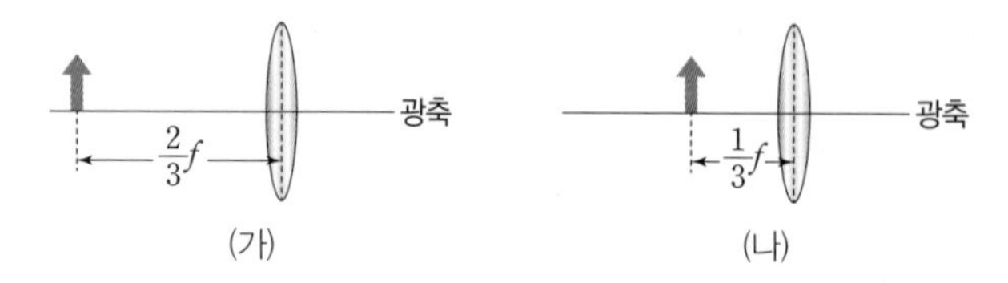

(가)와 (나)에서 상의 배율을 각각 $m_{(가)}$, $m_{(나)}$라 할 때, $\frac{m_{(가)}}{m_{(나)}}$는?

① 1　② $\frac{3}{2}$　③ 2　④ 3　⑤ $\frac{9}{2}$

테마

14 빛과 물질의 이중성

1 광전 효과

(1) **광전 효과**: 금속 표면에 비추는 빛에 의해 전자가 방출되는 현상을 광전 효과라고 하며, 이때 방출되는 전자를 광전자라고 한다.

(2) **광전 효과 실험**

① 광전관의 금속판에 전원의 (−)극을 연결하여 순방향 전압을 걸어 주면 광전자는 (+)극 쪽으로 전기력을 받고, 금속판에 전원의 (+)극을 연결하여 역방향 전압을 걸어 주면 광전자는 (+)극이 연결된 금속판 쪽으로 전기력을 받는다.

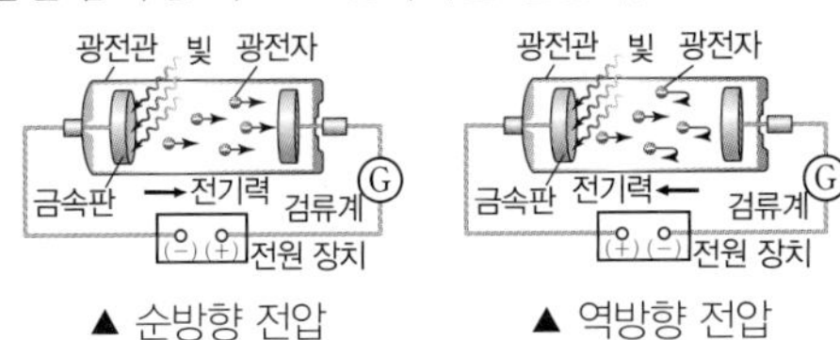

▲ 순방향 전압 ▲ 역방향 전압

② 광전류와 광전자

• 광전관의 금속판에 빛을 비추면 금속판에서 광전자가 튀어나와 회로에 전류가 흐르게 된다. 이 전류를 광전류라 하고, 빛에 의해 금속판에서 튀어나온 전자를 광전자라고 한다.

• 순방향 전압을 걸어 주고 금속판에 특정 진동수보다 큰 진동수의 빛을 비추면 광전자가 튀어나와 회로에 전류가 흐른다. 이때 전압을 증가시켜도 전류의 세기는 거의 변하지 않는다. 하지만 역방향 전압을 걸어 주고 전압을 증가시키면 반대편 금속판에 도달하는 광전자의 수는 줄어들게 되어 광전류의 세기는 감소한다.

③ 광전자의 최대 운동 에너지(E_k)와 정지 전압(V_s): 광전관에 역방향 전압을 걸어 주어 광전자가 반대편 금속판에 도달하지 못해 광전류가 0이 되는 순간의 전압을 정지 전압(V_s)이라고 하며, 정지 전압은 광전자의 최대 운동 에너지(E_k)에 비례한다.

$$E_k = eV_s \ (e\text{: 기본 전하량})$$

(3) **광전 효과 실험 결과**

① 광전자는 특정한 진동수보다 큰 진동수의 빛을 비출 때 방출된다. 이 특정한 진동수를 문턱 진동수라고 하며, 문턱 진동수는 금속의 종류에 따라 다르다.

② 문턱 진동수보다 작은 진동수의 빛은 아무리 센 빛을 비춰도 광전류가 흐르지 않는다. 하지만 문턱 진동수보다 큰 진동수의 빛을 비추는 즉시 광전자가 방출되고, 빛의 세기가 증가할수록 광전류의 세기는 증가한다[그림 (가), V_s: 정지 전압].

③ 금속 표면에서 방출된 광전자의 최대 운동 에너지(E_k)에 비례하는 정지 전압은 비춰진 빛의 세기에는 관계없고 비춰진 빛의 진동수에 따라 변한다[그림 (나), V_1, V_2: 정지 전압].

④ 비춰진 빛의 진동수와 광전자의 최대 운동 에너지(E_k)의 관계 그래프의 기울기는 플랑크 상수를 의미하며, 금속의 종류에 관계없이 일정하다[그림 (다)].

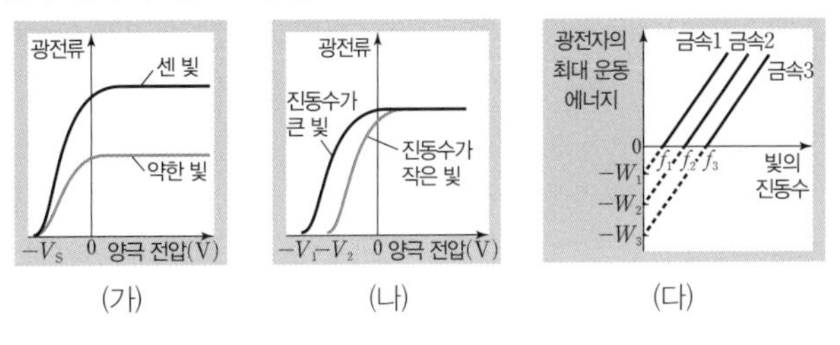

(가) (나) (다)

(4) **광양자설에 의한 광전 효과 해석**

① 문턱 진동수와 일함수: 진동수가 f인 빛을 금속 표면에 비추면 hf의 에너지를 가진 광자가 금속 표면의 전자와 충돌하여 광자의 에너지 전부를 전자에 주어 금속 표면의 전자를 외부로 떼어 낸다. 이때 금속 표면의 전자를 외부로 떼어내는 데 필요한 최소한의 에너지를 일함수(W)라 하고, 일함수와 같은 에너지를 가진 광자의 진동수를 문턱 진동수(f_0)라고 한다.

② 광전자의 최대 운동 에너지와 빛의 진동수: 문턱 진동수가 f_0인 금속 표면에 진동수가 f인 빛을 비추면 방출되는 광전자의 최대 운동 에너지(E_k)는 다음과 같다.

$$E_k = hf - W = h(f - f_0) = h\left(\frac{c}{\lambda} - \frac{c}{\lambda_0}\right)$$

2 아인슈타인의 광양자설

(1) **광양자설**: 1905년 아인슈타인은 플랑크가 제안한 양자설을 이용하여 '빛은 연속적인 파동 에너지의 흐름이 아니라 광자(광양자)라고 부르는 불연속적인 에너지를 가진 입자의 흐름이다.'라는 광양자설로 광전 효과를 설명하였다.

(2) **광자의 에너지**: 광양자설에 의하면 진동수가 f인 광자 1개의 에너지 E는 다음과 같다.

$$E = hf = \frac{hc}{\lambda}$$

(플랑크 상수 $h = 6.63 \times 10^{-34}$ J·s, 빛의 속력 $c \fallingdotseq 3 \times 10^8$ m/s)

더 알기 빛의 파동 이론으로 설명할 수 없는 빛의 입자성

파동 이론에 의하면 빛의 진동수가 아무리 작아도 빛의 세기를 증가시키거나 오래 비추면 금속 내 전자는 충분한 에너지를 얻기 때문에 금속 표면으로부터 전자가 방출되어야 한다. 하지만 문턱 진동수보다 작은 진동수의 빛을 아무리 세게, 오래 비추어도 금속에서 광전자는 방출되지 않는다. 파동 이론에 의하면 광전자의 최대 운동 에너지는 빛의 세기와 관계가 있어야 한다. 하지만 광전자의 최대 운동 에너지는 빛의 진동수에만 관계가 있다.

3 물질파

(1) 드브로이 물질파

① 1924년 드브로이는 파장 λ인 광자의 운동량이 $p=\frac{h}{\lambda}$인 것처럼, 속력 v로 움직이는 질량 m인 입자의 파장은 $\lambda=\frac{h}{p}=\frac{h}{mv}$를 만족한다고 제안하였다.

② 물질인 입자가 파동성을 가질 때 이 파동을 물질파 또는 드브로이파라 하고, 이때 파장을 드브로이 파장이라고 한다.

(2) 물질파의 확인

① 데이비슨·거머 실험: 데이비슨과 거머는 니켈 결정에 전자를 입사시킨 후 입사한 전자선과 튀어나온 전자가 이루는 각에 따른 회절된 전자수의 분포를 알아보기 위해 검출기와 입사한 전자선 사이의 각 ϕ를 변화시키면서 각에 따라 검출되는 전자의 수를 측정하였다.

• 실험 결과의 해석: 실험 결과 전자선 회절 실험으로부터 구한 전자의 파장과 드브로이 물질파 이론을 적용하여 구한 전자의 파장이 일치한다는 사실로 드브로이의 물질파 이론이 입증되었다.

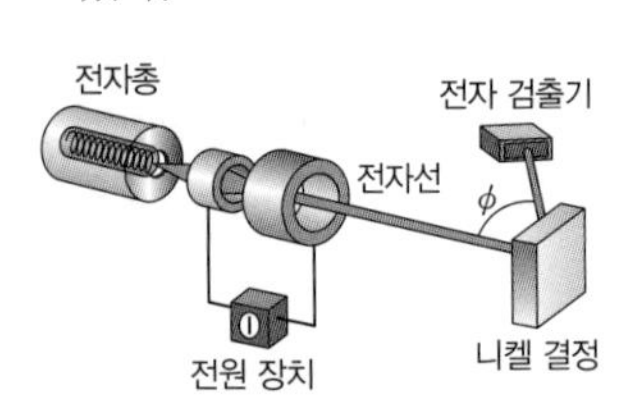

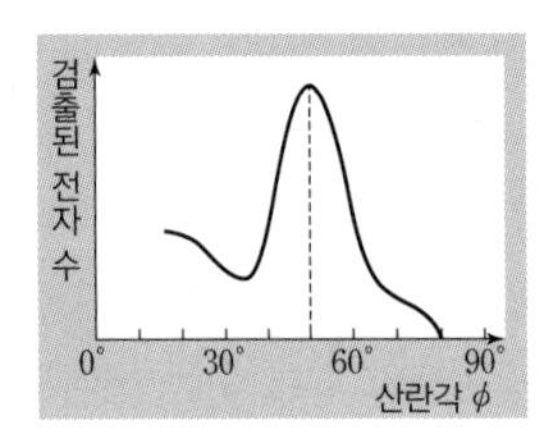

② 톰슨의 전자 회절 실험: 톰슨은 X선과 동일한 드브로이 파장을 갖는 전자선을 얇은 금속박에 입사시킬 때 X선에 의한 회절 무늬와 전자선의 회절 무늬가 같다는 것을 보여주어 전자의 물질파 이론을 입증하였다.

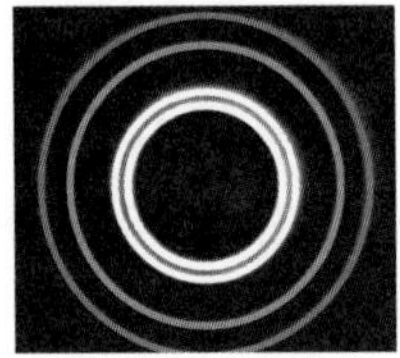
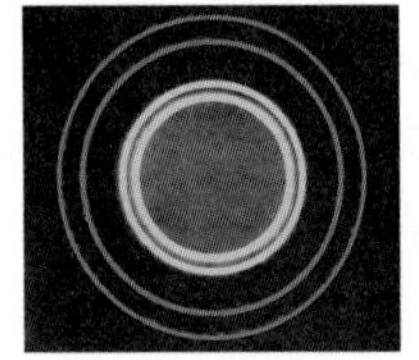

▲ X선의 회절 무늬　▲ 전자선의 회절 무늬

4 보어의 수소 원자 모형과 물질파

(1) 보어의 수소 원자 모형

보어의 수소 원자 모형: 러더퍼드 원자 모형에서 원자의 안정성 문제, 선 스펙트럼 문제 등의 한계점을 해결하기 위해 보어는 두 가지 가설을 적용하여 새로운 원자 모형을 제시하였다.

① 제1가설(양자 조건): 전자의 질량이 m, 전자의 속력이 v, 전자가 회전하는 원 궤도의 반지름이 r이면 양자 조건은 다음과 같다.

$$2\pi rmv=nh$$
(양자수 $n=1, 2, 3, \cdots$, 플랑크 상수 $h=6.63\times10^{-34}$ J·s)

② 제2가설(진동수 조건): 전자가 양자 조건을 만족하는 원 궤도 사이에서 전이할 때는 두 궤도의 에너지 차에 해당하는 에너지를 갖는 전자기파를 방출하거나 흡수한다.

$$E_n-E_m=hf \text{ (양자수 } n, m=1, 2, 3, \cdots)$$

(2) 보어의 수소 원자 모형과 드브로이 물질파 이론

① 보어의 제1가설을 드브로이 파장으로 표현하면 다음과 같이 나타낼 수 있다.

$$2\pi r=n\left(\frac{h}{mv}\right)=n\lambda \ (n=1, 2, 3, \cdots)$$

② 전자가 궤도 운동하는 원의 둘레가 드브로이 파장의 정수배가 되어 정상파를 이룰 때만 안정한 궤도를 이룬다.

③ 전자의 물질파가 원 궤도에서 정상파를 이룰 때만 전자가 에너지를 방출하지 않고 정상 상태를 유지하게 된다.

④ 전자의 원 궤도 둘레가 전자의 물질파 파장의 정수배와 일치하지 않는 경우에는 전자가 정상 상태를 유지하지 못하므로 전자의 궤도는 존재할 수 없다.

⑤ 보어는 양자 가설을 수소 원자에 적용하여 양자수 n인 전자 궤도의 반지름을 이론적으로 유도하여 다음과 같은 관계를 얻었다.

$$r_n=a_0n^2 \ (a_0\text{: 보어 반지름})$$

더 알기 보어 원자 모형과 드브로이 물질파 이론

① 전자의 원 궤도 둘레가 전자의 물질파 파장의 정수배와 일치하는 경우: (가), (나)
➡ 정상 상태 유지

② 전자의 원 궤도 둘레가 전자의 물질파 파장의 정수배와 일치하지 않는 경우: (다)
➡ 전자의 궤도는 존재할 수 없다.

③ 전자의 궤도 반지름은 (가)에서가 (나)에서보다 작다.

④ 전자의 드브로이 파장은 (가)에서가 (나)에서보다 짧다.

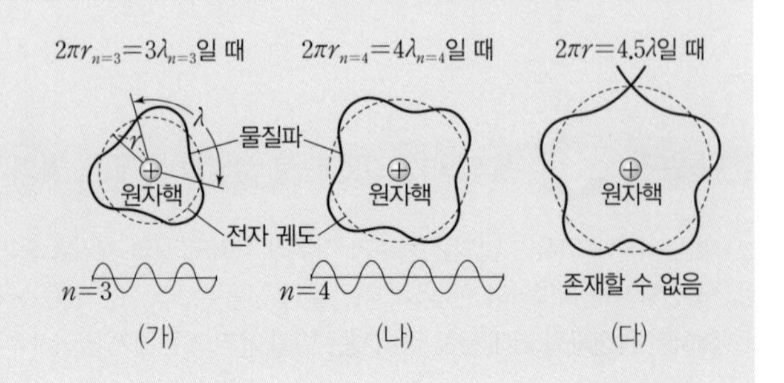

테마 대표 문제

| 2024학년도 수능 |

그림은 금속판 P, Q에 진동수가 f, $2f$인 단색광을 각각 비추어 정지 전압을 측정하는 광전 효과 실험 장치를 나타낸 것이다. 표는 방출된 광전자의 최대 운동 에너지에 해당하는 정지 전압과 물질파 파장의 최솟값을 나타낸 것이다.

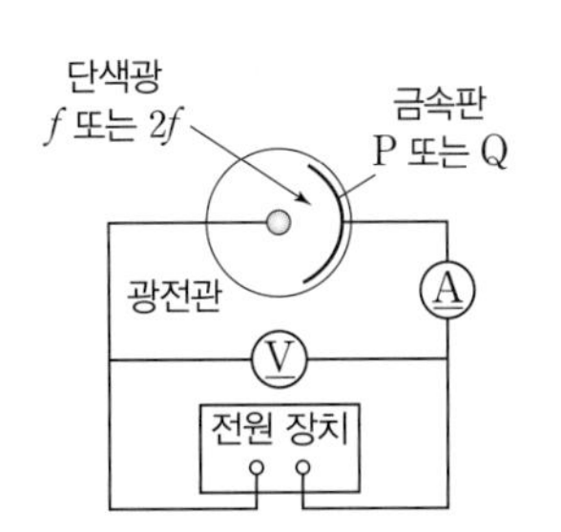

금속판	단색광의 진동수	정지 전압	물질파 파장의 최솟값
P	f	$0.5V_0$	λ_1
P	$2f$	$2V_0$	λ_2
Q	$2f$	V_0	λ_3

이에 대한 설명으로 옳은 것만을 〈보기〉에서 있는 대로 고른 것은? (단, h는 플랑크 상수이다.)

보기

ㄱ. $\lambda_1=\sqrt{2}\lambda_3$이다.

ㄴ. Q의 일함수는 $\frac{4}{3}hf$이다.

ㄷ. P에 진동수가 f인 단색광을 비추었을 때 방출되는 광전자의 최대 운동 에너지는 $\frac{2}{3}hf$이다.

① ㄱ ② ㄷ ③ ㄱ, ㄴ ④ ㄴ, ㄷ ⑤ ㄱ, ㄴ, ㄷ

접근 전략

광전자의 최대 운동 에너지는 정지 전압에 비례하고 광전자의 물질파 파장의 최솟값의 제곱에 반비례한다. 또 광전자의 최대 운동 에너지는 광자의 에너지에서 일함수를 뺀 값과 같다.

간략 풀이

㉠ 광전자의 최대 운동 에너지는 정지 전압에 비례하고 광전자의 물질파 파장의 최솟값의 제곱에 반비례하므로 $\lambda_1=\sqrt{2}\lambda_3$이다.

㉡ P, Q의 일함수를 각각 W_P, W_Q라 하면 $2hf-W_P=4(hf-W_P)$ … ㉠, $2hf-W_P=2(2hf-W_Q)$ … ㉡이다. ㉠, ㉡을 연립하면 $W_P=\frac{2}{3}hf$, $W_Q=\frac{4}{3}hf$이다.

ㄷ(✕). 단색광의 진동수가 f일 때 방출되는 광전자의 최대 운동 에너지는 $hf-W_P=hf-\frac{2}{3}hf=\frac{1}{3}hf$이다.

정답 | ③

닮은 꼴 문제로 유형 익히기

정답과 해설 41쪽

▸24070-0206

그림은 금속판 P, Q에 진공에서 파장이 λ, 2λ인 단색광을 각각 비추어 정지 전압을 측정하는 광전 효과 실험 장치를 나타낸 것이다. 표는 방출된 광전자의 최대 운동 에너지에 해당하는 정지 전압과 물질파 파장의 최솟값을 나타낸 것이다.

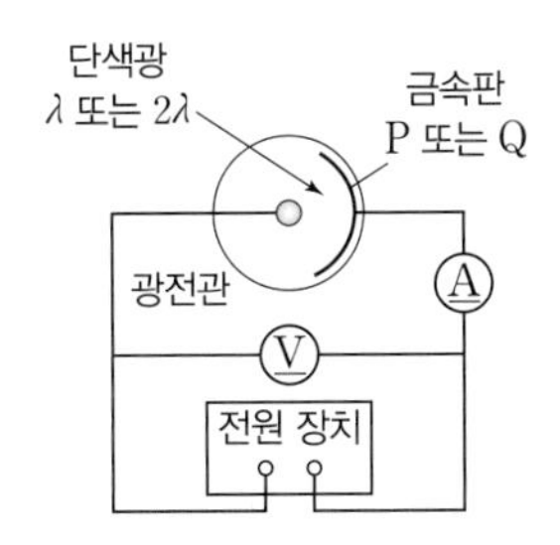

금속판	단색광의 파장	정지 전압	물질파 파장의 최솟값
P	λ	$0.5V_0$	λ_1
Q	λ	$2V_0$	
Q	2λ	$0.5V_0$	λ_3

이에 대한 설명으로 옳은 것만을 〈보기〉에서 있는 대로 고른 것은?

보기

ㄱ. $\lambda_1=2\lambda_3$이다.

ㄴ. 금속판의 일함수는 P가 Q의 2.5배이다.

ㄷ. P에 파장이 2λ인 단색광을 비추었을 때 P에서 광전자가 방출되지 않는다.

① ㄱ ② ㄴ ③ ㄱ, ㄷ ④ ㄴ, ㄷ ⑤ ㄱ, ㄴ, ㄷ

유사점과 차이점

정지 전압은 광자의 에너지와 일함수의 차에 비례한다는 점에서 대표 문제와 유사하지만 대표 문제는 단색광의 진동수가 주어지고 Q의 일함수 값을 묻지만 닮은 꼴 문제는 단색광의 파장을 제시하여 일함수의 대소 관계와 광전 효과의 발생 유무를 묻는 것이 다르다.

배경 지식

- 광전 효과에서 방출되는 광전자의 최대 운동 에너지는 정지 전압에 비례하고 물질파 파장의 최솟값의 제곱에 반비례한다.
- 정지 전압이 같은 경우 광자의 에너지와 일함수의 차도 같다.

01

▸24070-0207

다음은 광전 효과에 대한 설명이다.

- 광전관에 역방향 전압을 걸고 역방향 전압을 서서히 증가시킬 때 광전자가 반대편 금속판에 도달하지 못해 광전류가 0이 되는 순간의 전압을 ㉠ 이라고 한다.

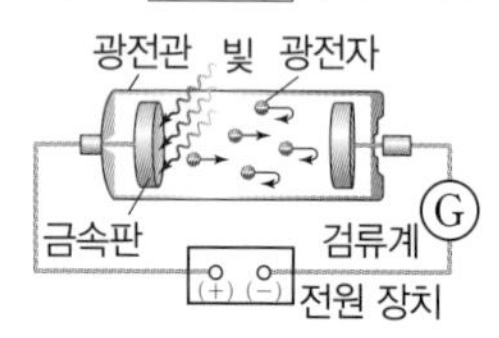

- ㉠ 은 광전자의 최대 운동 에너지에 ㉡ 한다.

㉠과 ㉡에 들어갈 용어로 가장 적절한 것은?

	㉠	㉡
①	바이어스 전압	비례
②	바이어스 전압	반비례
③	정지 전압	비례
④	정지 전압	반비례
⑤	순방향 전압	비례

02

▸24070-0208

표는 금속판 A의 표면에 진동수가 $2f$, $5f$인 단색광을 각각 비추었을 때 방출되는 광전자의 드브로이 파장의 최솟값을 나타낸 것이다.

단색광의 진동수	드브로이 파장의 최솟값
$2f$	λ
$5f$	$\frac{\lambda}{\sqrt{3}}$

A의 일함수는? (단, h는 플랑크 상수이다.)

① $\frac{1}{3}hf$ ② $\frac{1}{2}hf$ ③ hf ④ $\frac{4}{3}hf$ ⑤ $\frac{3}{2}hf$

03

▸24070-0209

그림은 광전관의 금속판에 단색광 A 또는 B를 비추는 것을 나타낸 것이고, 표는 단색광의 세기와 정지 전압을 나타낸 것이다. 진공에서 파장은 B가 A의 2배이다.

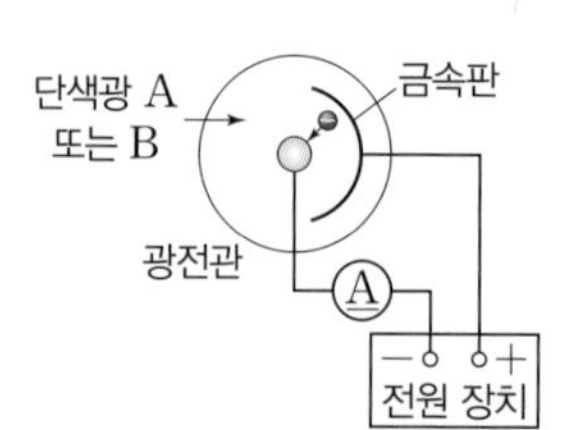

단색광	단색광의 세기	정지 전압
A	I	V_A
	$2I$	㉠
B	I	V_B

이에 대한 설명으로 옳은 것만을 〈보기〉에서 있는 대로 고른 것은? (단, h는 플랑크 상수, c는 진공에서 빛의 속력, e는 전자의 전하량의 크기이다.)

보기

ㄱ. 광자 한 개의 에너지는 B가 A보다 크다.

ㄴ. ㉠은 V_A보다 크다.

ㄷ. A의 파장은 $\frac{hc}{2e(V_A - V_B)}$이다.

① ㄱ ② ㄷ ③ ㄱ, ㄴ ④ ㄴ, ㄷ ⑤ ㄱ, ㄴ, ㄷ

04

▸24070-0210

그림 (가)는 광전관의 금속판에 빛을 비출 때 광전자가 방출되는 것을 나타낸 것이다. 그림 (나)는 (가)에서 광전자의 최대 운동 에너지를 금속판에 비추는 빛의 진동수에 따라 나타낸 것이다.

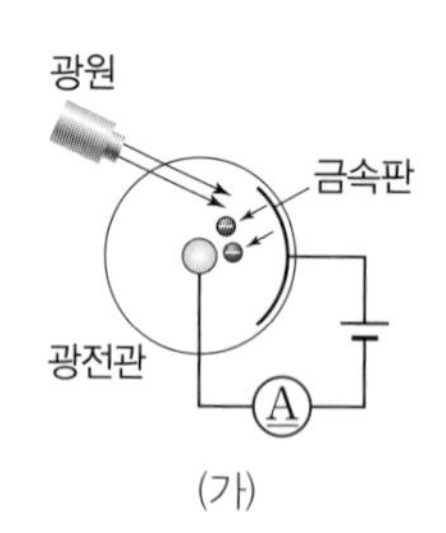

(가)

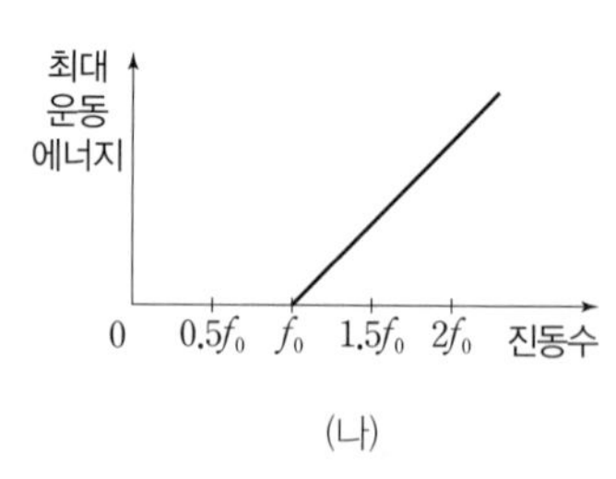

(나)

이에 대한 설명으로 옳은 것만을 〈보기〉에서 있는 대로 고른 것은? (단, h는 플랑크 상수이다.)

보기

ㄱ. 금속판의 일함수는 hf_0이다.

ㄴ. 진동수가 $0.5f_0$인 빛을 금속판에 비추면 금속판에서 광전자가 방출된다.

ㄷ. 방출되는 광전자의 최대 운동 에너지는 진동수가 $2f_0$인 빛을 비출 때가 진동수가 $1.5f_0$인 빛을 비출 때의 2배이다.

① ㄱ ② ㄴ ③ ㄱ, ㄷ ④ ㄴ, ㄷ ⑤ ㄱ, ㄴ, ㄷ

05

▸24070-0211

그림은 등속도 운동을 하던 입자 A가 정지해 있던 입자 B와 충돌한 후 A는 처음 운동 방향과 반대 방향으로 등속도 운동을 하는 것을 나타낸 것이다. A, B의 질량은 각각 m, $2m$이다. 표는 충돌 전과 후 A, B의 물리량을 나타낸 것이다.

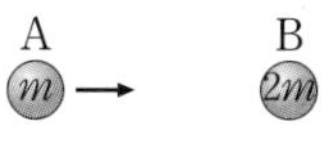

충돌 전

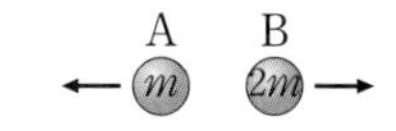

충돌 후

구분	충돌 전		충돌 후	
	A	B	A	B
운동량 크기	$3p$	0	p	$4p$
물질파 파장	$\frac{\lambda}{3}$		λ	㉠
운동 에너지			㉡	㉢

이에 대한 설명으로 옳은 것만을 <보기>에서 있는 대로 고른 것은?

보기
ㄱ. ㉠은 $\frac{\lambda}{4}$이다.
ㄴ. 충돌 후의 A와 B의 속력은 같다.
ㄷ. $\frac{㉡}{㉢}$은 4이다.

① ㄱ ② ㄴ ③ ㄱ, ㄷ ④ ㄴ, ㄷ ⑤ ㄱ, ㄴ, ㄷ

06

▸24070-0212

그림 (가)는 전자선 발생 장치에서 발생한 전자를 일정한 전압을 걸어 가속시킨 후 매우 얇은 금속박에 투과시킨 모습을 나타낸 것이다. 그림 (나)는 (가)에서 사진 건판에 나타난 동심원 모양의 무늬를 나타낸 것이다. Δx는 특정 무늬의 폭이다.

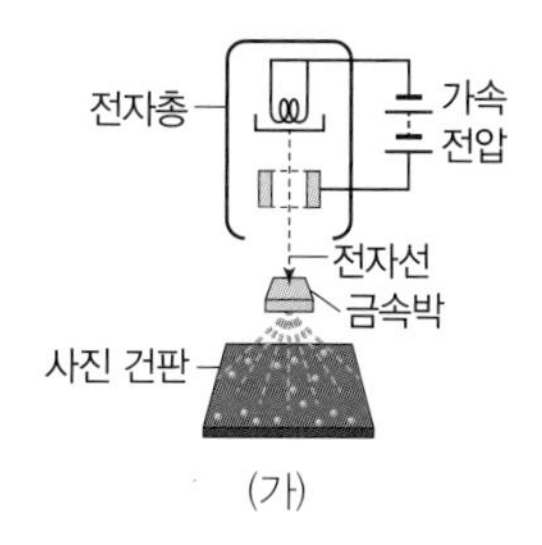

(가)

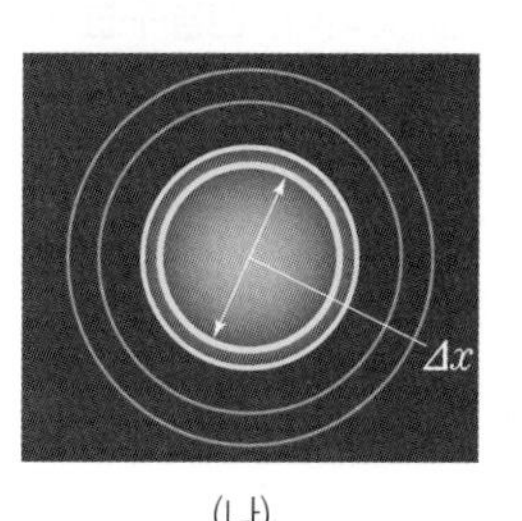

(나)

이에 대한 설명으로 옳은 것만을 <보기>에서 있는 대로 고른 것은?

보기
ㄱ. (가)에서 가속 전압이 클수록 전자총에서 방출되는 순간 전자의 물질파 파장이 길어진다.
ㄴ. (가)에서 전자선이 금속박을 통과할 때 회절 현상이 발생한다.
ㄷ. (가)에서 금속에 도달하는 전자의 운동 에너지가 클수록 Δx는 작아진다.

① ㄱ ② ㄴ ③ ㄱ, ㄷ ④ ㄴ, ㄷ ⑤ ㄱ, ㄴ, ㄷ

07

▸24070-0213

다음은 보어의 수소 원자 모형에 대한 설명이다.

보어는 러더퍼드의 원자 모형에서 원자의 안정성 문제, 선 스펙트럼 문제 등의 한계점을 해결하기 위해 두 가지 가설을 적용하여 ㉠새로운 원자 모형을 제시하였다.
- 제1가설(양자 조건): 원자 속의 전자는 특정한 조건을 만족하는 원 궤도를 회전할 때 전자기파를 방출하지 않고 일정한 궤도 운동을 계속한다. 전자의 질량이 m, 전자의 속력이 v, 전자가 회전하는 원 궤도의 반지름이 r이면 양자 조건은 $2\pi rmv=nh$ (양자수 $n=1, 2, 3, \cdots$)이다.
- 제2가설(진동수 조건): 전자가 양자 조건을 만족하는 원 궤도 사이에서 전이할 때는 두 궤도의 에너지 차에 해당하는 에너지를 갖는 전자기파를 방출하거나 흡수한다.

이 모형에 대해 옳게 말한 학생만을 <보기>에서 있는 대로 고른 것은?

보기
학생 A: 수소 원자의 에너지 준위는 불연속적이야.
학생 B: ㉠에서 양자수에 따른 전자의 궤도 반지름을 정확하게 말할 수 없어.
학생 C: 전자가 n이 커지는 방향으로 전이하면 전자기파를 방출해.

① A ② C ③ A, B ④ B, C ⑤ A, B, C

08

▸24070-0214

그림 (가)는 전자가 양자수가 n인 원 궤도를 따라 원자핵 주위를 회전하고 있는 보어의 수소 원자 모형을 나타낸 것이다. 그림 (나)는 (가)에서 전자의 원운동 궤도와 물질파가 만든 정상파를 모식적으로 나타낸 것이다. 실선과 점선은 각각 원운동 궤도와 정상파를 나타낸 것이다.

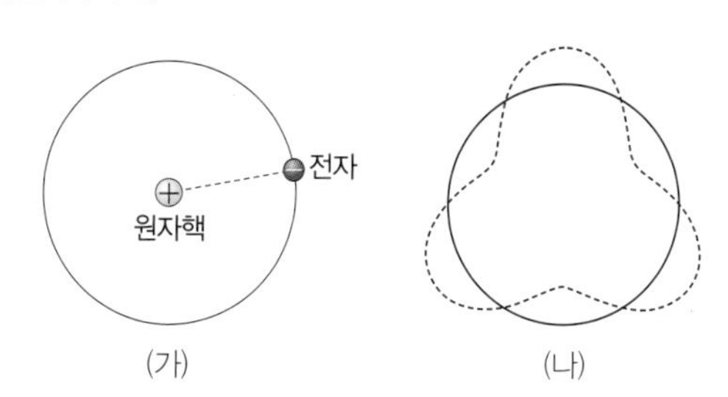

(가) (나)

이에 대한 설명으로 옳은 것만을 <보기>에서 있는 대로 고른 것은?

보기
ㄱ. (가)에서 n이 커질수록 원자핵과 전자 사이의 전기력의 크기는 작아진다.
ㄴ. (나)에서 점선은 $n=6$일 때 정상파를 나타낸 것이다.
ㄷ. n이 커지면 전자의 물질파 파장은 길어진다.

① ㄱ ② ㄴ ③ ㄱ, ㄷ ④ ㄴ, ㄷ ⑤ ㄱ, ㄴ, ㄷ

01

▸24070-0215

그림은 금속판에 단색광을 비추었을 때 광전자가 방출되는 것을 나타낸 것이다. 금속판의 문턱 진동수는 f_0이다. 표는 금속판에 비추는 단색광의 진동수와 세기를 나타낸 것이다.

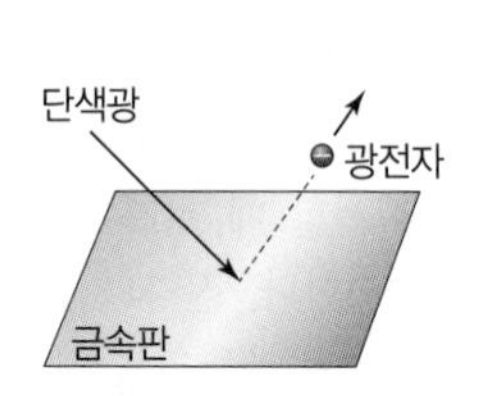

실험	단색광의 진동수	단색광의 세기
Ⅰ	$0.5f_0$	$2I_0$
Ⅱ	$1.5f_0$	I_0
Ⅲ	$1.5f_0$	$2I_0$
Ⅳ	$2f_0$	I_0

이에 대한 설명으로 옳은 것만을 〈보기〉에서 있는 대로 고른 것은?

보기

ㄱ. Ⅰ의 경우 금속판에서 광전자가 방출된다.

ㄴ. 단위 시간당 방출되는 광전자의 수는 Ⅲ에서가 Ⅱ에서보다 크다.

ㄷ. Ⅳ에서 광전자의 최대 운동 에너지는 금속판의 일함수와 같다.

① ㄱ ② ㄷ ③ ㄱ, ㄴ ④ ㄴ, ㄷ ⑤ ㄱ, ㄴ, ㄷ

02

▸24070-0216

그림은 광전관의 금속판에 단색광 A 또는 B를 비추는 것을 나타낸 것이고, 표는 A 또는 B를 광전관의 금속판에 비추었을 때 방출되는 광전자의 최대 운동 에너지, 드브로이 파장의 최솟값을 나타낸 것이다. 진동수는 B가 A의 2배이고, 금속판의 일함수는 W이다.

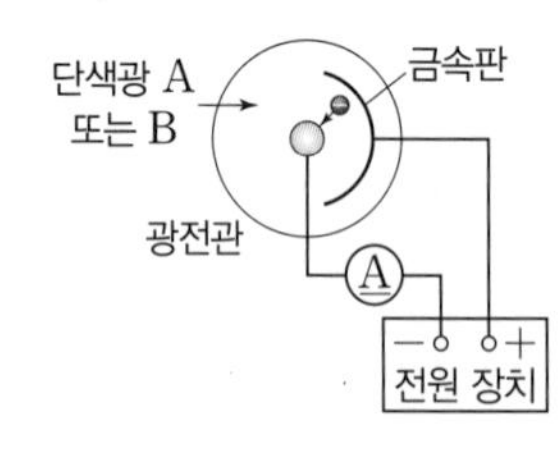

단색광	최대 운동 에너지	드브로이 파장의 최솟값
A	E_0	2λ
B	㉠	λ

㉠과 W로 옳은 것은?

	㉠	W
①	$\frac{4}{3}E_0$	E_0
②	$2E_0$	E_0
③	$2E_0$	$2E_0$
④	$4E_0$	E_0
⑤	$4E_0$	$2E_0$

03

▸24070-0217

그림 (가)는 광전 효과 실험 장치를 나타낸 것이고, (나)는 (가)에서 금속판에 단색광 A, B, C를 각각 비추었을 때 광전류를 전원 장치의 전압에 따라 나타낸 것이다. A와 B의 진동수는 각각 $3f_0$, $5f_0$이다. A, B, C를 각각 비추었을 때 정지 전압은 V_0, $2V_0$, $2V_0$이다.

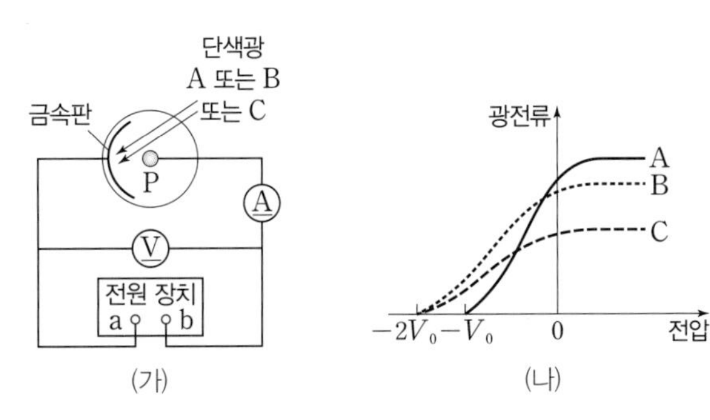

이에 대한 설명으로 옳은 것만을 <보기>에서 있는 대로 고른 것은? (단, 플랑크 상수는 h이다.)

보기

ㄱ. (가)에서 a가 (+)극, b가 (−)극이면, 광전자가 금속판에서 P로 이동하는 동안 광전자의 물질파 파장은 길어진다.
ㄴ. 금속판에서 방출되는 광전자의 최대 운동 에너지는 C를 비출 때가 A를 비출 때의 2배이다.
ㄷ. 금속판의 일함수는 hf_0이다.

① ㄱ ② ㄴ ③ ㄱ, ㄷ ④ ㄴ, ㄷ ⑤ ㄱ, ㄴ, ㄷ

04

▸24070-0218

그림 (가), (나)는 동일한 금속판에 단색광 A 또는 B를 비추었더니 최대 운동 에너지를 가지고 방출된 광전자가 일정한 속력으로 운동하여 원점 O에 $+x$방향으로 입사한 순간의 모습을 나타낸 것이다. 진동수는 B가 A의 3배이고, 금속판에서 방출된 직후 광전자의 최대 운동 에너지는 (나)에서가 (가)에서의 5배이다. $x=0$에서 $x=L$까지 y축과 나란하고 세기는 E인 균일한 전기장 영역이 형성되어 있다. (가)에서 O에 입사한 광전자가 전기장 영역을 지나는 동안 y축 방향으로 이동한 거리는 L이다.

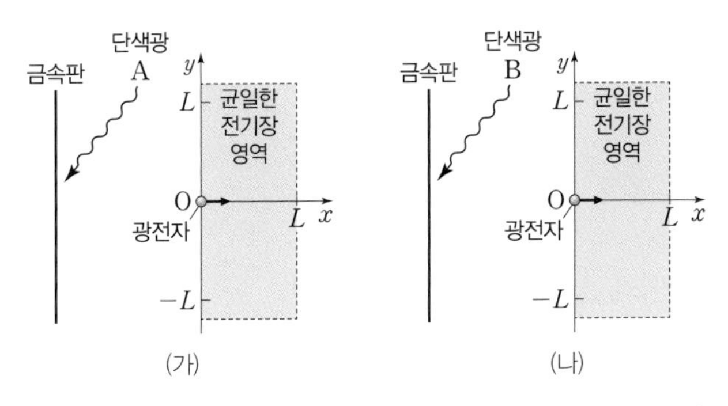

(나)에서 O에 입사한 광전자가 전기장 영역에서 나오는 순간, 광전자의 물질파 파장은? (단, 광전자의 질량은 m, 기본 전하량의 크기는 e, 플랑크 상수는 h이다.)

① $\sqrt{\frac{5}{29meEL}}h$ ② $\sqrt{\frac{10}{29meEL}}h$ ③ $\sqrt{\frac{15}{29meEL}}h$

④ $2\sqrt{\frac{5}{29meEL}}h$ ⑤ $\frac{5h}{\sqrt{29meEL}}$

05

▸24070-0219

그림 (가)와 (나)는 단색광 A를 금속판 P에, 단색광 B를 금속판 Q에 각각 비추는 것을 나타낸 것이다. P와 Q의 문턱 진동수는 각각 f_0, $2f_0$이다. 표는 A와 B의 진동수, 금속에서 방출되는 광전자의 최대 운동 에너지를 나타낸 것이다.

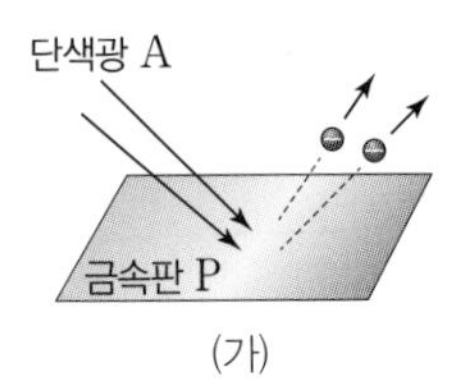

(가)

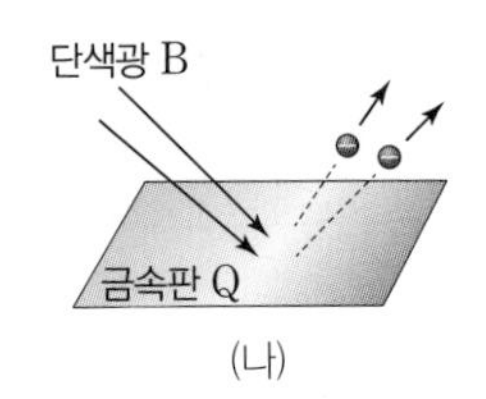

(나)

구분	단색광	진동수	광전자의 최대 운동 에너지
(가)	A	$3f_0$	$2E_0$
(나)	B	$4f_0$	㉠

이에 대한 설명으로 옳은 것만을 <보기>에서 있는 대로 고른 것은?

보기

ㄱ. 일함수는 Q가 P의 2배이다.

ㄴ. ㉠은 $2E_0$이다.

ㄷ. 진동수가 $5f_0$인 빛을 P와 Q에 각각 비추었을 때 금속판에서 방출되는 광전자의 물질파 파장의 최솟값은 P에 비출 때가 Q에 비출 때의 $\frac{\sqrt{3}}{2}$배이다.

① ㄱ ② ㄷ ③ ㄱ, ㄴ ④ ㄴ, ㄷ ⑤ ㄱ, ㄴ, ㄷ

06

▸24070-0220

다음은 데이비슨·거머 실험에 대한 내용이다.

그림 (가)는 니켈 결정에 54V의 전압으로 가속시킨 전자를 입사시킨 후 입사한 전자선과 튀어나온 전자가 이루는 산란각 ϕ에 따른 회절된 전자 수의 분포를 알아보기 위해 ϕ에 따라 검출되는 전자의 수를 측정하는 모습이다. 그림 (나)는 (가)의 측정 결과이다.

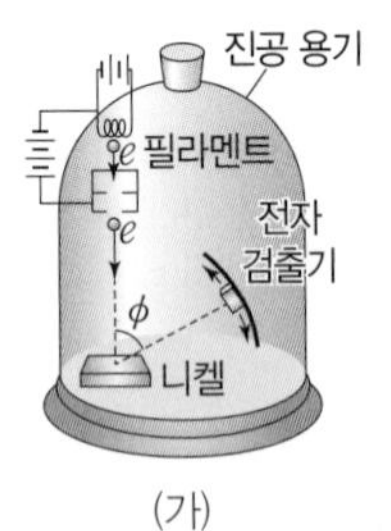

(가)

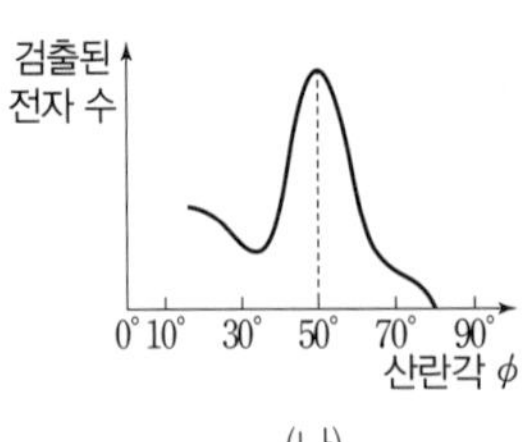

(나)

실험 결과 해석: $\phi=50°$로 산란된 ⓐ전자의 물질파는 ㉠ 간섭 조건을 만족한다.

이에 대한 설명으로 옳은 것만을 <보기>에서 있는 대로 고른 것은?

보기

ㄱ. '보강'은 ㉠에 해당한다.

ㄴ. ⓐ의 파장은 전자의 속력이 클수록 짧다.

ㄷ. (나)의 결과는 전자의 파동성으로 설명할 수 있다.

① ㄱ ② ㄷ ③ ㄱ, ㄴ ④ ㄴ, ㄷ ⑤ ㄱ, ㄴ, ㄷ

테마

15 불확정성 원리

1 불확정성 원리

(1) 측정의 정밀성에 대한 문제

① 고전 역학: 측정 과정에서 측정 도구가 측정 대상에 미치는 영향을 얼마든지 줄일 수 있다고 생각하여 물리량을 무한히 정밀하게 측정하고 예측할 수 있다고 가정한다.

② 양자 역학: 측정 과정에서 측정 도구와 측정 대상의 상호 작용은 측정하려는 대상의 상태를 변화시킨다. 따라서 대상의 물리량을 무한히 정밀하게 측정하는 것은 불가능하다.

(2) 하이젠베르크의 불확정성 원리

① 위치 불확정성(Δx): 전자의 위치를 측정하기 위해서는 빛을 전자에 비춰 빛이 산란되는 위치를 현미경을 통해 보아야 하는데, 회절에 의해 상이 흐려지므로 위치를 정확하게 측정하기 어렵다. 빛의 파장이 짧을수록 전자의 위치 불확정성 Δx는 감소한다.

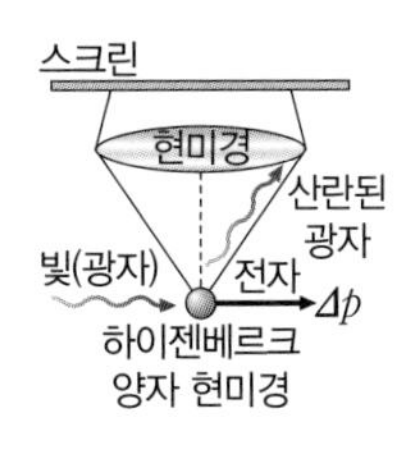

② 운동량 불확정성(Δp): 전자에 비춰준 빛은 운동량을 지닌 광자로 생각할 수 있으므로 광자는 전자와 충돌하여 전자의 운동량을 변화시키게 되어 운동량을 정확하게 알기 어렵다. 이때 파장이 λ인 광자의 운동량이 $p=\dfrac{h}{\lambda}$이므로 광자의 파장이 짧을수록 전자의 운동량 불확정성 Δp는 증가한다.

③ 하이젠베르크의 불확정성 원리

- 짧은 파장의 빛을 이용하면 입자의 위치는 정확하게 측정할 수 있지만 운동량 불확정성은 증가한다. 반대로 긴 파장의 빛을 이용하면 입자의 운동량의 정확성을 높일 수 있지만 입자의 위치 불확정성은 증가한다.
- 불확정성 원리: 입자성과 파동성을 모두 띠고 있는 물체의 위치와 운동량을 동시에 정확하게 측정하는 것은 불가능하다. 위치와 운동량의 측정에 대한 불확정성 원리를 식으로 표현하면 다음과 같다.

$$\Delta x \Delta p \geq \frac{\hbar}{2} \ (\text{단, } \hbar=\frac{h}{2\pi},\ h=6.63\times10^{-34}\ \text{J}\cdot\text{s})$$

(3) 불확정성 원리와 보어 원자 모형의 한계

① 보어는 양자 가설을 통하여 수소 원자의 전자는 원자핵으로부터 반지름이 r인 원 궤도를 속력 v로 운동한다고 유도하였다. 이때 보어의 원자 모형에서는 양자수 n에 따른 전자 궤도의 반지름이 $r_n=a_0n^2$으로 n에 따라 정확히 주어진다.

▲ 전자의 운동에 대한 보어의 가정

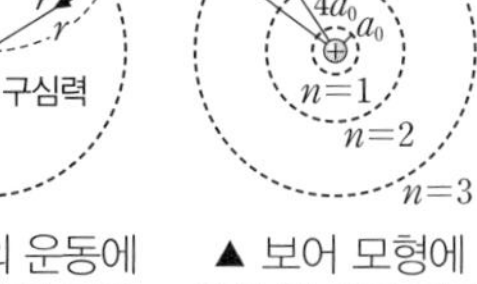

▲ 보어 모형에 따른 전자의 궤도

② 보어 원자 모형에 따르면 전자가 원자핵으로부터 떨어진 거리의 불확정성 $\Delta r=0$이고, 중심 방향의 운동량의 불확정성 $\Delta p_r=0$이다. 따라서 $\Delta r \Delta p_r=0$이 되어 하이젠베르크의 불확정성 원리에 위배된다.

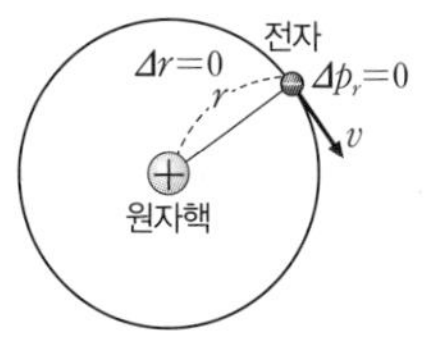

▲ 불확정성 원리와 보어 원자 모형

2 현대적 원자 모형

(1) 원자의 양자수

① 슈뢰딩거 방정식에서 전자의 파동 함수를 결정하는 값으로 3개의 양자수 n, l, m으로 나타낸다.

양자수	명칭	허용된 값
n	주 양자수 (→ 전자의 에너지를 결정)	1, 2, 3, ⋯, ∞
l	궤도 양자수 (→ 전자의 각운동량의 크기를 결정)	0, 1, 2, ⋯, $n-1$
m	자기 양자수 (→ 각운동량의 한 성분을 결정)	$-l$, $-l+1$, ⋯, 0, ⋯, $l-1$, l

- 주 양자수가 2인 경우 양자수(n, l, m)는 다음과 같다.
  (2, 0, 0), (2, 1, -1), (2, 1, 0), (2, 1, 1)

② 원자에서 전자가 만족하는 파동 함수를 궤도 함수 또는 오비탈이라고 한다.

(2) 현대적 원자 모형: 파동 함수는 전자를 발견할 확률을 알려주는데, 수소 원자에서 전자를 발견할 확률은 보어 모형에서 기술한 것과 다른 3차원으로 분포된 전자구름의 형태를 보인다.

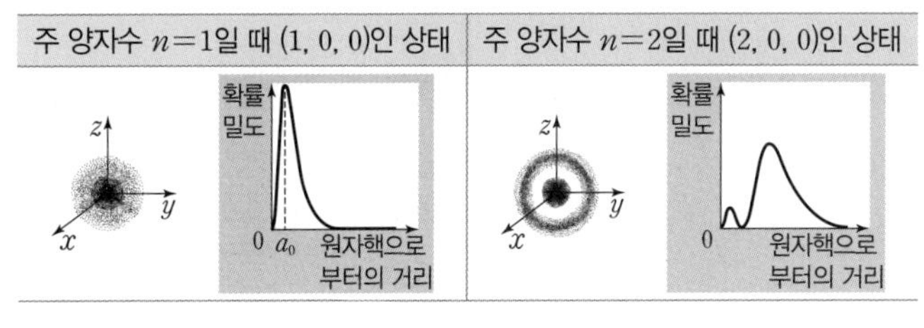

더 알기 파동 함수와 확률 밀도 함수

- 파동 함수(ψ) : 1926년 슈뢰딩거는 드브로이의 물질파 이론을 받아들여 전자와 같은 매우 작은 입자의 운동을 설명할 수 있는 슈뢰딩거 파동 방정식을 제안하였다. 이 방정식의 해를 보통 ψ로 나타내며 이를 파동 함수라고 한다. 파동 함수는 직접 측정하거나 관찰할 수 없는 양이다.
- 확률 밀도 함수($|\psi|^2$) : 전자가 어떤 시간에 특정 위치에서 발견될 확률 정보로 ψ의 절댓값의 제곱으로 나타낸다. 이 값에 그 주변의 부피를 곱하면 그 공간에서 전자를 발견할 확률이 된다. 실험적으로 어떤 시간에 특정한 영역에서 전자를 발견할 확률은 유한하고 그 값은 0과 1 사이이다. 또한 전자를 발견할 수 있는 전 구간에 대한 확률 밀도 함수의 합은 1이다.

테마 대표 문제

| 2024학년도 수능 |

그림은 원자 모형 ㉠, ㉡에 대하여 학생 A, B, C가 대화하는 모습으로, ㉠과 ㉡은 보어의 수소 원자 모형과 현대 원자 모형을 순서 없이 나타낸 것이다.

원자 모형	내용
㉠	전자는 양자 조건을 만족하는 안정된 원 궤도를 따라 운동한다.
㉡	전자의 위치와 운동량을 동시에 정확히 측정할 수 없고, 전자의 위치는 확률적으로만 알 수 있다.

제시한 내용이 옳은 학생만을 있는 대로 고른 것은?

① A ② B ③ C ④ A, C ⑤ B, C

접근 전략

보어의 수소 원자 모형의 제1가설은 전자의 안정된 궤도 운동에 관한 사항이고, 현대 원자 모형은 전자의 위치와 운동량을 동시에 정확하게 측정하지 못한다는 것을 포함한 불확정성 원리를 만족한다.

간략 풀이

Ⓐ 보어의 수소 원자 모형의 제1가설(양자 조건)에 의해 원자 속의 전자는 특정한 조건을 만족하는 원 궤도를 회전할 때 안정된 궤도 운동을 한다.

B̸ 보어의 수소 원자 모형의 제1가설(양자 조건)에 의해 전자가 특정 원 궤도를 회전할 때는 전자기파를 방출하지 않는다.

Ⓒ 현대 원자 모형은 전자의 위치와 운동량을 동시에 정확하게 측정하지 못한다는 불확정성 원리를 만족한다.

정답 | ④

닮은 꼴 문제로 유형 익히기

정답과 해설 44쪽

▸24070-0221

그림은 원자 모형 ㉠, ㉡에 대하여 학생 A, B, C가 대화하는 모습으로, ㉠에서 전자는 전기력을 받아 안정된 원 궤도에서 운동하고, ㉡에서 전자의 위치와 운동량을 동시에 정확하게 측정하는 것은 불가능하다. ㉠과 ㉡은 보어의 수소 원자 모형과 현대 원자 모형을 순서 없이 나타낸 것이다.

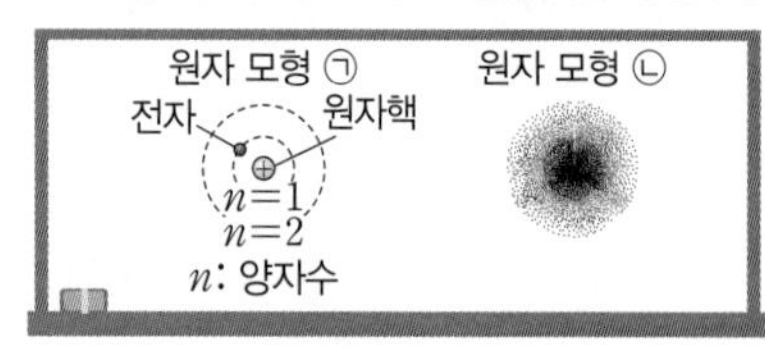

㉠은 현대 원자 모형이야.

㉠에서 전자가 양자수가 $n=1$에서 $n=2$로 전이하면 전자기파가 방출돼.

㉡은 불확정성 원리를 만족하는 원자 모형이야.

제시한 내용이 옳은 학생만을 있는 대로 고른 것은?

① A ② B ③ C ④ A, C ⑤ B, C

유사점과 차이점

원자 모형의 내용을 제시하는 것은 대표 문제와 동일하지만 원자 모형을 그림으로 표시하고 전자의 전이 과정에서 전자기파의 방출 유무를 묻는 것이 다르다.

배경 지식

- 전자가 특정 진동수의 빛을 흡수하면 양자수가 커진다.
- 불확정성 원리에 의하면 전자의 위치와 운동량을 동시에 정확하게 측정하는 것은 불가능하며, 전자의 위치는 확률적으로밖에 알 수 없다.

01

▶24070-0222

다음은 하이젠베르크가 설명한 내용이다.

- 전자를 관찰할 때 전자의 위치 불확정성은 파장이 긴 빛을 이용할 때가 파장이 짧은 빛을 이용할 때보다 ㉠ 다.
- 전자의 위치 정확도를 높이면 운동량 불확정성이 ㉡ 진다.
- 입자성과 파동성을 모두 가지고 있는 물체의 위치와 운동량을 동시에 정확하게 측정하는 것은 ㉢ 하다.

㉠, ㉡, ㉢에 들어갈 용어로 가장 적절한 것은?

	㉠	㉡	㉢
①	크	커	불가능
②	크	작아	가능
③	크	작아	불가능
④	작	커	가능
⑤	작	작아	불가능

02

▶24070-0223

다음은 전자에 빛을 비추고 전자에 의해 산란된 빛이 현미경으로 들어오도록 하여 전자의 위치와 운동량을 측정하는 하이젠베르크의 사고 실험을 나타낸 것이다.

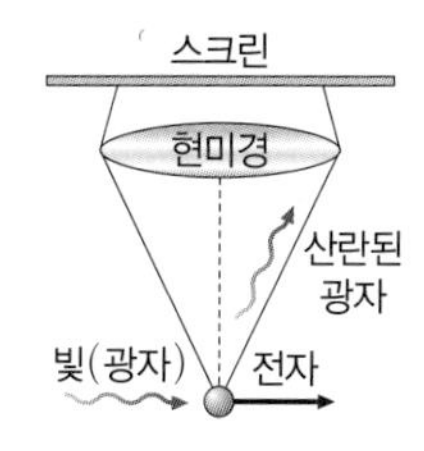

$$\Delta x \Delta p \geq \frac{\hbar}{2} \begin{cases} \Delta x: \text{전자의 위치 불확정성} \\ \Delta p: \text{전자의 운동량 불확정성} \end{cases}$$

이에 대한 설명으로 옳은 것만을 〈보기〉에서 있는 대로 고른 것은? (단, h는 플랑크 상수이고, $\hbar=\frac{h}{2\pi}$이다.)

보기

ㄱ. 광자의 진동수는 전자에 입사하기 전이 산란된 후보다 크다.
ㄴ. 빛의 파장이 길수록 Δp는 감소한다.
ㄷ. 전자의 위치와 운동량을 동시에 정확하게 측정할 수 있다.

① ㄱ　② ㄷ　③ ㄱ, ㄴ　④ ㄴ, ㄷ　⑤ ㄱ, ㄴ, ㄷ

03

▶24070-0224

그림은 전자의 위치와 운동량을 측정하는 하이젠베르크의 사고 실험을 나타낸 것이다.

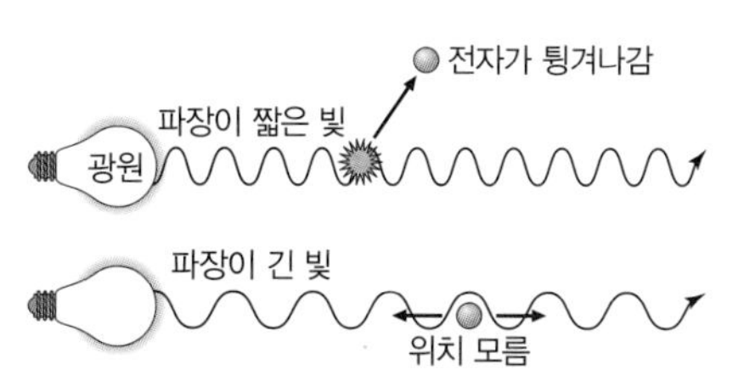

이에 대한 설명으로 옳은 것만을 〈보기〉에서 있는 대로 고른 것은?

보기

ㄱ. 전자에 비추는 빛의 파장이 짧을수록 전자의 위치 불확정성은 감소한다.
ㄴ. 전자에 비추는 빛의 파장이 짧을수록 전자의 운동량 불확정성이 커진다.
ㄷ. 전자의 위치와 운동량은 동시에 정확하게 측정할 수 없다.

① ㄱ　② ㄷ　③ ㄱ, ㄴ　④ ㄴ, ㄷ　⑤ ㄱ, ㄴ, ㄷ

04

▶24070-0225

그림 (가), (나)는 물질파 파장이 각각 λ, 2λ인 전자가 폭이 Δx인 단일 슬릿에 입사하는 것을 나타낸 것이다. (나)에서 슬릿을 통과하는 전자의 x축 방향의 운동량 불확정성은 $\Delta p_{(나)}$이다.

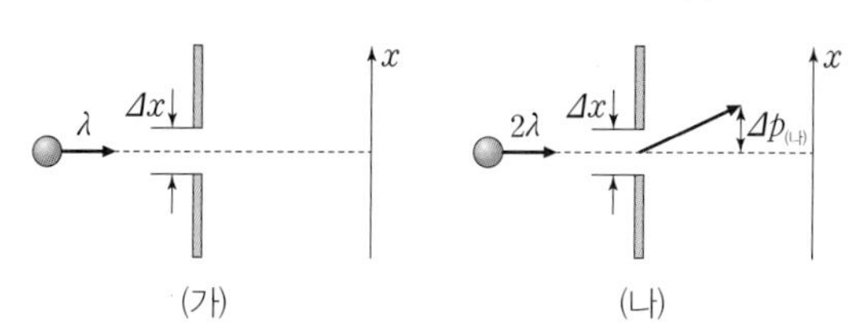

이에 대한 설명으로 옳은 것만을 〈보기〉에서 있는 대로 고른 것은?

보기

ㄱ. 슬릿을 통과하기 전 전자의 운동량의 크기는 (가)에서가 (나)에서보다 크다.
ㄴ. 슬릿을 통과하는 전자의 위치 불확정성은 (가)에서가 (나)에서보다 크다.
ㄷ. (나)에서 Δx가 감소하면 $\Delta p_{(나)}$는 감소한다.

① ㄱ　② ㄴ　③ ㄱ, ㄷ　④ ㄴ, ㄷ　⑤ ㄱ, ㄴ, ㄷ

05

▸24070-0226

다음은 전자가 바닥 상태에 있는 수소 원자에 적용한 보어의 수소 원자 모형과 현대적 수소 원자 모형에 대한 내용이다.

> (1) 보어의 수소 원자 모형: 원자 속의 전자는 특정한 조건을 만족하는 원 궤도를 등속 원운동을 할 때 전자기파를 [㉠] 안정된 궤도 운동을 계속한다. 전자가 양자수 $n=2$에서 $n=1$로 전이할 때 특정 진동수의 전자기파를 [㉡]한다.
> (2) 현대적 수소 원자 모형: 입자성과 파동성을 모두 띠고 있는 전자의 위치와 운동량을 동시에 정확하게 측정하는 것은 [㉢]하다.

㉠, ㉡, ㉢에 들어갈 용어로 가장 적절한 것은?

	㉠	㉡	㉢
①	방출하고	방출	가능
②	방출하고	흡수	불가능
③	방출하지 않고	방출	가능
④	방출하지 않고	흡수	불가능
⑤	방출하지 않고	방출	불가능

06

▸24070-0227

그림은 현대적 원자 모형에 의해 양자수 $n=1$일 때 수소 원자의 전자구름 형태를 나타낸 것이다.

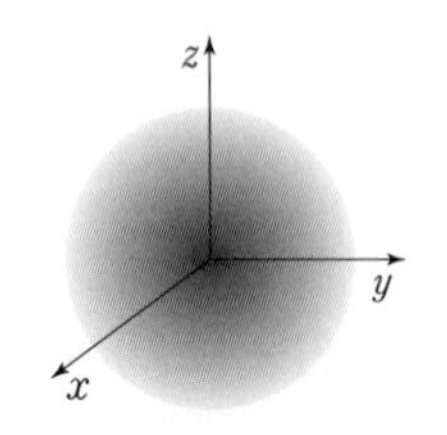

이에 대한 설명으로 옳은 것만을 〈보기〉에서 있는 대로 고른 것은?

> 보기
> ㄱ. 전자가 원자핵으로부터 떨어진 거리의 불확정성은 0이다.
> ㄴ. 전자의 운동량의 크기는 일정하다.
> ㄷ. 전자의 상태는 불확정성 원리를 만족한다.

① ㄱ ② ㄴ ③ ㄷ ④ ㄴ, ㄷ ⑤ ㄱ, ㄴ, ㄷ

07

▸24070-0228

그림 (가)는 보어의 수소 원자 모형을, (나)는 현대적 수소 원자 모형을 전자구름 형태로 나타낸 것이다.

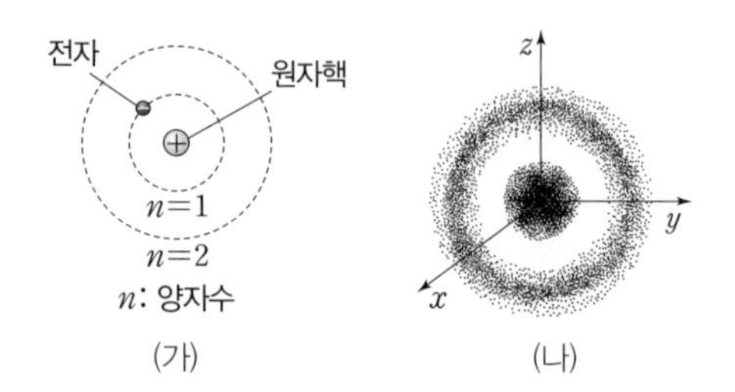

이에 대한 설명으로 옳은 것만을 〈보기〉에서 있는 대로 고른 것은?

> 보기
> ㄱ. (가)에서 전자의 에너지는 $n=1$일 때가 $n=2$일 때보다 작다.
> ㄴ. 하이젠베르크의 불확정성 원리를 적용하면 (나)에서 전자가 원자핵으로부터 떨어진 거리의 불확정성은 0이다.
> ㄷ. (가)에서 전자의 상태는 불확정성 원리를 만족한다.

① ㄱ ② ㄷ ③ ㄱ, ㄴ ④ ㄴ, ㄷ ⑤ ㄱ, ㄴ, ㄷ

08

▸24070-0229

다음은 보어의 수소 원자 모형에 대한 두 가지 가설의 내용이다.

> • 제1가설(양자 조건): 원자 속의 전자는 특정한 조건을 만족하는 원 궤도를 회전할 때 전자기파를 방출하지 않고 ㉠<u>안정된 궤도 운동</u>을 계속한다.
> • 제2가설(진동수 조건): 전자가 양자 조건을 만족하는 원 궤도 사이에서 전이할 때는 두 궤도의 [㉡] 차에 해당하는 에너지를 갖는 전자기파를 방출하거나 흡수한다.

이에 대한 설명으로 옳은 것만을 〈보기〉에서 있는 대로 고른 것은?

> 보기
> ㄱ. 하이젠베르크의 불확정성 원리를 적용하면 ㉠에서 전자가 원자핵으로부터 떨어진 거리의 불확정성은 0이다.
> ㄴ. '에너지 준위'는 ㉡에 적절하다.
> ㄷ. 이 원자 모형은 불확정성 원리에 위배되지 않는다.

① ㄱ ② ㄷ ③ ㄱ, ㄴ ④ ㄱ, ㄷ ⑤ ㄴ, ㄷ

01

▸24070-0230

그림 (가)와 (나)는 같은 속도로 운동하고 있는 전자에 각각 진동수가 f_1, f_2인 단색광을 비추어 관찰하는 모습을 모식적으로 나타낸 것이다. $f_1 < f_2$이다. (가)에서 전자의 위치 불확정성은 Δx_1이고, 전자의 운동량 불확정성은 Δp_1이다.

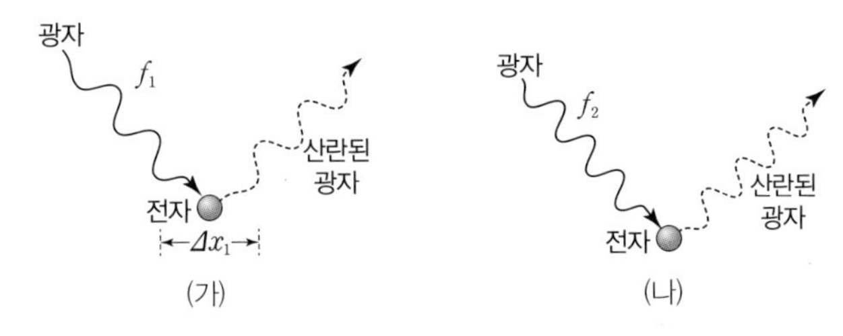

이에 대한 설명으로 옳은 것만을 〈보기〉에서 있는 대로 고른 것은?

보기

ㄱ. (나)에서 전자의 위치 불확정성은 Δx_1보다 크다.
ㄴ. (나)에서 전자의 운동량 불확정성은 Δp_1보다 크다.
ㄷ. 더 정밀한 측정 장비를 통해 측정하면 $\Delta x_1 \times \Delta p_1 = 0$인 결과를 얻을 수 있다.

① ㄱ ② ㄴ ③ ㄱ, ㄷ ④ ㄴ, ㄷ ⑤ ㄱ, ㄴ, ㄷ

02

▸24070-0231

그림 (가)와 (나)는 운동량의 크기가 p로 등속도 운동을 하던 전자가 $+x$방향으로 형성된 균일한 전기장 영역을 통과하여 폭이 각각 a, $2a$인 단일 슬릿을 통과하는 것을 모식적으로 나타낸 것이다. (가)와 (나)에서 전기장의 세기는 서로 같고, x방향의 전기장 영역의 폭은 서로 같다. (가)와 (나)에서 슬릿을 통과하는 전자의 y축 방향 운동량 불확정성은 각각 $\Delta p_{(가)}$, $\Delta p_{(나)}$이다.

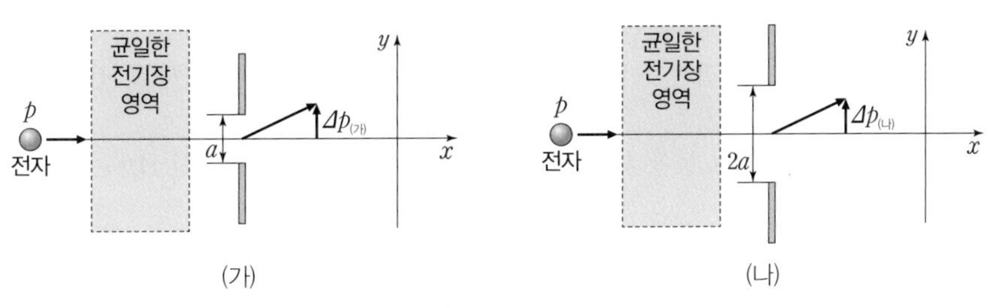

이에 대한 설명으로 옳은 것만을 〈보기〉에서 있는 대로 고른 것은?

보기

ㄱ. 단일 슬릿에서 전자의 회절은 (나)에서가 (가)에서보다 잘 일어난다.
ㄴ. $\Delta p_{(가)} > \Delta p_{(나)}$이다.
ㄷ. (가)에서 균일한 전기장의 방향만 $-x$방향으로 바꾸면 $\Delta p_{(가)}$는 커진다.

① ㄱ ② ㄴ ③ ㄱ, ㄷ ④ ㄴ, ㄷ ⑤ ㄱ, ㄴ, ㄷ

03

▸24070-0232

그림 (가)와 (나)는 수소 원자의 주 양자수가 $n=1$과 $n=2$일 때 전자구름 형태를 순서없이 나타낸 것이다.

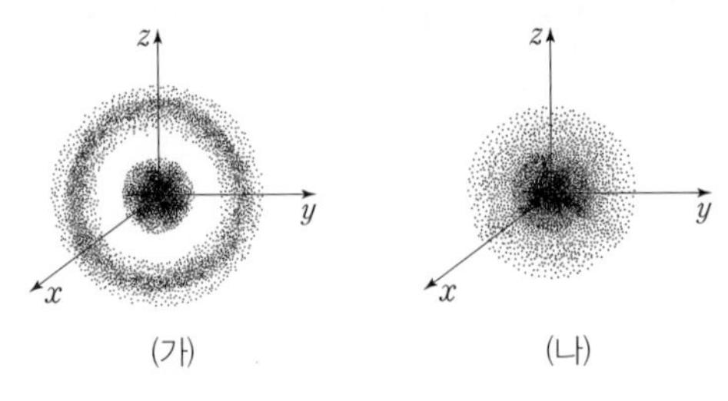

(가) (나)

이에 대한 설명으로 옳은 것만을 〈보기〉에서 있는 대로 고른 것은?

보기

ㄱ. (가)는 $n=1$일 때 전자구름 형태이다.
ㄴ. 전자의 에너지 준위는 (가)일 때가 (나)일 때보다 크다.
ㄷ. 전자구름은 보어의 수소 원자 모형으로 설명할 수 있다.

① ㄱ ② ㄴ ③ ㄱ, ㄷ ④ ㄴ, ㄷ ⑤ ㄱ, ㄴ, ㄷ

04

▸24070-0233

다음은 보어의 수소 원자 모형과 현대적 원자 모형에 대한 설명이다.

- 보어의 수소 원자 모형: 보어는 양자 가설을 통하여 원자핵으로부터 반지름이 r인 원 궤도를 따라 운동하는 전자의 속력 v를 유도하였다. 이때 양성자와 전자 사이의 전기력이 구심력과 같으므로 v는 양자수 n에 반비례하고, 전자의 궤도 반지름은 n^2에 비례하는 값으로 정확히 주어진다.
- 현대적 원자 모형: 전자가 원자핵으로부터 떨어진 거리의 불확정성 Δr, 중심 방향의 운동량의 불확정성 Δp_r는 $\Delta r \Delta p_r \geq \frac{\hbar}{2}$(단, $\hbar=\frac{h}{2\pi}$, h: 플랑크 상수)를 만족한다.

이에 대한 설명으로 옳은 것만을 〈보기〉에서 있는 대로 고른 것은?

보기

ㄱ. 하이젠베르크의 불확정성 원리를 적용하면 보어의 수소 원자 모형에서 전자의 운동량 불확정성은 0이다.
ㄴ. n이 클수록 전자의 에너지는 크다.
ㄷ. 현대적 원자 모형에서 전자의 정확한 위치는 알 수 없다.

① ㄱ ② ㄴ ③ ㄱ, ㄷ ④ ㄴ, ㄷ ⑤ ㄱ, ㄴ, ㄷ

과학탐구영역 물리학Ⅱ

실전 모의고사

실전 모의고사 1회

제한시간 30분 | 배점 50점 | 정답과 해설 46쪽

문항에 따라 배점이 다르니, 각 물음의 끝에 표시된 배점을 참고하시오. 3점 문항에만 점수가 표시되어 있습니다. 점수 표시가 없는 문항은 모두 2점입니다.

01

▸24070-0234

그림은 대전되어 있지 않은 검전기의 금속판에 양(+)전하로 대전된 막대를 접촉시켰다가 뗀 후 금속박이 벌어진 것을 보고 학생 A, B, C가 대화하는 모습을 나타낸 것이다.

제시한 내용이 옳은 학생만을 있는 대로 고른 것은?

① A ② B ③ A, C ④ B, C ⑤ A, B, C

02

▸24070-0235

그림과 같이 질량이 m인 물체가 실 p, q, r에 연결되어 정지해 있다. p는 연직 방향과 나란하고, q, r가 각각 연직 방향과 이루는 각은 60°, 30°이다. 실이 물체를 당기는 힘의 크기는 p가 q의 3배이다.

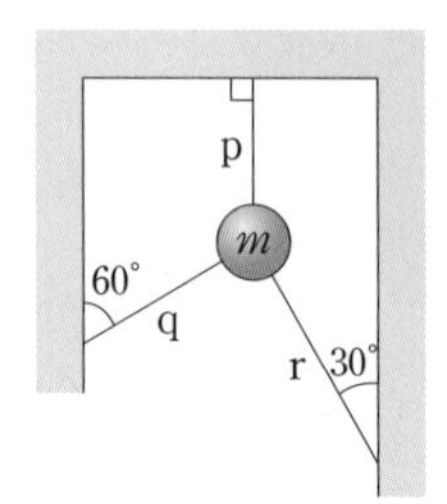

r가 물체를 당기는 힘의 크기는? (단, 중력 가속도는 g이고, 실의 질량은 무시한다.) [3점]

① $\sqrt{2}mg$ ② $\sqrt{3}mg$ ③ $2mg$ ④ $2\sqrt{2}mg$ ⑤ $2\sqrt{3}mg$

03

▸24070-0236

다음은 전자가 슬릿을 통과하면서 회절하는 현상을 설명한 것이다.

> 전자의 y축 성분의 (가) 의 불확정성은 슬릿의 폭에 비례한다고 할 수 있고, 회절 무늬의 폭이 크다는 것은 슬릿을 통과할 때 y축 성분의 (나) 의 불확정성이 크다는 것을 의미한다. 즉, 슬릿의 폭이 좁아지면 전자의 (가) 에 대한 정보는 정확해지지만, 전자의 (나) 에 대한 정보는 더 부정확해지므로 불확정성 원리가 성립한다.

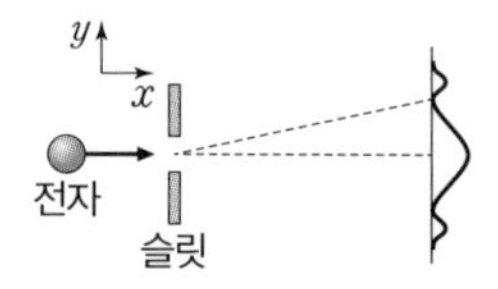

(가), (나)로 옳은 것은?

	(가)	(나)		(가)	(나)
①	위치	운동량	②	위치	에너지
③	운동량	위치	④	운동량	에너지
⑤	에너지	운동량			

04

▸24070-0237

그림은 xy 평면에서 운동하는 물체의 속도의 x성분 v_x와 속도의 y성분 v_y를 시간 t에 따라 나타낸 것이다.

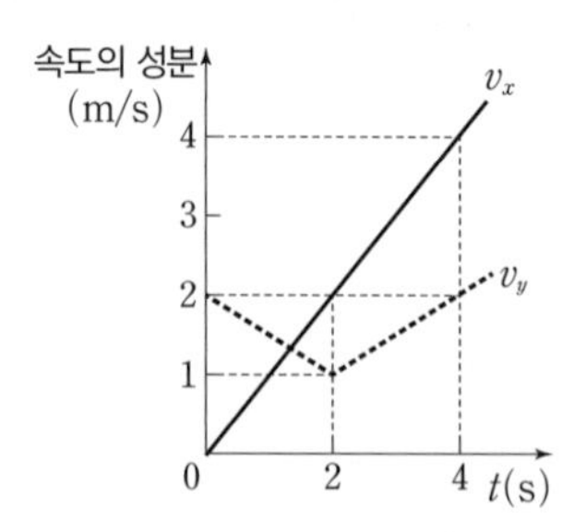

물체의 운동에 대한 설명으로 옳은 것만을 <보기>에서 있는 대로 고른 것은? [3점]

보기

ㄱ. 가속도의 크기는 1초일 때와 3초일 때가 같다.
ㄴ. 2초 이후 직선 경로를 따라 운동한다.
ㄷ. 0초부터 4초까지 변위의 크기는 10 m이다.

① ㄱ ② ㄷ ③ ㄱ, ㄴ ④ ㄴ, ㄷ ⑤ ㄱ, ㄴ, ㄷ

05
▸24070-0238

그림과 같이 길이가 L인 실에 질량이 m인 물체가 연결되어 점 O를 중심으로 단진자 운동을 한다. 물체의 위치가 최고점 p일 때, 실이 연직 방향과 이루는 각은 60°이고, p와 O 사이의 높이차는 O와 점 q 사이의 높이차의 2배이다.

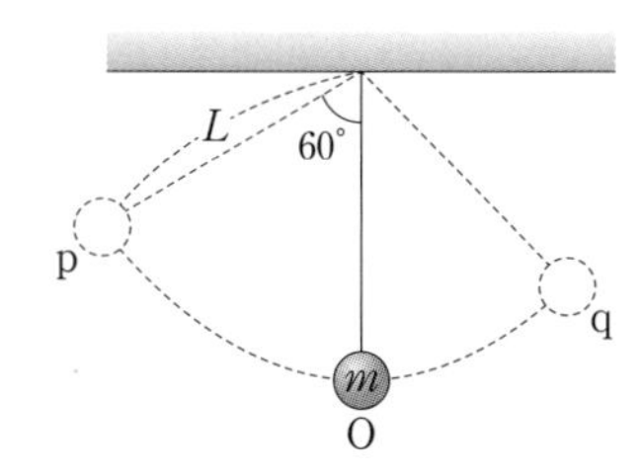

이에 대한 설명으로 옳은 것만을 〈보기〉에서 있는 대로 고른 것은? (단, 중력 가속도는 g이고, 실의 질량과 물체의 크기는 무시한다.)

보기
ㄱ. p에서 O까지 운동하는 동안 물체의 중력 퍼텐셜 에너지의 감소량은 mgL이다.
ㄴ. 물체의 운동 에너지는 O에서가 q에서의 4배이다.
ㄷ. O에서 물체의 속력은 $\sqrt{gL}$이다.

① ㄱ ② ㄷ ③ ㄱ, ㄴ ④ ㄴ, ㄷ ⑤ ㄱ, ㄴ, ㄷ

06
▸24070-0239

다음은 볼록 렌즈에 의해 스크린에 생기는 상을 관찰하는 실험이다.

[실험 과정]
(가) 그림과 같이 광학대 위에 광원, 크기 d가 5 cm인 물체, 볼록 렌즈, 스크린을 설치한다.
(나) 물체와 볼록 렌즈 사이의 거리 L을 30 cm로 고정한다.
(다) 스크린을 이동시켜 스크린에 물체의 모습이 가장 또렷하게 나타날 때 상의 크기를 측정한다.
(라) (나)에서 L을 40 cm로 바꾸고, (다)를 반복한다.

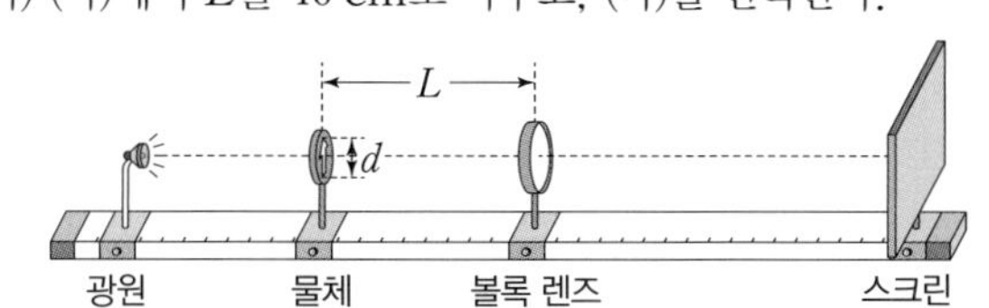

[실험 결과]

L	상의 크기
30 cm	10 cm
40 cm	㉠

이에 대한 설명으로 옳은 것만을 〈보기〉에서 있는 대로 고른 것은?

보기
ㄱ. 볼록 렌즈의 초점 거리는 20 cm이다.
ㄴ. (다)에서 상은 정립상이다.
ㄷ. ㉠은 15 cm이다.

① ㄱ ② ㄷ ③ ㄱ, ㄴ ④ ㄴ, ㄷ ⑤ ㄱ, ㄴ, ㄷ

07
▸24070-0240

그림 (가)는 극판의 면적이 S, 극판 사이의 간격이 d로 같은 평행판 축전기 A, B가 전압이 V로 일정한 전원에 연결되어 완전히 충전된 상태를 나타낸 것이고, (나)는 (가)의 상태에서 A에는 유전율이 $2\varepsilon_0$인 유전체를 넣고, B는 극판 사이의 간격을 $2d$로 증가시켜 완전히 충전된 상태를 나타낸 것이다.

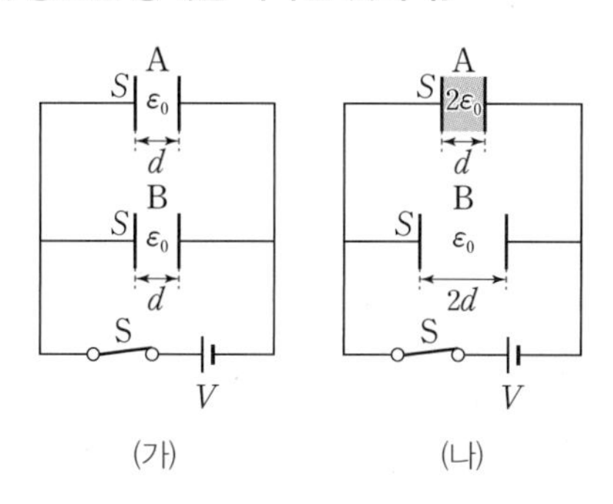

이에 대한 설명으로 옳은 것만을 〈보기〉에서 있는 대로 고른 것은? (단, ε_0은 진공의 유전율이다.) [3점]

보기
ㄱ. (나)에서 전기 용량은 A가 B의 4배이다.
ㄴ. B에 저장된 전하량은 (가)에서가 (나)에서의 2배이다.
ㄷ. A에 저장된 전기 에너지는 (가)에서가 (나)에서의 2배이다.

① ㄱ ② ㄷ ③ ㄱ, ㄴ ④ ㄴ, ㄷ ⑤ ㄱ, ㄴ, ㄷ

08
▸24070-0241

그림 (가)는 수평면에 정지해 있는 관찰자 A에 대해 관찰자 B가 탄 엘리베이터가 연직 위 방향으로 직선 운동을 하는 모습을 나타낸 것이다. 엘리베이터 안의 저울 위에는 A의 좌표계에서 무게가 10 N인 물체 P가 올려져 있다. 그림 (나)는 B의 좌표계에서 저울에 측정되는 P의 무게를 시간에 따라 나타낸 것이다.

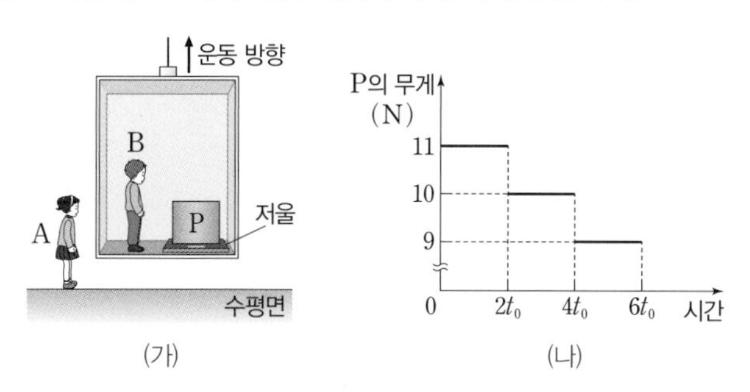

이에 대한 설명으로 옳은 것만을 〈보기〉에서 있는 대로 고른 것은? [3점]

보기
ㄱ. B의 좌표계에서 $3t_0$일 때 P에 작용하는 관성력은 0이다.
ㄴ. B의 좌표계에서 $5t_0$일 때 P에 작용하는 관성력의 방향은 연직 아래 방향이다.
ㄷ. A의 좌표계에서 엘리베이터의 가속도의 크기는 t_0일 때와 $5t_0$일 때가 같다.

① ㄱ ② ㄴ ③ ㄱ, ㄷ ④ ㄴ, ㄷ ⑤ ㄱ, ㄴ, ㄷ

09

▸24070-0242

그림은 금속판에 단색광을 비추어 광전자를 방출시키는 것을 나타낸 것이다. 표는 다른 조건을 동일하게 하고, 단색광의 진동수와 세기를 변화시킬 때 금속판에서 최대 운동 에너지로 방출되는 광전자의 물질파 파장을 나타낸 것이다.

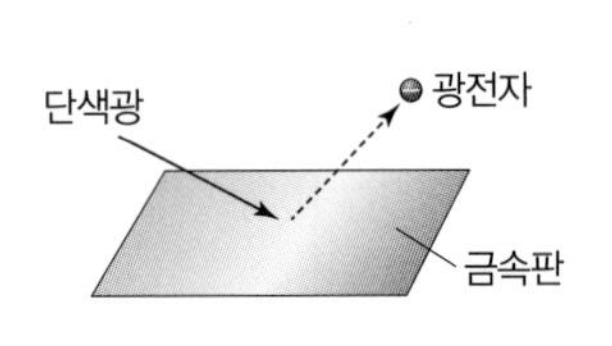

실험	진동수	세기	광전자의 물질파 파장
Ⅰ	f	I	λ
Ⅱ	f	$2I$	λ
Ⅲ	$2f$	$2I$	㉠
Ⅳ	$3f$	I	0.5λ

이에 대한 설명으로 옳은 것만을 〈보기〉에서 있는 대로 고른 것은?

보기

ㄱ. 단위 시간당 방출되는 광전자의 개수는 Ⅰ에서가 Ⅱ에서보다 적다.

ㄴ. 금속의 문턱 진동수는 $\frac{1}{3}f$이다.

ㄷ. ㉠은 $\sqrt{\frac{2}{5}}\lambda$이다.

① ㄱ ② ㄴ ③ ㄱ, ㄷ ④ ㄴ, ㄷ ⑤ ㄱ, ㄴ, ㄷ

10

▸24070-0243

그림과 같이 질량이 같은 물체 A, B가 천장에 실 p, q로 연결되어 마찰이 없는 원기둥 안에서 각각 등속 원운동을 한다. p, q와 연직 방향이 이루는 각은 각각 60°, 30°이고, p의 길이는 l이다. A, B의 원운동의 주기는 $\pi\sqrt{\frac{l}{g}}$로 같다.

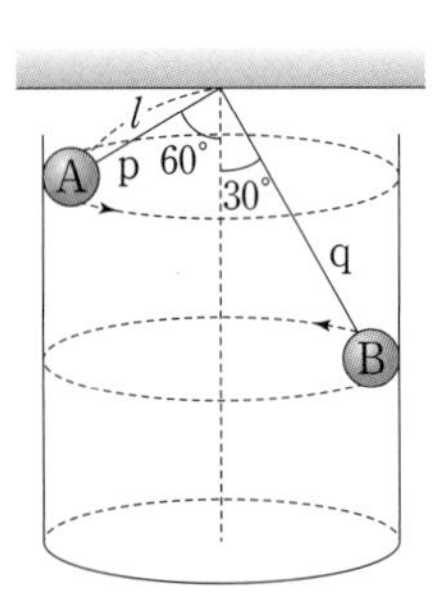

이에 대한 설명으로 옳은 것만을 〈보기〉에서 있는 대로 고른 것은? (단, 중력 가속도는 g이고, 물체의 크기, 실의 질량은 무시한다.) [3점]

보기

ㄱ. A의 속력은 $\sqrt{3gl}$이다.

ㄴ. 실이 물체에 작용하는 힘의 크기는 p가 q의 $\sqrt{3}$배이다.

ㄷ. 원기둥이 물체에 작용하는 힘의 크기는 A가 B의 $\frac{5}{3}$배이다.

① ㄱ ② ㄷ ③ ㄱ, ㄴ ④ ㄴ, ㄷ ⑤ ㄱ, ㄴ, ㄷ

11

▸24070-0244

그림과 같이 마찰이 없는 빗면상의 점 p에 물체를 가만히 놓았더니 물체가 빗면을 따라 등가속도 직선 운동을 한 후 빗면의 끝점 q부터 포물선 운동을 하여 점 r를 지난다. 빗면이 수평면과 이루는 각은 30°이고, r에서의 물체의 운동 방향은 수평면과 60°의 각을 이룬다. q에서 물체의 중력 퍼텐셜 에너지는 운동 에너지의 4배이고, r에서 물체의 운동 에너지는 $3E_0$이다.

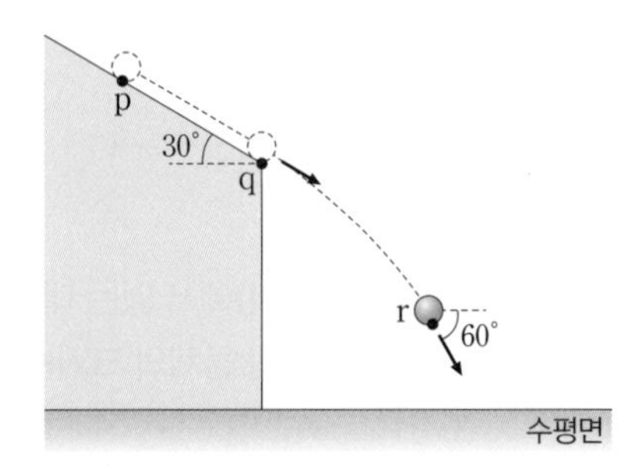

이에 대한 설명으로 옳은 것만을 〈보기〉에서 있는 대로 고른 것은? (단, 수평면에서 중력 퍼텐셜 에너지는 0이고, 물체의 크기는 무시한다.) [3점]

보기

ㄱ. p에서 물체의 역학적 에너지는 $5E_0$이다.

ㄴ. 물체의 속도의 연직 성분의 크기는 r에서가 q에서의 3배이다.

ㄷ. q와 r의 높이차는 p와 q의 높이차의 2배이다.

① ㄱ ② ㄴ ③ ㄱ, ㄷ ④ ㄴ, ㄷ ⑤ ㄱ, ㄴ, ㄷ

12

▸24070-0245

그림은 전압이 일정한 전원에 저항값이 2 Ω인 저항 2개와 저항 R, 스위치 S_1, S_2, 전류계를 연결한 회로를 나타낸 것이다. S_1과 S_2를 모두 닫았을 때 R의 양단에 걸린 전압은 12 V이고, S_2만 닫았을 때 전류계에 흐르는 전류의 세기는 9 A이다.

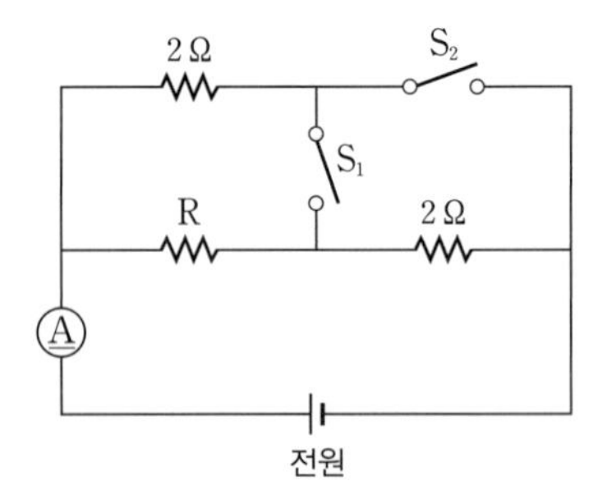

이에 대한 설명으로 옳은 것만을 〈보기〉에서 있는 대로 고른 것은?

보기

ㄱ. R의 저항값은 2 Ω이다.

ㄴ. S_1만 닫았을 때 전류계에 흐르는 전류의 세기는 4 A이다.

ㄷ. R에서 소비되는 전력은 S_1만 닫았을 때가 S_2만 닫았을 때의 $\frac{4}{9}$배이다.

① ㄱ ② ㄷ ③ ㄱ, ㄴ ④ ㄴ, ㄷ ⑤ ㄱ, ㄴ, ㄷ

13

▸24070-0246

그림과 같이 무한히 긴 직선 도선 P, Q, R가 xy 평면에 수직으로 x축상의 $x=-d$, $x=d$와 y축상의 $y=d$에 각각 고정되어 있다. 점 a는 y축상의 $y=-d$인 점이다. R에 흐르는 전류의 세기는 I_0이고, P와 Q에 흐르는 전류의 세기는 같다. 원점 O에서 P, Q, R에 흐르는 전류에 의한 자기장의 방향은 x축과 이루는 각이 45°이고, 자기장의 세기가 B_0이다.

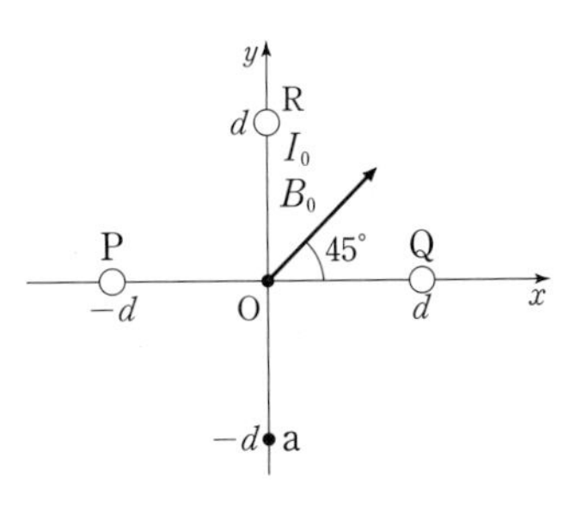

이에 대한 설명으로 옳은 것만을 〈보기〉에서 있는 대로 고른 것은? [3점]

보기
ㄱ. Q에 흐르는 전류의 세기는 $2I_0$이다.
ㄴ. 도선에 흐르는 전류의 방향은 P에서와 R에서가 같다.
ㄷ. a에서 P, Q, R에 흐르는 전류에 의한 자기장의 세기는 $\frac{1}{2}B_0$이다.

① ㄱ ② ㄷ ③ ㄱ, ㄴ ④ ㄴ, ㄷ ⑤ ㄱ, ㄴ, ㄷ

14

▸24070-0247

그림 (가)는 xy 평면에서 저항값이 R이고 반지름이 $2d$인 사분원 모양의 금속 고리가 원점 O를 중심으로 시계 반대 방향의 일정한 각속도로 회전할 때 시간 $t=0$인 순간의 모습을 나타낸 것이다. 반지름이 d인 사분원 모양의 균일한 자기장 영역 Ⅰ, Ⅱ, Ⅲ에서 자기장의 방향은 xy 평면에 수직이다. 그림 (나)는 고리의 회전 주기 T 동안 고리에 유도되는 전류를 t에 따라 나타낸 것이다. 유도 전류의 방향은 시계 방향이 양(+)이다.

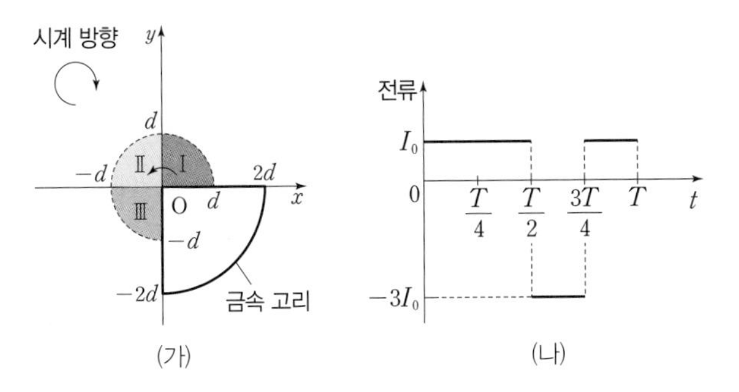

(가) (나)

이에 대한 설명으로 옳은 것만을 〈보기〉에서 있는 대로 고른 것은? [3점]

보기
ㄱ. Ⅰ과 Ⅲ에서의 자기장의 방향은 서로 같다.
ㄴ. 자기장의 세기는 Ⅱ에서가 Ⅰ에서의 2배이다.
ㄷ. 고리가 한 바퀴 회전하는 동안 고리에서 소비되는 전기 에너지는 I_0^2RT이다.

① ㄱ ② ㄴ ③ ㄱ, ㄷ ④ ㄴ, ㄷ ⑤ ㄱ, ㄴ, ㄷ

15

▸24070-0248

그림은 교류 전원과 저항이 연결된 변압기를 나타낸 것이다. 1차 코일과 2차 코일의 감은 수는 각각 N, $3N$이다.

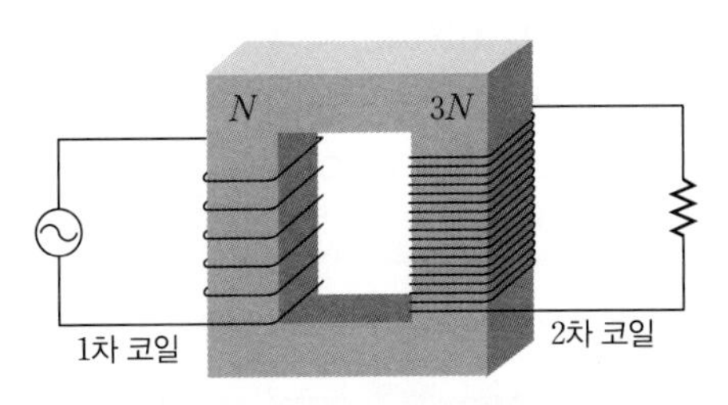

이에 대한 설명으로 옳은 것만을 〈보기〉에서 있는 대로 고른 것은? (단, 변압기에서의 에너지 손실은 무시한다.)

보기
ㄱ. 저항에 걸리는 전압은 교류 전원 전압의 3배이다.
ㄴ. 코일에 흐르는 전류의 세기는 1차 코일이 2차 코일의 3배이다.
ㄷ. 코일을 통과하는 자기 선속의 변화율은 1차 코일에서가 2차 코일에서보다 작다.

① ㄱ ② ㄷ ③ ㄱ, ㄴ ④ ㄴ, ㄷ ⑤ ㄱ, ㄴ, ㄷ

16

▸24070-0249

그림과 같이 간격이 d인 이중 슬릿에 파장이 λ인 단색광을 비추었더니 슬릿으로부터 L만큼 떨어진 스크린에 간섭무늬가 생겼다. 스크린상의 점 O는 두 슬릿 S_1과 S_2로부터 같은 거리에 있는 점이고, 스크린상의 고정된 점 p에는 O로부터 첫 번째 밝은 무늬의 중심이 생겼다.

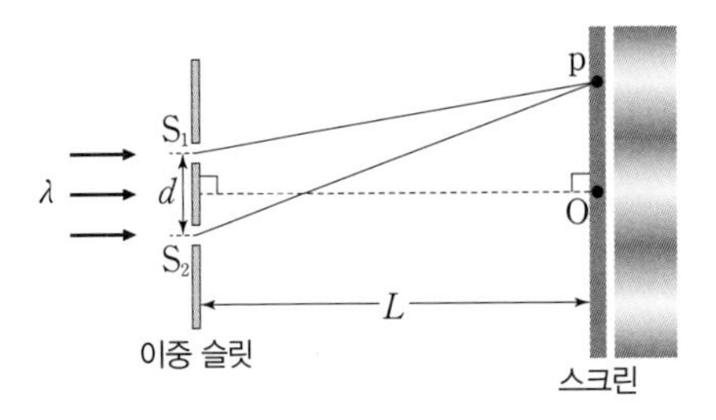

이에 대한 설명으로 옳은 것만을 〈보기〉에서 있는 대로 고른 것은?

보기
ㄱ. S_1과 S_2를 지나 p에 도달한 단색광의 경로차는 $\frac{\lambda}{2}$이다.
ㄴ. O에서 p까지의 거리는 $\frac{L\lambda}{d}$이다.
ㄷ. 파장이 2λ인 단색광을 비추면 p에서는 상쇄 간섭이 일어난다.

① ㄱ ② ㄴ ③ ㄱ, ㄷ ④ ㄴ, ㄷ ⑤ ㄱ, ㄴ, ㄷ

17

▸24070-0250

그림과 같이 음원 A, B가 각각 일정한 속력 $0.1v$, $0.2v$로 동일 직선상에서 같은 방향으로 운동하고 있고, 음파 측정기는 A와 B 사이에 정지해 있다. A, B에서는 각각 진동수가 f_A, f_B인 음파가 발생하고, A, B에서 발생한 음파는 음파 측정기에서 동일한 진동수로 측정된다. 음파의 속력은 v이다.

$f_A : f_B$는?

① 1 : 2 ② 3 : 4 ③ 1 : 1 ④ 4 : 3 ⑤ 2 : 1

18

▸24070-0251

그림 (가)와 같이 전압의 최댓값이 일정한 교류 전원, 저항, 코일, 소자 X, Y, 스위치 S를 이용하여 회로를 구성하였다. 그림 (나)는 S를 a에 연결할 때, 전류계에 측정되는 전류의 세기를 교류 전원의 진동수에 따라 나타낸 것이다. X, Y는 축전기, 코일을 순서 없이 나타낸 것이다.

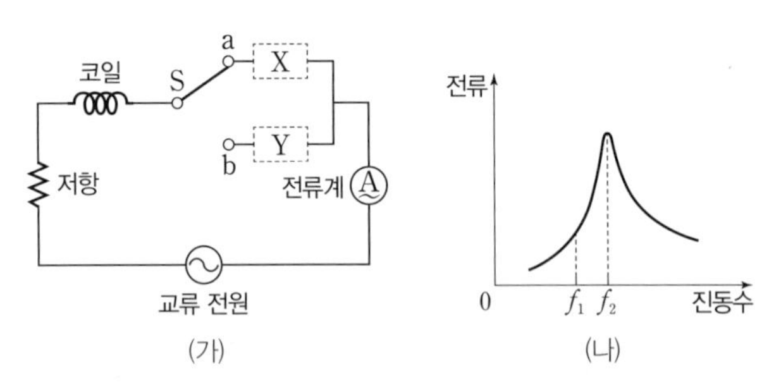

이에 대한 설명으로 옳은 것만을 <보기>에서 있는 대로 고른 것은?

보기

ㄱ. X는 축전기이다.

ㄴ. S를 a에 연결할 때, 회로의 공명 진동수는 f_1이다.

ㄷ. S를 b에 연결할 때, 전류계에 흐르는 전류의 세기는 f_1일 때가 f_2일 때보다 작다.

① ㄱ ② ㄴ ③ ㄱ, ㄷ ④ ㄴ, ㄷ ⑤ ㄱ, ㄴ, ㄷ

19

▸24070-0252

그림과 같이 지면과 45°의 각을 이루며 10 m/s의 속력으로 던져진 물체가 포물선 운동을 하여 최고점에 있는 수평면을 지난 후 다시 포물선 운동을 하여 지면에 도달한다. 길이가 3 m인 수평면에서 물체는 등가속도 직선 운동을 하고, 물체가 수평면을 지난 후, 포물선 운동을 하는 동안 수평 이동 거리는 4 m이다.

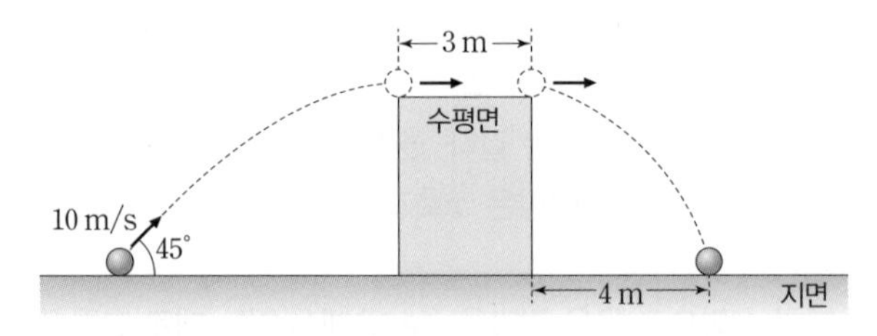

수평면에서 물체의 가속도의 크기는? (단, 중력 가속도는 10 m/s^{2}이고, 물체의 크기는 무시한다.) [3점]

① $\sqrt{2}$ m/s^2 ② 2 m/s^2 ③ $2\sqrt{2}$ m/s^2 ④ 3 m/s^2 ⑤ $3\sqrt{2}$ m/s^2

20

▸24070-0253

그림은 실로 연결된 물체 A, B가 수평면과 이루는 각이 각각 30°, 60°인 빗면상의 점 p, q에 정지해 있는 모습을 나타낸 것이다. 실이 끊어지고 A, B는 각각의 빗면에서 등가속도 직선 운동을 한다. A는 빗면에서 운동하는 동안 운동 방향과 반대 방향으로 크기가 일정한 마찰력 F를 받는다. A, B가 수평면에 닿기 직전 속력은 B가 A의 2배이고, p, q의 높이는 같고, A의 질량은 m이다.

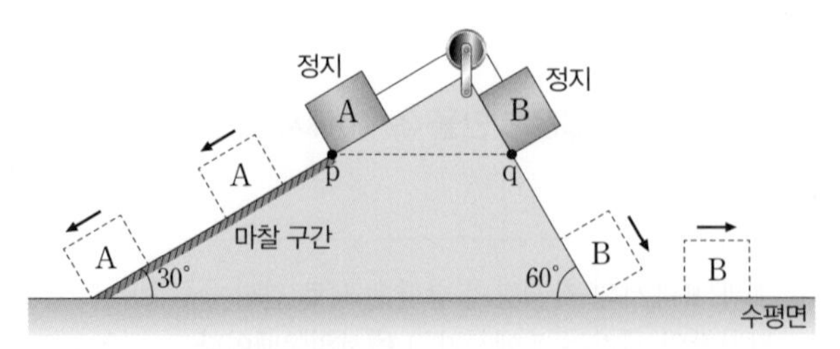

F의 크기는? (단, 중력 가속도는 g이고, 실의 질량, 물체의 크기, 마찰 구간 외의 마찰은 무시한다.) [3점]

① $\frac{1}{8}mg$ ② $\frac{1}{4}mg$ ③ $\frac{3}{8}mg$ ④ $\frac{1}{2}mg$ ⑤ $\frac{5}{8}mg$

실전 모의고사 2회

제한시간 30분 | 배점 50점 | 정답과 해설 51쪽

문항에 따라 배점이 다르니, 각 물음의 끝에 표시된 배점을 참고하시오. 3점 문항에만 점수가 표시되어 있습니다. 점수 표시가 없는 문항은 모두 2점입니다.

01

▸24070-0254

다음은 보어의 수소 원자 모형에 대한 내용이다.

> (가) 원자 속의 전자가 양자 조건을 만족하는 원 궤도를 따라 운동할 때 전자는 전자기파를 방출하지 않고 안정된 운동을 계속한다. 양자 조건을 만족하는 원 궤도의 반지름은 양자수 n에 따라 결정되고 n이 클수록 궤도 반지름은 [㉠].
>
> (나) 원자 속의 전자가 $n=1$인 궤도에서 $n=2$인 궤도로 전이할 때 전자는 에너지를 [㉡]한다.

이에 대한 설명으로 옳은 것만을 〈보기〉에서 있는 대로 고른 것은?

보기

ㄱ. 전자가 양자 조건을 만족하는 궤도를 따라 운동할 때, 전자의 상태는 불확정성 원리를 만족한다.

ㄴ. ㉠은 '크다'가 적절하다.

ㄷ. '흡수'는 ㉡에 해당한다.

① ㄱ ② ㄷ ③ ㄱ, ㄴ ④ ㄴ, ㄷ ⑤ ㄱ, ㄴ, ㄷ

02

▸24070-0255

그림과 같이 xy 평면상의 좌표가 $(-d, -2d)$인 점 p에서 물체를 가만히 놓았더니 물체가 영역 Ⅰ에서 등가속도 직선 운동을 한 후 원점 O를 속력 $\sqrt{5}v$로 통과하고, x축상의 $x=d$인 점을 지나 y축상의 $y=-2d$인 점 q를 지난다. 영역 Ⅱ, Ⅲ에서는 각각 다른 가속도로 등가속도 운동을 한다. 물체가 Ⅰ, Ⅱ, Ⅲ을 운동하는 데 걸린 시간은 각각 $2T$, $2T$, T이다.

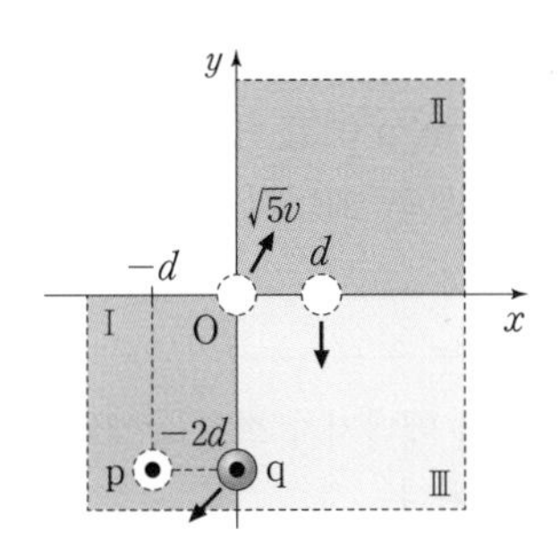

q에서 물체의 속력은? (단, 물체는 xy 평면에서 운동하며, 물체의 크기는 무시한다.) [3점]

① $\sqrt{2}v$ ② $\sqrt{3}v$ ③ $2\sqrt{2}v$ ④ $2\sqrt{3}v$ ⑤ $3\sqrt{2}v$

03

▸24070-0256

그림 (가)는 데이비슨·거머 실험에서 질량이 m, 속력이 v인 전자를 니켈 결정의 표면에 입사시켰을 때 산란되는 전자를 검출하는 모습을 나타낸 것이다. 그림 (나)는 (가)에서 검출된 전자의 개수를 산란각 θ에 따라 나타낸 것이다.

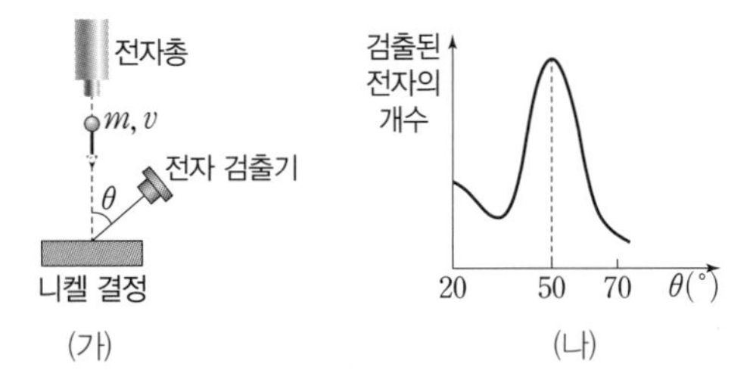

이에 대한 설명으로 옳은 것만을 〈보기〉에서 있는 대로 고른 것은? (단, h는 플랑크 상수이다.)

보기

ㄱ. θ가 50°로 산란된 전자의 개수가 많은 까닭은 전자의 파동성으로 설명할 수 있다.

ㄴ. 니켈 표면에 입사하는 전자의 물질파 파장은 $\frac{h}{mv}$이다.

ㄷ. 입사하는 전자의 속력을 변화시켜도 θ가 50°로 산란되는 전자의 개수가 가장 많다.

① ㄱ ② ㄷ ③ ㄱ, ㄴ ④ ㄴ, ㄷ ⑤ ㄱ, ㄴ, ㄷ

04

▸24070-0257

그림과 같이 위성이 행성을 한 초점으로 하는 중심이 O인 타원 궤도를 따라 운동하고 있다. 점 d는 타원 궤도의 초점 중 하나이다. 타원 궤도의 전체 면적은 S이고 삼각형 Obd의 면적은 $\frac{1}{9}S$이다. 위성이 점 a에서 점 b까지 운동하는 데 걸리는 시간은 T이다.

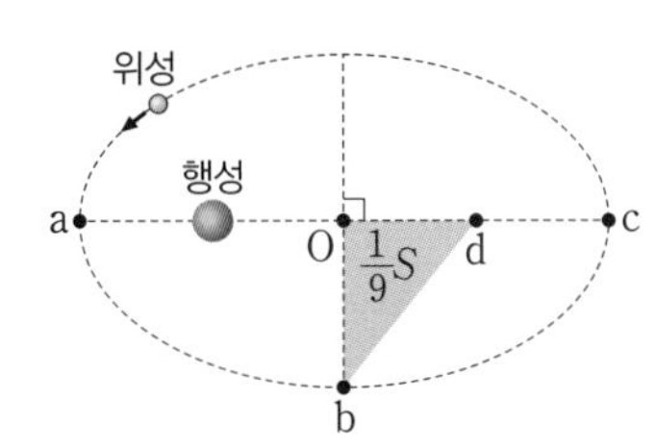

이에 대한 설명으로 옳은 것만을 〈보기〉에서 있는 대로 고른 것은?

보기

ㄱ. 위성에 작용하는 중력의 크기는 a에서가 점 c에서보다 크다.

ㄴ. 위성의 가속도의 크기는 c에서가 b에서보다 크다.

ㄷ. 위성의 공전 주기는 $\frac{36}{5}T$이다.

① ㄱ ② ㄴ ③ ㄱ, ㄷ ④ ㄴ, ㄷ ⑤ ㄱ, ㄴ, ㄷ

05

▸24070-0258

그림 (가)는 학생 A가 탄 우주선이 행성의 표면에서 정지해 있는 것을 나타낸 것으로 우주선 내부의 광원에서 점 P를 향해 발사된 빛이 휘어져 점 Q에 도달한다. 저울의 측정값은 F이고, 천장에 매달린 단진자의 주기는 T이다. 그림 (나)는 (가)에서와 동일한 A가 탄 우주선이 텅 빈 우주에서 등가속도 직선 운동을 하는 것을 나타낸 것으로 우주선 내부의 광원에서 점 P를 향해 발사된 빛이 (가)에서보다 더 많이 휘어져 점 R에 도달하고, 단진자가 단진동을 하고 있다.

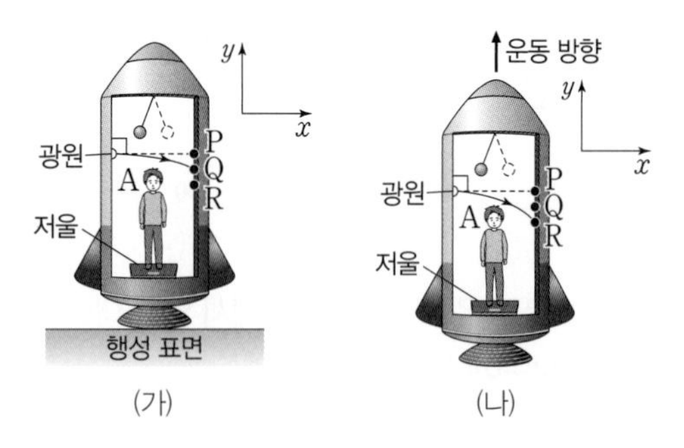

(가) (나)

이에 대한 설명으로 옳은 것만을 〈보기〉에서 있는 대로 고른 것은? (단, P, Q, R를 잇는 직선은 y축과 나란하다.) [3점]

보기
ㄱ. (가)에서 빛의 휘어짐은 일반 상대성 이론으로 설명할 수 있다.
ㄴ. (나)에서 저울의 측정값은 F보다 크다.
ㄷ. (나)에서 단진자의 주기는 T보다 크다.

① ㄱ ② ㄷ ③ ㄱ, ㄴ ④ ㄴ, ㄷ ⑤ ㄱ, ㄴ, ㄷ

06

▸24070-0259

그림은 수평면에서 속력 $2v$로 운동하던 물체가 빗면을 따라 올라가 빗면 위의 점 p에서 정지한 후 다시 빗면을 내려와 수평면에서 속력 v로 등속도 운동을 하는 것을 나타낸 것이다. 수평면으로부터 p까지의 높이는 H이고, 빗면에는 높이차가 h인 일정한 마찰력이 작용하는 구간이 있고, 이 구간을 물체가 내려올 때 물체는 등속도 운동을 한다.

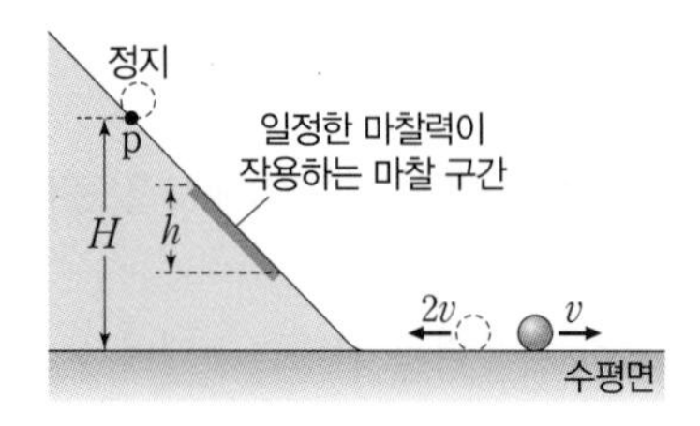

$\frac{h}{H}$는? (단, 물체의 크기는 무시하고, 공기 저항, 마찰 구간을 제외한 모든 마찰은 무시한다.) [3점]

① $\frac{1}{3}$ ② $\frac{2}{5}$ ③ $\frac{1}{2}$ ④ $\frac{3}{5}$ ⑤ $\frac{3}{4}$

07

▸24070-0260

그림과 같이 수평면 위의 점 p에서 질량이 m인 물체 A, B를 수평면에 대해 비스듬히 발사하였더니 A, B가 포물선 운동을 하여 수평면 위의 점 q에 도달하였다. A가 p에서 발사될 때의 속력은 $2\sqrt{gh}$이고, A, B의 최고점의 높이는 각각 h, $2h$이다.

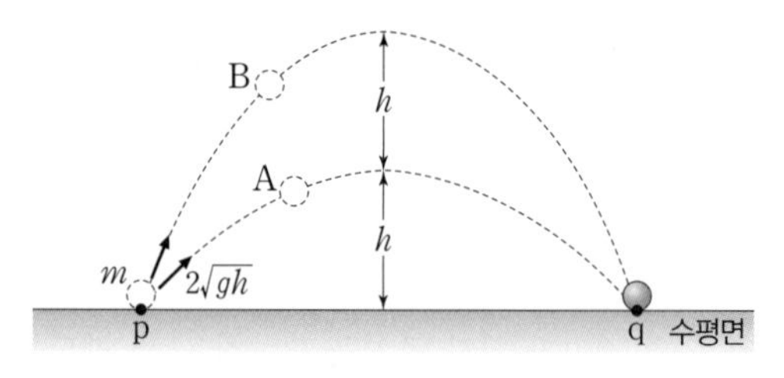

p에서 발사되는 순간 B의 운동 에너지는? (단, 중력 가속도는 g이고, 물체의 크기는 무시한다.)

① $\frac{5}{2}mgh$ ② $3mgh$ ③ $\frac{7}{2}mgh$ ④ $4mgh$ ⑤ $\frac{9}{2}mgh$

08

▸24070-0261

다음은 열의 일당량에 대한 실험이다.

[실험 과정]

(가) 질량이 1 kg인 액체 A를 단열된 열량계에 넣는다.

(나) 질량이 40 kg인 추가 일정한 속력으로 내려가도록 빗면의 기울기를 조절하고 추가 높이 1 m 만큼 낙하하는 동안 액체의 온도 변화 ΔT를 구한다.

(다) 열량계 내부에 넣은 A의 질량을 각각 2 kg, 4 kg으로 하여 (나)의 과정을 반복한다.

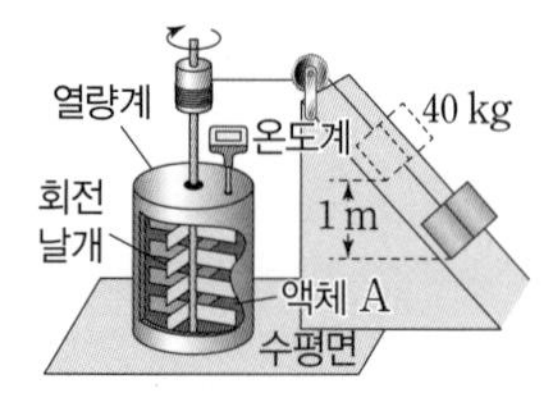

[실험 결과]

열량계 내부 A의 질량	1 kg	2 kg	4 kg
ΔT(℃)	0.4	0.2	㉠

이에 대한 설명으로 옳은 것만을 〈보기〉에서 있는 대로 고른 것은? (단, 중력 가속도는 $10\ m/s^2$이고, 빗면에서의 마찰과 실의 질량은 무시하며, 추의 중력 퍼텐셜 에너지 변화량은 모두 A의 온도 변화에만 사용된다.)

보기
ㄱ. 추의 중력 퍼텐셜 에너지가 회전 날개와 A의 마찰에 의해 열에너지로 전환된다.
ㄴ. A의 비열은 1000 J/kg·℃이다.
ㄷ. ㉠은 0.1이다.

① ㄱ ② ㄷ ③ ㄱ, ㄴ ④ ㄴ, ㄷ ⑤ ㄱ, ㄴ, ㄷ

09

▸24070-0262

그림 (가)는 대전되지 않은 동일한 도체구 A, B를 붙여 놓은 후 음(−)전하로 대전된 막대를 A에 가까이 가져간 것을, (나)는 (가)에서 A와 B를 떼어 놓은 후 막대를 치운 것을 나타낸 것이다. 그림 (다)는 (나)에서 A를 치운 후, B와 도체구 C를 가까이 놓은 것을 나타낸 것이다. B와 C 사이에는 서로 미는 전기력이 작용한다.

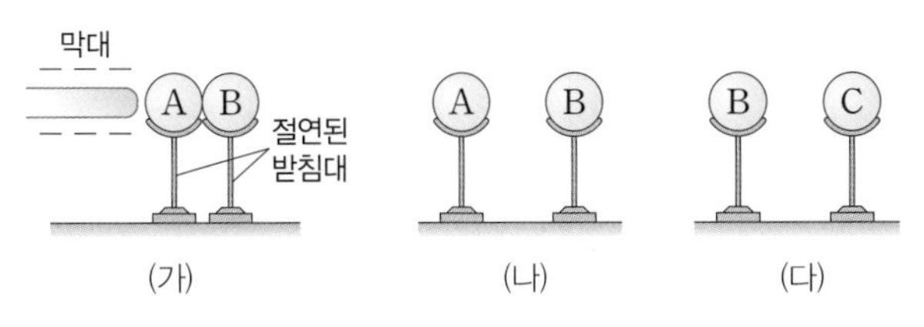

이에 대한 설명으로 옳은 것만을 <보기>에서 있는 대로 고른 것은?

보기
ㄱ. (가)에서 A와 막대 사이에는 서로 당기는 전기력이 작용한다.
ㄴ. (나)에서 A와 B는 같은 종류의 전하로 대전되어 있다.
ㄷ. (다)에서 C는 양(+)전하로 대전되어 있다.

① ㄱ ② ㄴ ③ ㄷ ④ ㄱ, ㄴ ⑤ ㄱ, ㄴ, ㄷ

10

▸24070-0263

그림과 같이 전압이 일정한 직류 전원, 저항값이 각각 2 Ω, 4 Ω, R인 저항, 스위치 S, 전류계를 이용해 회로를 구성하였다. 전류계에 흐르는 전류는 S를 닫기 전이 닫은 후의 2배이다.

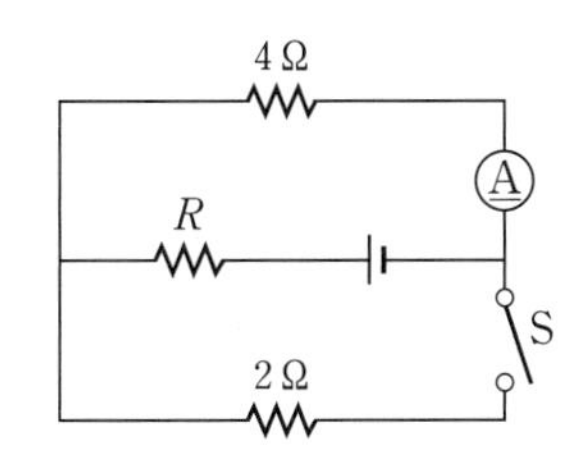

R는? [3점]

① 1 Ω ② 2 Ω ③ 3 Ω ④ 4 Ω ⑤ 5 Ω

11

▸24070-0264

그림과 같이 트랜지스터, 저항, 전원을 연결하여 전류 증폭 회로를 구성하였다. 베이스 전류의 세기는 컬렉터 전류의 세기보다 매우 작다.

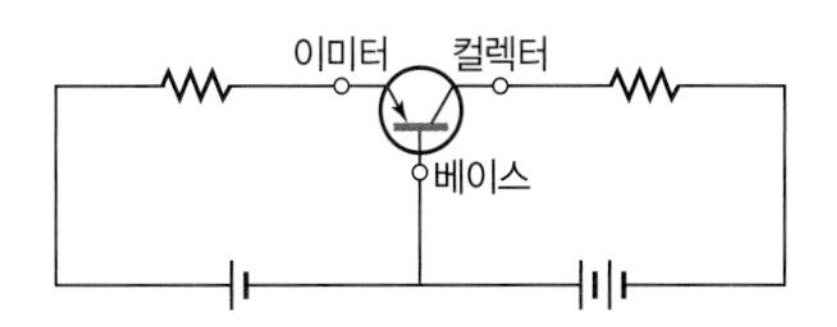

이에 대한 설명으로 옳은 것만을 <보기>에서 있는 대로 고른 것은?

보기
ㄱ. 트랜지스터는 p−n−p형이다.
ㄴ. 이미터와 베이스 사이에는 순방향 전압이 걸려 있다.
ㄷ. 베이스 단자의 전위는 컬렉터 단자의 전위보다 높다.

① ㄱ ② ㄴ ③ ㄱ, ㄷ ④ ㄴ, ㄷ ⑤ ㄱ, ㄴ, ㄷ

12

▸24070-0265

그림 (가)는 극판의 면적이 같고, 극판 사이의 간격이 d, $2d$인 축전기 A, B를 전압이 V로 일정한 전원에 연결하여 스위치 S를 닫아 A, B를 완전히 충전한 모습을 나타낸 것이다. A, B 내부에는 유전율이 각각 ε_A, ε_B인 유전체가 채워져 있고 양단의 전위차는 A가 B의 2배이다. 그림 (나)는 (가)에서 S를 연 상태에서 B의 유전체를 완전히 빼낸 모습을 나타낸 것이다.

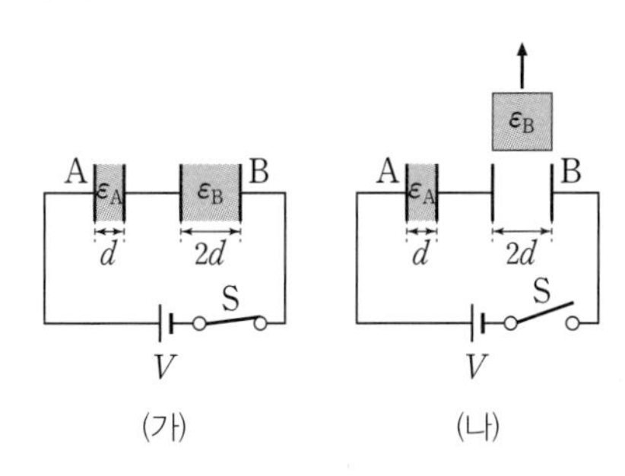

이에 대한 설명으로 옳은 것만을 <보기>에서 있는 대로 고른 것은? (단, 유전체 이외의 축전기 내부 공간은 진공이다.) [3점]

보기
ㄱ. $\varepsilon_B = 2\varepsilon_A$이다.
ㄴ. A에 저장된 전기 에너지는 (가)에서와 (나)에서가 같다.
ㄷ. B의 양단의 전위차는 (가)에서와 (나)에서가 같다.

① ㄱ ② ㄴ ③ ㄱ, ㄷ ④ ㄴ, ㄷ ⑤ ㄱ, ㄴ, ㄷ

13
▸24070-0266

그림은 일정한 전류가 흐르고 있는 무한히 긴 직선 도선 A, B가 xy 평면에 수직으로 고정되어 있을 때, A, B의 전류에 의한 자기장을 자기력선으로 일부만 나타낸 것이다. 점 p, q는 A로부터 거리가 같은 xy 평면상의 지점이다.

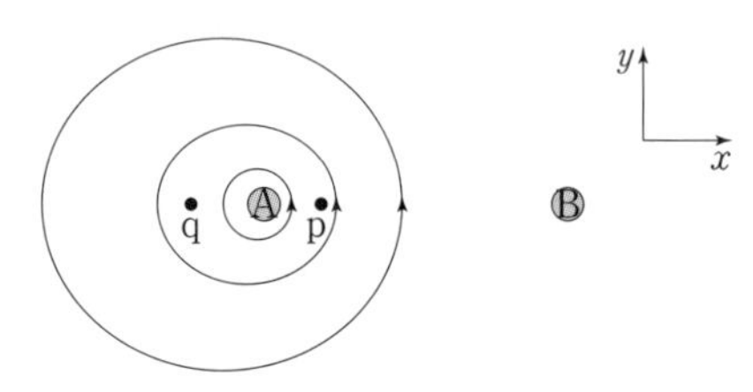

이에 대한 설명으로 옳은 것만을 〈보기〉에서 있는 대로 고른 것은? [3점]

보기
ㄱ. A, B의 전류에 의한 자기장의 세기는 p에서가 q에서보다 크다.
ㄴ. A에 흐르는 전류의 방향은 xy 평면에서 수직으로 나오는 방향이다.
ㄷ. A와 B를 잇는 선분상의 xy 평면 위의 지점 중 A와 B의 전류에 의한 자기장이 0인 점이 있다.

① ㄴ ② ㄷ ③ ㄱ, ㄴ ④ ㄱ, ㄷ ⑤ ㄱ, ㄴ, ㄷ

14
▸24070-0267

그림은 xy 평면에 고정된 스위치 S가 연결된 직사각형 금속 고리와 xy 평면에 수직인 균일한 자기장 영역 Ⅰ, Ⅱ를 나타낸 것으로 시간 $t=0$일 때 금속 막대가 y축 위를 지나고 있다. 금속 막대는 $+x$방향으로 1 cm/s의 속력으로 등속 운동을 한다. $t=1$초일 때, 금속 고리 위의 점 p에서 유도 전류의 방향은 $+y$방향이고, 유도 전류의 세기는 $t=1$초일 때가 $t=3$초일 때의 2배이다. $t=4$초인 순간 S를 닫았다.

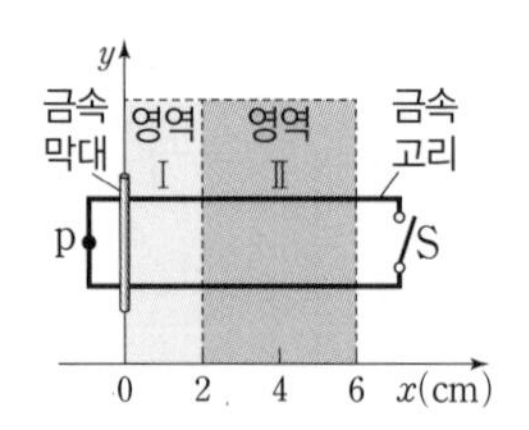

이에 대한 설명으로 옳은 것만을 〈보기〉에서 있는 대로 고른 것은? (단, 금속 고리의 저항은 무시한다.) [3점]

보기
ㄱ. Ⅰ에서 자기장의 방향은 xy 평면에서 수직으로 나오는 방향이다.
ㄴ. 자기장의 세기는 Ⅱ에서가 Ⅰ에서의 2배이다.
ㄷ. $t=5$초일 때 p에는 유도 전류가 흐르지 않는다.

① ㄱ ② ㄷ ③ ㄱ, ㄴ ④ ㄱ, ㄷ ⑤ ㄴ, ㄷ

15
▸24070-0268

그림과 같이 파장이 λ인 단색광이 슬릿의 폭이 a인 단일 슬릿을 통과하여 스크린상에 중앙 밝은 무늬의 폭이 x인 회절 무늬가 생겼다.

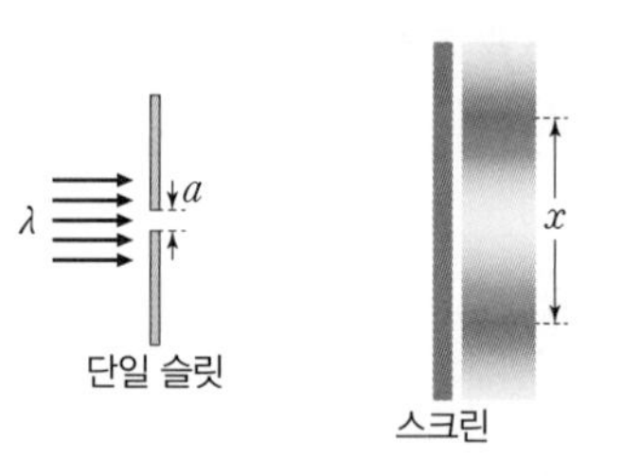

다른 조건은 그대로이고 한 가지 조건을 바꿀 때, x가 커지는 경우만을 〈보기〉에서 있는 대로 고른 것은?

보기
ㄱ. 슬릿의 폭이 a보다 작은 슬릿으로 바꾼다.
ㄴ. 파장이 λ보다 작은 단색광을 사용한다.
ㄷ. 슬릿과 스크린 사이의 거리를 더 가까이 한다.

① ㄱ ② ㄷ ③ ㄱ, ㄴ ④ ㄱ, ㄷ ⑤ ㄴ, ㄷ

16
▸24070-0269

그림은 학생 A, B, C가 전자기파와 수신 회로에 대해 대화하는 모습을 나타낸 것이다.

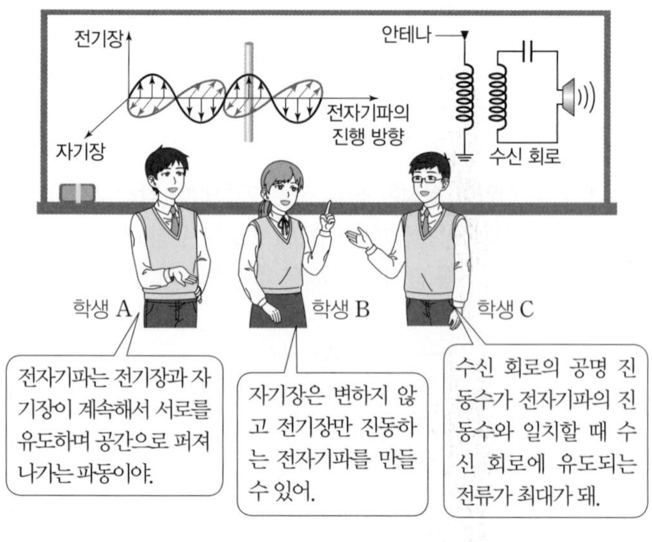

제시한 내용이 옳은 학생만을 있는 대로 고른 것은?

① A ② B ③ A, C ④ B, C ⑤ A, B, C

17

▸24070-0270

그림과 같이 진동수가 f_0인 음파를 발생하는 음원 A, B, C가 각각 v, $2v$, v의 속력으로 동일 직선상에서 등속 직선 운동을 한다. A, B는 음파 측정기에 가까워지고 있고, C는 음파 측정기로부터 멀어지고 있다. 음파 측정기로 측정한 B에서 발생한 음파의 진동수는 f이다.

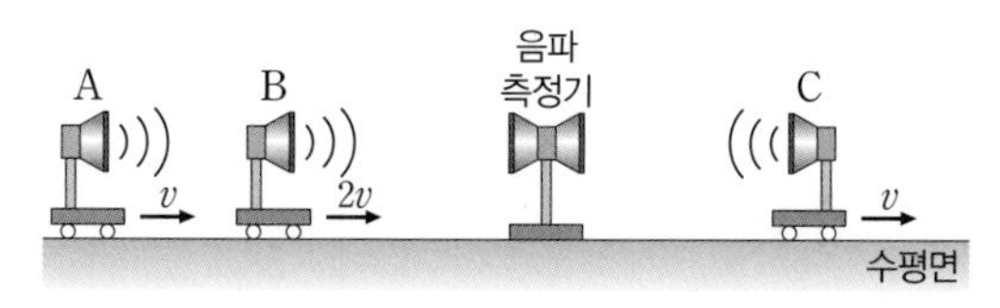

이에 대한 설명으로 옳은 것만을 〈보기〉에서 있는 대로 고른 것은? (단, 음파 측정기는 A, B, C와 동일 직선상에 있고, 음파의 속력은 일정하다.)

보기

ㄱ. 음파 측정기로 측정한 A에서 발생한 음파의 진동수는 f보다 작다.
ㄴ. 음파 측정기로 측정한 C에서 발생한 음파의 진동수는 f_0보다 작다.
ㄷ. 음파 측정기로 측정한 A와 C에서 발생한 음파의 파장은 서로 같다.

① ㄱ ② ㄴ ③ ㄷ ④ ㄱ, ㄴ ⑤ ㄱ, ㄴ, ㄷ

18

▸24070-0271

그림 (가)는 중심이 $x=0$에 고정된 초점 거리가 d인 볼록 렌즈의 광축 위에서 물체의 위치를 변화시키는 것을 나타낸 것이다. 그림 (나)는 (가)에서 물체의 위치에 따른 상의 위치를 나타낸 것이다.

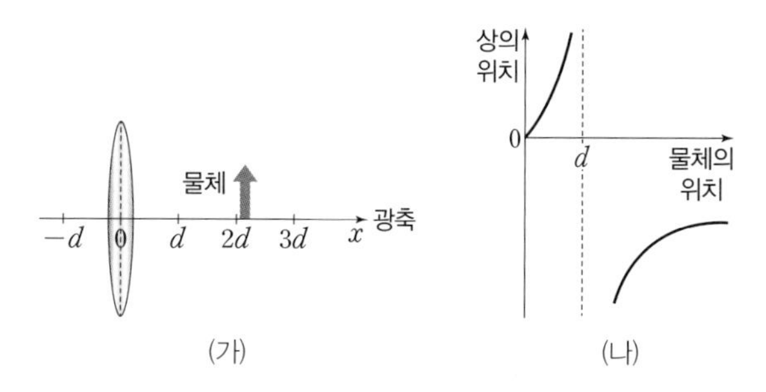

(가) (나)

이에 대한 설명으로 옳은 것만을 〈보기〉에서 있는 대로 고른 것은? [3점]

보기

ㄱ. 물체가 $x=0$에서 $x=d$ 사이에 있을 때 생기는 상은 모두 확대된 상이다.
ㄴ. 물체가 $x=2d$에 있을 때 물체의 상은 도립 실상이다.
ㄷ. 물체의 위치가 $x=3d$일 때, 상의 위치는 $x=-\frac{3}{2}d$이다.

① ㄱ ② ㄴ ③ ㄷ ④ ㄱ, ㄴ ⑤ ㄱ, ㄴ, ㄷ

19

▸24070-0272

그림과 같이 길이가 $6L$이고 질량이 각각 m인 세 막대와 물체 A, B를 실로 연결하였더니 세 막대가 수평을 이루며 정지해 있다. A의 질량은 m이고, B가 매달린 막대의 왼쪽 끝으로부터 B가 매달린 지점까지의 거리는 x이다.

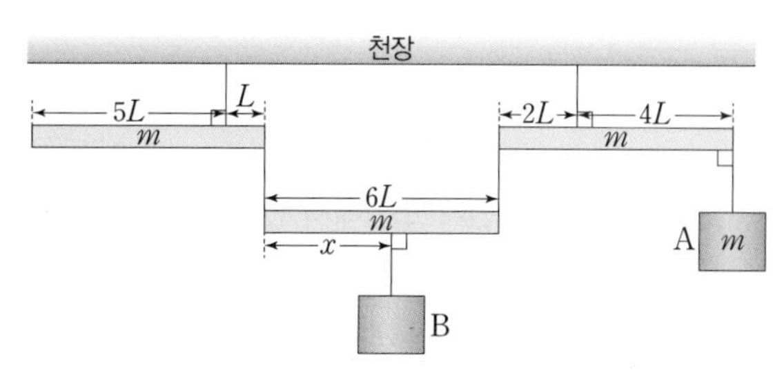

x는? (단, 막대의 밀도는 균일하고, 막대의 두께와 폭, 실의 질량은 무시한다.) [3점]

① $\frac{22}{7}L$ ② $\frac{23}{7}L$ ③ $\frac{24}{7}L$ ④ $\frac{25}{7}L$ ⑤ $\frac{26}{7}L$

20

▸24070-0273

그림은 수평면에서 발사된 물체 A, B가 각각 포물선 운동을 하다가 B가 최고점 p에 도달한 순간 A와 B가 충돌하는 것을 나타낸 것이다. 수평면에서 발사된 직후부터 p에서 충돌할 때까지 운동한 시간은 B가 A의 2배이다. 수평면에 대한 A의 발사각은 θ이고, 발사된 순간부터 충돌할 때까지 A와 B의 수평 이동 거리는 $2L$로 같으며, P의 높이는 L이다.

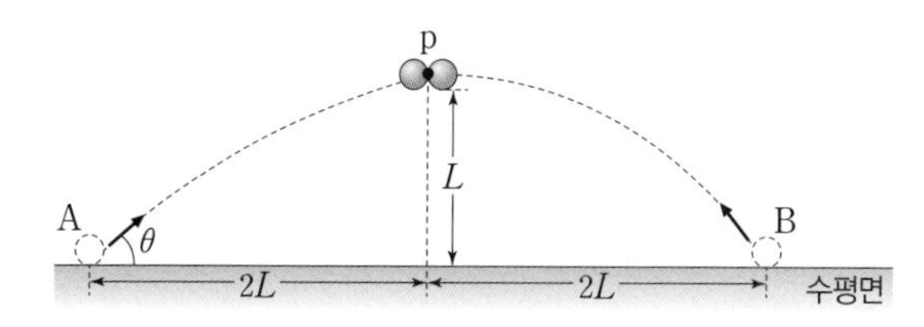

$\tan\theta$는? (단, 물체의 크기는 무시한다.) [3점]

① $\frac{1}{2}$ ② $\frac{5}{8}$ ③ $\frac{3}{4}$ ④ $\frac{\sqrt{3}}{2}$ ⑤ $\frac{3}{2}$

실전 모의고사 3회

(제한시간 30분) (배점 50점) 정답과 해설 54쪽

문항에 따라 배점이 다르니, 각 물음의 끝에 표시된 배점을 참고하시오. 3점 문항에만 점수가 표시되어 있습니다. 점수 표시가 없는 문항은 모두 2점입니다.

01

▸24070-0274

그림 (가)는 보어의 수소 원자 모형에서 전자가 원운동하는 것을, (나)는 전자가 폭이 a인 슬릿을 통과한 후 스크린에 회절 무늬를 형성하는 것을 나타낸 것으로 Δx는 중앙 밝은 무늬를 기준으로 양쪽 첫 번째 어두운 무늬 사이의 간격이다.

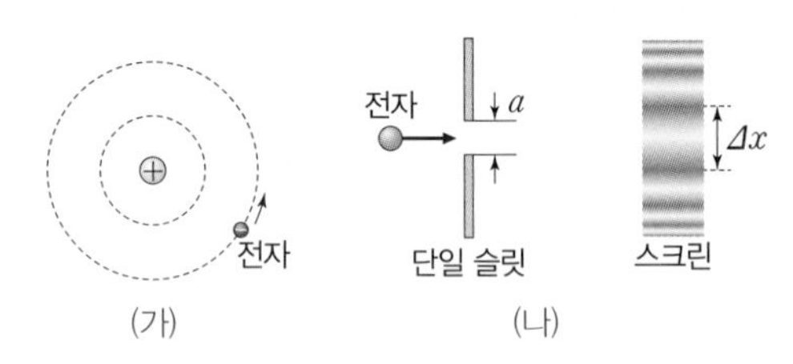

이에 대한 설명으로 옳은 것만을 〈보기〉에서 있는 대로 고른 것은?

보기

ㄱ. (가)에서는 불확정성 원리로 전자의 운동을 설명한다.
ㄴ. (나)에서 a가 클수록 슬릿을 통과하는 전자의 운동량 불확정성은 커진다.
ㄷ. (나)에서 슬릿의 폭에 해당하는 전자의 위치 불확정성이 작을수록 Δx가 크다.

① ㄱ ② ㄷ ③ ㄱ, ㄴ ④ ㄴ, ㄷ ⑤ ㄱ, ㄴ, ㄷ

02

▸24070-0275

다음은 전자기파의 수신에 대한 설명이다.

그림과 같이 안테나에 세기가 같고 진동수가 f_A 또는 f_B인 전파가 도달하면 안테나에는 전파에 의한 전류가 흐르게 된다. 만약 안테나 수신 회로의 ㉠공명(고유) 진동수가 f_A이면 수신 회로에는 진동수가 f_A인 전파에 의한 전류가 f_B인 전파에 의한 전류보다 더 [㉡] 흐르게 된다.

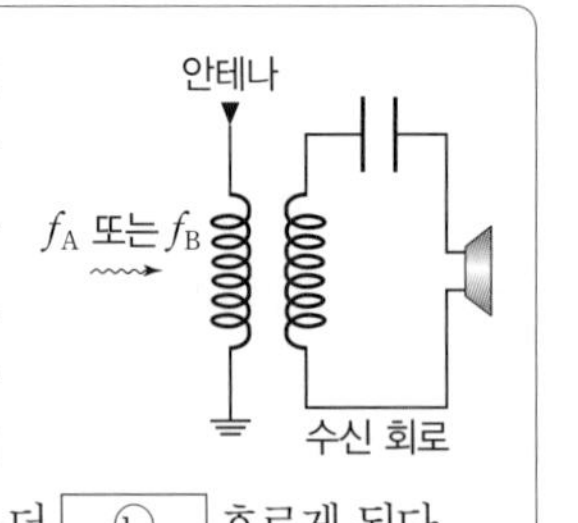

이에 대한 설명으로 옳은 것만을 〈보기〉에서 있는 대로 고른 것은?

보기

ㄱ. 안테나의 코일에 흐르는 전류에 의해 수신 회로의 코일에 전류가 흐르는 것은 '상호유도'로 설명할 수 있다.
ㄴ. ㉠은 수신 회로에 연결된 축전기의 전기 용량 변화에 영향을 받지 않는다.
ㄷ. '약하게'는 ㉡으로 적절하다.

① ㄱ ② ㄴ ③ ㄱ, ㄷ ④ ㄴ, ㄷ ⑤ ㄱ, ㄴ, ㄷ

03

▸24070-0276

그림은 질량이 2 kg인 물체가 xy 평면에서 등가속도 운동을 할 때 속도의 x성분 v_x와 y성분 v_y를 시간 t에 따라 나타낸 것이다.

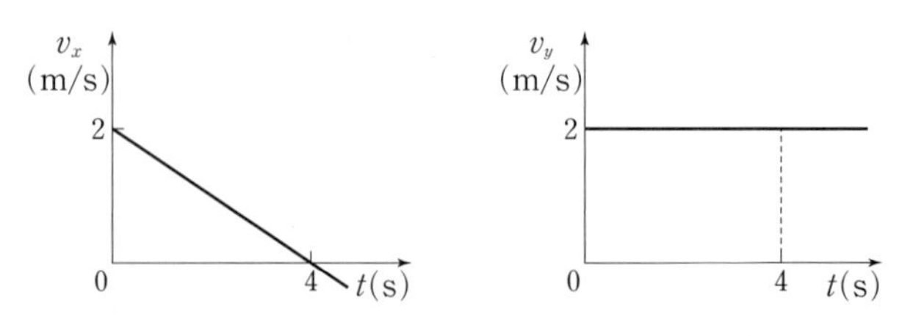

이에 대한 설명으로 옳은 것만을 〈보기〉에서 있는 대로 고른 것은?

보기

ㄱ. $t=0$부터 $t=4$초까지 변위의 크기는 12 m이다.
ㄴ. 가속도의 크기는 2 m/s^{2}이다.
ㄷ. 물체에 작용하는 알짜힘의 크기는 1 N이다.

① ㄱ ② ㄷ ③ ㄱ, ㄴ ④ ㄴ, ㄷ ⑤ ㄱ, ㄴ, ㄷ

04

▸24070-0277

그림은 xy 평면에서 등가속도 운동을 하는 물체의 위치를 0.1초 간격으로 나타낸 것이다. 시간 $t=0$일 때 물체는 속력 v_0으로 $+y$방향으로 x축을 지난다.

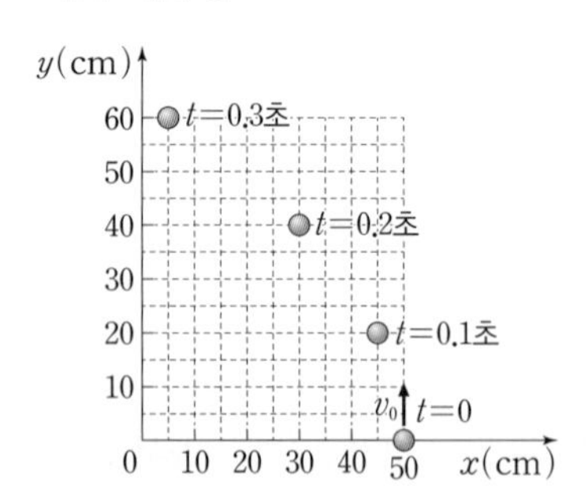

물체의 운동에 대한 설명으로 옳은 것만을 〈보기〉에서 있는 대로 고른 것은? (단, 물체의 크기는 무시한다.)

보기

ㄱ. 가속도의 크기는 10 m/s^{2}이다.
ㄴ. $v_0=2$ m/s이다.
ㄷ. $t=0.2$초일 때, 물체의 속력은 4 m/s이다.

① ㄱ ② ㄷ ③ ㄱ, ㄴ ④ ㄴ, ㄷ ⑤ ㄱ, ㄴ, ㄷ

05

▸24070-0278

그림은 수평면에 고정된 원판 A에 원판 B가 접촉한 상태로 A 주위를 시계 반대 방향으로 일정한 각속도로 구르는 것을 나타낸 것이다. 점 a, b는 A의 둘레에 고정된 지점이다. 시간 $t=0$일 때 A와 B의 접점은 a이고, 이때부터 A의 중심과 A, B의 접점을 잇는 선분이 90°만큼 회전한 $t=t_0$일 때 A와 B의 접점은 b가 된다. A, B의 반지름은 각각 $3r$, r이다. A의 중심에 대해 B의 중심 O의 각속도와 구심 가속도의 크기는 각각 ω, a이다.

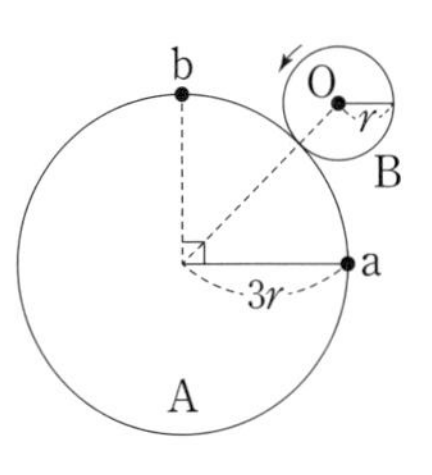

ω와 a로 옳은 것은?

	ω	a		ω	a
①	$\frac{\pi}{4t_0}$	$\frac{r\pi^2}{4t_0^2}$	②	$\frac{\pi}{4t_0}$	$\frac{r\pi^2}{3t_0^2}$
③	$\frac{\pi}{2t_0}$	$\frac{r\pi^2}{2t_0^2}$	④	$\frac{\pi}{2t_0}$	$\frac{r\pi^2}{t_0^2}$
⑤	$\frac{\pi}{t_0}$	$\frac{2r\pi^2}{t_0^2}$			

06

▸24070-0279

그림과 같이 위성 A는 행성을 중심으로 하는 원 궤도를, 위성 B는 행성을 한 초점으로 하는 타원 궤도를 따라 운동하고 있다. 점 a는 A의 궤도상의 점이고 점 b, c는 각각 B의 궤도상에서 행성으로부터 가장 가까운 지점과 가장 먼 지점이다. b, c에서 B의 속력은 각각 v_b, v_c이고, A의 공전 주기는 T이다. 행성으로부터 c까지 거리는 $2R$보다 크다.

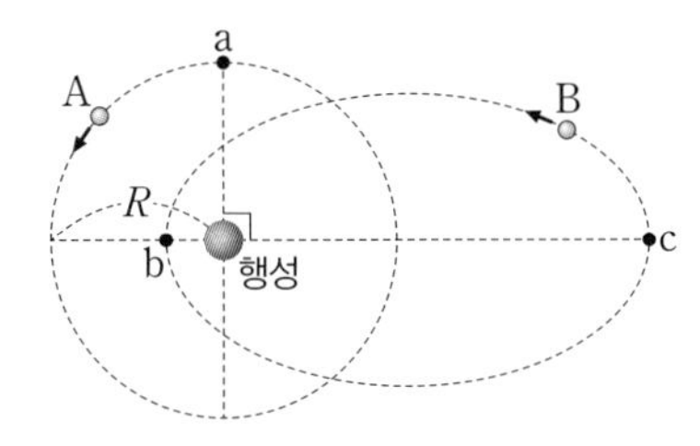

이에 대한 설명으로 옳은 것만을 〈보기〉에서 있는 대로 고른 것은? (단, A, B에는 행성에 의한 중력만 작용한다.) [3점]

보기
ㄱ. a에서 A의 가속도의 크기는 b에서 B의 가속도의 크기보다 작다.
ㄴ. $v_b < v_c$이다.
ㄷ. B가 b에서 c까지 운동하는 데 걸리는 시간은 $\frac{T}{2}$이다.

① ㄱ ② ㄴ ③ ㄱ, ㄷ ④ ㄴ, ㄷ ⑤ ㄱ, ㄴ, ㄷ

07

▸24070-0280

그림 (가)는 퀘이사에서 나온 빛이 은하 주변을 지나면서 휘어져 4개의 점으로 보이는 것을 허블 망원경으로 촬영한 천체 사진을, (나)는 점 P에서 오는 빛이 천체 A 주변에서 휘어져 관찰자에 도달하는 모습을 나타낸 것이다. P에서 나온 빛의 연장선과 관찰자에게 도달하는 빛의 연장선이 이루는 각은 θ이고, 점 Q는 관찰자에 도달하는 빛의 연장선상의 점이다.

(가)

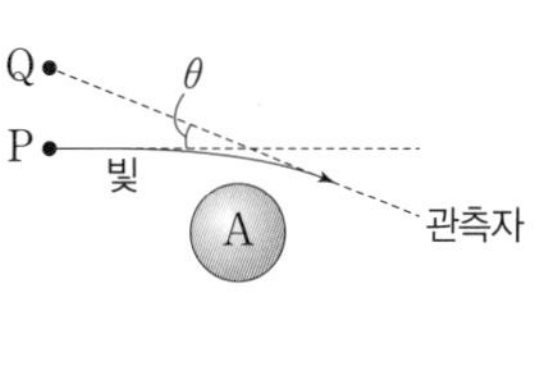

(나)

이에 대한 설명으로 옳은 것만을 〈보기〉에서 있는 대로 고른 것은?

보기
ㄱ. (가)는 중력 렌즈 효과로 인해 관측되는 현상이다.
ㄴ. (나)에서 천체 주위에서 빛이 휘어지는 현상은 일반 상대성 이론으로 설명할 수 있다.
ㄷ. A의 질량이 더 커지면 P에서 나온 빛이 관찰자에게 도달할 때의 θ는 증가한다.

① ㄱ ② ㄷ ③ ㄱ, ㄴ ④ ㄴ, ㄷ ⑤ ㄱ, ㄴ, ㄷ

08

▸24070-0281

그림은 수평면에 정지한 물체 A, B를 실로 연결하고 시간 $t=0$일 때 수평면과 나란하게 크기가 일정한 힘 F로 A를 당기는 모습을 나타낸 것이다. $t=2$초일 때 A, B를 연결한 실이 끊어지고, $t=3$초일 때 F를 제거하였더니 A, B는 각각 직선 운동을 하다가 경사각이 일정한 빗면을 따라 수평면으로부터 최대 높이 h_1, h_2인 지점까지 올라갔다. A, B의 질량은 각각 $3m$, m이다.

이에 대한 설명으로 옳은 것만을 〈보기〉에서 있는 대로 고른 것은? (단, 중력 가속도는 g이고, 물체의 크기와 실의 질량, 모든 마찰 및 공기 저항은 무시한다.) [3점]

보기
ㄱ. $t=0$부터 $t=2$초까지 F가 한 일은 $4mgh_2$이다.
ㄴ. F를 제거한 직후 속력은 A가 B의 2배이다.
ㄷ. $h_1=3h_2$이다.

① ㄱ ② ㄴ ③ ㄱ, ㄷ ④ ㄴ, ㄷ ⑤ ㄱ, ㄴ, ㄷ

09

▸24070-0282

그림과 같이 물체 A, B를 실에 매달고 정지 상태에서 가만히 놓았더니 최하점에서 속력이 각각 v_0, v_B로 운동하였다. A, B를 놓기 전, 실이 연직선과 이루는 각은 각각 60°, θ이다. 질량은 A가 B의 2배이고, A를 놓은 순간부터 A가 최하점까지 운동하는 동안 중력이 A에 한 일은 B의 최하점에서 B의 운동 에너지의 2배이다.

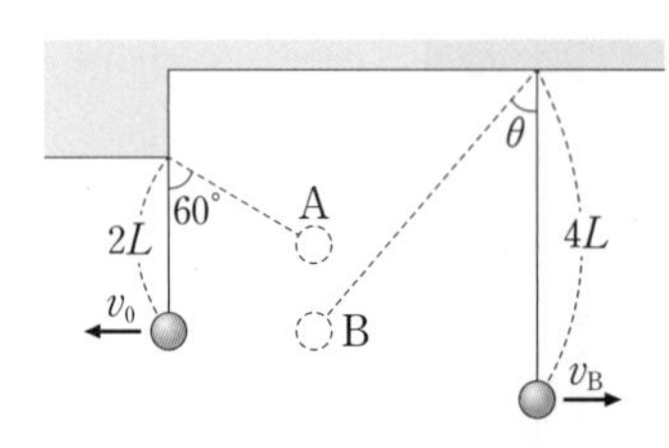

이에 대한 설명으로 옳은 것만을 〈보기〉에서 있는 대로 고른 것은? (단, 물체의 크기와 모든 마찰 및 공기 저항은 무시한다.) [3점]

> 보기
> ㄱ. v_B는 v_0보다 크다.
> ㄴ. 각각의 최하점에서 운동 에너지는 A가 B의 2배이다.
> ㄷ. $\cos\theta=\frac{3}{4}$이다.

① ㄱ ② ㄷ ③ ㄱ, ㄴ ④ ㄴ, ㄷ ⑤ ㄱ, ㄴ, ㄷ

10

▸24070-0283

그림 (가), (나)와 같이 xy 평면에서 균일한 전기장 영역에 전하량이 각각 q_A, q_B인 점전하 A, B가 길이가 l인 절연된 실로 대전되지 않은 절연체 C와 각각 연결되어 정지해 있다. 균일한 전기장의 세기는 (가)에서와 (나)에서가 같고, C에는 $+x$방향으로 크기가 F인 힘이 작용한다.

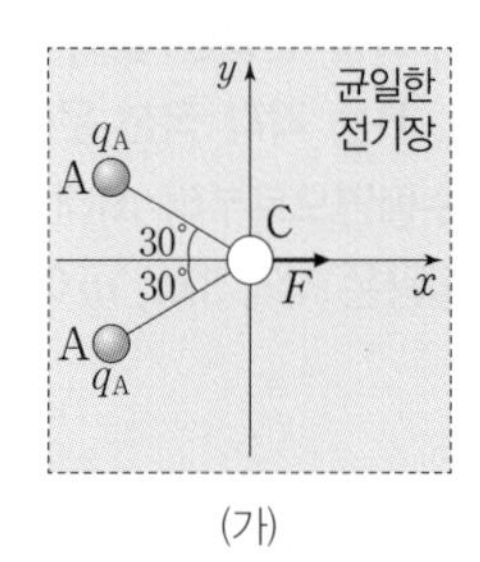

(가)

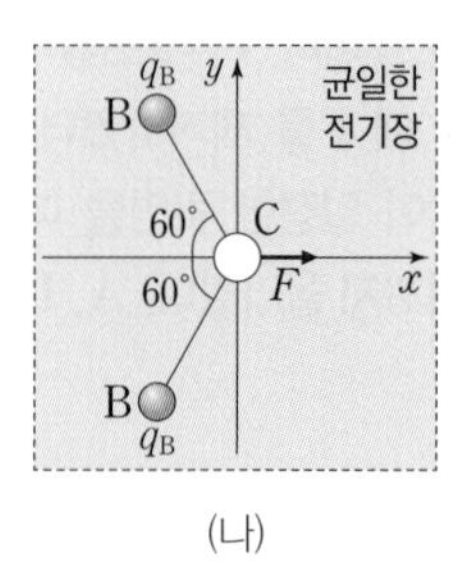

(나)

이에 대한 설명으로 옳은 것만을 〈보기〉에서 있는 대로 고른 것은? (단, 실의 질량과 모든 마찰 및 A와 C, B와 C 사이의 전기적 상호작용은 무시한다.) [3점]

> 보기
> ㄱ. 실 한 가닥이 C를 당기는 힘의 크기는 (가)에서가 (나)에서보다 작다.
> ㄴ. 점전하 사이의 전기력의 크기는 (나)에서가 (가)에서의 3배이다.
> ㄷ. $q_B=3q_A$이다.

① ㄱ ② ㄷ ③ ㄱ, ㄴ ④ ㄴ, ㄷ ⑤ ㄱ, ㄴ, ㄷ

11

▸24070-0284

그림과 같이 저항값이 R인 저항 4개, $2R$인 저항 1개, 전류계, 스위치 S_1, S_2를 전압이 V로 일정한 전원에 연결하여 회로를 구성하였다. S_2만을 닫을 때, 저항값이 $2R$인 저항에 흐르는 전류의 세기는 I_0이다.

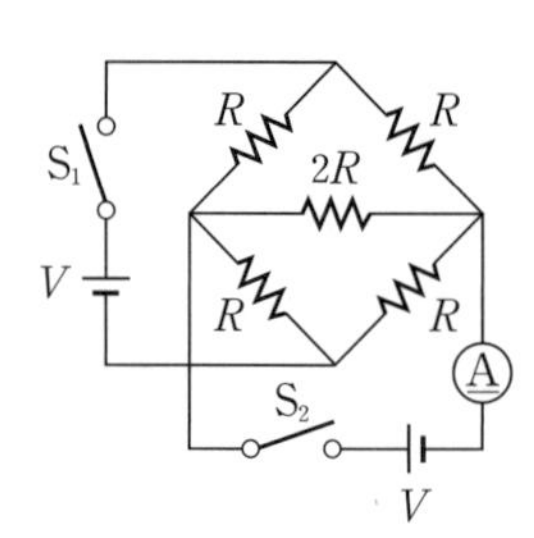

이에 대한 설명으로 옳은 것만을 〈보기〉에서 있는 대로 고른 것은? [3점]

> 보기
> ㄱ. S_2만을 닫을 때, 전류계에 흐르는 전류의 세기는 $3I_0$이다.
> ㄴ. 저항값이 R인 저항 4개와 $2R$인 저항 1개의 합성 저항값은 S_1만을 닫을 때가 S_2만을 닫을 때보다 크다.
> ㄷ. S_1만을 닫을 때, 저항값이 R인 저항 1개의 소비 전력은 I_0V이다.

① ㄴ ② ㄷ ③ ㄱ, ㄴ ④ ㄱ, ㄷ ⑤ ㄱ, ㄴ, ㄷ

12

▸24070-0285

그림은 평행판 축전기 A, B에 걸리는 전압과 저장되는 전기 에너지 사이의 관계를 나타낸 것이고, 표는 A, B의 극판 면적과 극판 간격을 나타낸 것이다. A, B의 극판 사이에는 유전율이 각각 ε_1, ε_2인 유전체가 완전히 채워져 있다.

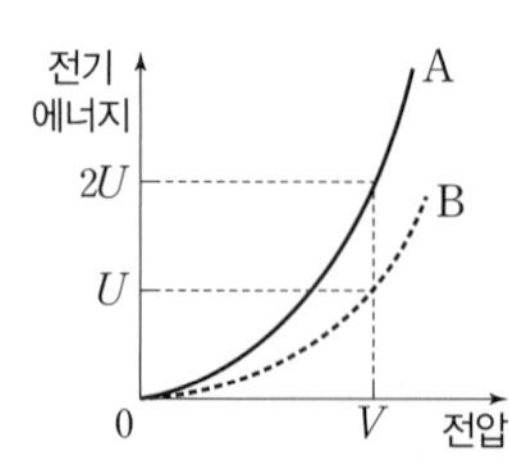

물리량 \ 축전기	A	B
극판 면적	S	$3S$
극판 간격	d	$2d$

이에 대한 설명으로 옳은 것만을 〈보기〉에서 있는 대로 고른 것은?

> 보기
> ㄱ. 전기 용량은 A가 B의 2배이다.
> ㄴ. 전압이 $\frac{V}{2}$일 때 충전되는 전하량은 A가 B의 1.5배이다.
> ㄷ. $\varepsilon_1=2\varepsilon_2$이다.

① ㄱ ② ㄷ ③ ㄱ, ㄴ ④ ㄴ, ㄷ ⑤ ㄱ, ㄴ, ㄷ

13

▸24070-0286

그림 (가)와 같이 한 변의 길이가 0.1 m인 정사각형 도선이 시간 $t=0$일 때 xy 평면에 수직으로 들어가는 방향의 균일한 자기장 영역 Ⅰ에 들어가고 $t=5$초일 때 xy 평면에 수직인 자기장 영역 Ⅱ를 완전히 빠져나온다. 도선은 xy 평면과 나란하게 $+x$방향으로 일정한 속력으로 운동한다. 그림 (나)는 자기장 영역 Ⅰ, Ⅱ에서 자기장의 세기를 t에 따라 나타낸 것이다.

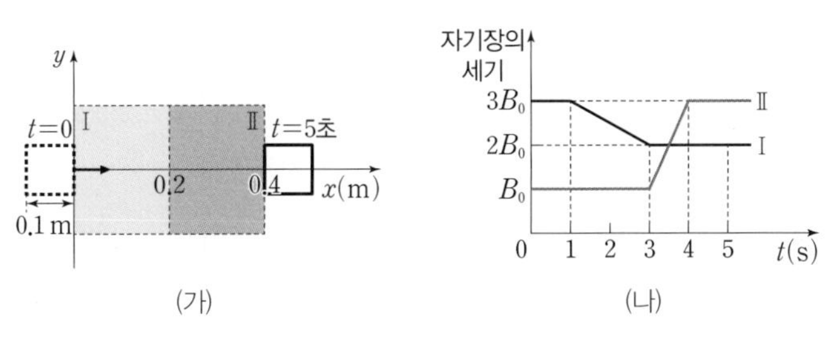

(가) (나)

이에 대한 설명으로 옳은 것만을 <보기>에서 있는 대로 고른 것은? [3점]

보기

ㄱ. $t=2$초일 때 도선에 흐르는 유도 전류의 방향은 시계 방향이다.

ㄴ. 고리면을 통과하는 균일한 자기장에 의한 자기 선속은 $t=2$초일 때가 $t=3$초일 때의 2배이다.

ㄷ. 유도 전류의 세기는 $t=3.5$초일 때가 $t=1.5$초일 때의 4배이다.

① ㄱ ② ㄴ ③ ㄱ, ㄷ ④ ㄴ, ㄷ ⑤ ㄱ, ㄴ, ㄷ

14

▸24070-0287

그림은 전압이 V_0인 교류 전원, 저항값이 R인 저항 A, 가변 저항, 변압기가 연결된 회로를 나타낸 것이다. 표는 가변 저항의 저항값 R_V에 따른 A의 소비 전력을 나타낸 것이다.

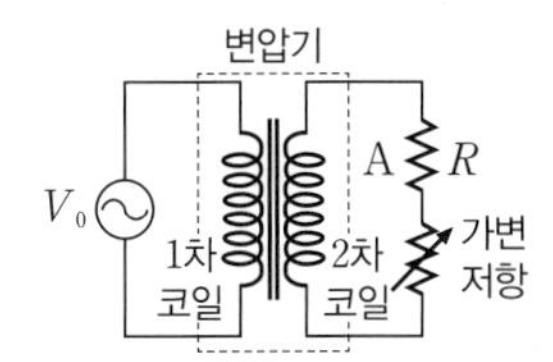

R_V	A의 소비 전력
R	P_1
$3R$	P_2

$P_1-P_2=\frac{3V_0^2}{R}$일 때, 이에 대한 설명으로 옳은 것만을 <보기>에서 있는 대로 고른 것은? (단, 변압기에서 에너지 손실은 무시한다.) [3점]

보기

ㄱ. 2차 코일에 걸리는 전압은 $4V_0$이다.

ㄴ. 감은 수는 2차 코일이 1차 코일의 2배이다.

ㄷ. $R_V=R$일 때 1차 코일에 흐르는 전류의 세기는 $R_V=3R$일 때 2차 코일에 흐르는 전류의 세기의 4배이다.

① ㄱ ② ㄴ ③ ㄱ, ㄷ ④ ㄴ, ㄷ ⑤ ㄱ, ㄴ, ㄷ

15

▸24070-0288

그림은 파장이 λ인 단색광이 이중 슬릿을 통과하여 스크린에 도달하는 것을 나타낸 것이다. 스크린상의 점 O는 두 슬릿 S_1, S_2로부터 같은 거리에 있는 밝은 무늬의 중심이고, O로부터 각각 y_1, y_2만큼 떨어진 스크린상의 점 P, Q는 각각 O로부터 첫 번째 어두운 무늬의 중심, 두 번째 밝은 무늬의 중심이다. 표는 스크린을 x축을 따라 이동시킬 때, 스크린을 이동시키기 전과 후에 S_1, S_2로부터 P, Q까지 경로차를 나타낸 것이다.

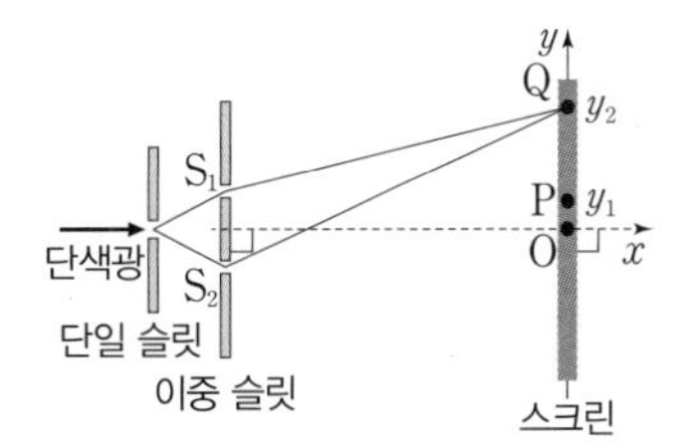

위치	경로차	
	이동 전	이동 후
P	㉠	λ_1
Q	㉡	λ

이에 대한 설명으로 옳은 것만을 <보기>에서 있는 대로 고른 것은?

보기

ㄱ. ㉡은 ㉠의 4배이다.

ㄴ. 스크린을 이동시킨 방향은 $+x$방향이다.

ㄷ. $y_2=4y_1$이다.

① ㄱ ② ㄷ ③ ㄱ, ㄴ ④ ㄴ, ㄷ ⑤ ㄱ, ㄴ, ㄷ

16

▸24070-0289

그림은 xy 평면에서 음원 A는 x축상에서 $+x$방향으로, B는 y축상에서 각각 일정한 속력 $\frac{v}{20}$, $\frac{v}{10}$로 운동하면서 음파를 발생할 때 원점에 정지해 있는 음파 측정기에서 A, B에서 발생한 음파의 진동수를 측정하는 것을 나타낸 것이다. 표는 A, B에서 발생한 음파의 진동수와 음파 측정기에서 측정한 음파의 진동수를 나타낸 것이다. f는 $0.5f_2$보다 작다.

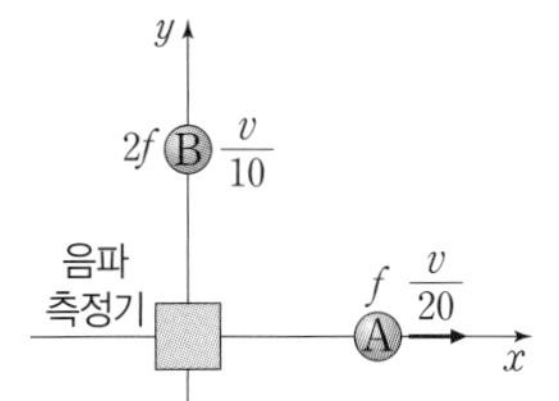

음원	발생한 진동수	측정한 진동수
A	f	f_1
B	$2f$	f_2

이에 대한 설명으로 옳은 것만을 <보기>에서 있는 대로 고른 것은? (단, v는 음속이다.)

보기

ㄱ. B의 운동 방향은 $+y$방향이다.

ㄴ. f_1은 f보다 작다.

ㄷ. f_2는 f_1의 2배이다.

① ㄱ ② ㄴ ③ ㄱ, ㄷ ④ ㄴ, ㄷ ⑤ ㄱ, ㄴ, ㄷ

17

▸24070-0290

그림과 같이 수평면 위에서 막대 A, B가 물체 C를 사이에 두고 접촉한 상태로 회전축 a, b에 각각 고정되어 있다. A의 왼쪽 끝과 B의 오른쪽 끝에 크기가 각각 F_0, F인 힘을 막대에 수직하게 작용할 때, A, B, C는 정지 상태를 유지한다. C로부터 a, b까지 거리는 각각 L, $2L$이다.

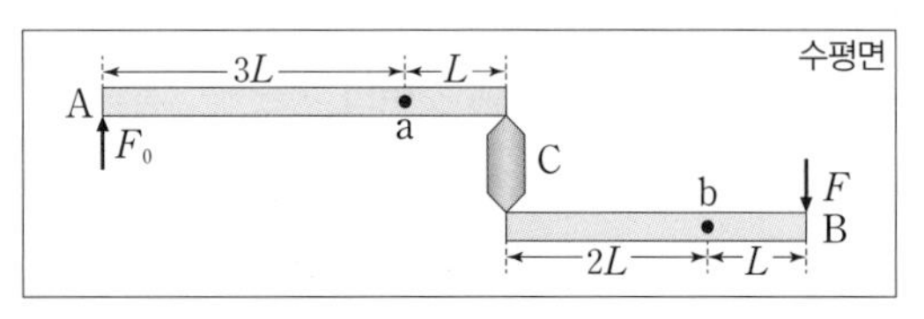

이에 대한 설명으로 옳은 것만을 <보기>에서 있는 대로 고른 것은? (단, 막대의 질량, 두께, 폭 모든 마찰은 무시한다.) [3점]

보기

ㄱ. A에 작용하는 돌림힘의 합은 0이다.
ㄴ. b를 회전축으로 C가 B에 작용하는 힘에 의한 돌림힘은 0이다.
ㄷ. $F=6F_0$이다.

① ㄱ ② ㄴ ③ ㄱ, ㄷ ④ ㄴ, ㄷ ⑤ ㄱ, ㄴ, ㄷ

18

▸24070-0291

그림은 $x=0$인 위치에 볼록 렌즈를 놓고, $x<0$인 곳에 크기가 h인 물체를 놓은 것을, 표는 물체의 위치에 따른 상의 위치와 상의 크기를 나타낸 것이다.

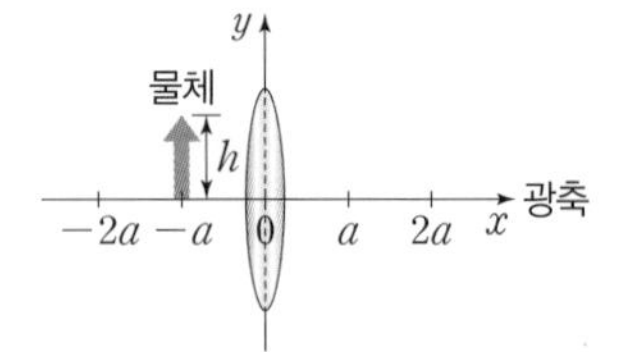

물체 위치	상의 위치	상의 크기
㉠ ($x<0$)	㉡	h
$x=-a$	$x=-2a$	㉢

이에 대한 설명으로 옳은 것만을 <보기>에서 있는 대로 고른 것은? [3점]

보기

ㄱ. 렌즈의 초점 거리는 a이다.
ㄴ. ㉡은 $x=4a$이다.
ㄷ. $x=-\frac{4}{3}a$는 상의 크기가 ㉢의 1.5배가 되는 물체의 위치로 적절하다.

① ㄱ ② ㄷ ③ ㄱ, ㄴ ④ ㄴ, ㄷ ⑤ ㄱ, ㄴ, ㄷ

19

▸24070-0292

그림은 금속판에 단색광을 비추었을 때 광전자가 방출되는 것을, 표는 금속판의 종류에 따른 일함수 W와 각 금속판에 비춰준 단색광의 광자 1개의 에너지 E, 금속판에서 방출되는 광전자의 최대 운동 에너지 K_{max}를 나타낸 것이다.

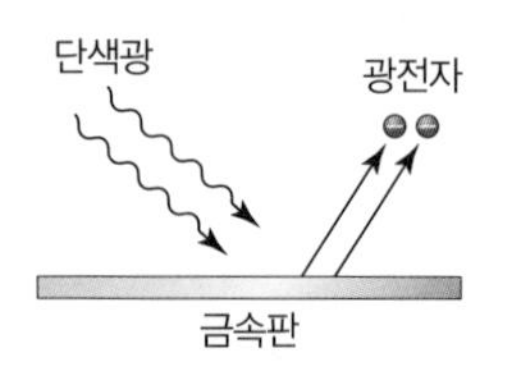

금속판	W	E	K_{max}
A	W_1	$2E_0$	$2E_1$
B	W_2	E_0	E_1
C	W_3	$3E_0$	$2E_1$

A, B, C의 일함수를 비교한 것으로 옳은 것은?

① $W_1=W_2<W_3$ ② $W_1<W_2<W_3$
③ $W_2<W_1<W_3$ ④ $W_2<W_3<W_1$
⑤ $W_3<W_2<W_1$

20

▸24070-0293

그림 (가)와 같이 xy 평면에 무한히 긴 직선 도선 A, B, C와 원형 도선 D가 고정되어 있다. A, B, C는 x축상의 $x=-2d$, $x=2d$인 점과 y축상의 $y=2d$인 점에서 서로 교차하고, D의 중심 O의 위치는 $(0, d)$이다. A, B, C에는 화살표 방향으로 세기가 각각 I_0, $\sqrt{2}I_0$, $5I_0$인 전류가 흐르고, D에 흐르는 전류의 세기가 2 A일 때 O에서 자기장은 0이다. 그림 (나)와 같이 (가)에서 D의 중심 O의 위치를 $(0, -2d)$로 이동시키고 D에 흐르는 전류의 세기만을 I_1이 되게 하였더니 D의 중심 O에서 자기장이 0이 되었다.

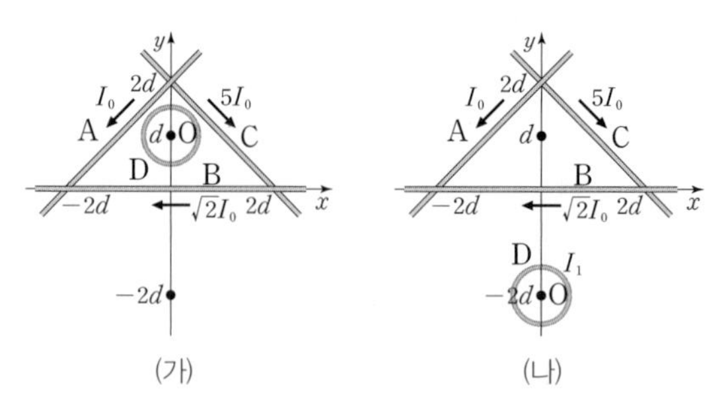

이에 대한 설명으로 옳은 것만을 <보기>에서 있는 대로 고른 것은? (단, 도선의 굵기는 무시한다.) [3점]

보기

ㄱ. (가)에서 D에 흐르는 전류의 방향은 시계 방향이다.
ㄴ. (가)의 O에서 D의 전류에 의한 자기장의 세기는 B의 전류에 의한 자기장의 세기의 5배이다.
ㄷ. $I_1=0.4$ A이다.

① ㄱ ② ㄴ ③ ㄱ, ㄷ ④ ㄴ, ㄷ ⑤ ㄱ, ㄴ, ㄷ

실전 모의고사 4회

제한시간 30분 | 배점 50점 | 정답과 해설 58쪽

문항에 따라 배점이 다르니, 각 물음의 끝에 표시된 배점을 참고하시오. 3점 문항에만 점수가 표시되어 있습니다. 점수 표시가 없는 문항은 모두 2점입니다.

01

▸24070-0294

다음은 현미경의 원리를 나타낸 것이다.

> 대물렌즈는 렌즈 중심으로부터 초점 거리의 2배인 곳과 초점 사이에 있는 물체에 의해 생긴 [㉠] 실상을 접안렌즈의 초점 안에 형성시키는 역할을 한다. 접안렌즈는 확대된 [㉡]을 만드는 역할을 한다. 이때 눈은 물체의 거꾸로 된 상을 보게 된다.

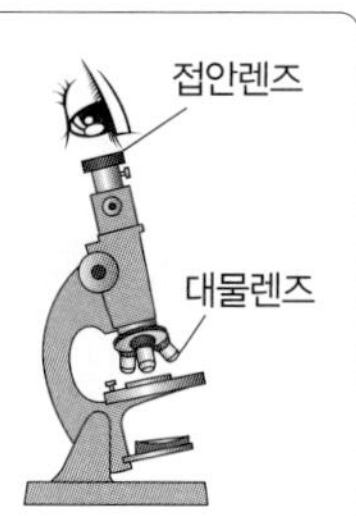

㉠과 ㉡에 들어갈 용어로 가장 적절한 것은?

	㉠	㉡
①	축소된	실상
②	축소된	허상
③	같은 크기의	실상
④	확대된	실상
⑤	확대된	허상

02

▸24070-0295

그림 (가), (나)는 주 양자수(n)가 $n=1$과 $n=2$일 때 수소 원자에서 전자의 확률 밀도를 3차원상의 전자구름의 형태로 순서 없이 나타낸 것이다.

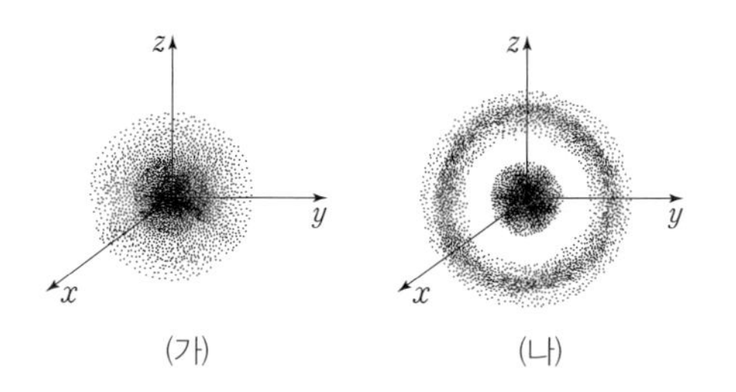

(가) (나)

이에 대한 설명으로 옳은 것만을 <보기>에서 있는 대로 고른 것은?

보기

ㄱ. (가)는 $n=1$일 때이다.
ㄴ. 전자의 에너지 준위는 (가)에서가 (나)에서보다 크다.
ㄷ. (나)에서 전자의 정확한 위치를 알 수 있다.

① ㄱ ② ㄷ ③ ㄱ, ㄴ ④ ㄴ, ㄷ ⑤ ㄱ, ㄴ, ㄷ

03

▸24070-0296

그림은 xy 평면에서 운동하는 물체가 속력 v_0으로 y축상의 점 p(0, $2L$)를 지나는 순간을 나타낸 것이다. 물체가 p를 지나는 순간 물체의 운동 방향과 x축이 이루는 각은 θ이고, $\tan\theta=\frac{1}{2}$이며 물체는 등가속도 운동을 하여 xy 평면상의 점 q($5L$, $5L$)을 지난다. 물체가 p에서 q까지 운동하는 동안 x축 방향과 y축 방향의 가속도의 크기는 서로 같고, x축과 y축 방향의 속력은 모두 증가한다.

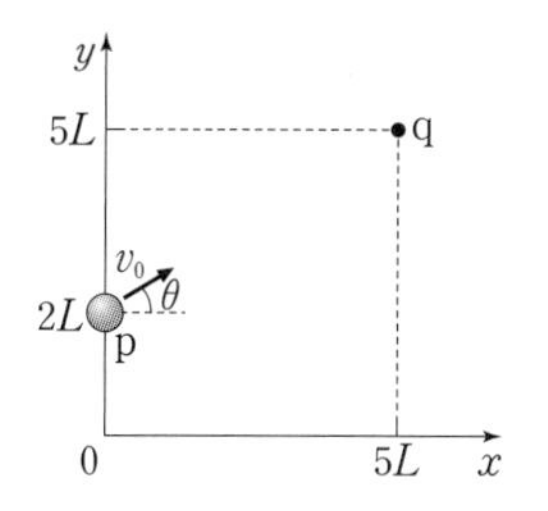

q에서 물체의 속력은? (단, 물체의 크기는 무시한다.) [3점]

① $\sqrt{2}v_0$ ② $\frac{2\sqrt{15}}{5}v_0$ ③ $\frac{\sqrt{65}}{5}v_0$ ④ $\frac{\sqrt{85}}{5}v_0$ ⑤ $\frac{\sqrt{130}}{5}v_0$

04

▸24070-0297

그림과 같이 위성 A는 행성을 중심으로 원 궤도를, 위성 B는 행성을 한 초점으로 하는 타원 궤도를 따라 운동하고 있다. 점 p에서 A, B의 궤도가 접하고, 점 q와 r는 각각 A, B의 궤도상의 점이며, p, q, r, 행성은 동일 직선상에 있다. 행성과 B 사이의 거리는 B가 r를 지나는 순간이 가장 작다.

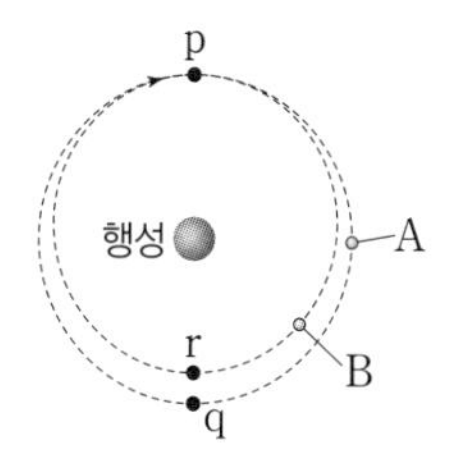

이에 대한 설명으로 옳은 것만을 <보기>에서 있는 대로 고른 것은? (단, 위성에는 행성에 의한 중력만 작용한다.) [3점]

보기

ㄱ. B의 속력은 p에서가 r에서보다 작다.
ㄴ. 주기는 A가 B보다 길다.
ㄷ. q에서 A의 가속도의 크기는 r에서 B의 가속도의 크기보다 작다.

① ㄴ ② ㄷ ③ ㄱ, ㄴ ④ ㄱ, ㄷ ⑤ ㄱ, ㄴ, ㄷ

05

▸24070-0298

그림은 지표면 근처의 엘리베이터 안에서 학생 A가 저울 위에 올라가 단진자의 주기를 관측하는 모습을 나타낸 것이고, 표는 A가 관찰한 단진자의 주기를 시간 t에 따라 나타낸 것이다. $t=0$부터 $t=2t_0$까지 엘리베이터는 정지해 있고, $t=3t_0$부터 $t=8t_0$까지 엘리베이터는 연직 방향으로 운동한다.

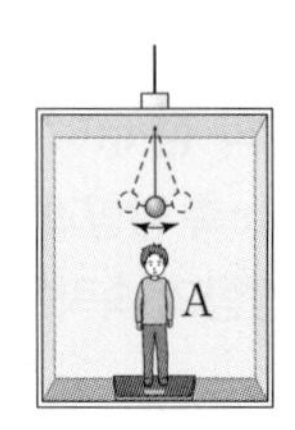

t	주기
0부터 $2t_0$까지	$2T$
$3t_0$부터 $5t_0$까지	T
$6t_0$부터 $8t_0$까지	$3T$

이에 대한 설명으로 옳은 것만을 〈보기〉에서 있는 대로 고른 것은?

보기

ㄱ. $t=4t_0$일 때 A에 작용하는 관성력의 방향은 연직 아래쪽 방향이다.

ㄴ. $t=6t_0$부터 $t=8t_0$까지 엘리베이터는 등속 직선 운동을 한다.

ㄷ. 저울에 측정된 힘의 크기는 $t=7t_0$일 때가 $t=4t_0$일 때보다 크다.

① ㄱ ② ㄷ ③ ㄱ, ㄴ ④ ㄱ, ㄷ ⑤ ㄴ, ㄷ

06

▸24070-0299

그림과 같이 수평면으로부터 높이 h인 지점에서 물체 A를 가만히 놓은 순간, 물체 B를 수평 방향으로 던졌더니 A와 B가 각각 등가속도 운동을 하여 수평면에 동시에 도달하였다. B의 수평 이동 거리는 $4h$이고, 질량은 A가 B의 2배이다.

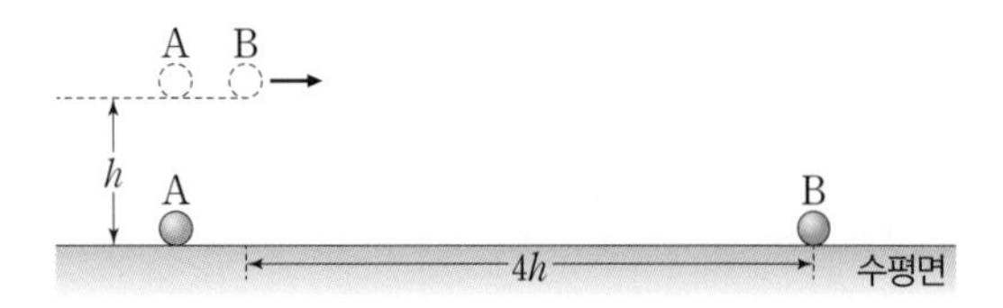

A, B가 운동하는 동안 A, B의 역학적 에너지를 각각 E_A, E_B라 할 때, $\frac{E_B}{E_A}$는? (단, 수평면에서 중력 퍼텐셜 에너지는 0이고, 물체의 크기는 무시한다.) [3점]

① $\frac{3}{2}$ ② 2 ③ $\frac{5}{2}$ ④ 3 ⑤ $\frac{7}{2}$

07

▸24070-0300

그림과 같이 수평면과 경사각이 30°인 경사면이 만나는 점 p에 정지한 질량이 m인 물체에 빗면과 나란한 방향으로 크기가 $2mg$인 힘을 물체가 높이 h인 점 q까지 운동하는 동안 작용시켰더니 물체가 q에서부터 포물선 운동을 하여 높이 H인 최고점을 지난다.

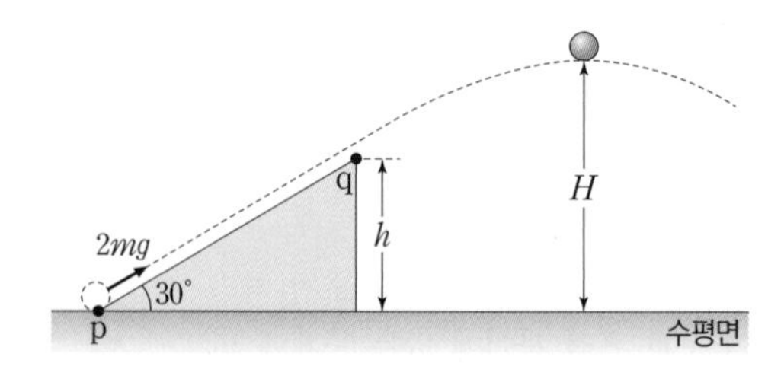

H는? (단, 중력 가속도는 g이고, 물체의 크기와 모든 마찰은 무시한다.)

① $\frac{5}{4}h$ ② $\frac{7}{4}h$ ③ $\frac{9}{4}h$ ④ $\frac{11}{4}h$ ⑤ $\frac{13}{4}h$

08

▸24070-0301

그림과 같이 줄의 실험 장치에서 추를 일정한 속력으로 낙하시켰더니 물의 온도가 올라갔다.

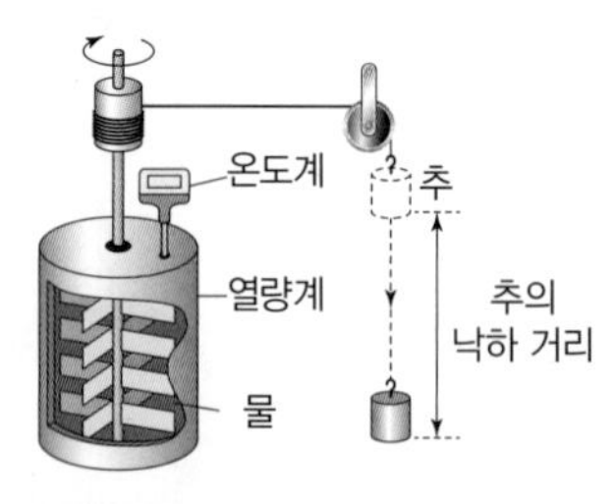

이에 대한 설명으로 옳은 것만을 〈보기〉에서 있는 대로 고른 것은? (단, 추의 중력 퍼텐셜 에너지 변화량은 모두 물의 온도 변화에만 사용되며, 실의 질량은 무시한다.)

보기

ㄱ. 추의 질량이 클수록 물의 온도 변화가 크다.

ㄴ. 추의 낙하 거리가 클수록 물의 온도 변화가 크다.

ㄷ. 중력 가속도가 클수록 물의 온도 변화가 크다.

① ㄱ ② ㄷ ③ ㄱ, ㄴ ④ ㄴ, ㄷ ⑤ ㄱ, ㄴ, ㄷ

09

▸24070-0302

그림 (가)와 같이 대전되지 않은 동일한 도체구 A, B를 접촉시키고, x축과 나란한 방향으로 균일한 전기장을 걸어 준 상태에서 접촉된 A, B를 떼어 놓는다. 그림 (나)는 (가)의 A 또는 B를 음(−) 전하로 대전된 검전기의 금속판에 가까이 가져가는 모습을 나타낸 것이다. B를 금속판에 가까이 가져가면 금속박이 오므라든다.

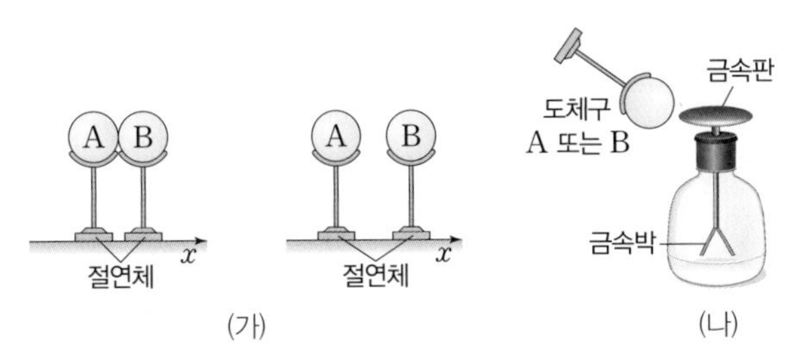

(가) (나)

이에 대한 설명으로 옳은 것만을 〈보기〉에서 있는 대로 고른 것은? [3점]

보기

ㄱ. (가)에서 전기장의 방향은 $-x$방향이다.

ㄴ. (가)에서 A와 B를 접촉시켰다가 뗀 상태에서 A와 B 사이에 서로 당기는 전기력이 작용한다.

ㄷ. (나)에서 A를 금속판에 가까이 가져가면 금속판에 있던 전자는 금속박 쪽으로 이동한다.

① ㄱ ② ㄴ ③ ㄱ, ㄷ ④ ㄴ, ㄷ ⑤ ㄱ, ㄴ, ㄷ

10

▸24070-0303

그림과 같이 저항값이 R인 저항 6개, 전압이 V인 전원 2개, 스위치 S_1, S_2로 회로를 구성하였다. S_1만 닫았을 때 p에 흐르는 전류의 세기는 I_p, S_2만 닫았을 때 q에 흐르는 전류의 세기는 I_q이다.

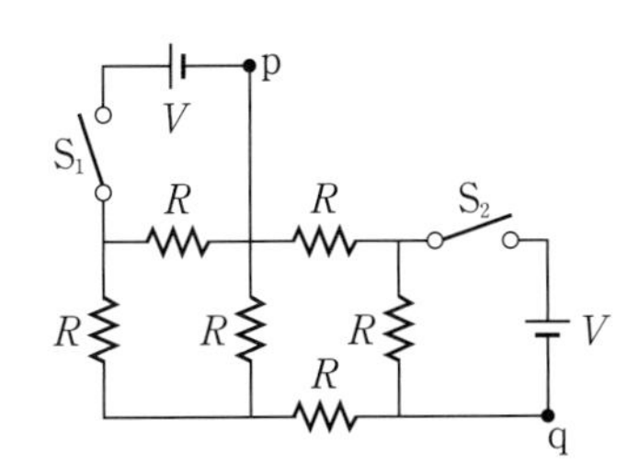

$\frac{I_p}{I_q}$는? [3점]

① $\frac{7}{8}$ ② 1 ③ $\frac{8}{7}$ ④ $\frac{13}{8}$ ⑤ $\frac{13}{7}$

11

▸24070-0304

그림과 같이 트랜지스터, 저항, 가변 저항, 전압이 일정한 전원을 연결하여 전류 증폭 회로를 구성하였다. 컬렉터 전류 I_C, 베이스 전류 I_B, 이미터 전류 I_E는 화살표 방향으로 흐른다. $\frac{I_C}{I_B}$는 일정하고, $I_B \ll I_C$이다.

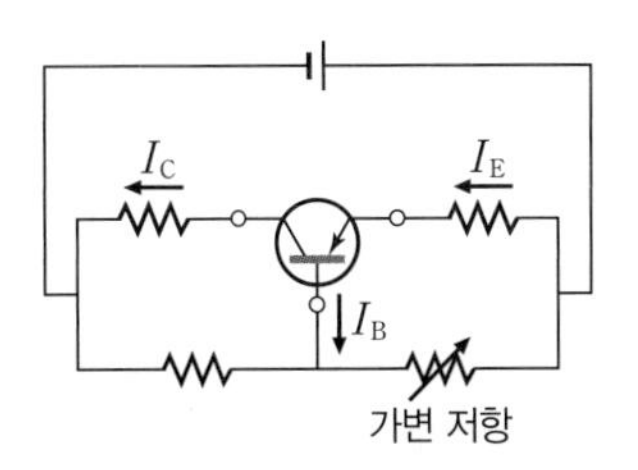

이에 대한 설명으로 옳은 것만을 〈보기〉에서 있는 대로 고른 것은?

보기

ㄱ. p−n−p형 트랜지스터이다.

ㄴ. 베이스 단자의 전위는 이미터 단자의 전위보다 낮다.

ㄷ. 가변 저항의 저항값을 감소시키면 I_C는 증가한다.

① ㄱ ② ㄷ ③ ㄱ, ㄴ ④ ㄴ, ㄷ ⑤ ㄱ, ㄴ, ㄷ

12

▸24070-0305

그림은 두 평행판 축전기 A, B를 전압이 V로 일정한 전원에 연결하여 스위치를 닫아 A, B가 완전히 충전된 것을 나타낸 것이다. A, B의 극판의 면적은 각각 S, $2S$이고, 극판 사이의 간격은 각각 d, $\frac{3}{2}d$이며, 극판 사이를 가득 채운 유전체의 유전율은 각각 2ε, 3ε이다. 축전기에 저장된 전기 에너지는 A가 B의 2배이다.

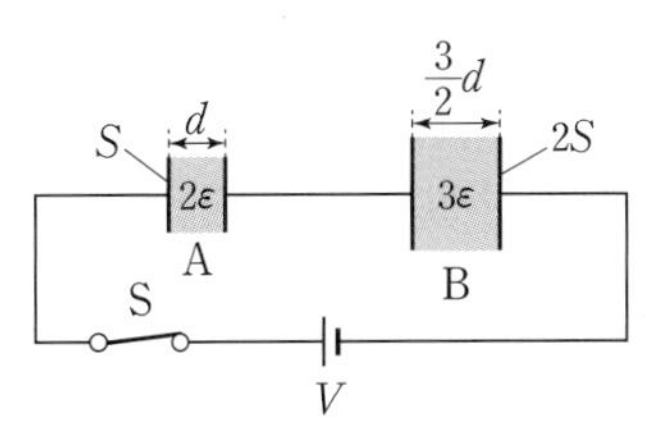

A, B의 양단에 걸리는 전압을 각각 V_A, V_B라 할 때 $\frac{V_A}{V_B}$는? [3점]

① 1 ② 2 ③ $\frac{5}{2}$ ④ 3 ⑤ $\frac{7}{2}$

13

▸24070-0306

그림 (가)는 xy 평면상에 고정된 ㄷ자형 도선 위에 금속 막대를 올려두고 금속 막대를 x방향으로 이동시켜 금속 막대가 균일한 자기장 영역 Ⅰ, Ⅱ를 지나는 모습을 나타낸 것이다. Ⅰ과 Ⅱ에서 자기장의 세기는 각각 B, $2B$이고, 방향은 모두 xy 평면에 수직으로 들어가는 방향이다. 그림 (나)는 금속 막대의 위치를 시간 t에 따라 나타낸 것이다.

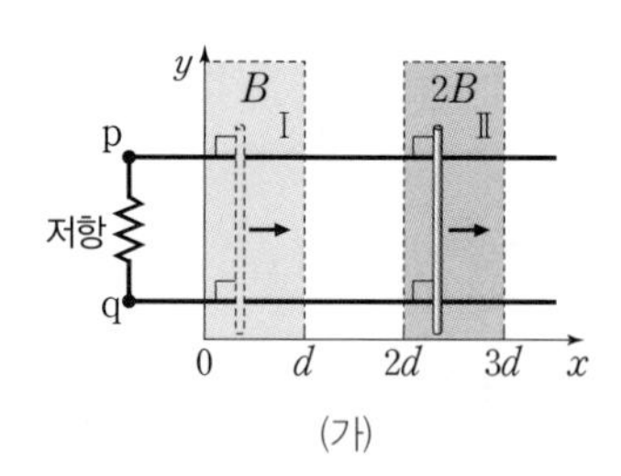

(가)

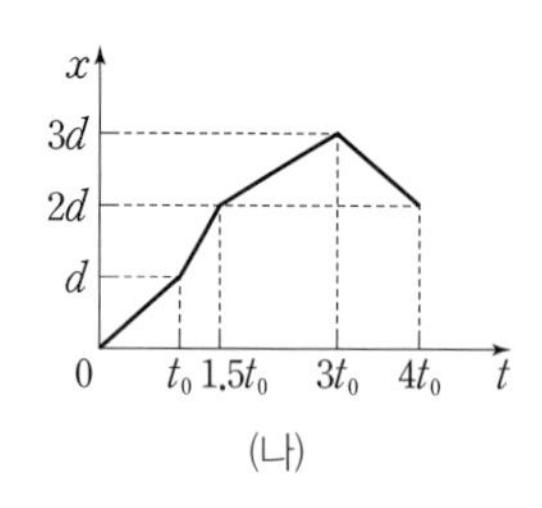

(나)

이에 대한 설명으로 옳은 것만을 〈보기〉에서 있는 대로 고른 것은? [3점]

보기
ㄱ. $t=0.5t_0$일 때, 저항에 흐르는 전류의 방향은 p → 저항 → q 방향이다.
ㄴ. 유도 기전력의 크기는 $t=0.5t_0$일 때가 $t=2t_0$일 때보다 크다.
ㄷ. $t=3.5t_0$일 때 유도 기전력은 0이다.

① ㄱ ② ㄴ ③ ㄱ, ㄷ ④ ㄴ, ㄷ ⑤ ㄱ, ㄴ, ㄷ

14

▸24070-0307

그림은 변압기에 전압이 일정한 교류 전원, 저항값이 R인 저항이 연결되어 있는 것을 나타낸 것이다. 변압기의 1차 코일과 2차 코일의 감은 수는 각각 $4N$, N이고 2차 코일에 유도되는 전압은 $4V$이다.

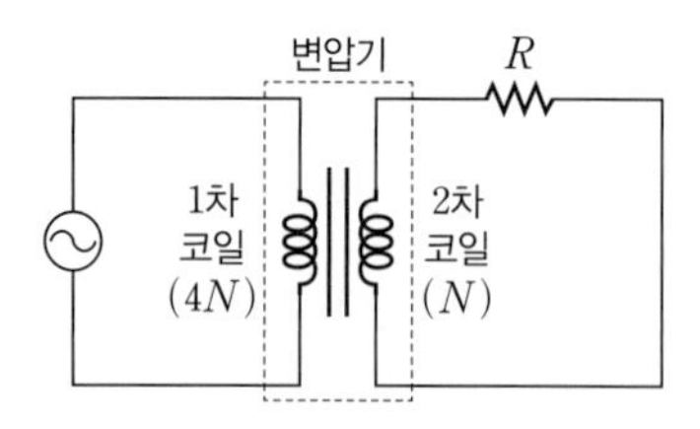

이에 대한 설명으로 옳은 것만을 〈보기〉에서 있는 대로 고른 것은? (단, 변압기에서 에너지 손실은 무시한다.)

보기
ㄱ. 교류 전원의 전압은 V이다.
ㄴ. 저항의 소비 전력은 $\frac{16V^2}{R}$이다.
ㄷ. 1차 코일에 흐르는 전류의 세기는 $\frac{V}{4R}$이다.

① ㄱ ② ㄴ ③ ㄱ, ㄷ ④ ㄴ, ㄷ ⑤ ㄱ, ㄴ, ㄷ

15

▸24070-0308

그림은 단일 슬릿을 통과한 단색광 레이저 빛이 스크린에 만드는 회절 무늬를 빛의 세기로 나타낸 것이다. d는 슬릿의 폭, Δx는 회절 무늬의 가장 밝은 지점인 O로부터 첫 번째 어두운 무늬의 중심과 두 번째 어두운 무늬의 중심 사이의 간격이다. 표는 단색광 a 또는 b를 비출 때, d에 따른 Δx를 나타낸 것이다.

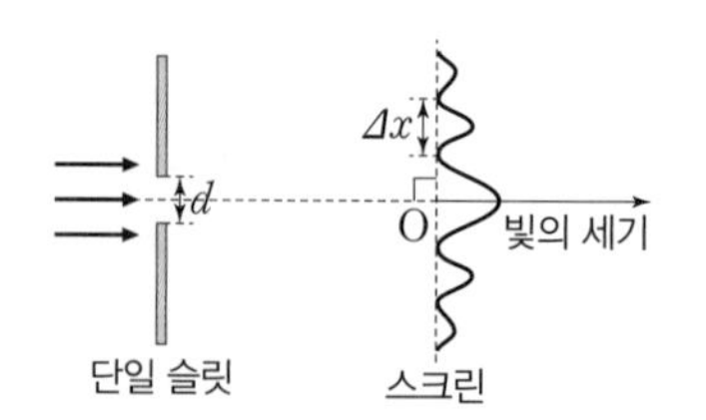

단색광	d	Δx
a	d_0	㉠
	$2d_0$	x_0
b	d_0	x_0
	$2d_0$	㉡

이에 대한 설명으로 옳은 것만을 〈보기〉에서 있는 대로 고른 것은? [3점]

보기
ㄱ. ㉠은 x_0보다 크다.
ㄴ. 단색광의 파장은 a가 b보다 길다.
ㄷ. 단일 슬릿과 스크린 사이의 거리를 짧게 하면 ㉡은 x_0이 될 수 있다.

① ㄱ ② ㄴ ③ ㄷ ④ ㄱ, ㄴ ⑤ ㄱ, ㄴ, ㄷ

16

▸24070-0309

다음은 전자기파 A를 수신하는 회로에 의해 스피커에서 방송이 나오는 과정을 나타낸 것이다.

(가) 안테나의 코일에서 자기장이 발생한다.
(나) 수신 회로의 공명 진동수와 일치하는 유도 전류가 최대로 흐른다.
(다) 다양한 진동수를 가진 전자기파들이 안테나에 도달한다.

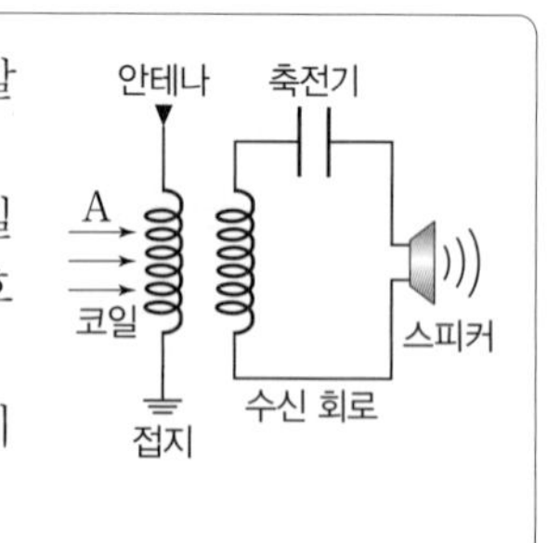

A가 수신되어 스피커에서 소리가 나는 과정을 시간 순서대로 옳게 나타낸 것은?

① (가) → (나) → (다)
② (가) → (다) → (나)
③ (나) → (다) → (가)
④ (다) → (가) → (나)
⑤ (다) → (나) → (가)

17

▸24070-0310

그림은 초점 거리가 f인 볼록 렌즈의 중심으로부터 a만큼 떨어진 지점에 물체를 놓은 것을 나타낸 것이다. 표는 물체의 위치에 따른 상의 종류와 상의 배율을 나타낸 것이다.

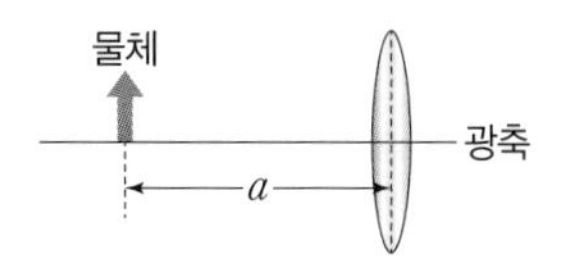

a	상의 종류	배율
$3f$		m_1
㉠	정립상	m_2

$\frac{m_2}{m_1}=6$일 때, ㉠은?

① $\frac{1}{6}f$ ② $\frac{1}{3}f$ ③ $\frac{1}{2}f$ ④ $\frac{2}{3}f$ ⑤ $\frac{3}{4}f$

18

▸24070-0311

그림은 질량 m인 물체가 실 p, q, r에 매달려 정지해 있는 모습을 나타낸 것이다. p, q, r가 연직 방향과 이루는 각은 각각 $60°$, $30°$, $45°$이고, p와 q가 물체를 당기는 힘의 크기는 서로 같다.

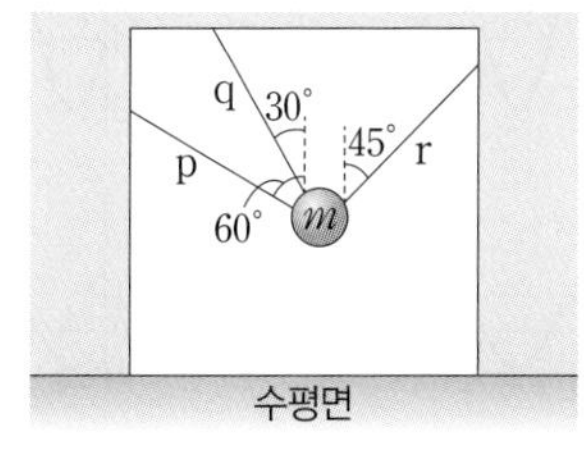

r가 물체를 당기는 힘의 크기는? (단, 중력 가속도는 g이고, 실의 질량과 물체의 크기는 무시한다.)

① $\frac{1}{2}mg$ ② $\frac{\sqrt{2}}{2}mg$ ③ $\frac{\sqrt{3}}{2}mg$ ④ mg ⑤ $\frac{3}{2}mg$

19

▸24070-0312

그림은 x축과 나란하게 형성된 균일한 전기장 영역에 전자가 물질파 파장 3λ인 상태로 x축과 나란하게 입사하여 물질파 파장 λ인 상태로 전기장 영역에서 나오는 것을 나타낸 것이다. 전자의 전하량의 크기는 e, 질량은 m이고, 전기장의 세기는 E이며, 전기장 영역의 x축 방향의 길이는 d이다.

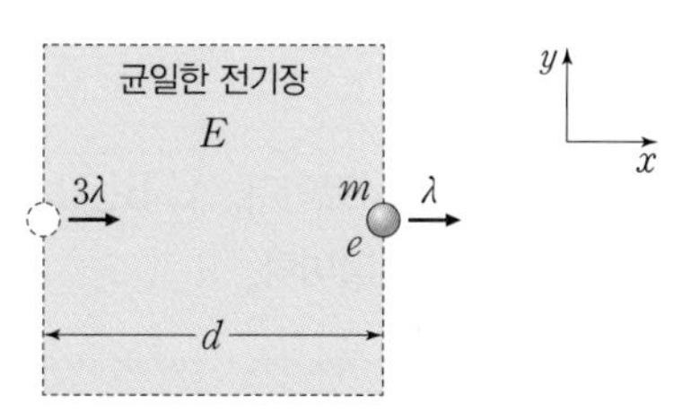

λ는? (단, 플랑크 상수는 h이다.) [3점]

① $\frac{h}{3\sqrt{meEd}}$ ② $\frac{h}{2\sqrt{meEd}}$ ③ $\frac{2h}{3\sqrt{meEd}}$ ④ $\frac{h}{\sqrt{meEd}}$ ⑤ $\frac{2h}{\sqrt{meEd}}$

20

▸24070-0313

그림과 같이 질량이 m인 물체 A와 길이가 $3L$이고 질량이 $3m$인 막대가 실로 연결되어 수평면과 나란하게 정지해 있다. 실 q는 수평을 유지하고 실 p는 수평한 천장과 $60°$의 각을 유지한다. 막대의 오른쪽 끝에 연결된 실 r는 수평 방향과 θ의 각을 이루고 있다.

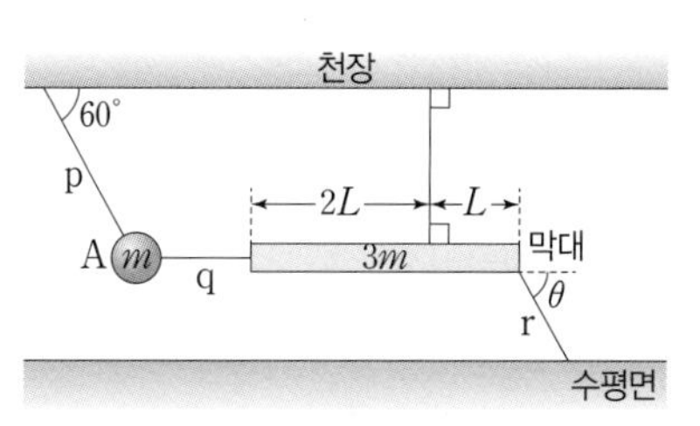

$\tan\theta$는? (단, 막대의 밀도는 균일하고 막대의 두께와 폭, A의 크기, 실의 질량은 무시한다.) [3점]

① $\frac{\sqrt{3}}{2}$ ② $\sqrt{3}$ ③ 2 ④ $\frac{3\sqrt{3}}{2}$ ⑤ $2\sqrt{3}$

문항에 따라 배점이 다르니, 각 물음의 끝에 표시된 배점을 참고하시오. 3점 문항에만 점수가 표시되어 있습니다. 점수 표시가 없는 문항은 모두 2점입니다.

01

▸24070-0314

표는 원자 모형 A, B에 대한 자료이다. A, B는 보어의 수소 원자 모형과 현대적 원자 모형 중 하나이다.

특징	A	B
전자의 에너지는 불연속적이다.	○	㉠
불확정성 원리를 만족한다.	㉡	×

(○: 예, ×: 아니요)

이에 대한 설명으로 옳은 것만을 〈보기〉에서 있는 대로 고른 것은?

보기
ㄱ. B는 보어의 수소 원자 모형이다.
ㄴ. ㉠은 '○'이다.
ㄷ. ㉡은 '○'이다.

① ㄱ ② ㄷ ③ ㄱ, ㄴ ④ ㄴ, ㄷ ⑤ ㄱ, ㄴ, ㄷ

02

▸24070-0315

그림 (가), (나)는 xy 평면에서 운동하는 물체 A, B의 속도의 x성분 v_x와 y성분 v_y를 시간에 따라 나타낸 것이다. 0초일 때 A, B의 위치는 같다.

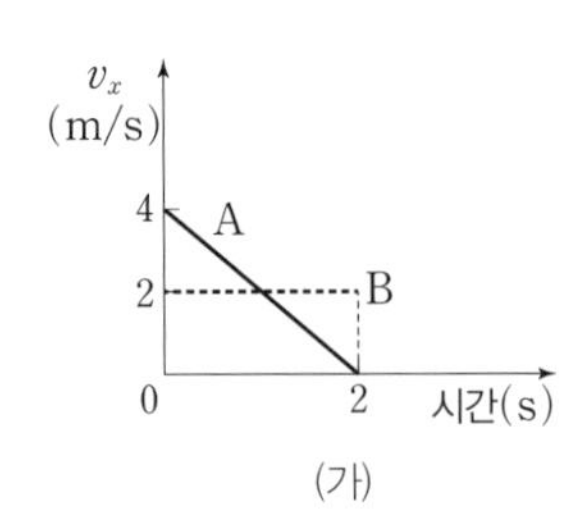

(가)

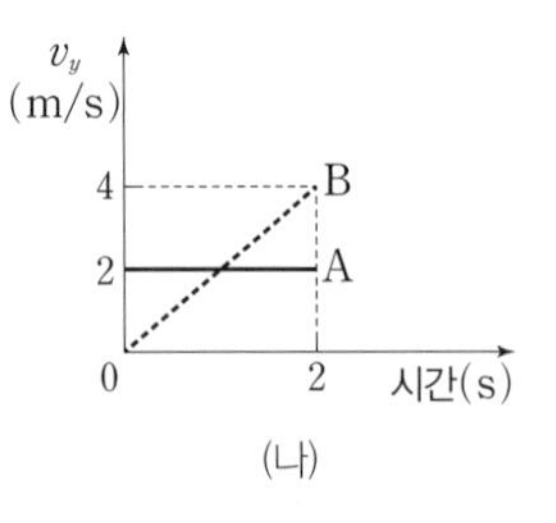

(나)

이에 대한 설명으로 옳은 것만을 〈보기〉에서 있는 대로 고른 것은? (단, 물체의 크기는 무시한다.)

보기
ㄱ. 0초부터 2초까지 A의 평균 속도의 크기는 $2\sqrt{2}$ m/s이다.
ㄴ. 2초일 때 A와 B는 만난다.
ㄷ. 0초부터 2초까지 속도 변화량의 크기는 A와 B가 같다.

① ㄴ ② ㄷ ③ ㄱ, ㄴ ④ ㄱ, ㄷ ⑤ ㄱ, ㄴ, ㄷ

03

▸24070-0316

그림과 같이 점 p에서 비스듬히 던져진 물체가 포물선 운동을 하여 p와 높이가 같은 점 q를 지난 후, 경사각이 $30°$인 빗면상의 점 r에서 빗면에 수직으로 부딪쳤다. 물체의 수평 이동 거리는 p에서 q까지는 $4L$, q에서 r까지는 L이다.

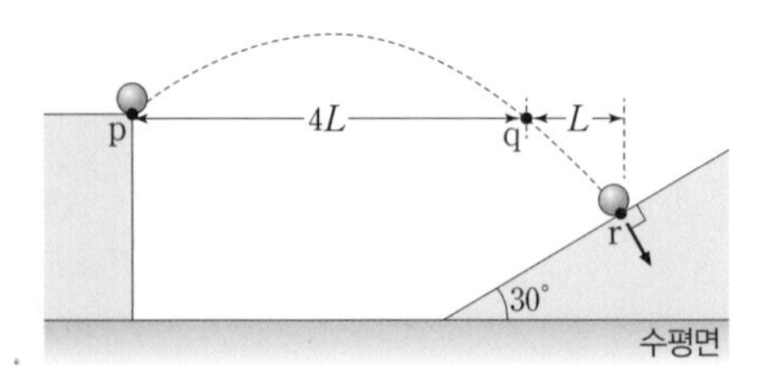

q와 r의 높이차는? (단, 물체의 크기는 무시한다.) [3점]

① $\frac{\sqrt{3}}{3}L$ ② $\frac{\sqrt{3}}{2}L$ ③ $\frac{2\sqrt{3}}{3}L$ ④ $\frac{5\sqrt{3}}{6}L$ ⑤ $\sqrt{3}L$

04

▸24070-0317

그림 (가)는 실에 매달린 물체 A, B가 수평면과 나란한 xy 평면상에서 원점 O를 중심으로 각각 반지름이 $2r$, r인 원 궤도를 따라 시계 반대 방향으로 등속 원운동을 할 때, 시간 $t=0$인 순간 A와 B가 x축을 지나는 모습을 나타낸 것이다. 그림 (나)는 A, B 중 한 물체의 가속도의 y성분 a_y를 t에 따라 나타낸 것이다.

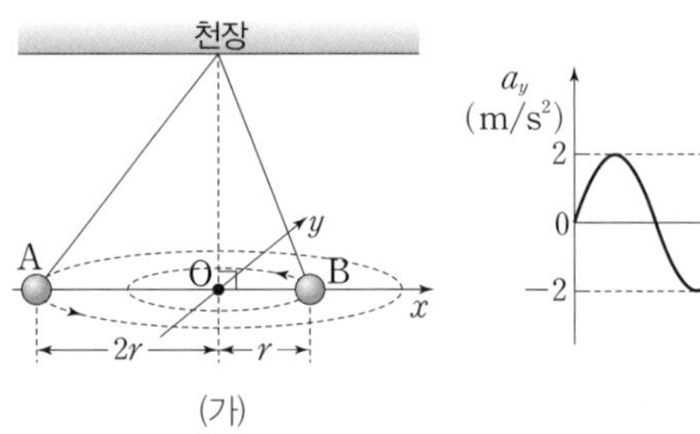

(가)

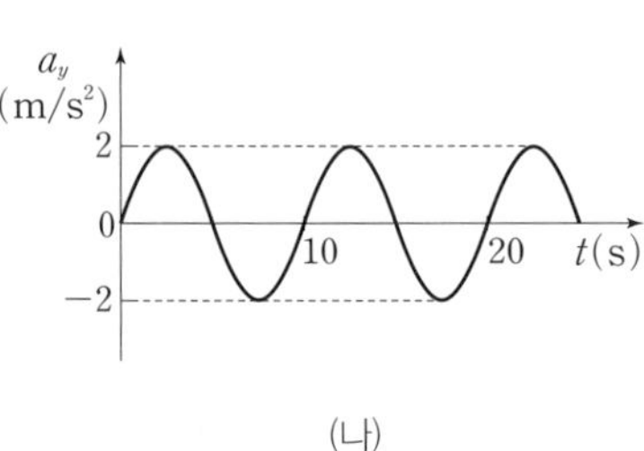

(나)

나머지 한 물체의 a_y를 t에 따라 나타낸 것으로 가장 적절한 것은? [3점]

①

②
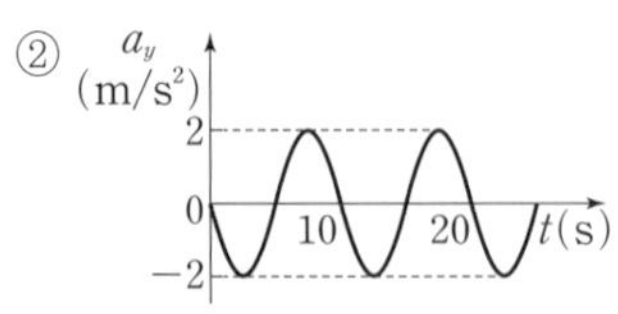

③
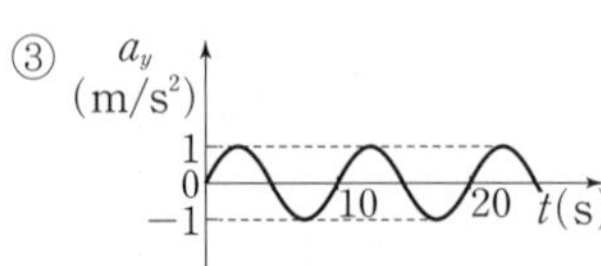

④
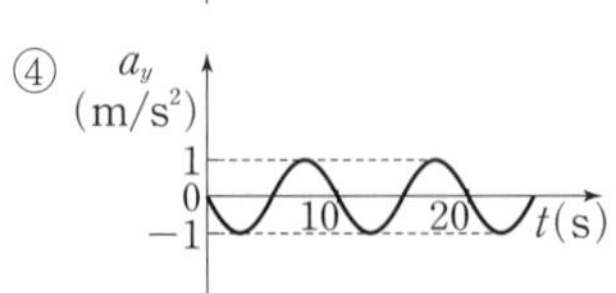

⑤
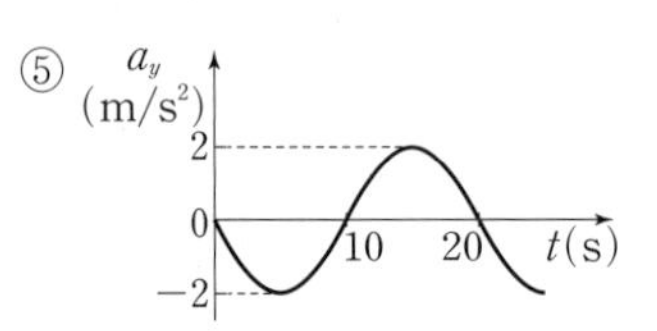

05

▸24070-0318

다음은 블랙홀 관측에 대한 과학 신문 기사 내용이다.

'이벤트 호라이즌 망원경' 연구팀은 블랙홀의 그림자 사진을 최초로 공개했습니다. 블랙홀 M87의 사건의 지평선은 약 400억 km이며, ⓐ사건의 지평선을 감싸고 있는 그림자는 이보다 2.5배가량 더 컸습니다.

아인슈타인의 ㉠ 에 따르면, 물체의 질량에 영향을 받아 주변의 시공간이 휘어집니다. 태양보다 65억 배 무거운 M87은 고리 형상을 만들 정도로 강한 중력 현상을 보여주므로 ㉠ 이/가 다시 한 번 입증되는 순간입니다.

이에 대한 설명으로 옳은 것만을 <보기>에서 있는 대로 고른 것은?

보기

ㄱ. ⓐ를 지나가는 빛의 경로는 휘어진다.

ㄴ. ㉠은 '일반 상대성 이론'으로 적절하다.

ㄷ. 시공간이 휘어진 정도는 블랙홀에 가까울수록 크다.

① ㄴ ② ㄷ ③ ㄱ, ㄴ ④ ㄱ, ㄷ ⑤ ㄱ, ㄴ, ㄷ

06

▸24070-0319

그림 (가)와 같이 빗면 위의 점 p에 놓인 물체 B와 실로 연결된 수평면상의 물체 A가 전동기로부터 수평면과 나란한 방향의 일정한 힘을 받아 등가속도 직선 운동을 하다가, B가 p에서 $3L$ 떨어진 점 q를 지나는 순간 A와 B를 연결한 실이 끊어졌다. 그림 (나)는 (가)에서 B가 p에 놓인 순간부터 B의 운동 에너지를 B의 이동 거리에 따라 나타낸 것이다. A, B의 질량은 같다.

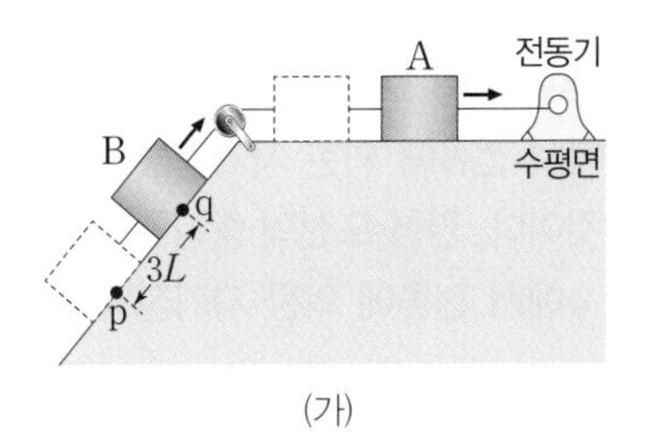

(가)

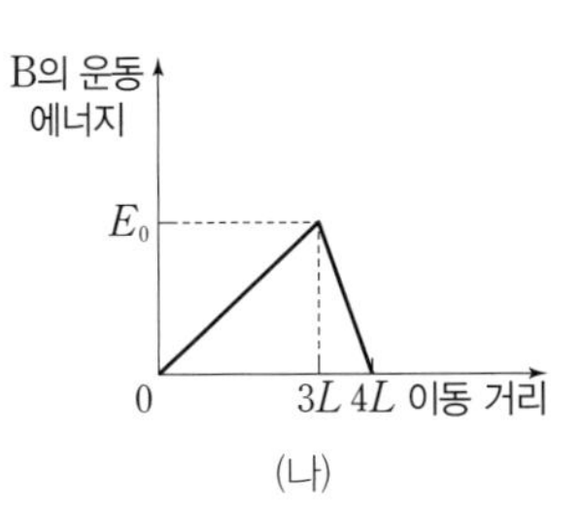

(나)

이에 대한 설명으로 옳은 것만을 <보기>에서 있는 대로 고른 것은? (단, 실의 질량, 물체의 크기, 모든 마찰과 공기 저항은 무시한다.)

보기

ㄱ. B에 작용하는 알짜힘의 크기는 실이 끊어지기 전이 끊어진 후의 3배이다.

ㄴ. B가 p에서 q까지 운동하는 동안, 전동기가 A에 한 일은 $5E_0$이다.

ㄷ. A의 이동 거리가 $4L$이 되는 순간, A의 운동 에너지는 $\frac{5}{3}E_0$이다.

① ㄴ ② ㄷ ③ ㄱ, ㄴ ④ ㄱ, ㄷ ⑤ ㄱ, ㄴ, ㄷ

07

▸24070-0320

그림은 점 p에 가만히 놓은 물체를 구간 $\overline{pq}$에서 경사면과 나란하게 크기가 F인 일정한 힘으로 당겼더니 물체가 마찰 구간 $\overline{rs}$를 통과한 후 구간 $\overline{st}$의 끝점 t에서 속력이 0이 된 순간을 나타낸 것이다. 물체는 각 구간에서 등가속도 운동을 한다. $\overline{pq}$, $\overline{rs}$, $\overline{st}$ 구간의 높이차는 각각 $2h$, $2h$, h이고 구간의 길이는 $\overline{pq}$가 $\overline{rs}$의 $\frac{4}{3}$배이다. $\overline{pq}$ 구간에서 운동하는 동안 물체의 운동 에너지 증가량은 중력 퍼텐셜 에너지 감소량의 3배이다.

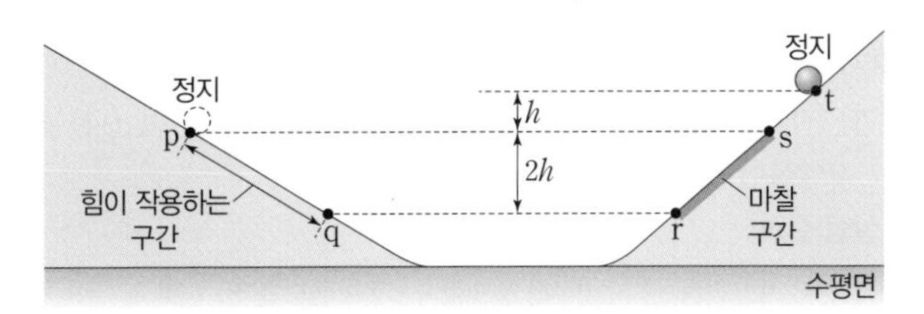

마찰 구간에서 마찰력의 크기가 f일 때, $\frac{F}{f}$는? (단, 물체의 크기, 공기 저항, 마찰 구간을 제외한 모든 마찰은 무시하며, 물체는 동일 연직면상에서 운동한다.) [3점]

① 1 ② $\frac{3}{2}$ ③ 2 ④ 3 ⑤ 6

08

▸24070-0321

그림과 같이 추를 실에 매달고, 실과 연직 방향이 이루는 각이 θ가 되도록 당긴 후 가만히 놓았더니 추가 단진동을 한다. 표는 단진자 A, B, C에서 추의 질량 m, 실의 길이 l, 각 θ를 나타낸 것이다.

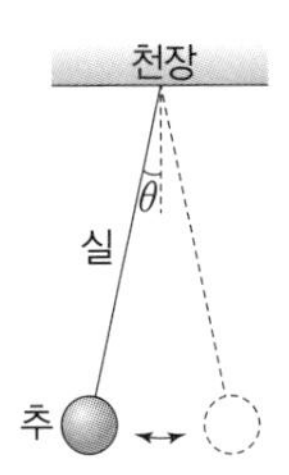

단진자	m	l	θ
A	m_0	$2l_0$	$2\theta_0$
B	$2m_0$	l_0	θ_0
C	$2m_0$	$2l_0$	θ_0

이에 대한 설명으로 옳은 것만을 <보기>에서 있는 대로 고른 것은? (단, 실의 질량과 추의 크기는 무시한다.)

보기

ㄱ. 단진자의 주기는 C가 B보다 크다.

ㄴ. 최저점에서 추의 속력은 A가 C보다 작다.

ㄷ. 추가 최고점에서 최저점까지 내려오는 동안 추에 작용하는 알짜힘이 한 일은 A가 B보다 작다.

① ㄱ ② ㄴ ③ ㄷ ④ ㄱ, ㄴ ⑤ ㄴ, ㄷ

09

▸24070-0322

다음은 광전 효과 실험이다.

[실험 과정]

(가) 그림과 같이 광전 효과 실험 장치를 구성한 후, 일정한 세기의 단색광 P를 광전관의 금속판에 비춘다.

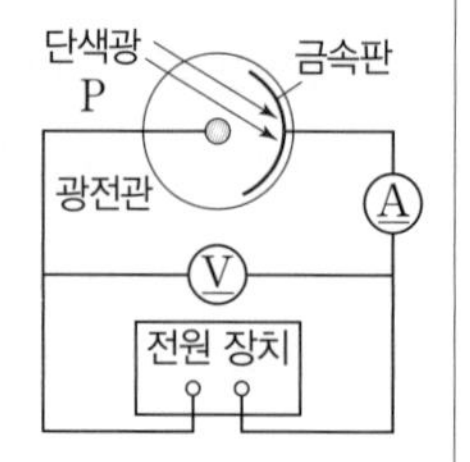

(나) 전원 장치의 전압을 조절하면서 전류의 최댓값과 정지 전압을 측정한다.

(다) (가)에서 P의 세기만을 [㉠] 후, (나)를 반복한다.

(라) (가)에서 P를 일정한 세기의 단색광 Q로 바꾼 후, (나)를 반복한다.

[실험 결과]

과정	전류의 최댓값	정지 전압
(나)	I_0	V_0
(다)	$1.5I_0$	㉡
(라)	I_0	$2V_0$

이에 대한 설명으로 옳은 것만을 〈보기〉에서 있는 대로 고른 것은?

보기

ㄱ. '증가시킨'은 ㉠에 해당한다.

ㄴ. ㉡은 V_0보다 크다.

ㄷ. 금속판에서 방출되는 전자의 최대 운동 에너지는 (라)에서가 (다)에서보다 크다.

① ㄱ ② ㄴ ③ ㄷ ④ ㄱ, ㄷ ⑤ ㄱ, ㄴ, ㄷ

10

▸24070-0323

그림과 같이 저항값이 $2\,\Omega$, $2\,\Omega$, R, $2R$인 저항, 스위치 S를 전압이 V_0인 직류 전원에 연결하여 회로를 구성하였다. 회로상의 점 p에 흐르는 전류의 세기는 S를 a에 연결하였을 때 4 A이고, S를 b에 연결하였을 때 5 A이다.

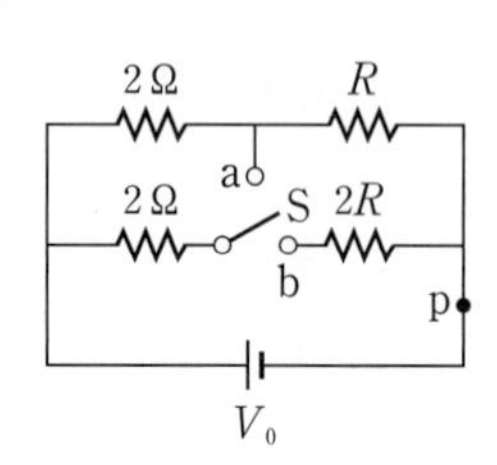

S를 b에 연결하였을 때, 저항값이 $2R$인 저항의 소비 전력은?

① 4 W ② 8 W ③ 16 W ④ 18 W ⑤ 32 W

11

▸24070-0324

그림 (가)는 전압이 V로 일정한 전원, 극판 사이의 거리가 $2d$이고 유전율이 $2\varepsilon_0$인 유전체로 채워진 평행판 축전기, 스위치 S로 구성된 회로에서 S를 닫은 후 축전기가 완전히 충전된 것을 나타낸 것이다. 그림 (나)는 (가)에서 S를 연 후 유전체를 제거한 것을, (다)는 (나)에서 극판 사이의 거리를 d로 감소시키고 S를 닫은 후 축전기가 완전히 충전된 것을 나타낸 것이다.

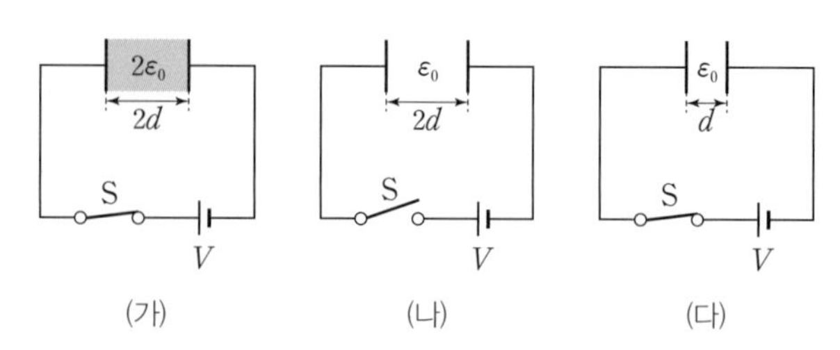

이에 대한 설명으로 옳은 것만을 〈보기〉에서 있는 대로 고른 것은? (단, ε_0은 진공의 유전율이다.) [3점]

보기

ㄱ. 축전기의 전기 용량은 (나)에서가 (가)에서의 2배이다.

ㄴ. 축전기에 저장된 전하량은 (가)에서와 (다)에서가 같다.

ㄷ. 축전기에 저장된 전기 에너지는 (다)에서가 (나)에서의 2배이다.

① ㄱ ② ㄴ ③ ㄱ, ㄴ ④ ㄱ, ㄷ ⑤ ㄴ, ㄷ

12

▸24070-0325

그림은 일정한 세기의 전류가 흐르는 원형 도선을 xy 평면에 수직으로 고정시켰을 때 xy 평면에서 전류에 의한 자기장을 방향 표시 없이 자기력선으로 나타낸 것이다. 원형 도선의 중심은 원점 O이고 p, q는 x축상의 점이다. p에서 전류에 의한 자기장의 방향은 $+y$방향이다.

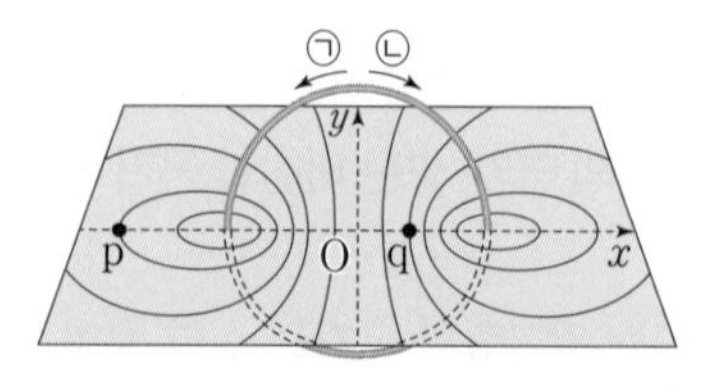

이에 대한 설명으로 옳은 것만을 〈보기〉에서 있는 대로 고른 것은?

보기

ㄱ. O에서 전류에 의한 자기장의 방향은 $+y$방향이다.

ㄴ. 원형 도선에 흐르는 전류의 방향은 ㉠이다.

ㄷ. 전류에 의한 자기장의 세기는 p에서가 q에서보다 작다.

① ㄱ ② ㄷ ③ ㄱ, ㄴ ④ ㄱ, ㄷ ⑤ ㄴ, ㄷ

13

▸24070-0326

그림과 같이 xy 평면에 수직인 무한히 긴 직선 도선 A, B, C가 각각 $(-d, 0)$, $(d, 0)$, (d, d)인 지점에 고정되어 있다. y축상의 $y=d$인 점 p에서 A, B, C의 전류에 의한 자기장의 방향은 $-y$ 방향이다. A에 흐르는 전류의 세기는 I_0이고, 방향은 xy 평면에서 수직으로 나오는 방향이다.

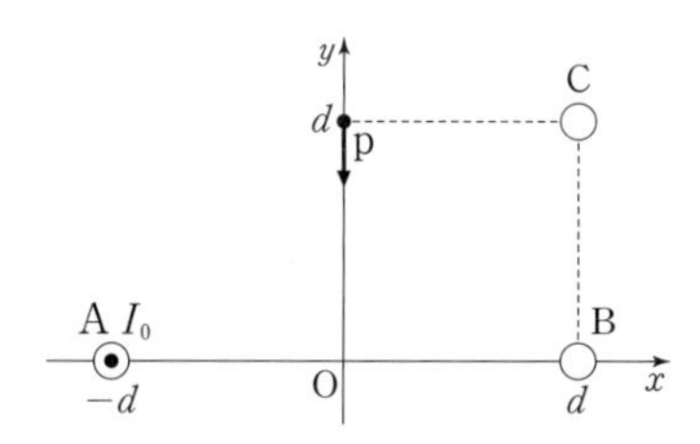

이에 대한 설명으로 옳은 것만을 〈보기〉에서 있는 대로 고른 것은? [3점]

보기
ㄱ. 원점 O에서 A, B의 전류에 의한 자기장의 방향은 $+y$방향이다.
ㄴ. B, C에 흐르는 전류의 방향은 서로 같다.
ㄷ. C에 흐르는 전류의 세기는 I_0보다 크다.

① ㄱ ② ㄴ ③ ㄷ ④ ㄱ, ㄴ ⑤ ㄱ, ㄷ

14

▸24070-0327

그림 (가)는 종이면에 고정된 한 변의 길이가 $2L$인 정사각형 금속 고리 A, B, C와 종이면에 수직인 균일한 자기장 영역 Ⅰ, Ⅱ를 나타낸 것이다. p는 A 위의 한 점이다. 그림 (나)의 X, Y는 Ⅰ, Ⅱ의 자기장의 세기를 시간 t에 따라 순서 없이 나타낸 것이다. $t=t_0$일 때, A와 B에 유도되는 기전력의 크기가 같고, p에 흐르는 유도 전류의 방향은 화살표 방향이다.

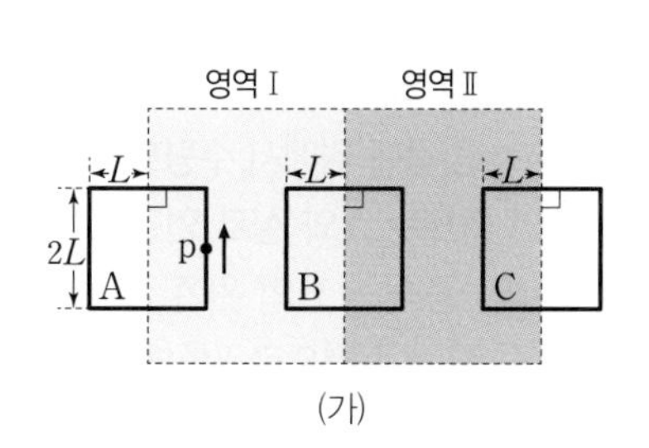

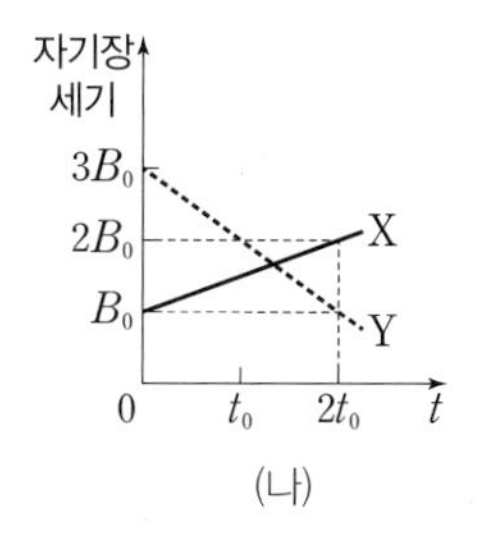

(가) (나)

이에 대한 설명으로 옳은 것만을 〈보기〉에서 있는 대로 고른 것은? (단, 금속 고리의 굵기와 금속 고리 사이의 상호 작용은 무시한다.) [3점]

보기
ㄱ. X는 Ⅱ의 자기장의 세기를 나타낸 것이다.
ㄴ. Ⅰ의 자기장의 방향은 종이면에 수직으로 들어가는 방향이다.
ㄷ. $t=t_0$일 때, C에 유도되는 기전력의 크기는 $\frac{4L^2B_0}{t_0}$이다.

① ㄴ ② ㄷ ③ ㄱ, ㄴ ④ ㄱ, ㄷ ⑤ ㄴ, ㄷ

15

▸24070-0328

그림은 이중 슬릿에 파장이 λ인 단색광을 비추었을 때 슬릿 S_1, S_2를 통과한 빛이 스크린상의 고정된 점 P에 도달하는 경로를 나타낸 것으로, S_1과 S_2로부터 P까지의 경로차는 2λ이다. 스크린상의 점 O는 S_1과 S_2로부터 같은 거리에 있고 O에는 가장 밝은 무늬의 중심이 생긴다.

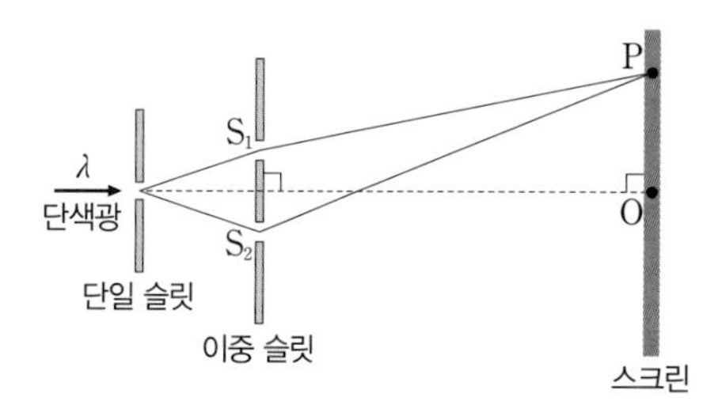

이에 대한 설명으로 옳은 것만을 〈보기〉에서 있는 대로 고른 것은?

보기
ㄱ. P에서 보강 간섭이 일어난다.
ㄴ. P에는 O로부터 네 번째 밝은 무늬의 중심이 생긴다.
ㄷ. 단색광만을 파장이 2λ인 것으로 바꾸어 비추면 P에 어두운 무늬가 생긴다.

① ㄱ ② ㄴ ③ ㄷ ④ ㄱ, ㄴ ⑤ ㄱ, ㄷ

16

▸24070-0329

그림 (가)와 같이 음원 A, B가 음파 측정기와 음원을 잇는 직선상에서 각각 v, $2v$의 속력으로 등속도 운동을 한다. 그림 (나)의 X, Y는 정지해 있는 음파 측정기에서 측정한 A, B에서 발생한 음파의 변위를 시간에 따라 순서 없이 나타낸 것이다.

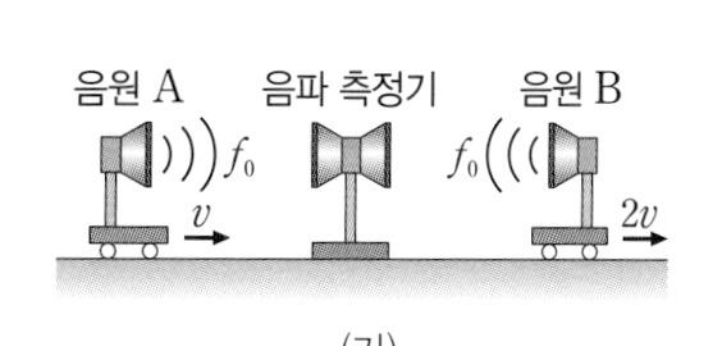

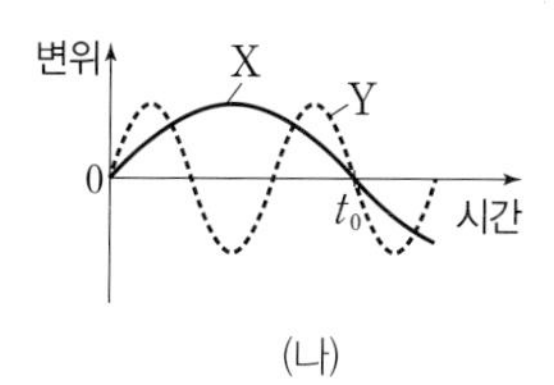

(가) (나)

A, B에서 발생하는 음파의 진동수가 f_0으로 같을 때, f_0은? (단, 음파의 속력은 일정하다.) [3점]

① $\frac{2}{5t_0}$ ② $\frac{3}{5t_0}$ ③ $\frac{4}{5t_0}$ ④ $\frac{9}{10t_0}$ ⑤ $\frac{1}{t_0}$

17

▸24070-0330

그림은 진동수가 f_0인 교류 전원이 연결된 송신 회로의 안테나에서 발생한 전자기파를 가변 축전기와 코일이 연결된 수신 회로의 안테나로 수신하는 것을 나타낸 것이다. 수신 회로에 연결된 저항에 흐르는 전류의 최댓값은 가변 축전기의 전기 용량이 C_0일 때 가장 크다.

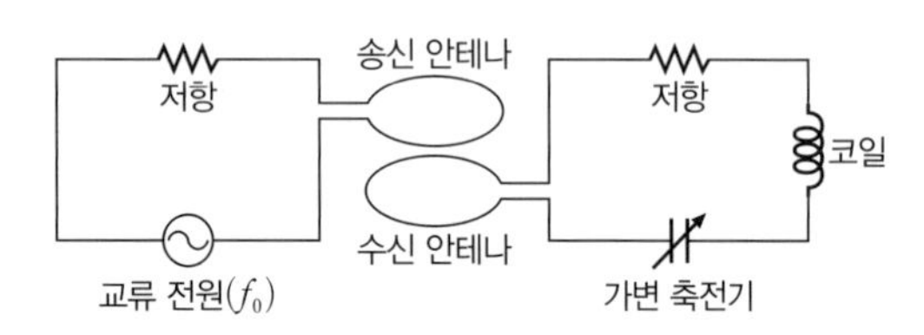

이에 대한 설명으로 옳은 것만을 〈보기〉에서 있는 대로 고른 것은?

보기

ㄱ. 수신 회로에는 교류가 흐른다.
ㄴ. 가변 축전기의 전기 용량이 C_0일 때 수신 회로의 공명 진동수는 f_0이다.
ㄷ. 수신 회로의 공명 진동수는 가변 축전기의 전기 용량이 클수록 크다.

① ㄱ ② ㄷ ③ ㄱ, ㄴ ④ ㄴ, ㄷ ⑤ ㄱ, ㄴ, ㄷ

18

▸24070-0331

그림 (가)는 볼록 렌즈 A의 중심을 $x=-d$인 지점에, 물체를 $x=0$인 지점에 고정시킨 것을, (나)는 (가)에서 A를 제거하고 볼록 렌즈 B의 중심을 $x=d$인 지점에 고정시킨 것을 나타낸 것이다. 물체의 상이 생기는 위치는 (가)와 (나)에서 서로 같고, 상의 크기는 (나)에서가 (가)에서의 2배이다. 광축은 x축이다.

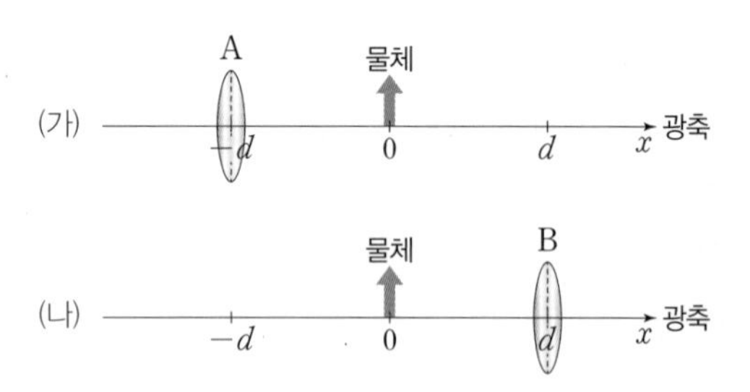

이에 대한 설명으로 옳은 것만을 〈보기〉에서 있는 대로 고른 것은? [3점]

보기

ㄱ. (가)에서 A에 의한 상은 허상이다.
ㄴ. (나)에서 B와 상 사이의 거리는 $4d$이다.
ㄷ. 초점 거리는 B가 A의 $\frac{6}{5}$배이다.

① ㄱ ② ㄴ ③ ㄱ, ㄴ ④ ㄱ, ㄷ ⑤ ㄴ, ㄷ

19

▸24070-0332

그림과 같이 xy 평면에 점전하 A~D가 x축, y축과 같은 거리만큼 떨어진 지점에 각각 고정되어 있다. A가 받는 전기력의 방향은 $+x$방향이고, 원점 O에서 전기장의 방향은 $-y$방향이다. A, B는 전하량의 크기가 q로 같은 양(+)전하이다.

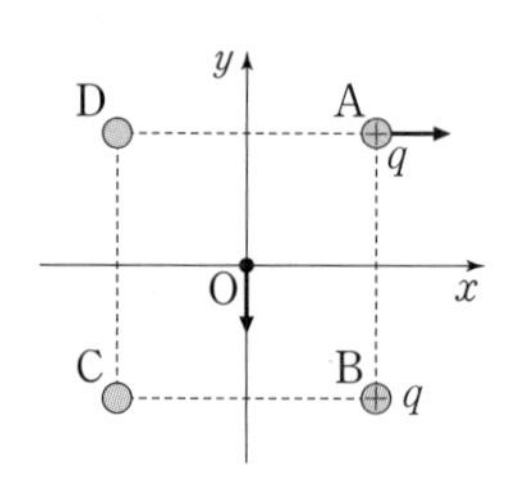

D의 전하량의 크기는? [3점]

① $(2+\sqrt{2})q$ ② $(1+2\sqrt{2})q$ ③ $(2+2\sqrt{2})q$ ④ $(3+2\sqrt{2})q$ ⑤ $(2+3\sqrt{2})q$

20

▸24070-0333

그림과 같이 길이가 $12L$이고 질량이 $2m$인 막대 A, B가 질량이 m인 동일한 막대를 사이에 두고 받침대 위에서 수평으로 평형을 유지하고 있다. 질량이 $10m$인 물체는 A와 실로 연결되어 수평면 위에 놓여 있고, 질량이 $4m$인 공 P는 B의 왼쪽 끝에서 x만큼 떨어져 B 위에 놓여 있다. A, B가 수평으로 평형을 유지할 수 있는 x의 최솟값, 최댓값은 각각 x_1, x_2이다.

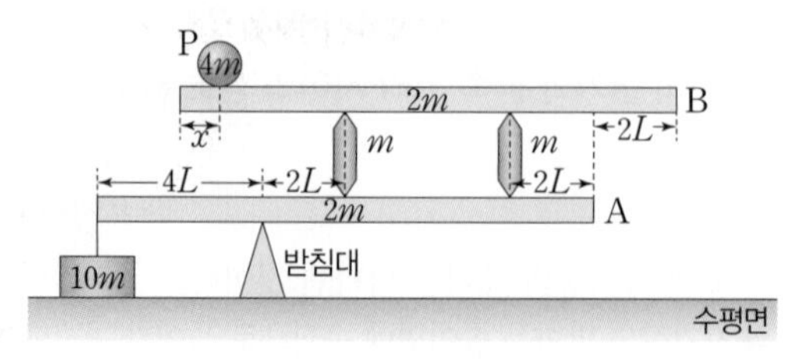

x_2-x_1은? (단, 막대의 밀도는 균일하고, 막대의 두께와 폭, 실의 질량은 무시한다.) [3점]

① $2L$ ② $3L$ ③ $4L$ ④ $5L$ ⑤ $6L$

EBS

2025학년도

수능 연계교재

수능완성

한국교육과정평가원 감수

본 교재는 2025학년도 수능 연계교재로서 한국교육과정평가원이 감수하였습니다.

한 권에 수능 에너지 가득

YOU MADE IT!

5회분 실전 모의고사 수록

테마편 + 실전편

과학탐구영역

정답과 해설

물리학 Ⅱ

본 교재는 대학수학능력시험을 준비하는 데 도움을 드리고자 과학과 교육과정을 토대로 제작된 교재입니다.
학교에서 선생님과 함께 교과서의 기본 개념을 충분히 익힌 후 활용하시면 더 큰 학습 효과를 얻을 수 있습니다.

문제를 사진 찍고
해설 강의 보기
Google Play | App Store

EBSi 사이트
무료 강의 제공

2025학년도

수능 연계교재

수능완성

과학탐구영역

물리학 Ⅱ

정답과 해설

테마 01 힘과 평형

닮은 꼴 문제로 유형 익히기 본문 5쪽

정답 ④

수평 방향의 힘이 평형을 이루어야 하므로 $F_b\cos45° = F_c\cos45°$가 성립한다. 따라서 $F_b = F_c$이다.

④ 물체의 중심을 기준으로 돌림힘의 평형을 적용하면 $F_a l + F_b\sin45° \times 2l = F_c\sin45° \times 2l + F_c\cos45° \times l + F_b\cos45° \times 2l$이 성립한다. 따라서 $F_a = \frac{3\sqrt{2}}{2}F_c$이므로 $F_a : F_b : F_c = 3\sqrt{2} : 2 : 2$이다.

수능 2점 테스트 본문 6~7쪽

01 ①	02 ⑤	03 ③	04 ③	05 ②
06 ④	07 ⑤	08 ②		

01 힘의 합성

그림과 같이 두 힘 $\vec{F_1}$과 $\vec{F_2}$가 이루는 각은 90°이므로 두 힘을 합성하면 크기는 4 N이고 방향은 y축과 나란한 방향이다.

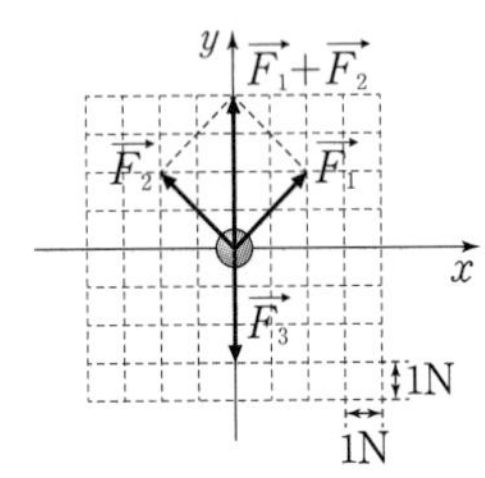

① $\vec{F_1}$과 $\vec{F_2}$를 합성하면 $+y$방향으로 크기가 4 N이고, $\vec{F_3}$이 $-y$ 방향으로 크기가 3 N이므로 $\vec{F_1}+\vec{F_2}+\vec{F_3}$의 크기는 1 N이다.

02 힘의 분해와 합성

p가 A를 당기는 힘의 수평 성분의 크기와 r가 B를 당기는 힘의 수평 성분의 크기는 같다.

⑤ p가 A를 당기는 힘의 크기를 T_p라 할 때 p가 A를 당기는 힘의 수평 성분의 크기는 $T_p\sin30°$이고, r가 B를 당기는 힘의 크기를 T_r라 할 때 r가 B를 당기는 힘의 수평 성분의 크기는 $T_r\sin60°$이다. A에 작용하는 힘의 수평 성분의 합력은 0이므로 q가 A에 작용하는 힘의 크기는 $T_p\sin30°$와 같다. B에 작용하는 힘의 수평 성분의 합력은 0이므로 q가 B에 작용하는 힘의 크기는 $T_r\sin60°$와 같다. $T_p\sin30° = T_r\sin60°$가 성립하므로 $T_p = \sqrt{3}T_r$이다. p가 A를 당기는 힘의 연직 성분의 크기는 A에 작용하는 중력의 크기와 같고, r가 B를 당기는 힘의 연직 성분의 크기는 B에 작용하는 중력의 크기와 같다. $T_p\cos30° = m_A g$이고, $T_r\cos60° = m_B g$이며, $m_C g = T_r$이다. 따라서 $m_A : m_B : m_C = 3 : 1 : 2$이다.

03 힘의 분해와 힘의 평형

두 빗면이 물체를 떠받치는 힘의 합력의 크기와 물체에 작용하는 중력의 크기는 같다.

③ 경사각이 45°인 빗면이 물체를 떠받치는 힘의 수평 성분의 크기는 $F_1\cos45°$이고, 연직 성분의 크기는 $F_1\sin45°$이다. 경사각이 60°인 빗면이 물체를 떠받치는 힘의 수평 성분의 크기는 $F_2\cos30°$이고 연직 성분의 크기는 $F_2\sin30°$이다. 물체에 작용하는 힘의 수평 성분은 빗면이 작용하는 힘만 있으므로 $F_1\cos45° = F_2\cos30°$이다. 따라서 $\frac{F_2}{F_1} = \frac{\cos45°}{\cos30°} = \sqrt{\frac{2}{3}}$이다.

04 힘의 분해와 힘의 합성

그림과 같이 A와 B를 연결한 실이 B를 당기는 힘의 크기는 $mg\sin60°$와 같고, 빗면 아래 방향으로 A에 작용하는 힘의 크기는 $mg\sin60° + 3mg\sin30°$이다.

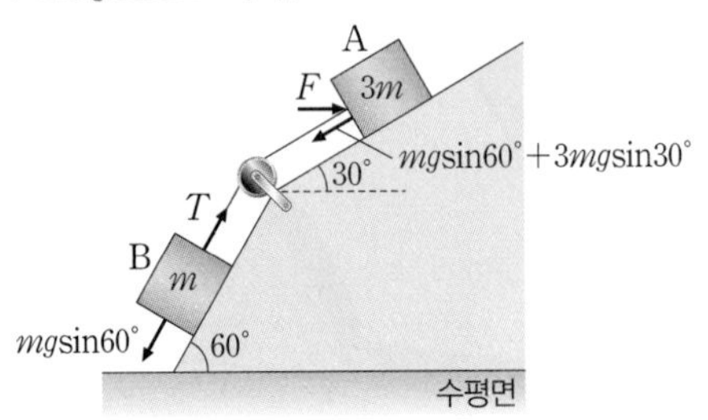

ㄱ. 실이 B를 당기는 힘의 크기를 T라 할 때, $T = mg\sin60° = \frac{\sqrt{3}}{2}mg$이다.

ㄴ. A는 정지해 있으므로 A에 작용하는 알짜힘은 0이다. 빗면이 A를 떠받치는 힘의 크기를 N이라 할 때 물체에 작용하는 힘은 그림과 같다.

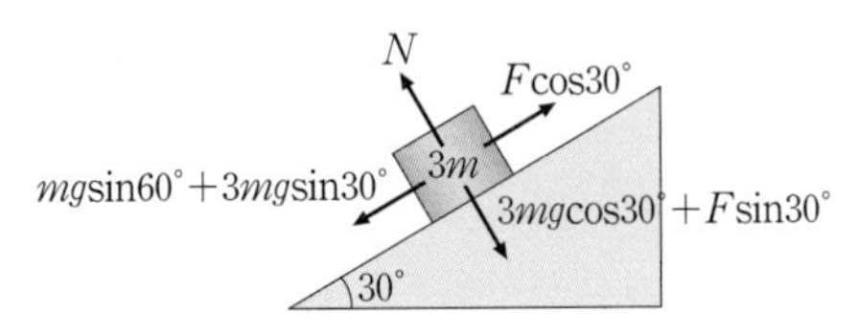

$mg\sin60° + 3mg\sin30° = F\cos30°$ … ①

$3mg\cos30° + F\sin30° = N$ … ②가 성립한다.

①에 의해서 $F = (1+\sqrt{3})mg$이다.

ㄷ. $F = (1+\sqrt{3})mg$와 $3mg\cos30° + F\sin30° = N$을 연립하면 $N = \left(\frac{1}{2} + 2\sqrt{3}\right)mg$이다.

05 구조물의 안정성과 돌림힘의 평형

물체의 무게중심에서 지표면에 내린 수선이 물체의 밑면의 범위 안에 들어 있는 경우에는 물체가 안정된 상태를 유지할 수 있다.

ㄱ. (가)에서 무게중심이 받침점 r의 왼쪽에 위치하므로 A는 중력에 의한 돌림힘이 작용하여 시계 반대 방향으로 회전해야 한다. 그러한 회전을 막고 돌림힘이 0이 되려면 p에 작용하는 힘의 방향은 연직 위 방향이어야 한다. (나)에서 무게중심이 받침점 r의 왼쪽에 위치하므로 A는 중력에 의한 돌림힘이 작용하여 시계 반대 방향으로 회전해야 한다. 그러한 회전을 막고 돌림힘이 0이 되려면 q에 작용하는 힘의 방향은 연직 아래 방향이어야 한다.

ㄴ. r를 회전축으로 하는 돌림힘을 생각해 보면 A의 무게에 의한 돌림힘의 크기는 (가)와 (나)에서 서로 같다. 따라서 p에 작용하는 힘에 의한 돌림힘의 크기와 q에 작용하는 힘에 의한 돌림힘의 크기는 같아야 한다. r에서 p까지의 거리는 r에서 q까지의 거리보다 크므로, p에 작용하는 힘의 크기는 q에 작용하는 힘의 크기보다 작다.

ㄷ. p, q에 작용하는 힘을 각각 제거하면 A에는 돌림힘이 작용한다. 무게중심이 (가)와 (나)에서 모두 r의 왼쪽에 위치하므로 A의 회전 방향은 (가)와 (나)에서 모두 시계 반대 방향이다.

06 돌림힘의 평형

p와 q가 막대에 작용하는 힘의 크기가 같은 경우에는 p가 막대에 작용하는 힘의 크기와 q가 막대에 작용하는 힘의 크기가 $\frac{5}{2}mg$로 같다.

④ p, q가 막대에 작용하는 힘의 크기를 T_p, T_q라 할 때, 주어진 문제에서 $T_p=T_q$이다. 힘의 평형이 성립하므로 $5mg=T_p+T_q$이므로 $T_p=T_q=\frac{5}{2}mg$이다. 막대의 왼쪽 끝을 회전축으로 하는 돌림힘의 평형 조건을 적용하면 $mgL-3LT_p+(3L+x)3mg+5Lmg-8LT_q=0$이 성립하므로 $x=\frac{25}{6}L$이다.

07 축바퀴와 돌림힘의 평형

축바퀴의 작은 반지름이 d, 큰 반지름이 $2d$이고 무게가 mg인 물체가 큰 바퀴에 매달려 있을 때 평형 상태를 유지하기 위해 작은 바퀴에 작용해야 하는 힘의 크기를 F라 하고 돌림힘의 평형 조건을 적용하면, $Fd=2dmg$에서 $F=2mg$이다. 따라서 작은 바퀴에 물체를 매달고 $\frac{\text{작은 반지름}}{\text{큰 반지름}}$이 작을수록 작은 힘으로 물체를 들어 올릴 수 있다.

ㄱ. 축바퀴에 연결된 q가 막대에 작용하는 힘의 크기는 $2mg$이다. p가 막대에 작용하는 힘의 크기는 q가 막대에 작용하는 힘의 크기의 2배이므로 p가 막대에 작용하는 힘의 크기는 $4mg$이다.

ㄴ. 막대는 힘의 평형을 유지하고 있으므로 알짜힘은 0이다. p, q가 막대에 작용하는 힘의 크기가 $6mg$이고 이 힘의 크기는 막대와 A에 작용하는 중력의 크기와 같으므로 A의 질량을 m_A라 할 때 $6mg=mg+m_Ag$가 성립한다. 따라서 $m_A=5m$이다.

ㄷ. 막대의 왼쪽 끝을 회전축으로 하는 돌림힘은 0이다. $(3d+x)5mg+5mgd-12mgd-20mgd=0$이 성립한다. 따라서 $x=\frac{12}{5}d$이다.

08 힘의 평형과 돌림힘의 평형

막대가 기울어지기 시작하는 순간은 B가 막대를 떠받치는 힘이 0일 때이다. 같은 시간 동안 A가 이동한 거리는 물체가 이동한 거리의 2배이다. $v=\frac{x}{t}$라 할 때 t초 동안 물체가 이동한 거리를 x라 하면 A가 이동한 거리는 $2x$이다.

② B가 막대를 떠받치는 힘이 0이고, A를 회전축으로 하는 돌림힘이 0일 때가 막대가 기울어지기 시작할 때이다. 기울어지기 시작할 때까지 물체가 이동한 거리를 x라 할 때, 돌림힘의 평형 조건을 적용한다.

$2mgx=(5L-2x)mg$이다. 따라서 $x=\frac{5}{4}L$이다. $v=\frac{x}{t}$이므로 $t=\frac{5L}{4v}$이다.

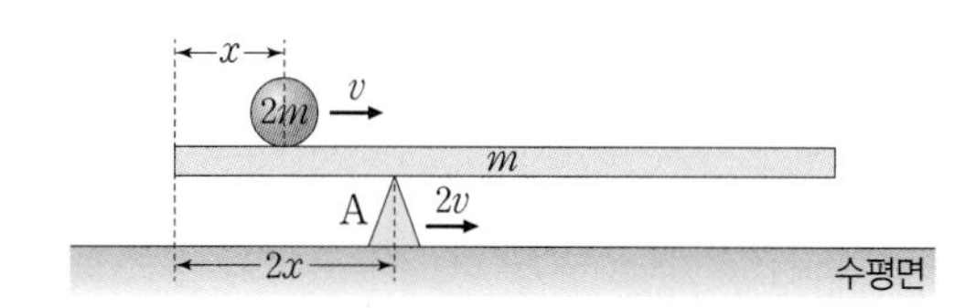

수능 3점 테스트

본문 8~10쪽

01 ③ 02 ⑤ 03 ① 04 ⑤ 05 ⑤ 06 ④

01 힘의 분해와 힘의 평형

물체가 정지해 있을 때 물체에 작용하는 알짜힘은 0이다. p, q가 막대에 작용하는 힘을 각각 T_p, T_q라 할 때 그림과 같이 힘을 분해할 수 있다.

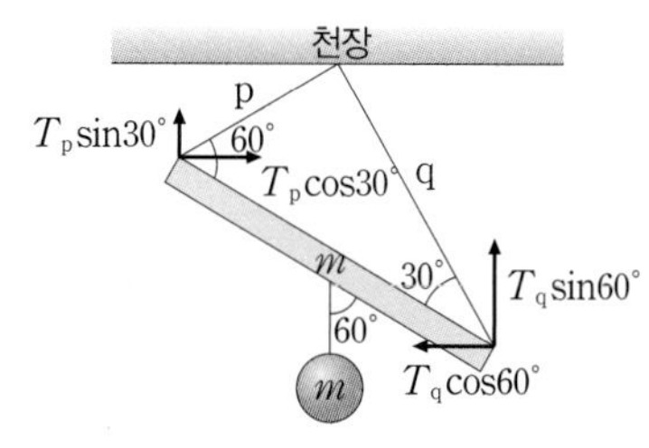

ㄱ. 막대는 정지해 있으므로 막대에 작용하는 알짜힘은 0이다.

ㄴ. 막대에 작용하는 힘의 수평 성분의 크기는 0이다. 막대에 수평 방향으로 작용하는 힘은 p와 q가 막대에 작용하는 힘뿐이다. p가 막대에 작용하는 힘의 수평 성분의 크기는 $T_p\cos30°$이고, q가 막대에 작용하는 힘의 수평 성분의 크기는 $T_q\cos60°$이다. 실이 막대를 당기는 힘의 수평 성분의 크기는 p와 q가 같다.

ㄷ. 막대에 작용하는 힘의 수평 성분이 0이므로 $T_p\cos30°=T_q\cos60°$가 성립하고, 막대에 작용하는 힘의 연직 성분이 0이므로 $T_p\sin30°+T_q\sin60°=2mg$가 성립한다. $\sqrt{3}T_p=T_q$이므로 p가 막대를 당기는 힘의 크기는 mg이다.

02 힘의 분해와 힘의 평형

A, B에 작용하는 알짜힘은 0이다. 따라서 각 물체에 작용하는 힘의 수평 성분과 연직 성분은 모두 0이어야 한다. p, q, r가 물체에 작용하는 힘의 크기를 T_p, T_q, T_r라 하면 그림과 같다.

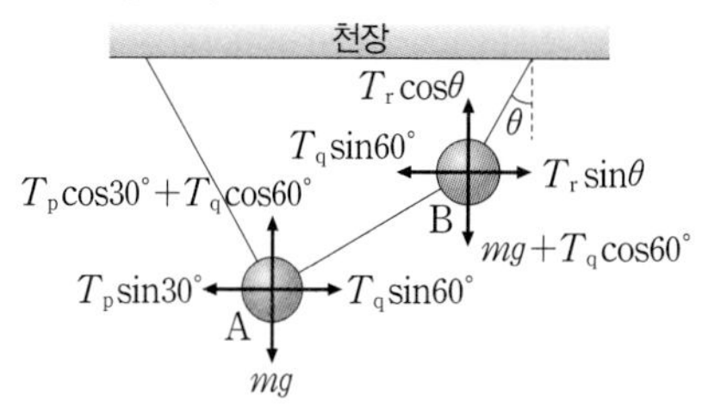

ㄱ. A에 작용하는 힘의 수평 성분은 0이다. p가 A에 작용하는 힘의 수평 성분의 크기는 $T_p\sin30°$이고, q가 A에 작용하는 힘의 수평 성분의 크기는 $T_q\sin60°$이다. $T_p\sin30°=T_q\sin60°$이므로 $T_p=\sqrt{3}T_q$ … ①이다.
ㄴ. A에 작용하는 힘의 연직 성분은 0이다. p, q가 A에 작용하는 힘의 연직 성분의 크기는 $T_p\cos30°+T_q\cos60°$이고, A의 무게가 mg이므로
$T_p\cos30°+T_q\cos60°=mg$ … ②이다. ①과 ②를 연립하면
$T_q=\frac{1}{2}mg$이다.
ㄷ. B에 작용하는 알짜힘이 0이므로
$mg+T_q\cos60°=T_r\cos\theta$ … ③
$T_q\sin60°=T_r\sin\theta$ … ④가 성립한다. ③과 ④를 연립하면
$\tan\theta=\frac{\sqrt{3}}{5}$이다.

03 힘의 분해와 힘의 평형

빗면의 경사각이 θ일 때 빗면 방향으로 작용하는 가속도의 크기는 $g\sin\theta$이다. 실이 물체에 작용하는 힘의 크기를 T라 할 때 A, B에 작용하는 힘은 그림과 같다.

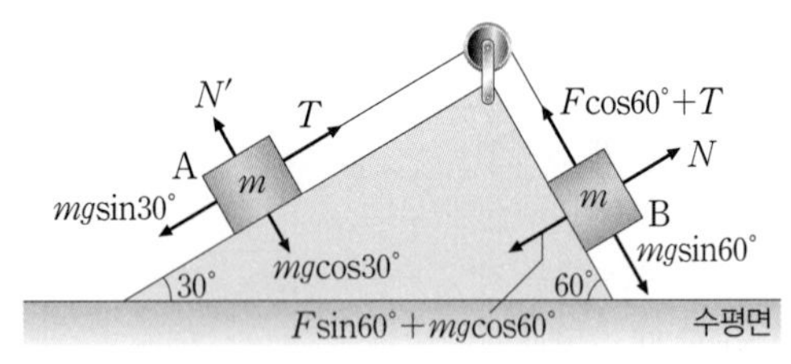

① 왼쪽 빗면에서 실이 A를 당기는 힘의 크기는 빗면 아래 방향으로 작용하는 중력의 크기와 같다. 따라서 $T=mg\sin30°=\frac{1}{2}mg$이다. 오른쪽 빗면에서 빗면에 나란한 방향으로 작용하는 힘은 0이다. 따라서 $F\cos60°+T=mg\sin60°$가 성립한다.
$T=\frac{1}{2}mg$이므로 $F=(\sqrt{3}-1)mg$이다.

04 역학적 평형

막대 A, B가 수평을 이루며 정지해 있으므로 A, B에 작용하는 돌림힘의 합은 0이다. A의 왼쪽 끝에 연결된 실이 A에 작용하는 힘의 크기를 T, A와 B 사이에 연결된 실이 작용하는 힘의 크기를 T_1, 물체의 무게를 F, 받침대가 B를 떠받치는 힘의 크기를 N이라 할 때, A, B와 물체에 작용하는 힘은 그림과 같다.

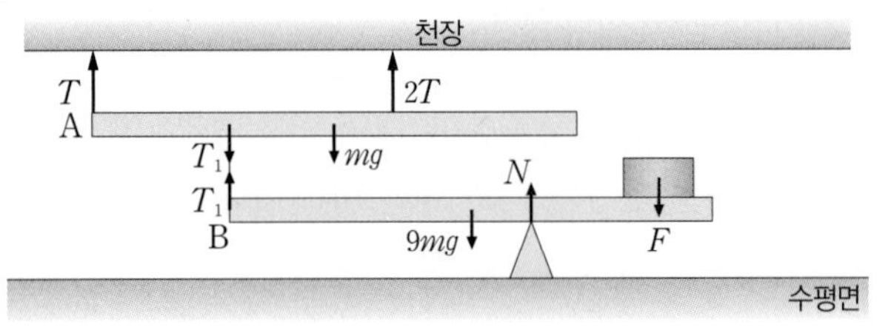

ㄱ. A는 힘의 평형을 이루고 있으므로 $3T=mg+T_1$ … ①이 성립한다. A에 작용하는 돌림힘의 합도 0이므로 A의 왼쪽 끝을 회전축으로 할 때 $3LT_1+5Lmg=12LT$ … ②이 성립한다. ①과 ②를 연립하면 $T_1=mg$이다.
ㄴ. $T_1=mg$와 $3T=mg+T_1$에 의해 $T=\frac{2}{3}mg$이다.
ㄷ. B에 작용하는 돌림힘의 합은 0이다. 받침대를 회전축으로 할 때 $6LT_1+3LF=9mgL$이 성립한다. $T_1=mg$이므로 $F=mg$이다. 따라서 물체의 질량은 m이다.

05 역학적 평형

막대의 왼쪽 끝에 연결된 실이 작용하는 힘(T_1)의 수평 성분의 크기와 막대 오른쪽 끝에 연결된 실이 작용하는 힘(T_2)의 수평 성분의 크기는 같다. 받침대가 막대를 받치는 힘의 크기를 N이라 할 때, A, B와 막대에 작용하는 힘은 그림과 같다.

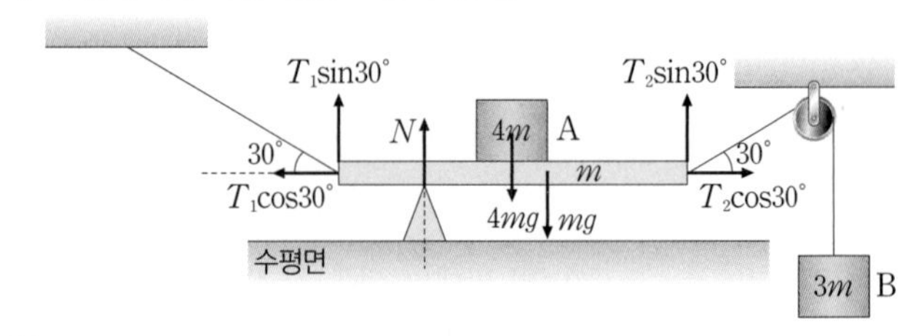

ㄱ. $T_1\cos30°=T_2\cos30°$가 성립하므로 $T_1=T_2$이다. $T_2=3mg$이므로 $T_1=3mg$이다.
ㄴ. 막대에 작용하는 알짜힘은 0이다. 따라서 $4mg+mg=N+T_1\sin30°+T_2\sin30°$가 성립하므로 $N=2mg$이다.
ㄷ. 막대에 작용하는 돌림힘의 합은 0이므로 막대의 왼쪽 끝을 회전축으로 할 때 $2mgL+4LT_2\sin30°=4mgx+2mgL$이 성립한다.
따라서 $x=\frac{3}{2}L$이다.

06 축바퀴와 돌림힘의 평형

축바퀴의 큰 바퀴의 반지름과 작은 바퀴의 반지름의 비가 2 : 1이므로 작은 바퀴에 연결된 실이 막대에 작용하는 힘의 크기는 A에 작용하는 중력의 크기의 2배이다.

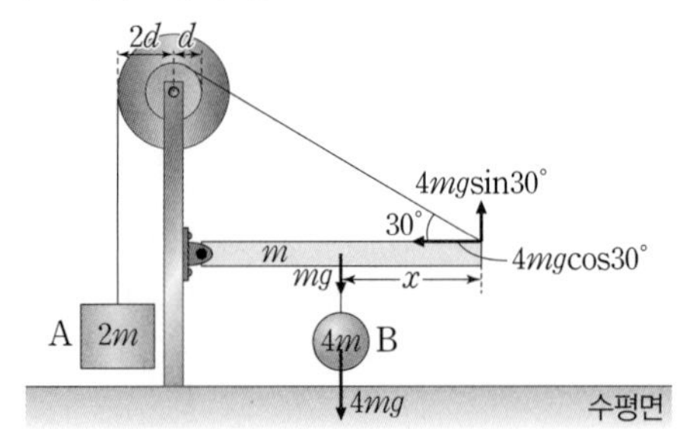

④ 축바퀴의 큰 바퀴에 A가 연결되어 있고, 축바퀴의 작은 바퀴에 막대의 오른쪽 끝이 연결되어 있다. 중력 가속도를 g라 할 때 A에 작용하는 중력의 크기가 $2mg$이고, 큰 바퀴의 반지름이 $2d$이므로 반지름이 d인 작은 바퀴에 연결된 실이 막대의 오른쪽 끝을 당기는 힘의 크기는 $4mg$이다. 실과 막대가 이루는 각이 30°이므로 실이 막대에 작용하는 힘의 연직 성분의 크기는 $4mg\sin30°$이다. 막대의 왼쪽 끝을 회전축으로 할 때 돌림힘이 0이므로 $4mgL\sin30°=\frac{1}{2}mgL+(L-x)4mg$가 성립한다. 따라서 $x=\frac{5}{8}L$이다.

테마 02 물체의 운동(1)

닮은 꼴 문제로 유형 익히기 본문 13쪽

정답 ⑤

A, B를 던진 순간, A, B의 속력을 각각 v_A, v_B라 할 때, B는 x축 방향으로 등속도 운동을 한다. q에서 r까지 수평 이동 거리는 d이므로 A와 B를 던진 순간부터 A와 B가 만날 때까지 걸린 시간을 t라 할 때, $t=\frac{d}{v_B\cos\theta}$이다.

ㄱ. A, B를 던진 순간부터 A, B가 만날 때까지, 걸린 시간과 수평 이동 거리가 같으므로 A, B의 속도의 수평 성분의 크기는 같다. 수평면과 이루는 각이 θ로 같으므로 물체의 속력은 A와 B가 같다.

ㄴ. A, B를 던진 순간, 물체의 속력은 A와 B가 같고, A, B가 충돌하는 순간, A, B의 속도의 수평 성분의 크기는 같으므로 A, B의 속도의 연직 성분의 크기는 A가 B보다 크다. 따라서 A, B가 충돌하는 순간, 물체의 속력은 A가 B보다 크다.

ㄷ. A와 B가 만날 때 변위의 연직 성분의 크기는 A가 $v_A\sin\theta t+\frac{1}{2}gt^2$이고, B가 $v_B\sin\theta t-\frac{1}{2}gt^2$이다. $v_A=v_B$이고, A와 B의 변위의 연직 성분의 크기의 합이 $2d$이므로 $t=\frac{d}{v_B\sin\theta}$이다. 따라서 $\tan\theta=1$이다.

수능 2점 테스트 본문 14~16쪽

01 ⑤	02 ③	03 ③	04 ②	05 ⑤
06 ①	07 ④	08 ⑤	09 ③	10 ⑤
11 ⑤	12 ③			

01 속도와 가속도

빗면에서 등가속도 직선 운동을 하는 물체의 평균 속력은 다음과 같다.

$$\text{평균 속력}=\frac{\text{나중 속력}+\text{처음 속력}}{2}$$

ㄱ. 물체가 수평면에서 등속 직선 운동을 하는 동안의 속력을 v, q에서 r까지 이동하는 데 걸린 시간을 t라고 할 때, q에서의 속력은 v이고 r에서 속력은 0이므로 q에서 r까지의 평균 속력은 $\frac{v}{2}$이다. 최고점에서 정지하므로 물체는 빗면에서 직선 운동을 해야 한다. 따라서 q에서 r까지 운동하는 동안, 평균 속도의 크기는 $\frac{v}{2}$이다.

ㄴ. p에서 q까지 운동하는 동안 일정한 속력으로 운동하므로 평균 속력은 v이고, q에서 r까지 운동하는 동안 등가속도 직선 운동을 하므로 평균 속력은 $\frac{v}{2}$이다.

ㄷ. p에서 q까지의 거리는 vt이고, q에서 r까지의 거리는 $\frac{1}{2}vt$이다.

02 포물선 운동

물체는 수평 방향으로 등속도 운동을 하고, 연직 방향으로는 등가속도 운동을 한다. 중력 가속도를 g, 최고점에서 떨어지는 데 걸린 시간을 t_0이라 할 때, 최고점에서 떨어진 거리는 $s=\frac{1}{2}gt_0^2$이다.

ㄱ. 물체가 포물선 운동을 하므로 물체의 속도의 수평 성분의 크기는 일정하다. 물체의 속도의 수평 성분의 크기를 v, 최고점과 q 사이의 높이차를 h라 할 때, p에서 q까지 변위의 연직 성분은 0이고, 변위의 수평 성분의 크기는 vt이다. 따라서 p에서 q까지 물체의 변위의 크기는 vt이다. q에서 r까지 변위의 수평 성분의 크기는 vt이고, 연직 성분의 크기가 존재한다. 따라서 물체의 변위의 크기는 p에서 q까지가 q에서 r까지보다 작다.

ㄴ. p에서 q까지 운동하는 동안 속도의 수평 성분의 크기는 일정하므로 힘의 수평 성분은 0이다. p에서의 속도의 연직 성분의 크기와 q에서의 속도의 연직 성분의 크기는 같다. 하지만 속도의 방향이 반대이므로 속도의 변화량은 0이 아니다. 연직 방향으로 힘이 작용하므로 물체의 속도 변화량은 0이 아니다.

ㄷ. p에서 q까지 이동하는 데 걸린 시간이 t이므로 최고점에서 q까지 이동하는 데 걸린 시간은 $\frac{1}{2}t$이다. 따라서 최고점과 q 사이의 높이차를 h라 할 때, $h=\frac{1}{2}g\left(\frac{1}{2}t\right)^2=\frac{1}{8}gt^2$이다. 최고점에서 r까지 이동하는 데 걸린 시간은 $\frac{3}{2}t$이다. 따라서 최고점과 r 사이의 높이차를 H라 할 때, $H=\frac{9}{8}gt^2$이다. q와 r의 높이차는 $H-h=gt^2$이다.

03 등가속도 운동

속도-시간 그래프에서 그래프의 기울기는 가속도이고, 그래프가 시간 축과 이루는 면적은 변위이다.

ㄱ. 0초부터 4초까지 속도의 x성분이 0에서 2 m/s까지 증가하는 운동을 하므로 변위의 x성분의 크기는 4 m이고, 0초부터 4초까지 속도의 y성분이 0에서 1 m/s까지 증가했다가 다시 0으로 감소하는 운동을 하므로 변위의 y성분의 크기는 2 m이다. 따라서 변위의 크기는 $\sqrt{(4\text{ m})^2+(2\text{ m})^2}=2\sqrt{5}$ m이다.

ㄴ. 0초부터 2초까지, 정지해 있던 물체의 가속도의 x성분과 y성분의 크기가 0.5 m/s²으로 같으므로 물체는 xy 평면에서 x축과 45°를 이루며 등가속도 직선 운동을 한다. 그러다가 2초 이후, 물체의 가속도의 y성분의 방향만 반대 방향이 된다. 따라서 물체의 가속도 방향과 속도 방향이 90°를 이루므로 방향이 바뀌어 곡선 운동을 하게 된다. 2초부터 4초까지 물체는 포물선 운동을 한다.

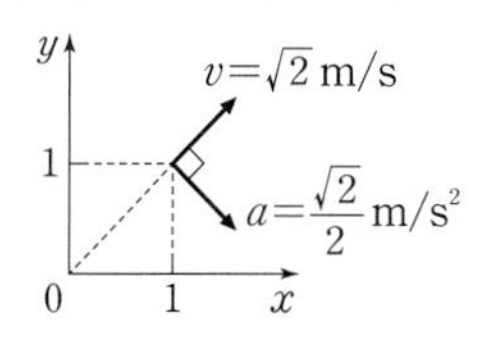

ㄷ. 1초일 때, 물체의 가속도의 x성분의 크기는 0.5 m/s², y성분의 크기는 0.5 m/s²이므로 물체의 가속도의 크기는 $\sqrt{\left(\frac{1}{2}\text{ m/s}^2\right)^2+\left(\frac{1}{2}\text{ m/s}^2\right)^2}=\sqrt{\frac{1}{2}}$ m/s²이다. 3초일 때, 물체의 가속도의 x성분의 크기는 0.5 m/s², y성분의 크기는 0.5 m/s²이므로

물체의 가속도의 크기는 $\sqrt{\left(\frac{1}{2}\text{ m/s}^2\right)^2+\left(\frac{1}{2}\text{ m/s}^2\right)^2}=\sqrt{\frac{1}{2}}\text{ m/s}^2$ 이다.

04 등가속도 운동

A는 x축에서 p까지 등속도 운동을 하므로 x축에서 p까지 운동하는 데 걸린 시간은 $\frac{2d}{2v}=\frac{d}{v}$이고, B는 x축에서 p까지 등가속도 직선 운동을 하므로 평균 속력은 v이다.

ㄱ. p에서 B의 속력을 v_p라 할 때, B가 x축에서 p까지 등가속도 직선 운동을 하므로 평균 속력은 $\frac{\frac{1}{2}v+v_p}{2}=v$이다. 따라서 $v_p=\frac{3}{2}v$이다.

ㄴ. B가 x축에서 p까지 운동하는 데 걸린 시간(t)은 A와 같다. 따라서 $t=\frac{d}{v}$이므로 B의 가속도의 크기는 $\frac{\frac{3}{2}v-\frac{1}{2}v}{\frac{d}{v}}=\frac{v^2}{d}$이다.

ㄷ. x축을 지나는 순간 A와 B 사이의 거리는 $\sqrt{3}d$이고, A가 x축에서 p까지 운동하는 데 걸린 시간이 $\frac{2d}{2v}=\frac{d}{v}$이므로 A의 속도의 x성분의 크기는 $\frac{\sqrt{3}d}{\frac{d}{v}}=\sqrt{3}v$이다.

05 등가속도 운동과 포물선 운동

포물선 운동을 하는 물체는 수평 방향으로 등속도 운동을 하고, 연직 방향으로는 등가속도 운동을 한다. 중력 가속도를 g라 할 때, 빗면에서 등가속도 직선 운동을 하는 물체의 가속도의 크기는 $g\sin30°$이다.

ㄱ. 물체가 q에서 r까지 운동하는 동안 포물선 운동을 하므로 운동 방향이 변한다. 따라서 이동 거리는 변위의 크기보다 크다. 그러므로 평균 속력은 평균 속도의 크기보다 크다.

ㄴ. 물체가 p에서 q까지 운동하는 동안 가속도의 크기는 $g\sin30°=\frac{1}{2}g$이고, q에서 r까지 운동하는 동안 중력만 작용하므로 가속도의 크기는 g이다.

ㄷ. 물체의 속력은 p에서가 q에서보다 크다. 따라서 p에서 속도의 x성분의 크기(v_p)는 q에서 속도의 x성분의 크기(v_q)보다 크다. p에서 q까지 수평 이동 거리를 S, 물체가 운동하는 데 걸린 시간을 t라 할 때, p에서 q까지 물체의 x방향의 평균 속력은 $\frac{v_p+v_q}{2}=\frac{S}{t}$이다. q에서 r까지 물체는 x방향으로 등속도 운동을 하므로 q에서 r까지 물체가 운동하는 데 걸린 시간을 T라 할 때, 물체의 평균 속력은 $v_q=\frac{S}{T}$이다. v_p가 v_q보다 크므로 $\frac{S}{t}>\frac{S}{T}$가 성립한다. 따라서 $t<T$이다.

06 포물선 운동

수평 방향으로 던진 물체는 수평 방향으로 등속도 운동을 하고, 연직 방향으로 자유 낙하 운동을 한다.

ㄱ. 연직 방향으로 자유 낙하 운동을 하므로 변위를 s, 중력 가속도를 g, 시간을 t라 할 때, $s=\frac{1}{2}gt^2$이 성립한다. A를 던진 순간부터 수평면에 도달하는 데까지 걸린 시간(t_A)은 $2h=\frac{1}{2}gt_A{}^2$이 성립하므로 $t_A=2\sqrt{\frac{h}{g}}$이고, B를 던진 순간부터 수평면에 도달하는 데까지 걸린 시간(t_B)은 $h=\frac{1}{2}gt_B{}^2$이 성립하므로 $t_B=\sqrt{\frac{2h}{g}}$이다. 따라서 $t_A>t_B$이다.

ㄴ. 수평 방향으로는 등속도 운동을 하므로 수평 방향의 속력을 v라 할 때, 수평 이동 거리(x)는 $x=vt$이다. A의 수평 이동 거리(x_A)는 $x_A=v_At_A$이므로 $x_A=2v_A\sqrt{\frac{h}{g}}$이고, B의 수평 이동 거리($x_B$)는 $x_B=v_Bt_B$이므로 $x_B=v_B\sqrt{\frac{2h}{g}}$이다. $x_A=x_B$이므로 $2v_A\sqrt{\frac{h}{g}}=v_B\sqrt{\frac{2h}{g}}$이다. 따라서 $\sqrt{2}v_A=v_B$이다.

ㄷ. A와 B는 포물선 운동을 하므로 물체에 작용하는 힘은 중력뿐이다. 따라서 A와 B의 가속도의 크기는 g로 같다.

07 포물선 운동

수평면에 대해 θ의 각으로 속력 v_0으로 던진 물체가 최고점에 도달하는 데 걸리는 시간은 $\frac{v_0\sin\theta}{g}$이므로 수평 도달 거리는 $R=\frac{v_0{}^2\sin2\theta}{g}$이다.

ㄱ. p에서 속도의 수평 성분의 크기는 던진 순간 속도의 수평 성분의 크기와 같다. p에서 속도의 수평 성분의 크기는 $\frac{\sqrt{3}}{3}v_0\cos30°=\frac{1}{2}v_0$이다. 던진 순간 속도의 수평 성분의 크기는 $v_0\cos\theta=\frac{1}{2}v_0$이므로 $\theta=60°$이다.

ㄴ. 수평면에서 던진 순간 속도의 연직 성분의 크기는 $v_0\sin60°=\frac{\sqrt{3}}{2}v_0$이고, p에서 속도의 연직 성분의 크기는 $\frac{\sqrt{3}}{3}v_0\sin30°=\frac{\sqrt{3}}{6}v_0$이다. 연직 방향으로는 중력 가속도 g로 등가속도 운동을 한다. p의 높이를 h라 할 때, $\left(\frac{\sqrt{3}}{2}v_0\right)^2-\left(\frac{\sqrt{3}}{6}v_0\right)^2=2gh$이다. 따라서 $h=\frac{v_0{}^2}{3g}$이다.

ㄷ. 최고점에서 속도의 연직 성분은 0이고, p에서 속도의 연직 성분의 크기는 $\frac{\sqrt{3}}{6}v_0$이면서 등가속도 운동을 하므로 최고점에서 p까지 운동하는 데 걸린 시간을 t라 할 때, $\frac{\sqrt{3}}{6}v_0=gt$에서 $t=\frac{\sqrt{3}v_0}{6g}$이다. 물체는 수평 방향으로 최고점에서 p까지 등속도 운동을 하므로 최고점에서 p까지, 물체의 수평 이동 거리는 $\frac{\sqrt{3}v_0}{6g}\times\frac{1}{2}v_0=\frac{\sqrt{3}v_0{}^2}{12g}$이다.

08 등가속도 운동과 포물선 운동

B는 수평 방향으로 등속도 운동을 하고, 연직 방향으로는 등가속도 운동을 한다. 따라서 중력 가속도를 g라 할 때, 던져진 순간부터 수평면에 도달하는 데 걸린 시간(t_B)은 $2h=\frac{1}{2}gt_B{}^2$이다. 따라서 $t_B=2\sqrt{\frac{h}{g}}$이다. 수평 방향으로 등속도 운동을 하므로 $t_B=\frac{2h}{v_0}$가 성립한다.

ㄱ. B가 수평면에 도달하는 순간 연직 방향의 속력(V)은 $V=gt_B=\frac{2gh}{v_0}$이다. $4gh=V^2$이므로 $V=2v_0$이다. B가 수평면에 도달하는 순간, B의 속력은 $\sqrt{V^2+v_0^2}=\sqrt{(2v_0)^2+v_0^2}=\sqrt{5}v_0$이다.

ㄴ. A는 가속도의 크기가 g인 등가속도 직선 운동을 한다. 따라서 $-h=vt_B-\frac{1}{2}gt_B^2$이 성립한다. $-h=v\frac{2h}{v_0}-\frac{2gh^2}{v_0^2}=v\frac{2h}{v_0}-\frac{2v_0^2h}{v_0^2}$ $=v\frac{2h}{v_0}-2h$이므로 $v=\frac{1}{2}v_0$이다.

ㄷ. A를 던지는 순간 속력은 $v=\frac{1}{2}v_0$이고 최고점에서 속력은 0이므로 A를 던진 지점부터 최고점까지의 높이(H)는 $2gH=\left(\frac{v_0}{2}\right)^2$에서 $H=\frac{v_0^2}{8g}$이다. $v_0^2=gh$이므로 $H=\frac{1}{8}h$이다.

09 등가속도 직선 운동과 포물선 운동

A가 수평면에 도달하는 데 걸린 시간은 B가 A의 연직 아래 수평면을 통과하는 순간부터 p에 도달하는 데까지 걸린 시간과 같다. A가 낙하하는 데 걸린 시간(t_A)은 $t_A=\sqrt{\frac{2h}{g}}$이다.

ㄱ. A를 던진 순간부터 수평면에 도달하는 순간까지 걸린 시간은 A가 자유 낙하 하는 데 걸린 시간과 같다. 따라서 A가 낙하하는 데 걸린 시간(t_A)은 $t_A=\sqrt{\frac{2h}{g}}$이다.

X. A를 던진 순간부터 수평면에 도달하는 순간까지 수평 이동 거리(S)는 $S=\sqrt{\frac{8v_0^2h}{g}}$이고, p에서 A의 연직 방향의 속도의 크기는 $gt_A=\sqrt{2gh}$이다. A, B의 수평 방향의 변위의 크기가 같고, 시간이 같으므로 평균 속도의 수평 성분의 크기는 같다. A의 평균 속도의 수평 성분의 크기가 $2v_0$이므로 p에서 B의 속력은 v_0이다. 따라서 A의 속도의 수평 성분의 크기는 B의 속도의 수평 성분의 크기의 2배이지만 A는 속도의 연직 방향의 크기가 있으므로 p에서 A의 속력은 B의 속력의 2배보다 크다.

ㄷ. B가 A의 연직 아래 수평면에서 p까지 운동하는 데 걸리는 시간은 $\sqrt{\frac{2h}{g}}$이고, 속력이 $3v_0$에서 v_0으로 감소하는 등가속도 직선 운동을 하므로 B의 가속도의 크기(a_B)는 $a_B=\frac{3v_0-v_0}{\sqrt{\frac{2h}{g}}}=2v_0\sqrt{\frac{g}{2h}}=\sqrt{\frac{2v_0^2g}{h}}$이다.

10 포물선 운동

경사각이 θ인 빗면에서 빗면에 대해 수직으로 물체를 던지는 경우 가속도의 빗면에 나란한 성분과 수직인 성분의 크기는 각각 $g\sin\theta$와 $g\cos\theta$이다. 던진 순간 속도 크기가 v_0이면 속도의 빗면에 수직인 성분의 크기는 v_0이고, 빗면에 수직인 방향의 등가속도 운동을 고려하면 빗면에 수직인 방향으로 가장 멀리 떨어질 때까지 걸린 시간(t_H)은 $t_H=\frac{v_0}{g\cos\theta}$이고, 물체가 던져진 후 빗면에 도달할 때까지 걸린 시간은 $2t_H$이다.

ㄱ. p에서 q까지 운동하는 데 걸린 시간을 t라 할 때, 가속도의 빗면에 수직 성분의 크기는 $g\cos45°=\frac{\sqrt{2}}{2}g$이다. 변위의 빗면에 수직 성분은 0이므로 $0=v_0t-\frac{1}{2}\times\frac{\sqrt{2}}{2}g\times t^2$이 성립한다. 따라서 $t=\frac{2\sqrt{2}v_0}{g}$이다. 가속도의 빗면에 나란한 성분의 크기는 $g\sin45°=\frac{\sqrt{2}}{2}g$이다. q에서 속도의 빗면에 나란한 성분의 크기(V)는 $V=g\sin45°\times t=\frac{\sqrt{2}}{2}g\times\frac{2\sqrt{2}v_0}{g}=2v_0$이다. q에서의 속력은 $\sqrt{5}v_0$이다. 중력에 의한 역학적 에너지가 보존되므로 물체의 질량을 m이라 할 때 $\frac{1}{2}mv_0^2+mgh=\frac{1}{2}m(\sqrt{5}v_0)^2$에서 $v_0^2=\frac{1}{2}gh$이다. 따라서 $v_0=\sqrt{\frac{gh}{2}}$이다.

ㄴ. p에서 q까지 운동하는 데 걸린 시간이 $t=\frac{2\sqrt{2}v_0}{g}$이다. $v_0=\sqrt{\frac{gh}{2}}$이므로 $t=2\sqrt{\frac{h}{g}}$이다.

ㄷ. p에서 속도의 연직 성분의 크기는 $v_0\sin45°=\frac{\sqrt{2}}{2}v_0$이다. p에서 최고점까지 운동하는 데 걸린 시간을 t_1이라 할 때, 최고점에서 속도의 연직 성분은 0이므로 $0=\frac{\sqrt{2}}{2}v_0-gt_1$이 성립한다. 따라서 $t_1=\frac{\sqrt{2}v_0}{2g}$이다. 이 시간 동안 변위의 연직 성분의 크기(S)는 $S=\frac{\sqrt{2}}{2}v_0\times\frac{\sqrt{2}v_0}{2g}-\frac{1}{2}g\left(\frac{\sqrt{2}v_0}{2g}\right)^2$이므로 $S=\frac{v_0^2}{4g}$이다. $v_0^2=\frac{1}{2}gh$를 대입하면 $S=\frac{1}{8}h$이다.

11 포물선 운동

수평면에서 B의 속도의 연직 성분은 $v\sin45°=\frac{\sqrt{2}}{2}v$이다. B를 던진 순간부터 A와 만나는 순간까지 B의 변위의 연직 성분의 크기는 $(h-d)$이다.

ㄱ. B를 던진 순간부터 A와 만나는 순간까지 B의 변위의 연직 성분의 크기는 $(h-d)$이고, A의 변위의 크기는 d이다. B를 던진 순간부터 A와 만날 때까지 걸리는 시간을 t, 중력 가속도를 g라 할 때, $(h-d)=\frac{\sqrt{2}}{2}v\times t-\frac{1}{2}gt^2$ … ①와 $d=\frac{1}{2}gt^2$ … ②이다. ①과 ②를 연립하면 $t=\frac{\sqrt{2}h}{v}$이다.

ㄴ. B를 던진 순간부터 A와 B가 만날 때까지 걸린 시간이 $t=\frac{\sqrt{2}h}{v}$이고, B는 수평 방향으로 등속도 운동을 하므로 B를 던진 순간부터 A와 B가 만날 때까지 수평 이동 거리(S)는 $S=\frac{\sqrt{2}}{2}v\times\frac{\sqrt{2}h}{v}=h$이다.

ㄷ. A를 가만히 놓은 순간부터 A가 B와 만나는 순간까지 A는 자유 낙하 운동을 하고, 걸린 시간이 $t=\frac{\sqrt{2}h}{v}$이므로 $d=\frac{1}{2}g\left(\frac{\sqrt{2}h}{v}\right)^2=\frac{gh^2}{v^2}$이다.

12 포물선 운동

물체가 포물선 운동을 하는 동안 수평 방향으로는 등속도 운동을 하고, 연직 방향으로는 등가속도 운동을 한다. 물체를 수평면과 45°를 이루는 방향으로 속력 v로 던질 때, 속도의 수평 성분의 크기는 $v\cos45° = \frac{\sqrt{2}}{2}v$이고, 속도의 연직 성분의 크기는 $v\sin45° = \frac{\sqrt{2}}{2}v$이다.

③ A를 던지는 순간부터 A와 B가 만나는 순간까지 A의 변위의 연직 성분의 크기(S_A)는 $S_A = \frac{\sqrt{2}}{2}vt - \frac{1}{2}gt^2$이고, B의 변위의 연직 성분의 크기($S_B$)는 $S_B = \frac{1}{2}gt^2$이다. $S_A + S_B = h$이므로 $t = \frac{\sqrt{2}h}{v}$이다. A를 던지는 순간부터 A와 B가 만나는 순간까지 A의 변위의 수평 성분의 크기는 $\frac{\sqrt{2}}{2}v \times \frac{\sqrt{2}h}{v} = h$이고, B의 변위의 수평 성분의 크기는 $\sqrt{2}v \times \frac{\sqrt{2}h}{v} = 2h$이다. 따라서 $x = 3h$이다.

수능 3점 테스트

본문 17~19쪽

01 ③ 02 ② 03 ⑤ 04 ⑤ 05 ① 06 ⑤

01 등가속도 운동

속도-시간 그래프에서 기울기는 가속도, 그래프가 시간 축과 이루는 면적은 변위를 의미한다. 가속도-시간 그래프에서 그래프가 시간 축과 이루는 면적은 속도의 변화량을 의미한다.

㉠. 정지해 있던 물체는 0초부터 2초까지 x방향으로 가속도의 크기가 $1\ \mathrm{m/s^2}$이고, y방향으로 가속도의 크기가 $1\ \mathrm{m/s^2}$인 등가속도 운동을 한다. 따라서 1초일 때, 가속도의 크기는 $\sqrt{(1\ \mathrm{m/s^2})^2 + (1\ \mathrm{m/s^2})^2} = \sqrt{2}\ \mathrm{m/s^2}$이다.

~~㉡~~. 1초일 때, 속도의 x성분의 크기는 $1\ \mathrm{m/s}$이고 속도의 y성분의 크기는 $1\ \mathrm{m/s}$이다. 따라서 1초일 때 속도의 크기는 $\sqrt{2}\ \mathrm{m/s}$이다. 3초일 때, 속도의 x성분의 크기는 $3\ \mathrm{m/s}$이고 속도의 y성분의 크기는 $2\ \mathrm{m/s}$이다. 따라서 3초일 때 속도의 크기는 $\sqrt{13}\ \mathrm{m/s}$이다.

㉢. 0초부터 4초까지 x방향으로는 등가속도 운동을 하므로 변위의 크기(x)는 $x = \frac{1}{2} \times 1\ \mathrm{m/s^2} \times (4\ \mathrm{s})^2 = 8\ \mathrm{m}$이다. 0초부터 2초까지 y방향으로는 등가속도 운동을 하고 2초부터 4초까지 등속도 운동을 한다. 2초일 때 속도의 y성분의 크기는 $2\ \mathrm{m/s}$이다. 따라서 0초부터 4초까지 변위의 y성분의 크기(y)는 $y = \frac{1}{2} \times 1\ \mathrm{m/s^2} \times (2\ \mathrm{s})^2 + 2\ \mathrm{m/s} \times 2\ \mathrm{s} = 6\ \mathrm{m}$이다. 그러므로 0초부터 4초까지 변위의 크기는 $\sqrt{(8\ \mathrm{m})^2 + (6\ \mathrm{m})^2} = 10\ \mathrm{m}$이다.

02 등가속도 운동

$t=0$일 때, 물체가 원점을 v_0의 속력으로 지나는데 속도의 x성분 v_x가 $\frac{1}{2}v_0$이므로 속도의 y성분 v_y는 $\frac{\sqrt{3}}{2}v_0$이다.

~~㉠~~. $t=0$일 때, $v_x = \frac{1}{2}v_0 = v_0\cos\theta$이므로 $\theta = 60°$이다.

~~㉡~~. 속도의 x성분의 크기가 $t=0$일 때 $\frac{1}{2}v_0$이고, $t=t_0$일 때 0이므로 물체의 가속도의 x성분의 크기는 $\frac{v_0}{2t_0}$이다. 속도의 y성분의 크기가 $t=0$일 때 $\frac{\sqrt{3}}{2}v_0$이고, $t=2t_0$일 때 0이므로 물체의 가속도의 y성분의 크기는 $\frac{\sqrt{3}v_0}{4t_0}$이다. 따라서 물체의 가속도의 크기는 $\sqrt{\left(\frac{v_0}{2t_0}\right)^2 + \left(\frac{\sqrt{3}v_0}{4t_0}\right)^2} = \frac{\sqrt{7}v_0}{4t_0}$이다.

㉢. 물체가 x축을 지날 때, 변위의 y성분은 0이다. 따라서 물체가 원점을 지나는 순간부터 x축을 지나는 순간까지 운동하는 데 걸리는 시간은 $4t_0$이다. $t=0$부터 $t=4t_0$까지 변위의 x성분의 크기(S)는 $S = \left| \frac{1}{2}v_0 \times 4t_0 - \frac{1}{2} \times \left(\frac{v_0}{2t_0}\right) \times (4t_0)^2 \right| = 2v_0t_0$이다.

03 등가속도 운동

O에서 물체의 속력을 v라 할 때, O에서 속도의 y성분의 크기는 $\frac{1}{2}v$이고 방향은 $+y$방향이다. O에서 p까지 물체가 운동하는 동안, 물체의 y방향의 변위가 0이므로 p에서 속도의 y성분의 크기는 $\frac{1}{2}v$이고, 방향은 $-y$방향이다.

㉠. O에서 물체의 속력을 v라 할 때, p에서 속도의 y성분의 크기는 $\frac{1}{2}v$이다. 물체가 p에서 q까지 운동하는 동안 등가속도 직선 운동을 한다. 따라서 p에서 속도의 y성분의 크기가 $\frac{1}{2}v$이고 q에서 0이므로 물체가 p에서 q까지 운동하는 데 걸린 시간(t_0)은 $t_0 = \frac{\sqrt{3}d}{\frac{1}{4}v} = \frac{4\sqrt{3}d}{v}$이다. 따라서 O에서 속력은 $\frac{4\sqrt{3}d}{t_0}$이다.

㉡. 물체가 p에서 q까지 운동하는 데 걸린 시간이 $t_0 = \frac{4\sqrt{3}d}{v}$이고 x방향으로 이동한 거리가 d이므로 p에서 속도의 x성분의 크기를 v_p라 할 때, 물체가 p에서 q까지 운동하는 동안, 물체의 평균 속력은 $\frac{d}{t_0} = \frac{1}{2}v_p$가 성립하므로 $v_p = \frac{2d}{t_0}$이다.

㉢. O에서 속도의 y성분의 크기는 $\frac{2\sqrt{3}d}{t_0}$이고, 속도의 x성분의 크기는 $\frac{6d}{t_0}$이다. p에서 속도의 y성분의 크기는 $\frac{2\sqrt{3}d}{t_0}$이고, 속도의 x성분의 크기는 $\frac{2d}{t_0}$이다. 물체가 O에서 p까지 운동하는 데 걸린 시간을 t라 하고, 가속도의 x성분의 크기를 a_x라 할 때, $-\frac{2d}{t_0} = \frac{6d}{t_0} - a_xt$ ⋯ ①, $\left(-\frac{2d}{t_0}\right)^2 - \left(\frac{6d}{t_0}\right)^2 = -2a_xt$ ⋯ ②이다.

①과 ②를 연립하면 $t = \frac{1}{2}t_0$이다. 따라서 원점 O에서 p까지, 물체의 가속도의 y성분의 크기는 $\frac{\frac{4\sqrt{3}d}{t_0}}{\frac{1}{2}t_0} = \frac{8\sqrt{3}d}{t_0^2}$이고, 가속도의 x성분의

크기는 $\dfrac{\frac{8d}{t_0}}{\frac{1}{2}t_0}=\dfrac{16d}{t_0^2}$이다. 따라서 O에서 p까지 운동하는 동안 가속도의 크기는 $\sqrt{\left(\dfrac{16d}{t_0^2}\right)^2+\left(\dfrac{8\sqrt{3}d}{t_0^2}\right)^2}=\dfrac{8\sqrt{7}d}{t_0^2}$이다.

04 등가속도 운동과 포물선 운동

수평면에 대해 θ의 각으로 속력 v_0으로 던진 물체가 최고점에 도달하는 데 걸리는 시간은 $\dfrac{v_0\sin\theta}{g}$이다.

ㄱ. A를 던진 순간 속도의 y성분의 크기는 $\dfrac{\sqrt{2}}{2}v_0$이고, 속도의 x성분의 크기는 $\dfrac{\sqrt{2}}{2}v_0$이다. A를 던진 순간부터 수평면에 도달할 때까지 걸린 시간을 t라고 할 때, 수평 이동 거리는 $2h=\dfrac{\sqrt{2}}{2}v_0t$이므로 $t=\dfrac{2\sqrt{2}h}{v_0}$이다.

ㄴ. A를 던진 순간부터 수평면에 도달하는 데까지 변위의 y성분의 크기는 h이다. $-h=\dfrac{\sqrt{2}}{2}v_0t-\dfrac{1}{2}gt^2$이 성립하므로 $v_0^2=\dfrac{4}{3}gh$이다. B를 던진 순간부터 최고점에 도달하는 데 걸린 시간은 $t=\dfrac{2\sqrt{2}h}{v_0}$이고, 최고점에서 속력이 0이므로 $v=gt$가 성립한다. 따라서 $v=\dfrac{3\sqrt{2}}{2}v_0$이다.

ㄷ. B를 던진 순간부터 최고점에 도달하는 순간까지 평균 속력은 $\dfrac{3\sqrt{2}}{4}v_0$이다. B를 던진 순간부터 최고점에 도달하는 데 걸린 시간이 $t=\dfrac{2\sqrt{2}h}{v_0}$이므로 B의 최고점 높이는 $3h$이다.

05 등가속도 운동과 포물선 운동

던지는 순간 속도의 수평 성분과 연직 성분이 각각 v_x, v_y일 때, 최고점 H에서 물체의 속도의 연직 성분은 0이므로 $0^2-v_y^2=2(-g)H$에서 $H=\dfrac{v_y^2}{2g}$이고, 물체가 최고점에 도달하는 데 걸린 시간은 $0=v_y-gt$에서 $t=\dfrac{v_y}{g}$이므로 수평 도달 거리는 $R=v_x(2t)=\dfrac{2v_xv_y}{g}=2v_x\sqrt{\dfrac{2H}{g}}$이다.

ㄱ. 포물선 운동을 하는 물체는 연직 방향으로는 등가속도 운동을 하고, 수평 방향으로는 등속도 운동을 한다. p에서 속도의 수평 성분의 크기는 $v_0\cos45°=\dfrac{\sqrt{2}}{2}v_0$이다. 최고점에서 속도의 연직 성분은 0이고, 속도의 수평 성분의 크기는 $\dfrac{\sqrt{2}}{2}v_0$이다. 따라서 최고점에서 물체의 속력은 $\dfrac{\sqrt{2}}{2}v_0$이다.

ㄴ. p에서 속도의 수평 성분의 크기는 던진 순간의 속도의 수평 성분의 크기와 같다. 따라서 수평면에서 속도의 수평 성분의 크기는 $v_x=\dfrac{\sqrt{2}}{2}v_0$이다. 수평면에서 p까지 운동하는 데 걸린 시간(t)은 $\dfrac{\sqrt{2}}{2}v_0t=\dfrac{2}{3}h$가 성립한다. 따라서 $t=\dfrac{2\sqrt{2}h}{3v_0}$이다. p에서 속도의 연직 성분의 크기는 $\dfrac{\sqrt{2}}{2}v_0$이고, 지표면에서 속도의 연직 성분의 크기를 v_y라 할 때, $-\dfrac{\sqrt{2}}{2}v_0=v_y-gt$이고, $h=v_yt-\dfrac{1}{2}gt^2$이 성립한다. 따라서 $v_y=2\sqrt{2}v_0$이므로 $v=\sqrt{\dfrac{17}{2}}v_0$이다.

ㄷ. 수평면에서 속도의 연직 성분의 크기가 $2\sqrt{2}v_0$이고 높이 h인 지점에서 속도의 연직 성분의 크기가 $\dfrac{\sqrt{2}}{2}v_0$이므로 $(2\sqrt{2}v_0)^2-\left(\dfrac{\sqrt{2}}{2}v_0\right)^2=2gh$에서 $h=\dfrac{15v_0^2}{4g}$이다. 최고점의 높이를 H라 할 때, $(2\sqrt{2}v_0)^2=2gH$이므로 $H=\dfrac{4v_0^2}{g}=\dfrac{16}{15}h$이다.

06 등가속도 운동과 포물선 운동

q에서 물체의 속력을 v라 할 때, 속도의 수평 성분의 크기는 $v\cos30°$이고, q에서 r까지 수평 방향으로 등속도 운동을 하므로 q에서 r까지 평균 속력의 수평 성분은 $v\cos30°$이다.

ㄱ. q에서 속력을 v라 할 때 속력의 수평 성분은 $v\cos30°=\dfrac{\sqrt{3}}{2}v$이다. 물체가 q에서 r까지 수평 방향으로 등속도 운동을 하므로 q에서 r까지 운동하는 데 걸린 시간을 t라 할 때 $\dfrac{\sqrt{3}}{2}v=\dfrac{\sqrt{3}h}{6t}$가 성립한다. 따라서 $t=\dfrac{h}{3v}$이다. 물체가 p에서 q까지 운동하는 데 걸린 시간은 $\dfrac{h}{v}$이다. p에서 q까지 가속도의 크기가 $g\sin30°=\dfrac{1}{2}g$로 등가속도 직선 운동을 한다. p와 q 사이의 거리가 $2h$이므로 $2h=3v_0\times\left(\dfrac{h}{v}\right)-\dfrac{1}{4}g\left(\dfrac{h}{v}\right)^2$, $3v_0-v=\dfrac{1}{2}g\times\left(\dfrac{h}{v}\right)$가 성립한다. 따라서 $v=v_0$이다.

ㄴ. q에서 속도의 연직 성분의 크기는 $\dfrac{1}{2}v_0$이고, q에서 r까지 이동하는 데 걸린 시간이 $t=\dfrac{h}{3v_0}$이므로 r에서 속도의 연직 성분 v_y는 $v_y=\dfrac{1}{2}v_0-gt=\dfrac{1}{2}v_0-g\left(\dfrac{h}{3v_0}\right)$이다. $gh=4v_0^2$이므로 $v_y=-\dfrac{5}{6}v_0$이고 v_y의 크기는 $\dfrac{5}{6}v_0$이다.

ㄷ. q에서 속도의 연직 성분의 크기는 $\dfrac{1}{2}v_0$이고, q에서 r까지 이동하는 데 걸린 시간이 $t=\dfrac{h}{3v_0}$이므로 r의 높이(H)는 $H-h=\dfrac{1}{2}v_0t-\dfrac{1}{2}gt^2=\dfrac{1}{2}v_0\left(\dfrac{h}{3v_0}\right)-\dfrac{1}{2}g\left(\dfrac{h}{3v_0}\right)^2=\dfrac{1}{6}h-\dfrac{gh^2}{18v_0^2}$이다. $gh=4v_0^2$이므로 $H=\dfrac{17}{18}h$이다.

테마 03 물체의 운동(2)

닮은 꼴 문제로 유형 익히기

본문 22쪽

정답 ⑤

반지름을 r, 주기를 T라 할 때 구심 가속도의 크기 $a=\frac{4\pi^2 r}{T^2}$이다.

ㄱ. P의 주기는 $2t_0$이고, Q의 주기는 $4t_0$이다.

ㄴ. P는 가속도 크기의 최댓값이 $2a$이고, 주기가 $2t_0$이므로 P의 반지름을 r_P라 할 때, $r_P=\frac{(2a)(2t_0)^2}{4\pi^2}$이다. Q는 가속도 크기의 최댓값이 a이고, 주기가 $4t_0$이므로 Q의 반지름을 r_Q라 할 때, $r_Q=\frac{a(4t_0)^2}{4\pi^2}$이다. P는 B의 a_x이고, Q는 A의 a_x이다.

ㄷ. A의 속력을 v_A라 할 때, $v_A=\frac{2\pi(2d)}{4t_0}$이고, B의 속력을 v_B라 할 때, $v_B=\frac{2\pi d}{2t_0}$이다. 따라서 속력은 A와 B가 같다.

수능 2점 테스트

본문 23~25쪽

01 ⑤	02 ⑤	03 ③	04 ⑤	05 ④
06 ③	07 ②	08 ③	09 ①	10 ⑤
11 ④	12 ①			

01 등속 원운동

p, q가 같은 주기로 회전하므로 p, q의 각속도(ω)는 같고, 등속 원운동하는 물체의 반지름이 r일 때, 속력 $v=r\omega$이다.

ㄱ. 각속도 $\omega=\frac{2\pi}{\text{주기}}$이다. p와 q가 같은 주기로 등속 원운동 하므로 p와 q의 각속도는 같다.

ㄴ. 속력 $v=r\omega$이므로 반지름이 큰 지점의 속력이 크다. 중심에서 p, q까지의 거리가 각각 L, $3L$이므로 속력은 q가 p의 3배이다.

ㄷ. 구심 가속도 $a=\frac{v^2}{r}=r\omega^2$이다. p와 q의 주기가 같을 때 반지름이 클수록 구심 가속도의 크기가 크다. 중심에서 p, q까지의 거리가 각각 L, $3L$이므로 구심 가속도의 크기는 q가 p의 3배이다.

02 등속 원운동

물체의 변위의 y성분 S_y의 최댓값은 반지름이고, 최댓값 2 m에서 다음 최댓값 2 m까지 걸리는 시간은 주기이다.

ㄱ. (나)에서 변위의 y성분 S_y의 값이 2 m에서 다음 2 m까지 걸리는 시간이 4초이므로 주기는 4초이다.

ㄴ. 1초일 때, S_y의 값이 0이므로 물체는 x축상에 있다. x축상에 있는 물체는 속도의 y성분의 크기는 최대이고, 속도의 x성분은 0이다. 따라서 1초일 때, 물체의 속도의 x성분은 0이다.

ㄷ. 가속도의 크기 $a=\frac{v^2}{r}=r\omega^2$이다. 주기가 4초이므로 $\omega=\frac{2\pi}{4\text{초}}$이고, 반지름은 2 m이므로 가속도의 크기는 $\frac{\pi^2}{2}$ m/s^{2}이다.

03 등속 원운동

원운동의 반지름이 r, 물체의 질량이 m, 원운동의 주기가 T일 때, 물체에 작용하는 구심력의 크기는 $F=mr\left(\frac{2\pi}{T}\right)^2$이다.

ㄱ. 같은 주기로 원운동하므로 속력은 $v=r\omega=r\left(\frac{2\pi}{T}\right)$이다. A, B의 반지름이 각각 $2r$, r이므로 속력은 A가 B의 2배이다.

ㄴ. 구심력의 크기는 $F=mr\left(\frac{2\pi}{T}\right)^2$이고, 주기가 같으므로 A의 구심력의 크기는 $F_A=2mr\left(\frac{2\pi}{T}\right)^2$이고 B의 구심력의 크기는 $F_B=2mr\left(\frac{2\pi}{T}\right)^2$이다. 따라서 구심력의 크기는 A와 B가 같다.

ㄷ. 실이 A를 당기는 힘을 T_A, 실과 수평면이 이루는 각을 θ_A라 할 때 A에 작용하는 구심력의 크기는 실이 A를 당기는 힘의 수평 성분의 크기와 같으므로 $T_A\cos\theta_A$이다. 실이 B를 당기는 힘의 크기를 T_B, 실과 수평면이 이루는 각을 θ_B라 할 때 B에 작용하는 구심력은 실이 B를 당기는 힘의 수평 성분의 크기와 같으므로 $T_B\cos\theta_B$이다. 구심력의 크기는 A와 B가 같으므로 $T_A\cos\theta_A=T_B\cos\theta_B$가 성립한다. $\cos\theta_A=\frac{2r}{2\sqrt{2}r}=\frac{\sqrt{2}}{2}$, $\cos\theta_B=\frac{r}{\sqrt{5}r}=\frac{\sqrt{5}}{5}$이므로 $\frac{\sqrt{2}}{2}T_A=\frac{\sqrt{5}}{5}T_B$이다. 따라서 $T_A=\frac{\sqrt{10}}{5}T_B$이다.

04 등속 원운동

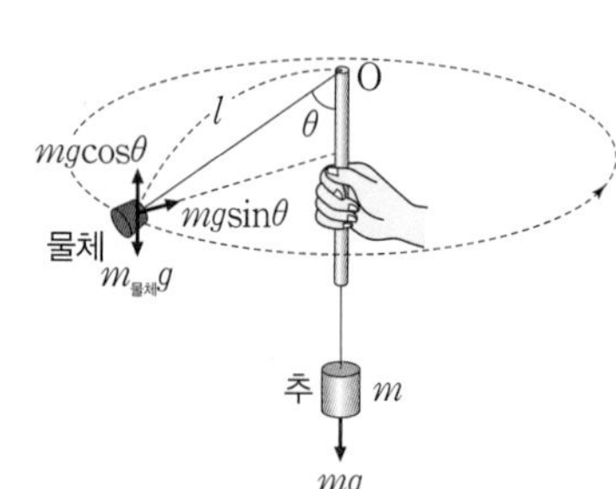

추에 작용하는 중력이 mg이므로 실이 물체를 당기는 힘의 크기도 mg이다. 실이 물체를 당기는 힘의 수평 성분이 구심력 역할을 하여 물체가 등속 원운동을 한다.

ㄱ. 추에 작용하는 중력에 의해 실이 물체를 당기므로 실이 물체를 당기는 힘의 크기는 mg이다.

ㄴ. 물체에 작용하는 구심력의 크기는 실이 물체를 당기는 힘의 수평 성분의 크기와 같다. 유리관과 실이 이루는 각이 θ이므로 물체에 작용하는 구심력의 크기는 $mg\sin\theta$이다.

ㄷ. 물체의 질량이 $m_{물체}$일 때, $mg\cos\theta=m_{물체}g$가 성립하므로 $m_{물체}=m\cos\theta$이다.

05 등속 원운동

물체의 질량을 m, 반지름을 r, 속력을 v라 할 때, 원운동을 하는 물체에 작용하는 구심력의 방향은 원의 중심을 향하는 방향이고, 크기는 $F=\frac{mv^2}{r}$이다.

ㄱ. 물체의 질량이 m으로 같고, 반지름이 r로 같다. 속력은 A가 B의 2배이므로 구심력의 크기는 A가 B의 4배이다.

ㄴ. A에 연결된 실이 A를 당기는 힘의 크기를 T_A라 할 때, A에 연결된 실과 연직 방향이 이루는 각이 45°이므로 A의 구심력의 크기는 $T_A\sin45°$이다. 실이 A를 당기는 힘의 연직 성분의 크기와 A에 작용하는 중력의 크기가 같으므로 $T_A\cos45°=mg$이다. 따라서 $T_A=\sqrt{2}mg$이다.

ㄷ. B에 연결된 실이 B를 당기는 힘의 크기를 T_B, B에 연결된 실과 연직 방향이 이루는 각을 θ라 할 때, B의 구심력의 크기는 $T_B\sin\theta$이다. 구심력의 크기는 A가 B의 4배이므로 $T_A\sin45°=4T_B\sin\theta$가 성립한다. 따라서 $T_B\sin\theta=\frac{1}{4}mg$ … ①이다. 실이 B를 당기는 힘의 연직 성분의 크기와 B에 작용하는 중력의 크기가 같다. 따라서 $T_B\cos\theta=mg$ … ②이다. ①과 ②를 연립하면 $\tan\theta=\frac{1}{4}$이다. B의 반지름이 r이고 천장에 연결된 지점과 p 사이의 거리가 r이므로 p와 q 사이의 거리는 $3r$이다.

06 등속 원운동

A, B가 같은 주기로 원운동하고, A에는 p와 q가 연결되어 p는 구심력 방향으로 q는 구심력 방향의 반대 방향으로 A에 힘이 작용한다. B에는 q가 연결되어 구심력 방향으로 B에 힘이 작용한다. p가 물체를 당기는 힘의 크기를 T_p, q가 물체를 당기는 힘의 크기를 T_q라 할 때, 그림과 같다.

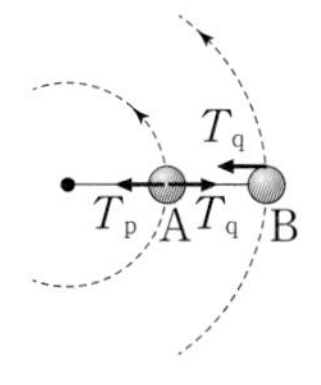

ㄱ. 같은 주기(T)로 원운동하므로 $v=r\omega=r\left(\frac{2\pi}{T}\right)$가 성립한다. 반지름은 B가 A의 2배이므로 속력은 B가 A의 2배이다.

ㄴ. 구심력의 크기는 $F=mr\left(\frac{2\pi}{T}\right)^2$이다. 질량은 A와 B가 같고, 주기도 같다. 반지름은 B가 A의 2배이므로 구심력의 크기는 B가 A의 2배이다.

ㄷ. A에 작용하는 구심력의 크기는 T_p-T_q이고, B에 작용하는 구심력의 크기는 T_q이다. 구심력의 크기는 B가 A의 2배이므로 $2(T_p-T_q)=T_q$에서 $2T_p=3T_q$이다.

07 중력 법칙

질량이 각각 M, m이고 떨어진 거리가 r인 두 물체 사이에 작용하는 중력의 크기는 $F=G\frac{Mm}{r^2}$ (G: 중력 상수)이다.

ㄱ. P와 Q의 반지름이 같으므로 구심 가속도의 크기는 속력의 제곱에 비례한다. 속력은 P가 Q의 2배이므로 구심 가속도의 크기는 P가 Q의 4배이다.

ㄴ. 위성의 각속도는 $\omega=\frac{v}{r}$이므로 P가 Q의 2배이다.

ㄷ. P의 속력을 v_P, P의 질량을 m_P, A의 질량을 M_A, Q의 속력을 v_Q, Q의 질량을 m_Q, B의 질량을 M_B라 할 때, (가)에서 P는 A와의 중력에 의해 원운동을 하고, (나)에서 Q는 B와의 중력에 의해 원운동을 한다. 따라서 $G\frac{M_Am_P}{r^2}=\frac{m_Pv_P^2}{r}$과 $G\frac{M_Bm_Q}{r^2}=\frac{m_Qv_Q^2}{r}$이 성립한다. P의 가속도의 크기는 $a_P=G\frac{M_A}{r^2}=\frac{v_P^2}{r}$이고, Q의 가속도의 크기는 $a_Q=G\frac{M_B}{r^2}=\frac{v_Q^2}{r}$이다. 가속도의 크기는 P가 Q의 4배이므로 $M_A=4M_B$이다.

08 중력 법칙과 케플러 법칙

위성이 공전하는 동안 행성으로부터 거리가 가까울수록 위성의 속력이 크고, 위성의 공전 주기의 제곱은 타원 궤도 긴반지름의 세제곱에 비례한다.

ㄱ. 행성과 위성을 연결하는 선분이 같은 시간 동안 쓸고 지나가는 면적이 같아야 하므로 행성에 가까울수록 위성의 속력은 크다. q가 r보다 행성에서 가까우므로 위성의 속력은 q에서가 r에서보다 크다.

ㄴ. 위성에 작용하는 중력의 크기는 거리의 제곱에 반비례한다. p가 r보다 행성에서 가까우므로 위성에 작용하는 중력의 크기는 p에서가 r에서보다 크다.

ㄷ. 행성과 위성을 연결하는 선분이 쓸고 지나가는 면적은 위성이 p에서 q까지 이동할 때가 q에서 r까지 이동할 때보다 작으므로 p에서 q까지 이동하는 데 걸리는 시간은 q에서 r까지 이동하는 데 걸리는 시간보다 작다.

09 케플러 법칙

위성이 행성으로부터 가까울 때는 속력이 빠르고, 멀 때는 속력이 느리다. 따라서 위성의 속력은 행성에 가장 가까운 지점에서 최대이고, 행성에서 가장 먼 지점에서 최소이다.

Ⓐ. 케플러 제2법칙인 면적 속도 일정 법칙은 위성과 행성을 연결한 선분이 같은 시간 동안 쓸고 지나가는 면적이 일정하다는 법칙이다.

Ⓑ. 행성과 위성의 질량이 각각 M, m이고 떨어진 거리가 r인 행성과 위성 사이에 작용하는 중력의 크기는 $F=G\frac{Mm}{r^2}$ (G는 중력 상수)이다. 따라서 행성으로부터 거리가 가까운 지점을 지날 때가 행성으로부터 거리가 먼 지점을 지날 때보다 중력의 크기가 크다.

Ⓒ. 주기는 행성과 위성 사이의 거리와 행성의 질량과 관계가 있고, 위성의 질량과는 관계가 없다. 따라서 공전 주기는 변화가 없다.

10 중력 법칙과 케플러 법칙

위성의 공전 주기의 제곱은 공전 궤도 긴반지름의 세제곱에 비례한다.

ㄱ. 위성의 가속도의 크기는 행성으로부터 떨어진 거리의 제곱에 반비례한다. 따라서 q에서 가속도의 크기는 A와 B가 같다.

ㄴ. B는 타원 운동을 하므로 행성에 가까울수록 속력이 크다. p는 행성으로부터 떨어진 거리가 r이고, q는 행성으로부터 떨어진 거리가 $3r$이므로 위성의 속력은 p에서가 q에서보다 크다.

ㄷ. A와 B의 공전 주기가 같으므로 A와 B는 공전 궤도 긴반지름이 같다. A의 반지름이 $3r$이므로 B의 타원 궤도에서 행성에서 가장 가까운 지점과 행성에서 가장 먼 지점 사이의 거리는 $6r$이어야 한다. 행성에서 가장 가까운 지점 p까지의 거리가 r이므로 행성에서 가장 먼 지점 r까지의 거리는 $5r$이다. B에 작용하는 중력의 크기는 행성과 위성 사이의 거리의 제곱에 반비례한다. 따라서 B에 작용하는 중력의 크기는 p에서가 r에서의 25배이다.

11 중력 법칙과 케플러 법칙

두 천체 사이에 작용하는 중력의 크기는 두 천체의 질량의 곱에 비례하고, 두 천체 사이의 거리의 제곱에 반비례한다.

ㄱ. p에서 위성의 속력이 클수록 긴반지름이 더 긴 궤도를 따라 운동한다. 따라서 p에서의 속력은 B가 A보다 크다.

ㄴ. p에서 위성에 작용하는 중력의 크기는 위성의 질량에 비례한다. p에서 A에 작용하는 중력의 크기가 $5F$이고, B에 작용하는 중력의 크기가 $25F$이므로 위성의 질량은 B가 A의 5배이다.

ㄷ. 위성이 타원 궤도를 운동하는 동안 위성에 작용하는 중력의 크기는 거리의 제곱에 반비례한다. A가 p를 지날 때 중력의 크기가 $5F$이고 q를 지날 때 중력의 크기가 $\frac{5}{4}F$이므로 행성에서 q까지의 거리는 행성에서 p까지의 거리의 2배이다. B가 p를 지날 때 중력의 크기가 $25F$이고 r를 지날 때 중력의 크기가 F이므로 행성에서 r까지의 거리는 행성에서 p까지의 거리의 5배이다. B의 타원 궤도에서 행성으로부터 가장 가까운 지점과 먼 지점 사이의 거리는 A의 타원 궤도에서 행성으로부터 가장 가까운 지점과 먼 지점 사이의 거리의 2배이다. 따라서 공전 주기는 B가 A의 $2\sqrt{2}$배이다. B가 p에서 r까지 운동하는 데 걸리는 시간과 A가 p에서 q까지 운동하는 데 걸리는 시간은 각각의 공전 주기의 $\frac{1}{2}$배이다.

12 중력 법칙과 케플러 법칙

위성에 작용하는 중력의 크기는 위성의 질량에 비례하고, 행성으로부터 떨어진 거리의 제곱에 반비례한다.

ㄱ. 행성으로부터 A까지의 거리가 r_0일 때와 행성으로부터 B까지의 거리가 $2r_0$일 때 중력의 크기가 $4F_0$으로 같으므로 질량은 B가 A의 4배이다.

ㄴ. A는 행성으로부터 거리가 $2r_0$일 때 중력의 크기가 F_0이므로 중력의 크기가 $4F_0$인 경우는 행성으로부터 거리가 r_0인 지점이다. 따라서 ⓐ는 r_0이다. B는 행성으로부터 거리가 $2r_0$일 때 중력의 크기가 $4F_0$이므로 중력의 크기가 F_0인 경우는 행성으로부터 거리가 $4r_0$인 지점이다. 따라서 ⓑ는 $4r_0$이므로 $\frac{ⓑ}{ⓐ}=4$이다.

ㄷ. A는 행성으로부터 가장 가까운 지점까지의 거리와 행성으로부터 가장 먼 지점까지의 거리가 각각 r_0, $2r_0$이므로 타원 궤도의 긴반지름은 $\frac{3}{2}r_0$이다. B는 행성으로부터 가장 가까운 지점까지의 거리와 행성으로부터 가장 먼 지점 까지의 거리가 각각 $2r_0$, $4r_0$이므로 타원 궤도의 긴반지름은 $3r_0$이다. 따라서 공전 주기는 B가 A의 $2\sqrt{2}$배이다.

수능 3점 테스트

본문 26~28쪽

01 ⑤ 02 ⑤ 03 ① 04 ④ 05 ② 06 ⑤

01 등속 원운동을 하는 물체의 주기

그래프에서 원운동 주기(T)는 $2t_0$이고, 원운동을 하는 물체의 가속도가 a이므로 $a=r\omega^2=r\left(\frac{2\pi}{2t_0}\right)^2$이다.

ㄱ. 원운동하는 동안 구심 가속도의 방향은 원점 O를 향하는 방향이다. $t=0$초일 때 가속도의 x성분이 0이므로 물체의 위치는 y축상에 있다. 다시 y축상에 위치하는 데 걸린 시간이 t_0이므로 주기는 $2t_0$이다. a_x의 최댓값이 구심 가속도의 크기이므로 $a=r\omega^2=r\left(\frac{2\pi}{2t_0}\right)^2$이다. 따라서 원 궤도의 반지름은 $r=\frac{at_0^2}{\pi^2}$이다.

ㄴ. 원운동 주기는 $2t_0$이므로 $t=t_0$일 때와 $t=2t_0$일 때의 위치는 y축상에 있을 때이다. 따라서 물체의 운동 방향은 $t=t_0$일 때와 $t=2t_0$일 때가 각각 $+x$, $-x$방향이다. 그러므로 물체의 운동 방향은 서로 반대 방향이다.

ㄷ. $t=3t_0$일 때 a_x가 0이므로 구심 가속도의 y성분만 있다. 원운동하는 동안 구심 가속도의 크기는 a이므로 $t=3t_0$일 때, 가속도의 y성분의 크기는 a이다.

02 등속 원운동

물체가 속력 v로 반지름이 r인 원 궤도를 따라 등속 원운동을 할 때 주기는 $\frac{2\pi r}{v}$이다.

ㄱ. p에서 q까지 운동하는 데 걸린 시간이 t이고, 등속도 운동을 하므로 속력은 등속 원운동을 할 때의 속력과 같다. p에서 q까지의 거리는 $\sqrt{4r^2-r^2}=\sqrt{3}r$이다. 따라서 속력은 $\frac{\sqrt{3}r}{t}$이다.

ㄴ. 반지름이 r인 원둘레의 길이는 $2\pi r$이다. 직선상에서 등속도 운동을 하던 속력은 원운동하는 동안의 속력과 같으므로 주기(T)는 $T=\frac{2\pi r}{v}=\frac{2\sqrt{3}}{3}\pi t$이다.

ㄷ. 구심 가속도의 크기(a)는 $a=\frac{v^2}{r}$이다. 속력이 $\frac{\sqrt{3}r}{t}$이므로 구심 가속도의 크기는 $\frac{3r}{t^2}$이다.

03 등속 원운동

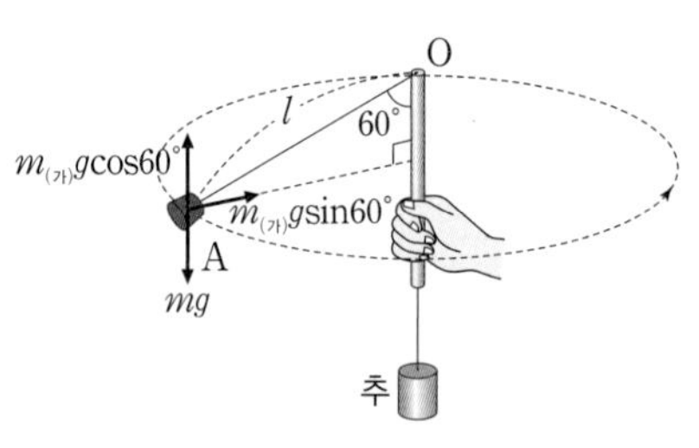

(가)와 (나)에서 추에 작용하는 중력이 각각 $m_{(가)}g$, $m_{(나)}g$이므로 실이 A를 당기는 힘의 크기도 각각 $m_{(가)}g$, $m_{(나)}g$이다. 실이 A를 당기는 힘의 수평 성분이 구심력의 역할을 하여 물체가 등속 원운동을 한다. A의 질량이 m일 때, 그림과 같이 $\frac{mg}{m_{(가)}g}=\cos60°$가 성립하며, m과 $m_{(가)}$가 일정하면 속력과 관계없이 θ는 변하지 않는다.

① (가), (나)에서 A의 속력을 각각 $v_{(가)}$, $v_{(나)}$라 할 때 (가)에서

$m_{(가)}g\cos60°=mg$ … ㉠

$m\frac{v_{(가)}^2}{l\sin60°}=m_{(가)}g\sin60°$ … ㉡이 성립하므로 $m_{(가)}=2m$이다.

(나)에서 $m_{(나)}g\cos30°=mg$ … ㉢

$m\frac{v_{(나)}^2}{l\sin30°}=m_{(나)}g\sin30°$ … ㉣이 성립하므로

$m_{(나)}=\frac{2\sqrt{3}}{3}m$이다. 따라서 $\frac{m_{(나)}}{m_{(가)}}=\frac{\frac{2\sqrt{3}}{3}m}{2m}=\frac{\sqrt{3}}{3}$이다.

04 등속 원운동

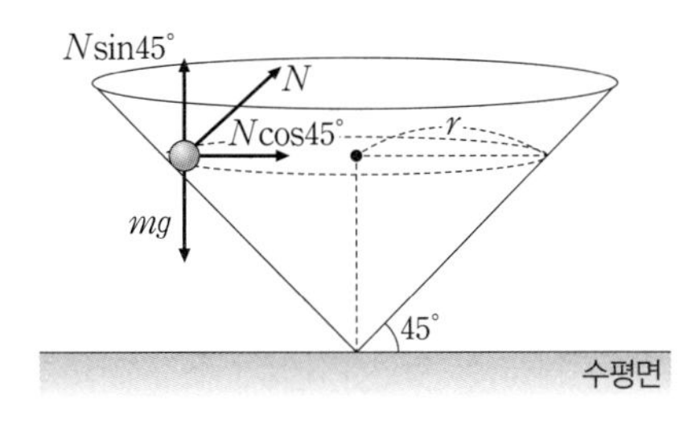

물체에 작용하는 구심력의 크기는 원뿔면이 물체를 떠받치는 힘(N)의 수평 성분의 크기이다.

ㄱ. $N\cos45° = \frac{mv^2}{r}$ … ①, $N\sin45° = mg$ … ②가 성립한다. ②에서 $N = \sqrt{2}mg$이다.

ㄴ. 물체의 속력은 ①에서 $\sqrt{2}mg\cos45° = \frac{mv^2}{r}$이므로 $v = \sqrt{gr}$이다.

ㄷ. 원운동 주기(T)는 $T = \frac{2\pi r}{v} = \frac{2\pi r}{\sqrt{gr}} = 2\pi\sqrt{\frac{r}{g}}$이다.

05 중력 법칙과 케플러 법칙

위성은 행성으로부터 받은 중력에 의해 일정한 속력으로 등속 원운동을 한다. 행성으로부터 받는 중력의 크기는 행성과 위성의 질량의 곱에 비례하고, 행성과 위성이 떨어진 거리의 제곱에 반비례한다.

ㄱ. 행성이 위성에 작용하는 중력이 구심력의 역할을 하여 위성이 등속 원운동을 한다. 행성의 질량을 M, 중력 상수를 G, A의 질량을 m_A, B의 질량을 m_B, A의 속력을 v_A, B의 속력을 v_B라 할 때, A와 B의 운동 에너지(E)가 같으므로 $\frac{1}{2}m_Av_A{}^2 = \frac{1}{2}m_Bv_B{}^2 = E$이다. A에서는 $G\frac{Mm_A}{r^2} = \frac{m_Av_A{}^2}{r} = \frac{2E}{r}$이고, B에서는 $G\frac{Mm_B}{4r^2} = \frac{m_Bv_B{}^2}{2r} = \frac{E}{r}$이다. 그러므로 위성에 작용하는 중력의 크기는 A가 B의 2배이다.

ㄴ. $G\frac{Mm_A}{r^2} = G\frac{Mm_B}{2r^2}$가 성립하므로 위성의 질량은 B가 A의 2배이다.

ㄷ. 공전 주기(T)는 $T^2 = \frac{4\pi^2r^3}{GM}$이다. 궤도 반지름은 B가 A의 2배이므로 공전 주기는 B가 A의 $2\sqrt{2}$배이다.

06 중력 법칙과 케플러 법칙

위성이 공전하는 동안 행성으로부터의 거리가 가까울수록 위성의 속력이 크고, 위성의 공전 주기의 제곱은 타원 궤도 긴반지름의 세제곱에 비례한다.

ㄱ. r에서 위성의 속력이 클수록 긴반지름이 더 긴 궤도를 따라 운동한다. 따라서 r에서 속력은 A가 B보다 크다.

ㄴ. A의 타원 궤도와 B의 타원 궤도가 r에서 접하고, q는 B가 행성으로부터 가장 가까운 지점이면서 A의 궤도의 중심이므로 A의 타원 궤도의 긴반지름이 B의 타원 궤도의 긴지름과 같다. 따라서 긴반지름이 A가 B의 2배이다. 위성의 공전 주기의 제곱은 타원 궤도 긴반지름의 세제곱에 비례하므로 공전 주기는 A가 B의 $2\sqrt{2}$배이다.

ㄷ. 위성의 가속도의 크기는 행성의 질량에 비례하고, 행성과 위성 사이의 거리의 제곱에 반비례한다. B에 작용하는 중력의 크기는 q에서가 r에서의 4배이고, 행성에서 p까지의 거리가 행성에서 r까지의 거리의 2배이다. r에서 B의 가속도의 크기는 A의 가속도의 크기와 같으므로 q에서 B의 가속도의 크기는 p에서 A의 가속도의 크기의 16배이다.

테마 04 일반 상대성 이론

닮은 꼴 문제로 유형 익히기

본문 31쪽

정답 ②

물체의 운동 방향과 가속도의 방향이 같을 때 물체의 속력은 증가하고, 물체의 운동 방향과 가속도의 방향이 반대일 때 물체의 속력은 감소한다.

② 0부터 t_0까지 엘리베이터의 가속도 방향은 연직 위 방향이고, $3t_0$부터 $4t_0$까지 엘리베이터의 가속도 방향은 연직 아래 방향이다. 따라서 엘리베이터에 고정된 좌표계에서 0부터 t_0까지 $3t_0$부터 $4t_0$까지 A에 작용하는 관성력의 방향은 각각 연직 아래와 연직 위 방향이다. 그러므로 관성력의 크기를 x라 하면, $mg + x = 2(mg - x)$가 성립하므로 $x = \frac{mg}{3}$이다.

수능 2점 테스트

본문 32~33쪽

01 ②	02 ③	03 ④	04 ④	05 ⑤
06 ③	07 ③	08 ③		

01 관성력

가속 좌표계에서는 가속도의 방향과 반대 방향으로 관성력이 작용한다.

ㄱ. C가 기울어진 모습을 통해 B가 관측할 때, C에 작용하는 관성력의 방향은 $-x$방향임을 알 수 있다. 따라서 A가 관측할 때, 버스의 운동 방향은 $-x$방향이다.

ㄴ. B가 관측할 때, C에 작용하는 관성력의 방향이 $-x$방향이므로 A가 관측할 때, 버스의 가속도의 방향은 $+x$방향이다. 그런데 버스는 $-x$방향으로 운동하고 있으므로 버스의 속력은 감소하고 있다.

ㄷ. 가속도의 크기가 같을 때 관성력의 크기는 질량에 비례하므로 B가 관측할 때, B에 작용하는 관성력의 크기가 C에 작용하는 관성력의 크기의 2배이다.

02 관성력

가속 좌표계에서는 가속도의 방향과 반대 방향으로 관성력이 작용한다.

ㄱ. 지면에 고정된 좌표계에서 승강기의 운동 방향과 가속도의 방향이 반대이므로 승강기의 속력은 감소하고 있다.

ㄴ. 지면에 고정된 좌표계에서 관측할 때, A는 승강기와 함께 운동하므로 A의 가속도의 크기는 승강기의 가속도의 크기와 같은 a이다.

ㄷ. 승강기에 고정된 좌표계에서 관측할 때 A에는 중력과 반대 방향으로 크기가 ma인 관성력이 작용하므로 저울로 측정한 힘의 크기는 $mg - ma$이다.

03 등가 원리

관성력과 중력은 구분할 수 없다. 지표면 근처에서 일정한 중력을 받아 물체가 등가속도 운동을 하는 경우와 가속 좌표계에서 일정한 관성력을 받아 등가속도 운동을 하는 경우를 구분할 수 없다.

ㄱ. (나)의 p에서 가만히 놓은 물체가 $-y$방향으로 운동하기 시작하므로 (나)에서 물체에 작용하는 관성력의 방향은 $-y$방향이다.

ㄴ. 물체의 질량을 m, 지표면에서 중력 가속도를 g라고 할 때, 물체를 놓기 전 저울에 측정된 힘의 크기가 (나)에서가 (가)에서의 2배이므로 (나)에서 우주선의 가속도의 크기는 $2g$이고 물체에는 $2mg$의 관성력이 작용한다. 따라서 q에 닿기 직전 물체의 속력은 (나)에서가 (가)에서의 $\sqrt{2}$배이다.

ㄷ. 가만히 놓여진 물체가 동일한 거리를 낙하할 때, 가속도의 크기가 2배가 되면 운동하는 데 걸리는 시간은 $\frac{\sqrt{2}}{2}$배가 된다. (초기 속도가 0인 등가속도 운동의 이동 거리 $s=\frac{1}{2}at^2$에서 s가 같을 때, $t \propto \frac{1}{\sqrt{a}}$의 관계가 성립함)

04 등가 원리

관성력과 중력을 구분할 수 없다. 가속 운동을 하고 있는 우주선 내부에서 빛의 경로가 휘어지면, 중력에 의해서도 빛의 경로가 휘어진다.

④ 우주선이 가속 운동을 하고 있으므로 A가 관찰할 때 P를 향해 발사된 빛은 휘어진 곡선 경로를 따라 Q에 도달한다. 이를 통해 A에 작용하는 관성력의 방향은 $-y$방향임을 알 수 있다. 등가 원리는 중력과 관성력을 구분할 수 없다는 이론이다.

05 중력 렌즈 현상

질량이 매우 큰 천체는 빛의 경로를 휘게 하여 렌즈와 같은 역할을 하며 멀리 있는 천체는 변형되어 보이거나 위치가 달라져 보인다.

ㄱ. 태양의 중력에 의해 시공간이 휘어져 있기 때문에 빛의 경로가 휘어지게 된다.

ㄴ. 중력 렌즈 현상은 일반 상대성 이론으로 설명할 수 있다.

ㄷ. 중력 렌즈 현상에 의해 태양 근처를 통과하는 빛의 경로가 휘어지게 되므로 지구에서 관측할 때, 별이 실제 위치와 다른 위치에 있는 것으로 관측될 수 있다.

06 탈출 속력

질량이 M이고 반지름이 R인 천체에서 탈출 속력은 $\sqrt{\frac{M}{R}}$에 비례한다.

A. 탈출 속력이란 물체를 행성의 표면에서 발사할 때, 물체가 무한히 먼 곳에 도달할 수 있는 행성 표면에서의 최소 속력을 의미한다.

B. 질량이 같은 행성일 경우 행성의 반지름이 작을수록 탈출 속력은 크다.

C. 블랙홀의 탈출 속력은 매우 크기 때문에 빛조차도 블랙홀 내부에서 빠져 나오지 못한다.

07 중력 렌즈

먼 곳에 있는 천체에서 발생한 빛이 지구에 도달할 때 중간에 질량이 매우 큰 천체가 있으면 빛이 휘어져 먼 천체의 상이 여러 개로 보일 수 있다.

ㄱ. 지구로부터 멀리 떨어져 있는 하나의 퀘이사에서 발생한 빛이 지구로 진행하다가 중간에 질량이 큰 은하를 지나며 빛의 진행 경로가 휘어지게 되어 아인슈타인의 십자가와 같은 현상이 나타나게 된다. 이는 중력 렌즈 현상으로 설명할 수 있다.

ㄴ. 지구로부터 멀리 떨어져 있는 B에서 발생한 빛이 지구로 진행하다가 질량이 큰 천체 A 주변에서 빛의 경로가 휘어지게 되어 나타나는 현상이다. 따라서 지구로부터의 거리는 B가 A보다 크다.

ㄷ. A에 의해 중력 렌즈 현상이 나타나므로 A 주위의 시공간이 휘어져 있다.

08 블랙홀

블랙홀 주위에서는 중력이 매우 커서 시공간이 극도로 휘어지기 때문에 빛조차 빠져나올 수 없다.

ㄱ. 블랙홀의 탈출 속력은 매우 커서 빛조차도 빠져나오지 못한다. A는 블랙홀이다.

ㄴ. 블랙홀의 질량이 클수록 중력이 더 커지기 때문에 블랙홀 주변의 시공간은 더 많이 휘어지게 된다.

ㄷ. 블랙홀은 아인슈타인의 일반 상대성 이론으로 설명할 수 있다.

수능 3점 테스트

본문 34~36쪽

01 ⑤ 02 ⑤ 03 ③ 04 ③ 05 ① 06 ④

01 가속 좌표계와 관성력

가속 좌표계에서는 가속도의 방향과 반대 방향으로 관성력이 작용한다.

ㄱ. 0.5초일 때 A의 가속도의 크기는 2 m/s^{2}이고 가속도의 방향은 연직 위 방향이므로 A에는 연직 아래 방향으로 120 N의 관성력이 작용한다. 따라서 승강기가 A에 작용하는 힘의 크기는 중력의 크기와 관성력의 크기의 합인 720 N이다.

ㄴ. 3.5초일 때와 5.5초일 때 승강기의 가속도의 방향이 모두 연직 아래 방향이므로, 이때 A에 작용하는 관성력의 방향은 모두 연직 위 방향이다.

ㄷ. 7초일 때 승강기와 A는 등속도 운동을 하므로 A에 작용하는 알짜힘은 0이다.

02 관성력

수평면에 고정된 좌표계에서 측정한 C에 작용하는 알짜힘의 크기는 $2ma$이다.

ㄱ. 가속 좌표계에서 관성력의 크기는 질량과 가속도의 크기의 곱에 비례하므로 A에 고정된 좌표계에서 관측한 C에 작용하는 관성력의 크기는 B에 고정된 좌표계에서 관측한 D에 작용하는 관성력의 크기와 같다.

ㄴ. 질량 m인 물체가 가속도의 크기가 a인 버스에 매달려 연직선과 실이 θ의 각을 이루고 있을 때, 실이 물체에 작용하는 힘의 크기를 T, 중력 가속도를 g라 하고 물체에 작용하는 힘을 화살표로 표시하면 그림과 같이 나타낼 수 있다.

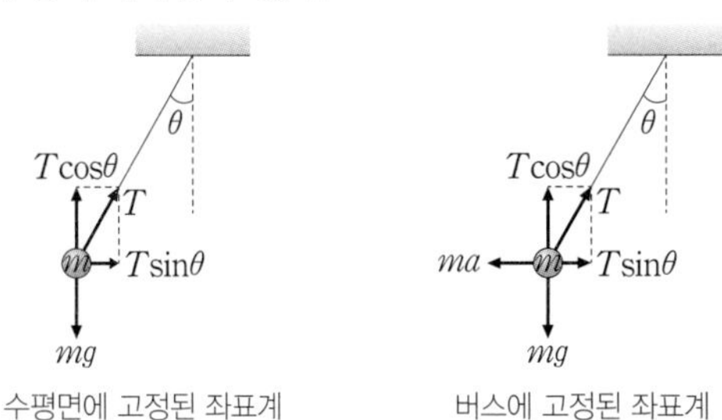

수평면에 고정된 좌표계　　　버스에 고정된 좌표계

따라서 $T\cos\theta=mg$ … ①, $T\sin\theta=ma$ … ②가 성립하고 ①, ②를 연립하면 $a=g\tan\theta$ … ③이 된다. 따라서 질량에 관계없이 가속도가 클수록 실과 연직선이 이루는 각은 크다.

ㄷ. 실이 C에 작용하는 힘의 크기를 T, 실이 D에 작용하는 힘의 크기를 T'라고 하면, $T=\frac{mg}{\cos\theta}$, $T'=\frac{2mg}{\cos\theta'}$이다. ③에 의해 $g\tan\theta=2g\tan\theta'$이고, $\frac{\sin\theta}{\cos\theta}=2\frac{\sin\theta'}{\cos\theta'}$이다. 그런데 $\sin\theta>\sin\theta'$이므로 $\cos\theta$는 $\frac{\cos\theta'}{2}$보다 크다. 따라서 $T'>T$이다.

03 등가 원리

관성력과 중력은 구분할 수 없다. 가속 좌표계에서는 빛의 경로가 휘어진다.

③ (가)에서 빛은 직진하고 (나)에서 빛은 휘어진 경로를 따라 진행한다. (가)에서 우주선은 $+y$방향으로 운동하므로 빛은 아래로 직진하고, (나)에서 우주선의 가속도 방향이 $+y$방향이므로 빛은 아래로 휘어진다.

04 등가 원리

가속 운동을 하는 우주선 내부에서는 빛의 진행 경로가 휘어진다.

ㄱ. A가 관찰할 때 빛이 발사되어 진행하는 동안 우주선이 $+y$방향으로 운동하고 있으므로 P에서 발사된 빛이 Q에 도달하는 동안 빛이 이동한 거리는 L보다 크다.

ㄴ. A와 B가 관찰할 때 Q에 도달하는 빛은 P에서 $+x$방향이 아니라 그림처럼 발사되어야 한다.

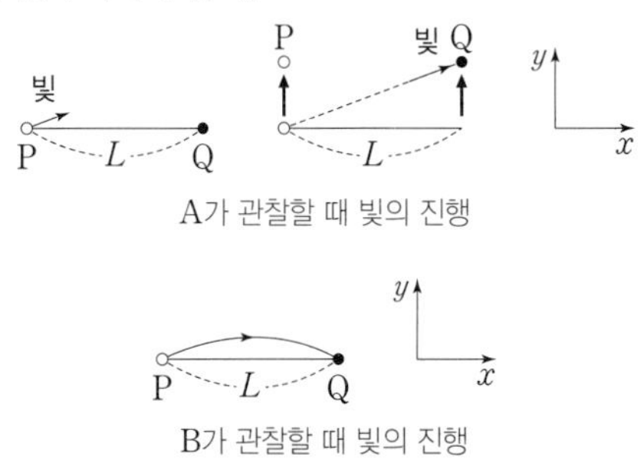

A가 관찰할 때 빛의 진행

B가 관찰할 때 빛의 진행

ㄷ. B가 탄 우주선이 가속도 운동을 하고 있으므로 B가 관찰할 때, P에서 발사된 빛은 휘어진다.

05 등가 원리

중력과 관성력은 구분할 수 없으므로 이를 이용해 텅 빈 우주 공간에서 지표면에서의 중력의 효과를 만들어 낼 수 있다.

ㄱ. 회전하는 우주 여행선 내부의 우주인은 가속도 운동을 하므로 관성력을 느끼게 되고 이는 중력과 구분할 수 없다.

ㄴ. 우주인에게 작용하는 구심 가속도의 방향이 우주 여행선의 중심축을 향하므로 우주인에게 작용하는 관성력의 방향은 그 반대 방향이다.

ㄷ. 구심 가속도의 크기가 $R\omega^2$이므로 R가 큰 여행선일수록 지표면에서와 같은 일정한 크기의 중력 가속도를 느끼기 위해서는 ω를 작게 해야 한다.

06 탈출 속력

행성의 표면에서 물체가 발사될 때 행성으로부터 무한히 먼 곳에 도달할 수 있는 최소 발사 속력을 탈출 속력이라고 한다.

④ 탈출 속력은 발사되는 물체의 질량과는 무관하다. A의 질량을 M이라 할 때 A의 탈출 속력 $v=k\sqrt{\frac{M}{R}}$(k는 상수)으로 나타낼 수 있다. 부피가 B가 A의 8배이므로 질량도 B가 A의 8배이다. 따라서 $V=k\sqrt{\frac{8M}{2R}}$이고, $V=2v$이다.

테마 05 일과 에너지

닮은 꼴 문제로 유형 익히기

본문 39쪽

정답 ④

(가), (나)의 a에서 물체의 운동 에너지의 차는 마찰 구간에서 감소한 물체의 역학적 에너지의 2배이다. 따라서 bc 구간에서 감소한 물체의 역학적 에너지는 $\frac{E_0}{4}$이다.

④ (가)에서 ab 구간과 cd 구간에서 감소한 물체의 운동 에너지는 같으므로 c에서 물체의 운동 에너지는 E_0-E_1이다. 또한 bc 구간에서 증가한 중력 퍼텐셜 에너지도 E_0-E_1이므로 $E_1-(E_0-E_1)-\frac{E_0}{4}=E_0-E_1$이 성립하고, 이를 정리하면 $E_1=\frac{3}{4}E_0$이다.

수능 2점 테스트

본문 40~42쪽

01 ②	02 ④	03 ⑤	04 ④	05 ②
06 ③	07 ②	08 ③	09 ②	10 ⑤
11 ③	12 ④			

01 일과 에너지

크기가 F인 힘이 물체에 한 일은 물체의 역학적 에너지 증가량과 같다.

② 물체에 작용하는 알짜힘이 한 일은 물체의 운동 에너지 변화량과 같다. 따라서 A가 높이 h만큼 올라가는 동안 A의 운동 에너지 증가량은 $(F-mg)h$이다. 따라서 $2(F-mg)h=mgh$이고, $F=\frac{3}{2}mg$이다.

02 일과 에너지

실이 물체에 작용하는 힘의 방향은 항상 물체의 운동 방향과 수직이므로 이 힘은 물체에 일을 하지 않는다.

ㄱ. 물체가 운동하는 동안 물체에 작용하는 힘 중 중력만 물체에 일을 하므로 물체의 역학적 에너지는 보존된다. 따라서 물체의 역학적 에너지는 A와 B에서 같다.

ㄴ. 물체가 운동하는 동안 실이 물체에 작용하는 힘의 방향이 물체의 운동 방향과 수직이므로 실이 물체에 작용하는 힘은 물체에 일을 하지 않는다.

ㄷ. 물체가 B에서 C까지 운동하는 동안 물체에 작용하는 힘 중 중력만 일을 하므로 이 동안 물체에 작용하는 알짜힘이 한 일과 중력이 한 일은 같다. 따라서 일·운동 에너지 정리에 의해 물체가 B에서 C까지 운동하는 동안 중력이 물체에 한 일은 물체의 운동 에너지 변화량과 같다.

03 역학적 에너지 보존

물체가 운동하는 동안 물체에는 중력만 작용하고 있으므로 물체의 역학적 에너지는 일정하게 보존된다. p에서 A, B, C의 역학적 에너지가 같으므로 운동하는 동안 A, B, C의 역학적 에너지는 서로 같다.

ㄱ. p에서 A, B, C의 역학적 에너지가 같으므로 운동하는 동안 A, B, C의 역학적 에너지는 서로 같다.

ㄴ. A와 C의 질량이 같으므로 A와 C에 작용하는 중력은 같고, p에서 수평면까지 운동하는 동안 중력 방향과 나란한 변위의 크기는 같으므로 p에서 발사된 후 수평면에 도달할 때까지 중력이 A에 한 일과 중력이 C에 한 일은 같다.

ㄷ. 역학적 에너지 보존에 의해 수평면에 닿는 순간 B와 C의 속력은 같다.

04 일과 에너지

알짜힘이 물체에 한 일은 물체의 운동 에너지 변화량과 같다.

④ q에서 p까지 운동하는 동안 크기가 F인 힘이 A와 B에 한 일은 같으므로 이 구간에서 운동하는 동안 A와 B의 운동 에너지 감소량은 같다. 따라서 p에서 B의 속력을 v라 하면, $\frac{1}{2}\times m(20^2-10^2)=\frac{1}{2}\times 2m(20^2-v^2)$이 성립한다. 그러므로 $v=5\sqrt{10}$ m/s이다.

05 일과 에너지

알짜힘이 한 일은 물체의 운동 에너지 변화량과 같다.

ㄱ. 같은 높이에서 동시에 운동하기 시작하여 수평면에 동시에 닿을 때까지 이동한 거리가 A가 B의 2배이므로 빗면을 내려오는 동안 평균 속력도 A가 B의 2배이다. 따라서 수평면에 닿는 속력은 A가 B의 2배이다.

ㄴ. 수평면에 도달하는 순간의 운동 에너지가 A가 B의 4배이므로 빗면을 내려오는 동안 알짜힘이 한 일은 A가 B의 4배이다. 한편 빗면에서 내려오며 운동한 거리가 A가 B의 2배이므로 빗면에서 물체에 작용한 알짜힘의 크기는 A가 B의 2배이다.

ㄷ. B가 A보다 더 작은 속력으로 수평면에 닿으므로 빗면을 운동하는 동안 B의 역학적 에너지는 보존되지 않는다. 따라서 B가 빗면을 내려오는 동안 B의 중력 퍼텐셜 에너지 감소량은 B의 운동 에너지 증가량보다 크다.

06 일과 에너지

a에서 b까지는 물체의 속력이 증가하고, b에서 d까지는 물체의 속력이 감소한다.

③ 물체에 작용하는 알짜힘의 크기는 같고, 거리는 b에서 d까지가 a에서 b까지의 $\frac{9}{8}$배이므로 b에서 d까지 물체의 운동 에너지 감소량은 a에서 b까지 물체의 운동 에너지 증가량의 $\frac{9}{8}$배이다. b에서 물체의 속력을 x라 하면, $\frac{9}{8}(x^2-v^2)=x^2-0$의 관계가 성립하므로 $x=3v$이다. c에서 물체의 속력이 $2v$이므로 b에서 c까지 운동하는 동안 물체의 감소한 운동 에너지 : c에서 d까지 운동하는 동안 물체의 감소한 운동 에너지$=5:4$이다. 따라서 b에서 c까지의 거리 : c에서 d까지의 거리$=5:4$이므로 $H=4h$이다.

07 역학적 에너지 보존

실이 p에 걸리기 직전 실이 물체에 작용하는 힘의 크기를 T라고 할 때, 물체에 작용하는 알짜힘의 크기는 $T-mg$이다.

ㄱ. 실이 물체에 작용하는 힘은 항상 물체의 운동 방향과 수직이므로 실이 물체에 작용하는 힘이 한 일은 0이다.

ㄴ. 물체를 처음 가만히 놓을 때와 최하점을 지날 때 역학적 에너지 보존을 적용하면 $mgL=\frac{1}{2}mv^2$이므로 $v=\sqrt{2gL}$이다.

ㄷ. 실이 p에 닿기 직전과 닿은 직후의 실이 물체에 작용하는 힘의 크기를 각각 T, T'라고 하면, 각 순간의 알짜힘이 원운동의 구심력과 같으므로 $T-mg=\frac{mv^2}{5L}$, $T'-mg=\frac{mv^2}{L}$이 성립한다. 따라서 실이 물체에 작용하는 힘의 크기는 실이 p에 걸린 직후가 걸리기 직전의 5배가 아니다.

08 일 · 운동 에너지 정리

알짜힘이 물체에 한 일은 물체의 운동 에너지 변화량과 같다.

③ p에서 q까지 운동하는 동안 알짜힘이 물체에 한 일은 B가 A의 2배이다. 따라서 p에서 q까지 운동하는 동안 운동 에너지 증가량은 B가 A의 2배이다. B의 질량을 m_B라 하면 $\frac{1}{2}m(16v^2-4v^2)\times2=\frac{1}{2}m_B(25v^2-v^2)$이 성립한다. 따라서 $m_B=m$이다.

09 에너지 보존

p에서 물체를 놓은 순간부터 물체가 수평면에 닿는 순간까지 물체의 역학적 에너지는 보존된다.

② 실이 수평면과 이루는 각이 30°일 때 물체는 p로부터 연직 방향으로 높이가 5 m만큼 낮은 지점을 통과하므로 물체의 속도의 크기는 10 m/s이고 이를 수평 성분과 연직 성분으로 나누면 각각 5 m/s, $5\sqrt{3}$ m/s가 된다.

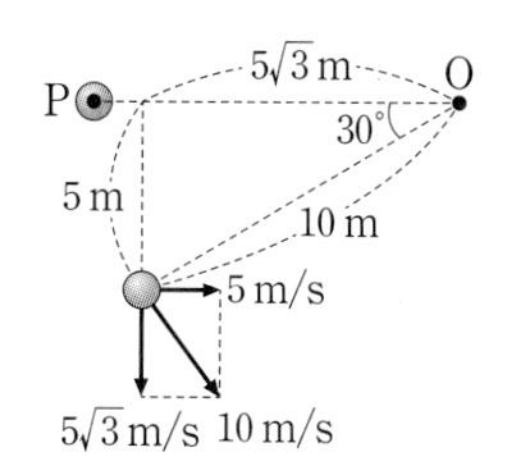

p에서와 수평면에 닿기 직전에서 물체의 중력 퍼텐셜 에너지 차는 수평면에 닿기 직전 물체의 운동 에너지와 같다. 따라서 수평면에 닿기 직전 물체의 속력은 $\sqrt{700}$ m/s이다. 수평면에 닿기 직전 물체의 수평 방향 성분 속도의 크기는 5 m/s이므로 수평면에 닿기 직전 물체의 연직 방향 성분 속도의 크기는 $15\sqrt{3}$ m/s이다.

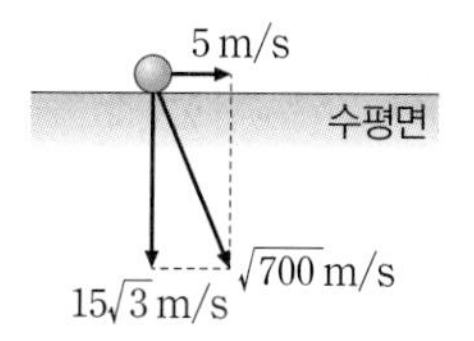

실이 끊어진 직후 수평면에 닿는 데 걸리는 시간을 t라 하면, $g=\frac{10\sqrt{3}\text{ m/s}}{t}$이고, $g=10\text{ m/s}^2$이므로 $t=\sqrt{3}$초이다. 따라서 실이 끊어진 직후부터 물체가 수평면에 닿기 직전까지 물체의 수평 이동 거리는 $5\sqrt{3}$ m이다. 따라서 $x=10$ m이다.

10 단진동

물체가 단진동하는 동안 물체에는 중력과 실이 물체를 당기는 힘이 작용하지만 실이 물체를 당기는 힘은 항상 물체의 운동 방향과 수직이므로 일을 하지 않는다. 따라서 물체의 역학적 에너지는 보존된다.

ㄱ. 실의 길이를 l, 중력 가속도를 g라 할 때, 단진자에서 단진동의 주기 $T=2\pi\sqrt{\frac{l}{g}}$이므로 주기는 B가 A의 $\sqrt{2}$배이다.

ㄴ. 한 번 진동하는 동안의 A와 B의 평균 속력이 같으므로 (가)에서 A의 주기를 T라고 하면, $\frac{L\theta_1}{T}=\frac{2L\theta_2}{\sqrt{2}T}$가 성립한다.
따라서 $\theta_1=\sqrt{2}\,\theta_2$이다.

ㄷ. 역학적 에너지 보존에 의해 최고점에서와 최하점에서의 중력 퍼텐셜 에너지 차는 최하점에서의 운동 에너지와 같으므로 $mgL(1-\cos\theta_1)=\frac{1}{2}mv^2$이 성립한다. 따라서 $v=\sqrt{2gL(1-\cos\theta_1)}$이다.

11 열의 일당량

실을 당긴 힘이 한 일이 액체와 회전 날개의 마찰에 의해 열로 전환된다.

③ 실을 당긴 힘이 한 일은 210 J이고 이는 열량으로 환산하면 50 cal이다. 액체가 받은 열량을 Q, 질량을 m, 비열을 c, 온도 변화를 ΔT라고 하면, $Q=mc\Delta T$이므로 $50\text{ cal}=500\text{ g}\times c\times0.2\ ℃$이다. 따라서 $c=0.5$ cal/g·℃이다.

12 비열

비열은 어떤 물질 1 g의 온도를 1 ℃만큼 높이는 데 필요한 열량을 의미한다.

ㄱ. 3 m만큼 낙하했을 때, 추의 속력이 0이 아니므로 액체가 받은 열량은 추를 가만히 놓은 후 3 m만큼 낙하하는 동안 추의 중력 퍼텐셜 에너지 감소량보다 작다.

ㄴ. 수평면으로부터 높이 5 m인 지점에서 가만히 놓여져 역학적 에너지가 보존되며 자유 낙하 하는 물체는 10 m/s의 속력으로 수평면에 닿게 된다. 하지만 추는 8 m/s의 속력으로 수평면에 닿게 되므로 추가 낙하하는 동안 추의 역학적 에너지 감소량은 $\frac{1}{2}\times10(100-64)=180$(J)이다. 이는 실이 추를 당기는 힘이 추가 3 m만큼 낙하하는 동안 한 일과 같으므로 추를 가만히 놓은 순간부터 실이 끊어지기 전까지 실이 추에 작용한 평균 힘의 크기는 60 N이다.

ㄷ. 액체가 얻은 열량은 180 J이므로 액체의 비열을 c라고 하면, $180\text{ J}=0.2\text{ kg}\times c\times0.1\ ℃$이다. 따라서 $c=9000$ J/kg·℃이다.

수능 3점 테스트

본문 43~45쪽

01 ③ 02 ⑤ 03 ② 04 ② 05 ③ 06 ⑤

01 역학적 에너지 보존

크기가 F인 힘이 A에 한 일은 A의 역학적 에너지 변화량과 같다.

ㄱ. 크기가 F인 힘이 A에 한 일은 p에서 q까지 운동하는 동안이 $F2h$이고, q에서 r까지 운동하는 동안이 $-Fh$이므로 p에서 q까지 운동하는 동안 A의 역학적 에너지 증가량은 q에서 r까지 운동하는 동안 A의 역학적 에너지 감소량의 2배이다.

ㄴ. p에서 q까지 운동하는 동안 A의 증가한 운동 에너지와 q에서 r까지 운동하는 동안 A의 감소한 운동 에너지가 같으므로 일·운동 에너지 정리에 의해 $(F-mg)2h=(F+mg)h$가 성립한다. 따라서 $F=3mg$이다.

ㄷ. 알짜힘이 한 일은 운동 에너지 변화량과 같으므로 $4mgh=\frac{1}{2}m(9v^2-v^2)$이고 $v^2=gh$이다. r와 s에서 역학적 에너지 보존을 적용하면, $mgH=\frac{1}{2}mv^2=\frac{1}{2}mgh$가 성립한다. 따라서 $H=\frac{h}{2}$이다.

02 일과 에너지

물체에 중력을 제외한 외력이 물체에 한 일만큼 물체의 역학적 에너지가 증가한다.

⑤ 물체의 가속도의 크기는 p에서 q까지 운동하는 동안이 o에서 p까지 운동하는 동안의 3배이므로 운동 에너지 증가량도 p에서 q까지 운동하는 동안이 o에서 p까지 운동하는 동안의 3배이다. 따라서 중력 가속도를 g라 할 때 수평면에서 운동 에너지는 o에서보다 $mg(5h)$만큼 더 크다. 따라서 $\frac{1}{2}mv^2+5mgh=\frac{1}{2}m(2v)^2$이 되고 이를 정리하면, $\frac{1}{2}m(3v^2)=5mgh$가 된다. 수평면에서의 운동 에너지는 최고점에서의 중력 퍼텐셜 에너지와 같으므로 $mgH=\frac{1}{2}m(4v^2)$의 관계가 성립하고 $H=\frac{20}{3}h$가 된다.

03 역학적 에너지 보존

물체가 레일의 끝점에서 발사된 후 물체는 포물선 운동을 하므로 수평 방향의 속력은 변하지 않는다.

② 레일의 끝점에서 발사될 때 물체의 속력을 $2v$라고 하면, 높이가 $4h$인 최고점에서의 속력은 v이다. 역학적 에너지 보존에 의해 $\frac{1}{2}m(2v)^2=mgh+\frac{1}{2}mv^2$이 성립하므로 $mgh=\frac{3}{2}mv^2$이다. 물체를 처음 높이 $4h$인 지점에 놓을 때보다 포물선 궤도를 따라 움직이는 최고점에서의 역학적 에너지는 $\frac{1}{2}mv^2$만큼 크고 이는 $\frac{1}{3}mgh$이다. 따라서 수평 구간에서 물체는 $\frac{1}{3}mgh$만큼의 일을 받았고 $x=\frac{1}{3}h$이다.

04 단진자

중력 가속도를 g, 단진자의 길이를 L이라 할 때, 단진자의 주기는 $2\pi\sqrt{\frac{L}{g}}$이다.

ㄱ. 단진자의 주기는 추의 질량과 관계가 없다. 따라서 ㉠은 T이다.

ㄴ. 추의 최고점과 최하점에서의 중력 퍼텐셜 에너지의 차가 최하점에서의 운동 에너지와 같다. 실의 길이가 2배가 되면 최고점과 최하점에서의 중력 퍼텐셜 에너지의 차가 2배가 되고 최하점에서의 운동 에너지도 2배가 된다. 따라서 추의 최대 속력은 (라)에서가 (나)에서의 $\sqrt{2}$배가 된다.

ㄷ. 단진자의 길이가 (라)에서가 (나)에서의 2배이므로 단진자의 주기는 (라)에서가 (나)에서의 $\sqrt{2}$배이다.

05 열의 일당량

추가 낙하하는 동안 추의 역학적 에너지가 회전 날개와 액체의 마찰에 의해 열로 전환된다.

ㄱ. 질량이 0.2 kg이고, 비열이 1.5 cal/g·℃인 액체의 온도가 0.1 ℃ 증가하였으므로 액체가 흡수한 열량은 200 g×1.5 cal/g·℃×0.1 ℃=30 cal이다.

ㄴ. 추의 감소한 역학적 에너지가 액체가 흡수한 열량과 같으므로 추의 감소한 역학적 에너지는 30 cal이다. 열의 일당량이 4.2 J/cal이므로 이는 126 J이다. 따라서 추의 감소한 역학적 에너지 $mgs=$126 J이다.

ㄷ. 열의 일당량은 열(cal)과 일(J) 사이의 관계를 나타내는 값으로 실험하는 액체의 종류나 방법에 따라 달라지는 물리량이 아니다.

06 역학적 에너지 보존

물체가 포물선 궤도를 따라 운동하며 p, q, r를 지날 때, 물체의 역학적 에너지는 보존된다.

ㄱ. q에서 r까지 운동하는 동안 연직 방향 이동 거리는 $2h$이고, 수평 방향 이동 거리는 $4h$이다. 따라서 수평 방향 성분의 평균 속도의 크기가 연직 방향 성분의 평균 속도의 크기의 2배이다. 물체가 포물선 운동을 하는 동안 수평 방향 성분의 속도의 크기는 v로 일정하므로 수평 방향 성분의 평균 속도의 크기는 v이다. q에서 물체의 연직 방향 성분의 속도는 0이므로 r에서 물체의 연직 방향 성분 속도의 크기는 v이다. 따라서 r에서 물체의 속력은 $\sqrt{2}v$이다.

ㄴ. q와 r에서 역학적 에너지 보존을 적용하면, $2mgh=\frac{1}{2}mv^2$이 성립한다. 따라서 q에서 역학적 에너지는 $4mgh$이다. 이는 수평 구간에서 물체가 받은 일과 같다. 따라서 $F=4mg$이다.

ㄷ. p에서 물체의 속력을 v'라고 하면, $mgh+\frac{1}{2}mv'^2=4mgh$이고, $\frac{1}{2}mv'^2=3mgh=\frac{3}{4}mv^2$이다. 따라서 $v'=\sqrt{\frac{3}{2}}v$이다. p에서 물체의 수평 방향 성분의 속도의 크기는 v이므로, p에서 연직 방향 성분의 속도의 크기는 $\frac{\sqrt{2}}{2}v$이다. p에서 q까지 운동하는 동안 물체의 연직 방향 성분의 평균 속도의 크기는 $\frac{\sqrt{2}}{4}v$이고, 수평 방향 성분의 평균 속도의 크기는 v이다. 따라서 p와 q 사이의 수평 거리를 x라 할 때, $v : x=\frac{\sqrt{2}}{4}v : h$가 성립한다. 따라서 $x=2\sqrt{2}h$이다.

테마 06 전기장과 정전기 유도

닮은 꼴 문제로 유형 익히기

본문 48쪽

정답 ③

점전하에 의한 전기장의 세기는 점전하의 전하량의 크기에 비례하고 점전하로부터 떨어진 거리의 제곱에 반비례한다.

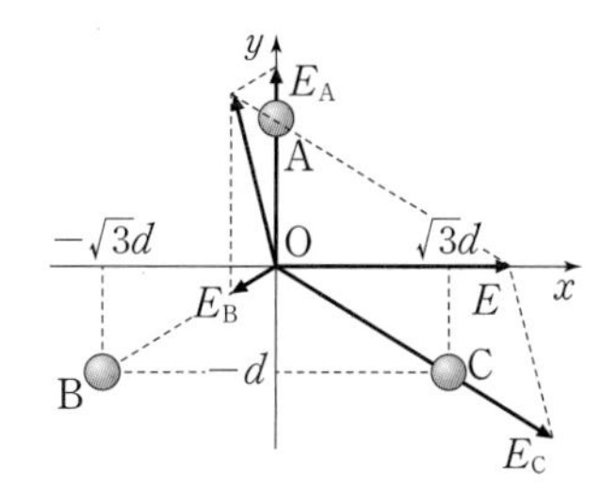

ㄱ. O에서 전기장의 y성분이 0이고 전기장의 방향이 $+x$방향이라는 조건과 A에 의한 전기장의 크기가 B에 의한 전기장의 크기보다 크다는 조건을 만족하기 위해서는 B와 C의 전하의 종류는 음(−)전하로 같고, 전하량의 크기는 C가 B보다 커야 한다.

ㄴ. A, B의 전하량의 크기를 $2q_0$, q_0, C의 전하량의 크기를 q_C라 하면, 원점에서 전기장의 y성분이 0이므로 $0=-k\frac{(q_C+q_0)}{(2d)^2}\times\frac{1}{2}+k\frac{2q_0}{l^2}$에서 $\frac{q_C+q_0}{d^2}=\frac{16q_0}{l^2}$ … ①이다.

또한 O에서 A에 의한 전기장의 크기는 C에 의한 전기장의 크기의 $\frac{4}{7}$배이므로 $k\frac{2q_0}{l^2}=\frac{4}{7}k\frac{q_C}{(2d)^2}$에서 $\frac{14q_0}{l^2}=\frac{q_C}{d^2}$ … ②이다. ①, ②를 정리하면 $\frac{q_C+q_0}{d^2}=\frac{16}{14}\frac{q_C}{d^2}$에서 $q_C=7q_0$이다.

ㄷ. $q_C=7q_0$이므로 ②에서 $l=\sqrt{2}d$이다.

수능 2점 테스트

본문 49~50쪽

01 ② 02 ③ 03 ② 04 ⑤ 05 ②
06 ④ 07 ⑤ 08 ①

01 전기장과 전기력

점전하에 의한 전기장의 세기는 점전하의 전하량 크기에 비례하고, 점전하로부터 떨어진 거리의 제곱에 반비례한다.

ㄱ. A의 위치에서 B와 C에 의한 전기장의 방향은 $-x$방향, B의 위치에서 A와 C에 의한 전기장의 방향은 $+x$방향이다. 따라서 E_A와 E_B의 방향은 서로 반대이다.

ㄴ. C의 위치에서 A에 의한 전기장과 B에 의한 전기장이 모두 $+x$ 방향이므로 E_C의 방향은 $+x$방향이다.

ㄷ. B가 A와 C로부터 받는 전기력의 크기를 F_B, C가 A와 B로부터 받는 전기력의 크기를 F_C라 하면, $F_B=2q\times k\left(\frac{q}{d^2}+\frac{3q}{d^2}\right)=8\left(k\frac{q^2}{d^2}\right)$, $F_C=3q\times k\left(\frac{q}{(2d)^2}+\frac{2q}{d^2}\right)=\frac{27}{4}\left(k\frac{q^2}{d^2}\right)$이다. 따라서 F_B가 F_C보다 크다.

02 전기장

B가 음(−)전하이므로 p에서 B에 의한 전기장의 방향은 B를 향하는 방향이다. 그림과 같이 p에서 B에 의한 전기장의 y성분(E_{By})이 A에 의한 전기장(E_A)과 크기가 같고 방향이 반대가 되어야 p에서 A와 B에 의한 전기장의 방향이 $+x$방향이 되므로 A는 양(+)전하이다.

③ p에서 A에 의한 전기장의 세기는 $k\frac{Q}{d^2}$이고, B에 의한 전기장의 y성분의 크기는 $\left|k\frac{(-2\text{ C})}{(\sqrt{2}d)^2}\cos45^\circ\right|=k\frac{2\text{ C}}{2d^2}\frac{\sqrt{2}}{2}$이므로 $Q=\frac{\sqrt{2}}{2}\text{C}$이다.

03 전기장

전하를 띤 입자가 전기장에 의해 받는 전기력의 방향이 전기장의 방향과 같으면 입자는 양(+)전하, 전기력의 방향이 전기장의 방향과 반대이면 입자는 음(−)전하이다.

ㄱ. A를 매단 실이 y축을 기준으로 $-x$방향 쪽으로 기울어져 있으므로 A에 작용하는 전기력의 방향은 $-x$방향이다. 따라서 A는 음(−)전하이다.

ㄴ. A를 매단 실이 y축과 이루는 각이 45°보다 작으므로 A에 작용하는 전기력의 크기는 중력의 크기보다 작다.

ㄷ. A는 정지해 있으므로 전기력과 실이 A를 당기는 힘과 중력이 평형을 이룬다. 실이 A를 당기는 힘의 크기를 T, 중력 가속도를 g, A, B의 질량을 m, 전하량의 크기를 각각 q_A, q_B, 균일한 전기장의 세기를 E라 하면, $T\cos30^\circ=mg$, $T\sin30^\circ=q_AE$가 성립한다. $q_AE=mg\tan30^\circ$에서 $q_A=\frac{mg}{\sqrt{3}E}$이다. B는 y축과 45°를 이루며 등가속도 직선 운동을 하므로 B에 작용하는 중력과 전기력의 크기는 같다. $q_BE=mg$에서 $q_B=\frac{mg}{E}$이다. 따라서 $q_B=\sqrt{3}q_A$이다.

04 전기장

x축상의 $0<x<6d$인 구간에서 전기장이 0인 지점이 존재하므로 전하의 종류는 A와 B가 같다.

ㄱ. $0<x<4d$에서 전기장의 방향이 $+x$방향이므로 A는 양(+)전하이다.

ㄴ. A, B의 전하량의 크기를 각각 q_A, q_B라 하면, $x=4d$에서 A, B에 의한 전기장이 0이므로 $\frac{q_A}{4^2}=\frac{q_B}{2^2}$에서 $q_A=4q_B$이다. 따라서 전하량의 크기는 A가 B의 4배이다.

ㄷ. A와 B가 모두 양(+)전하이므로 $x=7d$에서 A, B에 의한 전기장의 방향은 $+x$방향이다.

05 전기장과 전기력선

A 또는 B에서 시작한 전기력선이 서로 연결되지 않으므로 A와 B의 전하의 종류는 같고, p에서 전기장의 방향이 $-x$방향이므로 A와 B는 모두 양(+)전하이다.

ㄱ. 전기력선의 수는 전하량에 비례하므로 전하량의 크기는 B가 A보다 크다.

ㄴ. A와 B의 전하의 종류가 같으므로 서로 밀어내는 전기력이 작용한다.

ㄷ. A는 양(+)전하, C는 음(−)전하이고, 전하량의 크기는 C가 A보다 크므로 q에서 전기장의 방향은 $-x$방향이다.

06 전기장

p에서 전기장의 방향이 $+x$방향이므로 p에서 A에 의한 전기장의 y성분과 p에서 B에 의한 전기장은 크기가 같고 방향이 반대이다.

ㄱ. p에서 전기장의 방향이 $+x$방향이므로 A는 양(+)전하, B는 음(−)전하이다.

ㄴ. A, B의 전하량의 크기를 $8q$, q라 하면, p에서 A에 의한 전기장의 y성분의 크기는 $k\frac{8q}{r^2}\times\frac{d}{r}$이고, p에서 B에 의한 전기장의 세기는 $k\frac{q}{d^2}$이다. $8d^3=r^3$에서 $r=2d$이다.

ㄷ. p에서 A에 의한 전기장의 y성분의 크기를 E라 하면, A에 의한 전기장의 x성분의 크기는 $\sqrt{3}E$이므로 p에서 A에 의한 전기장의 세기는 $\sqrt{E^2+(\sqrt{3}E)^2}=2E$이다. p에서 B에 의한 전기장의 세기는 E이므로 p에서 A에 의한 전기장의 세기는 B에 의한 전기장의 세기의 2배이다.

별해 | ㄷ. 전하량의 크기는 A가 B의 8배, p까지 거리는 A가 B의 2배이다. 전기장의 세기는 전하량의 크기에 비례하고 전하로부터 떨어진 거리의 제곱에 반비례하므로, p에서 전기장의 세기는 A에 의한 것이 B에 의한 것의 2배이다.

07 정전기 유도와 유전 분극

절연체에서 유전 분극은 절연체에 대전체를 가까이 할 때 대전체와 가까운 쪽에는 대전체와 다른 종류의 전하가, 먼 쪽에는 대전체와 같은 종류의 전하가 유도되는 현상이다.

ㄱ. 음(−)전하로 대전된 대전체가 A의 오른쪽에 있으므로 유전 분극에 의해 대전체와 가까운 쪽은 양(+)전하가 유도된다.

ㄴ. (가)에서 B는 정전기 유도에 의해 대전체에 가까운 쪽은 양(+)전하가 유도되고 대전체에 의해 밀려난 전자는 접지로 인해 빠져나가므로 (가)의 상태에서 대전체와 접지선을 제거하면 B는 양(+)전하로 대전된다.

ㄷ. (나)에서 B는 양(+)전하로 대전된 상태이므로 A의 B에 가까운 쪽은 유전 분극에 의해 음(−)전하가 유도되어 서로 당기는 전기력이 작용한다.

08 정전기 유도

도체에 대전체를 가까이 가져가면 도체의 대전체에 가까운 쪽은 대전체와 다른 종류의 전하가 유도되고, 먼 쪽은 대전체와 같은 종류의 전하가 유도된다.

ㄱ. 음(−)전하로 대전된 대전체를 A에 접촉시키면 A는 대전체와 전하의 종류가 같은 음(−)전하로 대전된다.

ㄴ. (나)에서 음(−)전하로 대전된 A와 B 사이에 서로 미는 전기력이 작용하므로 B는 A와 전하의 종류가 같은 음(−)전하로 대전되어 있음을 알 수 있다.

ㄷ. C는 대전되지 않은 상태이고, 음(−)전하로 대전된 B를 C에 가까이하면 정전기 유도에 의해 C의 B에 가까운 쪽에 양(+)전하가 유도되므로 서로 당기는 전기력이 작용한다.

수능 3점 테스트

본문 51~53쪽

01 ① 02 ③ 03 ③ 04 ④ 05 ① 06 ①

01 전기장

A로부터 p까지 거리는 $2d$이므로 쿨롱 상수를 k라 하면 A에 의한 전기장의 세기 $E_A=k\frac{q}{(2d)^2}$이고, A와 B에 의한 전기장의 방향이 $-y$방향이므로 B는 음(−) 전하이다.

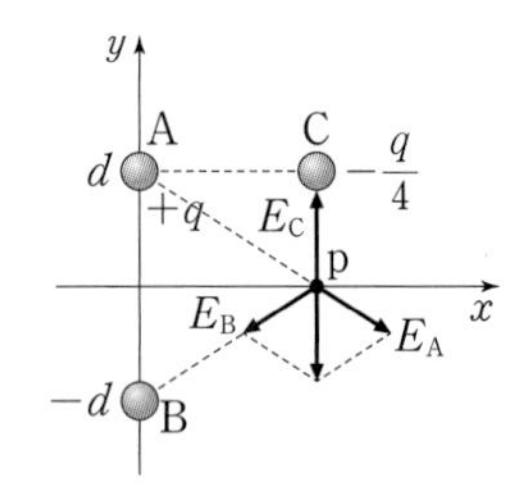

ㄱ. p에서 전기장의 방향이 $-y$방향이 되려면 p에서 A에 의한 전기장과 B에 의한 전기장의 세기가 같아야 전기장의 x성분은 서로 상쇄되어 0이 되고, y성분만 남게 된다. 따라서 B의 전하량은 $-q$이다.

ㄴ. p에서 A에 의한 전기장의 세기는 $k\frac{q}{(2d)^2}=k\frac{q}{4d^2}$이고, A와 B에 의한 전기장의 세기는 x성분은 크기가 같고 방향이 반대이므로 상쇄되고, y성분의 크기는 $2\times k\frac{q}{4d^2}\times\frac{1}{2}=k\frac{q}{4d^2}$이다. 따라서 p에서 A에 의한 전기장의 세기와 A와 B에 의한 전기장의 세기는 같다.

ㄷ. p에서 A와 B에 의한 전기장은 $-y$방향으로 세기가 $k\frac{q}{4d^2}=k\frac{\frac{q}{4}}{d^2}$이다. 따라서 음(−)전하를 p로부터 거리가 d인 지점에 추가하여 p에서 전기장이 0이 되려면 p로부터 $+y$방향으로 d만큼 떨어

진 지점에 전하량이 $-\frac{q}{4}$인 전하를 놓거나, p로부터 $-y$방향으로 d 만큼 떨어진 지점에 전하량이 $+\frac{q}{4}$인 전하를 놓아야 한다.

02 전하와 전기장

두 전하의 종류가 같으면 두 전하를 잇는 선분상에는 전기장이 0인 지점이 존재하고, 두 전하의 종류가 다르면 두 전하 사이에는 전기장이 0인 지점이 존재하지 않는다.

ㄱ. x축상의 $0<x<5d$인 구간에서 전기장이 0인 지점이 존재하므로 A와 B의 전하의 종류는 같고, $0<x<2d$에서 전기장이 $-x$방향이므로 A와 B는 모두 음(−)전하이다.

ㄴ. $5d<x<8d$인 구간에서 전기장이 0인 지점이 존재하지 않고 B와 C에 의한 전기장의 방향이 $-x$방향이므로, B는 음(−)전하, C는 양(+)전하이다.

ㄷ. A, B, C의 전하량의 크기를 각각 q, q_B, $7q$라 하면, $x=2d$에서 A, B, C에 의한 전기장은 0이므로 $\frac{q}{(2d)^2}+\frac{7q}{(6d)^2}=\frac{q_B}{(3d)^2}$가 성립한다. $q_B=4q$이므로 전하량의 크기는 B가 A의 4배이다.

03 전기장

전기장 내에서 양(+)전하는 전기장의 방향으로 전기력을 받고, 음(−)전하는 전기장의 방향과 반대 방향으로 전기력을 받는다.

ㄱ. Ⅰ에서 입자가 y축에 도달할 때까지 속도의 y성분의 크기가 점점 작아지므로 입자에는 $-y$방향으로 전기력이 작용한다. 따라서 Ⅰ, Ⅱ에서 전기장의 방향은 $-y$방향이다.

ㄴ. 입자는 전기장 영역에서 $-y$방향으로 일정한 전기력을 받아 포물선 운동을 하고, x방향으로는 힘을 받지 않는다. 따라서 $v=v_0\cos60°=\frac{v_0}{2}$에서 v_0은 v의 2배이다.

ㄷ. y축에서 입자의 위치를 $(0, y_0)$, Ⅰ, Ⅱ에서 가속도의 크기를 각각 a_1, a_2라 하면, 발사 순간부터 y축을 지나는 순간까지 걸린 시간은 $t_1=\sqrt{\frac{2y_0}{a_1}}$, y축을 지나는 순간부터 다시 x축에 도달할 때까지 걸린 시간은 $t_2=\sqrt{\frac{2y_0}{a_2}}$이다. 가속도의 크기는 전기장의 세기에 비례하므로 $a_2=2a_1$에서 $t_1=\sqrt{2}t_2$이다. 따라서 Ⅰ, Ⅱ에서 운동하는 동안 x방향의 변위의 크기는 Ⅰ에서가 Ⅱ에서의 $\sqrt{2}$배이므로 x축에 도달하는 위치는 $(\sqrt{2}d, 0)$이다.

04 전기장과 전기력선

A 또는 B에서 시작한 전기력선이 서로 연결되지 않으므로 A와 B는 전하의 종류가 같고, A에서 나오는 전기력선의 수가 B에서 나오는 전기력선의 수보다 많으므로 전하량의 크기는 A가 B보다 크다.

ㄱ. 전하량의 크기는 A가 B보다 크므로 A, B의 전하량을 각각 $3q$, q, 쿨롱 상수를 k라 하면, p에서 A에 의한 전기장의 세기는 $k\frac{3q}{(3d)^2}$, B에 의한 전기장의 세기는 $k\frac{q}{d^2}$이므로 B에 의한 전기장의 세기가 A에 의한 전기장의 세기보다 크다. p에서 전기장의 방향이 $-x$방향이므로 A와 B는 모두 양(+)전하임을 알 수 있다.

ㄴ. A와 B가 모두 양(+)전하이므로 q에서 전기장의 방향은 $+x$방향이다.

ㄷ. p, q에서 A와 B에 의한 전기장의 세기를 각각 E_p, E_q라 하면, $E_p=k\left(\frac{3q}{(3d)^2}-\frac{q}{d^2}\right)=-k\frac{2q}{3d^2}$이고, $E_q=k\left(\frac{3q}{(6d)^2}+\frac{q}{(2d)^2}\right)=k\frac{q}{3d^2}$이다. 따라서 전기장의 세기는 p에서가 q에서의 2배이다.

05 정전기 유도

도체에 대전체를 가까이 가져가면 도체의 대전체에 가까운 쪽은 대전체와 다른 종류의 전하로 대전되고, 먼 쪽은 대전체와 같은 종류의 전하로 대전된다.

ㄱ. (나)에서 B가 균일한 전기장과 같은 방향으로 전기력을 받아 실이 기울어진 것이므로 B는 양(+)전하를 띠고 있다.

ㄴ. (가)에서 대전체를 A에 가까이 하였을 때 정전기 유도에 의해 A의 대전체에 가까운 부분이 음(−)전하를 띠게 된 것이므로 대전체는 양(+)전하로 대전되어 있다.

ㄷ. A와 B가 서로 접촉되어 있는 상태에서 양(+)전하를 띤 대전체를 A에 가까이 하면 B의 전자가 A로 이동하고, A가 B와 분리된 후 A는 음(−)전하, B는 양(+)전하로 대전된다.

06 정전기 유도

도체에 대전체를 가까이 가져가면 도체의 대전체에 가까운 쪽은 대전체와 다른 종류의 전하로 대전되고 먼 쪽은 대전체와 같은 종류의 전하로 대전된다.

ㄱ. 양(+)전하로 대전된 막대를 A에 가까이하면 A와 B의 자유 전자는 전기력을 받아 막대에 가까운 쪽으로 이동하게 된다. 따라서 (가)에서 자유 전자의 개수는 A가 B보다 많다.

ㄴ. (가)에서 A와 B를 떼어 놓은 후 막대를 치우면 A는 음(−)전하, B는 양(+)전하로 대전된다. 따라서 (나)에서 A와 B 사이에는 서로 당기는 전기력이 작용한다.

ㄷ. (나)에서 대전된 A 또는 B를 C에 가까이할 때, 만약 C가 대전되지 않은 상태라면 C는 A를 가까이할 때와 B를 가까이할 때 모두 정전기 유도에 의해 가까운 쪽에 다른 종류의 전하로 유도되어 서로 당기는 전기력이 작용하게 된다. 따라서 (다)에서 A 또는 B를 C에 가까이할 때 서로 밀어내는 전기력이 작용한 것은 C가 이미 대전되어 있음을 의미한다.

테마

07 저항의 연결과 전기 에너지

닮은 꼴 문제로 유형 익히기

본문 55쪽

정답 ①

전원 장치의 연결 단자가 b, c일 때 등가 회로는 그림과 같이 나타낼 수 있다. 저항값이 $2R$인 저항 2개가 병렬연결된 부분의 합성 저항값은 R이고, 저항값이 R인 저항 2개가 병렬연결된 부분의 합성 저항값은 $\frac{R}{2}$이므로 회로의 합성 저항값은 $\frac{3}{5}R$이다.

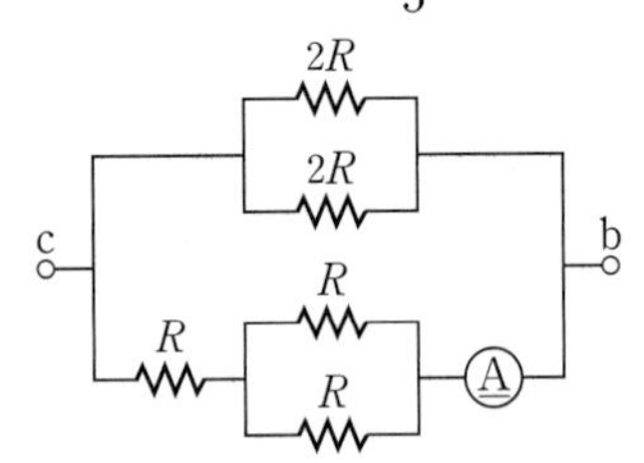

ㄱ. 전원 장치의 연결 단자가 a, b일 때, 저항값이 $2R$인 저항 2개가 병렬연결된 부분의 합성 저항값과 R인 저항 2개가 병렬연결된 부분의 합성 저항값은 각각 R, $\frac{R}{2}$이므로 회로 전체의 합성 저항값은 저항값이 $2R$인 저항과 $\frac{R}{2}$인 저항이 병렬연결된 회로의 합성 저항값과 같으므로 $\frac{2}{5}R$이다.

ㄴ. 전원 장치 연결 단자가 a, b일 때 전류계에 흐르는 전류의 세기는 $I_0=\frac{V}{\frac{R}{2}}=\frac{2V}{R}$이고, 전원 장치 연결 단자가 b, c일 때 전류계에 흐르는 전류의 세기는 $I=\frac{V}{\frac{3R}{2}}=\frac{2V}{3R}=\frac{1}{3}I_0$이다.

ㄷ. 연결 단자가 a, b일 때와 b, c일 때 회로의 합성 저항값은 각각 $\frac{2}{5}R$, $\frac{3}{5}R$이고, 전압이 일정할 때 소비 전력은 회로의 합성 저항값에 반비례하므로 $P_0 : P=3 : 2$이다. 따라서 $P=\frac{2}{3}P_0$이다.

수능 2점 테스트

본문 56~57쪽

01 ② 02 ① 03 ③ 04 ① 05 ③
06 ① 07 ④ 08 ②

01 전기장과 전위

전기력선은 전기장에서 양(+)전하가 받는 전기력의 방향을 연속적으로 연결한 선으로, 전기력선의 밀도가 클수록 전기장이 세고, 균일한 전기장은 전기력선의 밀도가 균일하다.

ㄱ. 전기장의 반대 방향인 $+x$방향으로 점전하가 전기력을 받아 운동하므로 A는 음(−)전하이다.

ㄴ. 음(−)전하는 전위가 낮은 곳에서 높은 곳으로 전기력을 받아 운동하므로 전위는 a에서가 b에서보다 낮다.

ㄷ. 단위 양(+)전하를 옮기는 데 필요한 일은 전위차와 같고, b, c는 전위가 같으므로 전위차는 a와 b 사이와 a와 c 사이가 같다. 따라서 단위 양(+)전하를 옮기는 데 필요한 일은 a에서 b까지와 a에서 c까지가 같다.

02 전기장과 전위

전하량이 $+q$인 입자가 전위가 V만큼 낮은 곳으로 이동하는 동안 전기력이 한 일은 qV이다.

ㄱ. 전위가 낮은 곳에서 높은 곳으로 전기력을 받으므로 A는 음(−)전하이다.

ㄴ. 전기장의 방향은 전위가 높은 곳에서 낮은 곳을 향하므로 균일한 전기장의 방향은 $-x$방향이다.

ㄷ. A가 $x=0$에서 $x=2d$까지 운동하는 동안 균일한 전기장이 A에 한 일은 $W=q(2V)$이고, W는 운동 에너지 변화량과 같으므로 b에서 A의 운동 에너지는 $2qV$이다.

03 전기장과 전위

입자의 전하량을 q라 하면, 전위차가 ΔV인 두 지점을 운동하는 동안 균일한 전기장이 입자에 한 일은 $W=q\Delta V$이다. 따라서 Ⅰ에서 전기장이 입자에 한 일은 qV, Ⅱ에서 전기장이 입자에 한 일은 $-2qV$이다.

ㄱ. 전기장은 전위가 높은 곳에서 낮은 곳을 향하는 방향이므로 Ⅰ에서 전기장의 방향은 $+x$방향이다.

ㄴ. Ⅰ에서 전기장의 세기는 $\frac{V}{d}$, Ⅱ에서 전기장의 세기는 $\frac{2V}{d}$이다. 따라서 전기장의 세기는 Ⅰ에서가 Ⅱ에서보다 작다.

ㄷ. $x=d$에서 입자의 운동 에너지는 E_0+qV이고, $x=2d$에서 입자의 운동 에너지는 $E_0+qV-2qV=E_0-qV$이다. 따라서 $x=2d$에서 입자의 운동 에너지는 E_0보다 작다.

04 저항의 연결

두 저항이 직렬연결되어 있을 때, 저항에 흐르는 전류의 세기가 같으므로 저항 양단에 걸리는 전압은 저항값에 비례한다.

① (가)에서 저항값이 R인 저항에 흐르는 전류의 세기를 I_1, (나)에서 저항값이 20 Ω인 저항에 흐르는 전류의 세기를 I_2라 하면, $I_1=\frac{V}{R}$, $I_2=\frac{V}{20+R}$이고, $I_1=6I_2$이므로 $6R=20+R$에서 $R=$ 4 Ω이다. 따라서 (나)에서 저항값이 R인 저항에 걸리는 전압은 $\frac{V}{6}$이다.

별해 | (나)에서 두 저항이 직렬연결되어 있으므로 저항값이 R인 저항에 걸리는 전압은 $\frac{R}{20+R}V$이고, $\frac{V}{R}=6\times\frac{V}{20+R}$에서 $\frac{V}{20+R}=\frac{V}{6R}$이므로 저항값이 R인 저항 양단에 걸리는 전압은 $\frac{V}{6}$이다.

05 저항의 연결

여러 개의 저항이 직렬연결될 때, 합성 저항값은 각 저항의 저항값을 더한 값과 같다.

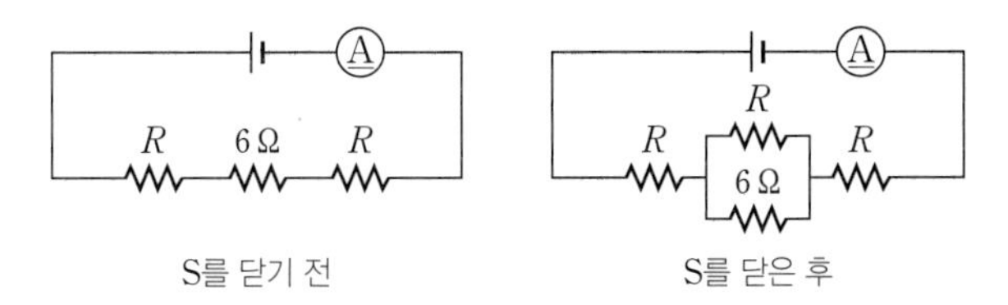

S를 닫기 전　　　　S를 닫은 후

③ S를 닫기 전 회로 전체의 합성 저항값은 $2R+6$이고, S를 닫은 후 회로 전체의 합성 저항값은 $2R+\frac{6R}{R+6}=\frac{2(R^2+9R)}{R+6}$이다. 전류계에 흐르는 전류의 세기는 저항에 반비례하고, S를 닫은 후가 S를 닫기 전의 1.5배이므로 $2R+6=\frac{3}{2}\times\frac{2(R^2+9R)}{R+6}$에서 $R=3\ \Omega$이다.

06 저항의 연결과 소비 전력

비저항이 ρ, 단면적이 S, 길이가 L인 도체 막대의 저항값은 $R=\rho\frac{L}{S}$이다.

㉠. 전압이 같을 때 저항에 흐르는 전류의 세기는 저항값에 반비례하므로 저항값은 A가 B의 2배이다.

✗. A의 비저항을 ρ_{A}라 하면, $\rho_{\text{A}}\frac{2L}{S}=2\left(\rho\frac{L}{2S}\right)$에서 $\rho_{\text{A}}=\frac{1}{2}\rho$이다.

✗. A, B 양단에 걸리는 전압은 같고, A, B에 흐르는 전류는 S를 a에 연결할 때가 b에 연결할 때의 $\frac{1}{2}$배이다. 소비 전력은 전압과 전류의 곱에 비례하므로 저항에서 소비되는 전력은 S를 a에 연결할 때가 b에 연결할 때의 $\frac{1}{2}$배이다.

별해 | ㄷ. 전원의 전압을 V, B의 저항값을 R라 하면, A의 저항값은 $2R$이므로, S를 a에 연결할 때 A에서 소비되는 전력은 $\frac{V^2}{2R}$이고, S를 b에 연결할 때 B에서 소비되는 전력은 $\frac{V^2}{R}$이다.

07 저항의 연결과 소비 전력

두 저항이 직렬연결되어 전류가 일정할 때, 각 저항에서 소비되는 전력은 $P=I^2R$에서 저항값 R에 비례한다. 두 저항이 병렬연결되어 전압이 일정할 때, 각 저항에서 소비되는 전력은 $P=\frac{V^2}{R}$에서 저항값 R에 반비례한다.

✗. A, B의 저항값을 각각 R_{A}, R_{B}, 전원의 전압을 V라 하면, S를 열었을 때 저항값이 6 Ω인 저항과 A에 흐르는 전류의 세기는 각각 1 A, 2 A이므로 A의 양단에 걸린 전압은 6 V이다. 따라서 A의 저항값 $R_{\text{A}}=3\ \Omega$이다. 또한 S를 닫았을 때 B에는 전류가 흐르지 않으므로 A에서 소비되는 전력은 $\frac{V^2}{R_{\text{A}}}=48(\text{W})$에서 $V=12$ V이다.

㉡. 스위치를 열었을 때, A와 6 Ω인 저항의 양단에 걸린 전압은 6 V이고, 전원의 전압이 12 V이므로 B의 양단에 걸린 전압은 6 V이다. 따라서 S를 열었을 때, 저항 양단에 걸리는 전압은 A와 B가 같다.

㉢. B 양단에 걸린 전압이 6 V이고 B에 흐르는 전류의 세기는 3 A이므로 $R_{\text{B}}=2\ \Omega$이다. 저항값이 6 Ω인 저항과 A의 합성 저항값은 2 Ω이므로 회로 전체의 합성 저항값은 4 Ω이다.

08 저항의 연결과 소비 전력

저항은 길이에 비례하므로 금속 막대의 저항은 전원과 연결한 접점이 b일 때가 a일 때의 3배이다.

✗. 전원과 금속 막대의 접점이 a일 때 A에 걸린 전압이 $\frac{3}{4}V$이므로 금속 막대에는 $\frac{1}{4}V$만큼의 전압이 걸린다. 직렬연결된 두 저항에 걸린 전압은 두 저항에 흐르는 전류가 일정하므로 저항값에 비례한다. 따라서 접점이 a일 때 길이 L인 금속 막대의 저항값은 $\frac{1}{3}R$이고, 길이 $3L$인 금속 막대 전체의 저항값은 R이다.

✗. 전원과 금속 막대의 접점이 a일 때 합성 저항값은 $\frac{4}{3}R$이므로 전류의 세기는 $\frac{3V}{4R}$이다.

㉢. 금속 막대 전체 저항값이 R이므로 접점이 b일 때 A의 양단에 걸리는 전압은 $\frac{1}{2}V$이다. 따라서 A에서 소비되는 전력은 $P=\frac{V^2}{4R}$이고 $P_0=\frac{\left(\frac{3}{4}V\right)^2}{R}=\frac{9V^2}{16R}$이므로 $P=\frac{4}{9}P_0$이다.

01 전기장과 전위

A는 전기력선의 방향으로 전기력을 받아 운동하므로 양(+)전하, B는 전기력선의 반대 방향으로 전기력을 받아 운동하므로 음(−)전하이다.

㉠. 전기력선은 전위가 높은 곳에서 낮은 곳을 향한다. 따라서 전위는 a가 b보다 높다.

✗. A, B가 등가속도 운동을 하여 Ⅱ에 도달할 때까지 운동 시간은 같고 이동 거리는 B가 A의 2배이므로 가속도의 크기는 B가 A의 2배이다. 질량은 B가 A의 3배이고, 가속도의 크기는 전하량의 크기에 비례하고 질량에 반비례하므로 전하량의 크기는 B가 A의 6배이다.

✗. 출발 순간부터 Ⅱ에 도달하는 순간까지 전기장이 입자에 한 일은 입자의 운동 에너지 변화량과 같다. A, B의 전하량의 크기를 각각 q, $6q$, 균일한 전기장의 세기를 E라 하면, A, B가 각각 Ⅰ, Ⅲ에서 운동하는 동안 전기장이 A, B에 한 일은 각각 qEd, $(6q)E(2d)=12qEd$이다. 따라서 Ⅱ에서 운동 에너지는 B가 A의 12배이다.

별해 | ㄷ. Ⅱ에 도달할 때까지 운동 시간은 같고 가속도의 크기는 B가 A의 2배이므로 Ⅱ에 도달하는 순간 속력은 B가 A의 2배이다. A, B의 질량을 각각 m, $3m$, Ⅱ에 도달하는 순간 A, B의 속력을 v, $2v$라 하면 Ⅱ에서 A의 운동 에너지는 $E=\frac{1}{2}mv^2$이고, B의 운동 에너지는 $\frac{1}{2}(3m)(2v)^2=12E$이다.

02 전기력이 한 일

세기가 E인 균일한 전기장에서 전하량이 q인 입자에 작용하는 전기력의 크기는 qE이고, 알짜힘이 입자에 해 준 일만큼 입자의 운동 에너지가 증가한다.

ㄱ. 입자가 전위가 낮은 a에서 높은 b로 전기력을 받아 운동하므로 입자는 음(−)전하이다.

ㄴ. 입자에 작용하는 중력은 연직 아래 방향, 전기력은 왼쪽 방향이고, 입자를 가만히 놓았으므로 각 힘의 방향으로의 이동 거리는 각각 가속도의 크기에 비례한다. 따라서 입자에 작용하는 중력(mg)의 크기는 전기력의 크기의 $\frac{1}{\sqrt{3}}$배이다. 입자에 작용하는 전기력의 크기는 qE이고, 전기장의 방향으로 이동한 거리는 $d\sin60°$이므로 전기력이 입자에 한 일은 $qE\times\frac{\sqrt{3}d}{2}$, 중력이 입자에 한 일은 $\frac{qE}{\sqrt{3}}\times\frac{d}{2}$이다.

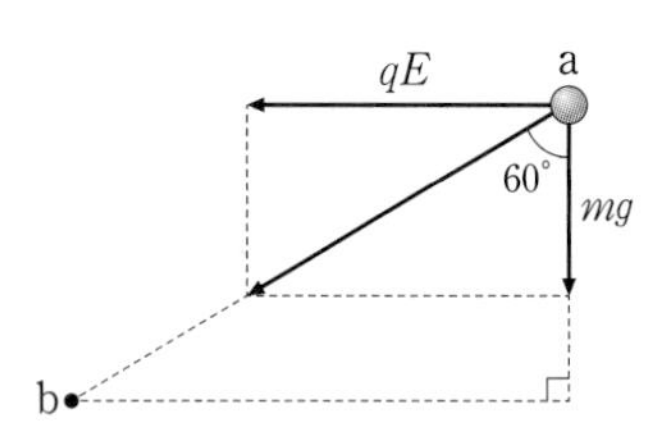

ㄷ. 입자에 작용하는 알짜힘의 크기는 $\frac{2\sqrt{3}qE}{3}$이고, 이동 거리가 d이므로 알짜힘이 입자에 한 일은 $\frac{2\sqrt{3}qEd}{3}$이다. 알짜힘이 한 일은 운동 에너지 변화량과 같으므로 b에서 입자의 운동 에너지는 $\frac{2\sqrt{3}qEd}{3}$이다.

03 저항의 연결

문제에 주어진 회로에서 S를 닫기 전과 닫은 후의 회로를 다음과 같이 각각 나타낼 수 있다.

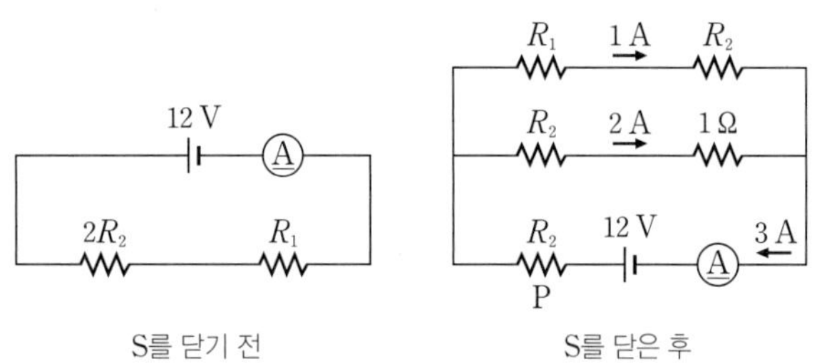

S를 닫기 전 S를 닫은 후

⑤ S를 닫은 후 저항값이 1 Ω인 저항 양단에 걸리는 전압을 V라 하면, P에 걸리는 전압이 $3V$이므로 저항들이 병렬연결된 부분 양단에 걸리는 전압은 $12-3V$이다. 따라서 $V=\frac{1}{R_2+1}(12-3V)$ …㉠이다. 또한 S를 닫은 후 전류계에 흐르는 전류의 세기가 3 A이므로 $\frac{3V}{R_2}=3(\text{A})$ …㉡이다. ㉠, ㉡에서 $R_2=\frac{12}{4+R_2}$이므로 $R_2=2(\Omega)$, $V=2(\text{V})$이다. S를 닫은 후 회로에서 저항들이 병렬연결된 부분의 양단에 걸리는 전압은 6 V이므로, 저항값이 1 Ω인 저항과 저항값이 R_1인 저항에 흐르는 전류의 세기는 각각 2 A, 1 A이다. 따라서 $\frac{6}{R_1+R_2}=1(\text{A})$에서 $R_1=4\ \Omega$이고, $R_1=2R_2$이므로 S를 닫기 전 R_1에 걸리는 전압은 6 V이다.

04 저항의 연결

S를 닫기 전과 닫은 후에 전류계에 흐르는 전류의 세기가 같으므로 병렬연결된 부분의 합성 저항값은 S를 닫기 전과 후가 같다.

ㄱ. 병렬연결된 부분의 합성 저항값은 S를 닫기 전은 $\frac{2(3+R)}{(3+R)+2}$이고, S를 닫은 후는 $\frac{3\times1}{3+1}+\frac{R\times1}{R+1}$이므로 $R=3\ \Omega$이다.

별해 | ㄱ. S를 열었을 때와 닫았을 때 회로에 흐르는 전류의 세기가 같다는 것은 S의 열고 닫음이 회로에 영향을 주지 않음을 의미한다. 즉, S를 닫아도 S를 통해 전류가 흐르지 않아야 하므로 S의 양단의 전위는 같다. 따라서 $R=3\ \Omega$임을 알 수 있다.

ㄴ. 회로 전체의 합성 저항값은 $1.5+3=4.5(\Omega)$이므로 $I_0=\frac{9}{4.5}=2(\text{A})$이다.

ㄷ. 병렬연결된 부분의 합성 저항값은 1.5 Ω이므로 병렬연결된 부분 전체에 걸린 전압은 $9\times\frac{1.5}{(1.5+3)}=3(\text{V})$이다. 따라서 저항값이 3 Ω인 P 양단에 걸린 전압은 1.5 V이다.

05 저항의 연결과 소비 전력

막대의 저항값이 같으므로 A와 C 사이와 B와 C 사이의 전압은 같고, A와 D 사이와 B와 D 사이의 전압도 같다. 따라서 C와 D에서 전위는 같고, C와 D 사이에는 전류가 흐르지 않는다. C와 D 사이의 저항을 무시하고 그림과 같이 회로를 나타낼 수 있다

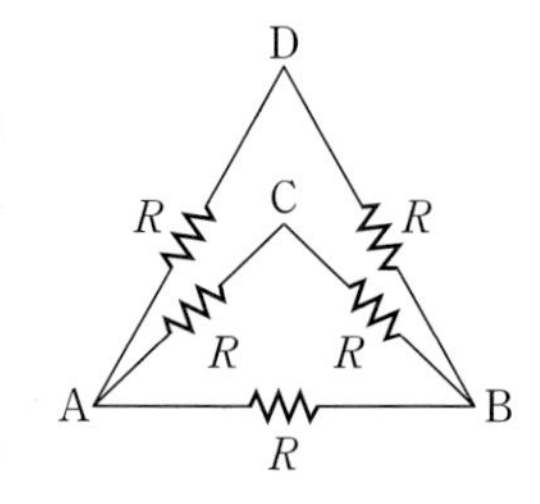

ㄱ. A와 C 사이에 걸린 전압과 C와 B 사이에 걸린 전압은 같고, 전체 전압은 V와 같으므로 A와 C 사이에 걸린 전압은 $\frac{V}{2}$이다.

ㄴ. A와 B 사이에서 회로 전체의 합성 저항값은 저항값이 $2R$, $2R$, R인 저항 세 개가 병렬연결된 회로의 합성 저항값과 같다. 따라서 합성 저항값은 $\frac{R}{2}$이므로 R보다 작다.

ㄷ. 저항값이 같으므로 소비 전력은 $P=\frac{V^2}{R}$에서 막대에 걸린 전압은 A와 B 사이는 V, B와 C 사이는 $\frac{V}{2}$이므로 막대의 소비 전력은 A와 B 사이에서가 B와 C 사이에서의 4배이다.

06 저항의 연결과 소비 전력

S를 닫으면 A와 B가 병렬연결되고 합성 저항값은 A와 B 중 저항값이 작은 것보다 더 작아지고, 전압과 전류 그래프에서 그래프의 기울기는 저항값의 역수이다.

ㄱ. (나)에서 그래프의 기울기는 ㉠이 ㉡보다 크므로 ㉠이 ㉡보다 저항값이 작을 때의 그래프이다. 따라서 ㉠은 S를 닫아 A와 B가 병렬연결되었을 때, ㉡은 S를 열었을 때에 해당하는 그래프이다.

ㄴ. ㉡의 기울기로부터 A의 저항값은 10 Ω이고, ㉠의 기울기로부터 A와 B의 합성 저항값은 5 Ω이다. 따라서 B의 저항값은 10 Ω이다. 단면적은 B가 A의 2배이므로 $R=\rho\frac{L}{S}$에서 길이도 B가 A의 2배이다.

ㄷ. 전원 장치의 전압 V는 4 V, A와 B 전체의 합성 저항값 R는 5 Ω이므로 $P=\frac{V^2}{R}$에서 A와 B 전체의 소비 전력은 3.2 W이다.

테마 08 트랜지스터와 축전기

닮은 꼴 문제로 유형 익히기 본문 63쪽

정답 ①

극판의 면적은 S, 극판 사이의 간격은 d이고, 극판 사이에 채워진 유전체의 유전율이 ε인 평행판 축전기의 전기 용량은 $C=\varepsilon\frac{S}{d}$이다.

ㄱ. (가)에서 A와 B가 병렬연결되어 있으므로 축전기 양단에 걸린 전압 V는 같고, 극판 사이의 간격과 극판 면적이 같으므로 전기 용량 C도 같다. 축전기에 충전된 전하량은 $Q=CV$이므로 A와 B에 충전된 전하량은 서로 같다.

ㄴ. (나)에서 충전된 전하량은 B가 A의 2배이므로 전기 용량은 B가 A의 2배이다. 극판 사이의 간격이 B가 A의 2배이므로 $C=\varepsilon\frac{S}{d}$에서 $\varepsilon_B=4\varepsilon_0$이다.

ㄷ. (나)에서 A, B 양단에 걸린 전압 V는 같고, 전기 용량은 B가 A의 2배이므로 저장된 전기 에너지는 $\frac{1}{2}CV^2$에서 B가 A의 2배이다.

수능 2점 테스트 본문 64~65쪽

01 ③	02 ①	03 ⑤	04 ⑤	05 ①
06 ①	07 ②	08 ②		

01 트랜지스터

회로에서 트랜지스터가 정상 동작을 하기 위해서는 베이스와 이미터 사이에는 순방향 전압을 걸어 주어야 한다.

ㄱ. 베이스에는 전원의 (+)극, 이미터에는 전원의 (−)극이 연결되어 있으므로 n-p-n형 트랜지스터이다.

ㄴ. 베이스는 p형 반도체, 이미터는 n형 반도체이므로 B와 E 사이에는 순방향 전압이 걸려 있다.

ㄷ. 트랜지스터는 베이스에 흐르는 전류로 컬렉터에 흐르는 전류를 제어할 수 있다. 트랜지스터가 증폭 작용을 할 때 B에 흐르는 전류의 세기가 증가하면 C에 흐르는 전류의 세기는 증가한다.

02 트랜지스터

베이스에 흐르는 전류의 세기가 I_B, 컬렉터에 흐르는 전류의 세기가 I_C일 때, 전류 증폭률은 $\beta=\frac{I_C}{I_B}$이다.

ㄱ. 트랜지스터가 증폭 작용을 할 때, 베이스에 흐르는 전류의 세기가 감소하면 컬렉터에 흐르는 전류의 세기도 감소한다.

ㄴ. 컬렉터에 흐르는 전류의 세기는 베이스에 흐르는 전류의 세기의 β배이다. 따라서 $I_2=\beta I_1$이다.

ㄷ. 가변 저항으로 인해 전압 분배된 바이어스 전압이 클수록 베이스 전류의 세기 I_1이 증가하고, 그에 따라 컬렉터에 흐르는 전류의 세기 I_2도 증가한다. R의 저항값을 감소시키면 베이스와 이미터 사이의 바이어스 전압도 감소하게 되어 컬렉터에 흐르는 전류의 세기는 감소한다.

03 트랜지스터의 증폭 작용

트랜지스터가 정상 동작을 하기 위해서는 베이스와 이미터 사이에 순방향 전압이 걸려야 한다. 베이스의 전위가 이미터의 전위보다 높으면 n-p-n형, 이미터의 전위가 베이스의 전위보다 높으면 p-n-p형 트랜지스터이다.

ㄱ. 트랜지스터가 증폭 작용을 하고 있을 때 베이스(B)와 이미터(E) 사이에는 순방향 전압이 걸린다.

ㄴ. 이미터는 전원의 (+)극이 연결되고 베이스는 전원의 (−)극이 연결되어 있으므로 이미터는 p형, 베이스는 n형, 컬렉터는 p형 반도체인 p-n-p형 트랜지스터이다.

ㄷ. 전류 증폭률은 베이스에 흐르는 전류에 대한 컬렉터에 흐르는 전류의 비이므로 출력 신호 진폭은 입력 신호 진폭의 β배만큼 증폭된다.

04 트랜지스터

전류 증폭률이 β인 트랜지스터가 연결된 회로에서 컬렉터와 이미터에 연결된 전원의 전압이 V_{CC}, 컬렉터에 연결된 저항의 저항값이 R_C, 베이스에 흐르는 전류의 세기는 I_B, 컬렉터에 흐르는 전류의 세기는 I_C일 때, $I_C=\beta I_B$, 컬렉터(C)와 이미터(E) 사이의 전압은 $V_{CE}=V_{CC}-I_CR_C$가 성립한다.

ㄱ. 트랜지스터가 증폭 작용을 하고 있을 때 베이스(B)와 이미터(E) 사이에는 순방향 전압이 걸린다. 베이스(B)는 (+)극, 이미터(E)는 (−)극이 연결되어 있으므로 B는 E보다 전위가 높다.

ㄴ. $V_{CE}=V_{CC}-I_CR_C$에서 $V_{CC}=10$ V, $I_C=0.04$ A, $R_C=100\ \Omega$이므로 $10-0.04\times100=6$(V)이다.

ㄷ. 전류 증폭률이 200이고 베이스(B)에 흐르는 전류의 세기는 $\frac{0.04}{200}=2\times10^{-4}=200\times10^{-6}$이므로 $I_B=200\ \mu$A이다.

05 축전기에 저장된 전기 에너지

전기 용량이 C인 축전기가 전압이 V인 전원에 연결되어 완전히 충전되었을 때 축전기에 저장되는 전기 에너지는 $U=\frac{1}{2}CV^2$이다.

ㄱ. A, B가 병렬연결되어 있으므로 양단에 걸린 전압은 V로 같고 축전기에 저장된 전기 에너지는 전기 용량에 비례한다. 따라서 전기 용량은 B가 A의 2배이다.

ㄴ. $Q=CV$에서 양단에 걸린 전압이 V로 같으므로 충전된 전하량 Q는 전기 용량에 비례한다. 따라서 충전된 전하량은 B가 A의 2배이다.

ㄷ. A, B의 전기 용량은 각각 $\varepsilon_A\frac{S}{2d}$, $\varepsilon_B\frac{2S}{d}$이고, 전기 용량은 B가 A의 2배이므로 $\varepsilon_B\frac{2S}{d}=2\times\varepsilon_A\frac{S}{2d}$에서 $\varepsilon_A=2\varepsilon_B$이다.

06 축전기와 유전체

A와 B의 극판 면적과 극판 사이의 간격은 같고 B에는 유전율이 $2\varepsilon_0$인 유전체가 채워져 있으므로 A의 전기 용량을 C라고 하면 B의 전기 용량은 $2C$이다.

ㄱ. A와 B는 병렬연결되어 있으므로 양단에 걸린 전압은 같고, B와 C에 걸린 전압이 같으므로 A, B, C 양단에 걸린 전압을 V라 하면, A, B에 충전된 전하량은 각각 CV, $2CV$이고, C에 충전된 전하량은 A와 B에 충전된 전하량의 합과 같으므로 $3CV$이다. 따라서 축전기에 저장된 전하량은 C가 A의 3배이다.

ㄴ. C에 충전된 전하량은 $3CV$, C 양단에 걸린 전압은 V이므로 C의 전기 용량은 $3C$이다. 따라서 전기 용량은 C가 B의 1.5배이다.

ㄷ. A와 B의 극판 면적을 S라 하면 A의 전기 용량은 $C=\varepsilon_0\frac{S}{d}$이고, C의 전기 용량은 $3C=\varepsilon_0\frac{2S}{x}$이므로 $3\varepsilon_0\frac{S}{d}=\varepsilon_0\frac{2S}{x}$에서 $x=\frac{2}{3}d$이다.

07 축전기와 유전체

전기 용량이 C인 축전기가 전압이 V인 전원에 연결되어 완전히 충전될 때 축전기에 충전된 전하량은 $Q=CV$이고, 축전기에 저장되는 전기 에너지는 $U=\frac{1}{2}CV^2$이다.

ㄱ. A와 C의 양단에 걸린 전압은 V로 같고, 충전된 전하량이 같으므로 A와 C의 전기 용량은 서로 같고, 축전기에 저장된 전기 에너지도 A와 C가 같다.

ㄴ. 축전기에 걸린 전압은 B가 C의 2배이고, 축전기에 저장된 전기 에너지가 B가 C의 4배이므로 $\frac{1}{2}C_B(2V)^2=4\times\frac{1}{2}C_CV^2$에서 전기 용량은 B와 C가 서로 같다.

ㄷ. A, B, C의 전기 용량이 모두 같으므로 $\varepsilon\frac{2S}{d}=\varepsilon_B\frac{2S}{d}=\varepsilon_C\frac{S}{2d}$에서 $\varepsilon_B=\varepsilon$, $\varepsilon_C=4\varepsilon$이다.

08 축전기와 저항의 연결

축전기와 저항이 병렬연결되어 있을 때 축전기에 걸리는 전압은 저항에 걸리는 전압과 같다. 문제에 주어진 회로를 축전기와 저항의 연결 구조가 보이도록 나타내면 그림과 같다.

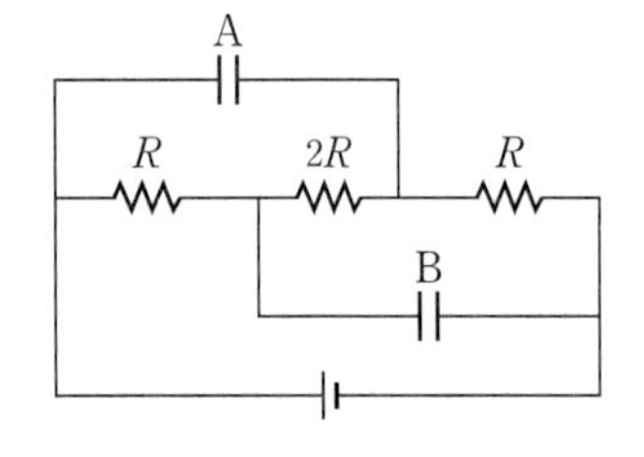

ㄱ. 전원의 전압을 V_0이라 하면, A의 양단에 걸리는 전압은 저항값이 R인 저항과 $2R$인 저항의 양쪽에 걸리는 전압과 같으므로 $\frac{3}{4}V_0$이고, B의 양단에 걸리는 전압 V는 $\frac{3}{4}V_0$이다. 따라서 $V_0=\frac{4}{3}V$이다.

ㄴ. A, B의 전기 용량과 양단에 걸린 전압이 같으므로 축전기에 저장된 전하량은 $Q=CV$에서 A와 B가 서로 같다.

ㄷ. A, B의 전기 용량과 양단에 걸린 전압이 같으므로 축전기에 저장된 전기 에너지는 $U=\frac{1}{2}CV^2$에서 A와 B가 서로 같다.

01 바이어스 전압과 신호의 증폭

트랜지스터가 신호 증폭기로 사용될 때 입력된 신호가 신호의 왜곡(출력 신호(전류)의 윗부분 또는 아랫부분이 잘림)없이 출력되기 위해서는 베이스와 이미터 사이에 적절한 바이어스 전압을 걸어 주어야 한다.

ㄱ. 트랜지스터가 회로에서 증폭 작용을 하고 있을 때, 베이스와 이미터 사이에는 순방향 전압, 베이스와 컬렉터 사이에는 역방향 전압이 걸리게 된다.

ㄴ. 베이스 전류는 $I_B=0.20$ mA이고 컬렉터 전류는 $I_C=40$ mA이므로 전류 증폭률 $\beta=\frac{I_C}{I_B}=200$이다.

ㄷ. (라)의 출력에서 바이어스 전압이 높게 걸려서 출력 신호의 위쪽이 잘린 것이므로 바이어스 전압을 낮추어 베이스에 흐르는 전류(바이어스 전류)를 작게 하면 모든 입력 신호가 증폭되어 출력될 수 있다.

02 트랜지스터의 스위칭 작용

트랜지스터가 스위칭 작용을 할 때, 베이스와 이미터 사이에 순방향 전압이 걸리면 컬렉터 쪽에 전류가 흘러 스위치 ON 상태가 되고, 베이스와 이미터 사이에 전압이 걸리지 않거나 역방향 전압이 걸리면 스위치는 OFF 상태가 되고 컬렉터 쪽에는 전류가 흐르지 않게 된다.

ㄱ. 베이스와 이미터 사이에 사각파를 이용해 순방향 전압이 걸리게 하거나 전압을 걸어 주지 않는 상태를 반복하여 컬렉터에 연결된 LED를 깜빡거리게 하므로 트랜지스터는 스위칭 작용을 한다.

ㄴ. 베이스의 전위가 이미터의 전위보다 높아야 베이스와 이미터 사이에 순방향 전압이 걸리므로 베이스가 p형 반도체인 n-p-n형 트랜지스터이다.

ㄷ. 컬렉터에 연결된 LED가 깜빡이는 것을 통해 입력 신호가 ON 상태일 때 베이스와 이미터 사이에 순방향 전압이 걸림을 알 수 있다.

03 트랜지스터의 증폭 작용

회로에서 트랜지스터가 증폭 작용을 하며 동작하고 있을 때 베이스에 흐르는 전류의 세기를 I_B, 컬렉터에 흐르는 전류의 세기를 I_C라 하면 전류 증폭률은 $\beta=\frac{I_C}{I_B}$이다.

ㄱ. A, B가 동작하고 있을 때 베이스와 이미터 사이에는 순방향 전압이 걸리므로 A는 n-p-n형, B는 p-n-p형 트랜지스터이다.

ㄴ. 전류 증폭률이 β이므로 저항값이 $5R$인 저항에 흐르는 전류의 세기는 βI이다.

ㄷ. 저항값이 $5R$인 저항의 소비 전력은 $\beta^2I^2(5R)$이고, 저항값이 $16R$인 저항에 흐르는 전류의 세기는 $(\beta+1)I$이므로 소비 전력은 $(\beta+1)^2I^2(16R)$이다. 두 저항에서 소비 전력이 5배 차이가 나므로 $16(\beta+1)^2=25\beta^2$에서 $\beta=4$이다.

04 축전기의 연결

두 저항이 직렬연결되어 있을 때 각 저항에 흐르는 전류의 세기가 같으므로 저항 양단에 걸린 전압은 저항값에 비례한다. 두 축전기가 직렬연결되어 있을 때 각 축전기에 충전되는 전하량이 같으므로 $V=\frac{Q}{C}$에서 축전기 양단에 걸린 전압은 축전기의 전기 용량 C에 반비례한다.

ㄱ. $I=\frac{V}{R}$에서 $I=\frac{12}{5+15+4}=\frac{1}{2}$(A)이다.

ㄴ. 저항값이 5 Ω인 저항 양단에 걸린 전압은 $\frac{1}{2}\times 5=2.5$(V)이고, A와 B 전체에 걸린 전압은 저항값이 5 Ω인 저항과 15 Ω인 저항의 양단에 걸린 전압과 같으므로 $12\times\frac{20}{24}=10$(V)이다. A와 B는 직렬 연결되어 있으므로 A, B 양단에 걸린 전압은 각 축전기의 전기 용량에 반비례하므로 B에 걸린 전압은 $10\times\frac{1}{5}=2$(V)이다. 따라서 a와 b 사이의 전압은 B 양단에 걸린 전압보다 크다.

ㄷ. b와 c 사이에 걸린 전압은 $10\times\frac{4}{5}=8$(V)이고, 5 Ω인 저항 양단에 걸린 전압은 2.5 V이다. b를 기준으로 a는 2.5 V 전압이 낮고, c는 8 V 전압이 낮으므로 $V=8-2.5=5.5$(V)이다.

05 축전기의 연결

전기 용량이 C인 평행판 축전기가 전압이 V인 전원에 연결되어 완전히 충전되었을 때, 축전기에 저장된 전하량은 $Q=CV$이고, 병렬 연결된 두 축전기 양단의 전압은 같다.

ㄱ. (가)에서 $Q_A=6CV$, $Q_B=4CV$이므로 저장된 전하량은 A가 B의 1.5배이다.

ㄴ. (가)에서 A의 a와 B의 c는 모두 양(+)전하로 대전된 극판의 단자이고, A의 b와 B의 d는 모두 음(−)전하로 대전된 극판의 단자이므로 (나)에서 A, B 전체에 충전된 전하량은 $6CV+4CV=10CV$이고, (다)에서는 $6CV-4CV=2CV$이다. 따라서 A와 B 전체에 저장된 전하량은 (나)에서가 (다)에서의 5배이다.

ㄷ. (나), (다)에서 A와 B가 병렬되어 있으므로 양단에 걸린 전압은 각각 같다. (나)에서 A 양단의 전압을 $V_{(나)}$, A와 B에 저장된 전하량을 각각 Q_1, Q_2라 하면, $V_{(나)}=\frac{Q_1}{C}=\frac{Q_2}{4C}$가 성립하고, $Q_1+Q_2=10CV$가 성립한다. (다)에서 A 양단의 전압을 $V_{(다)}$, A와 B에 저장된 전하량을 각각 Q_1', Q_2'라 하면, $V_{(다)}=\frac{Q_1'}{C}=\frac{Q_2'}{4C}$가 성립하고, $Q_1'+Q_2'=2CV$가 성립한다. 정리하면 $Q_1=2CV$, $Q_2=8CV$, $Q_1'=0.4CV$, $Q_2'=1.6CV$이다. $V_{(나)}=2V$, $V_{(다)}=0.4V$이므로 a와 b 사이에 걸린 전압은 (나)에서가 (다)에서의 5배이다.

06 축전기에 저장된 전기 에너지

A는 극판 면적은 S, 극판 사이의 간격은 d, 내부는 각각 진공과 유전율이 ε_1인 두 축전기의 병렬연결, B는 유전율이 ε_1, ε_2인 두 축전기의 병렬연결 구조로 생각할 수 있다.

ㄱ. 충전된 전하량이 B가 A의 2배이므로 B의 전기 용량은 $2C$이다

ㄴ. A의 전기 용량은 $(\varepsilon_0+\varepsilon_1)\frac{S}{d}$, B의 전기 용량은 $(\varepsilon_1+\varepsilon_2)\frac{S}{d}$이므로 $\varepsilon_1+\varepsilon_2=2(\varepsilon_0+\varepsilon_1)$에서 $\varepsilon_2-\varepsilon_1=2\varepsilon_0$이다.

ㄷ. 축전기에 저장된 전기 에너지는 $U=\frac{1}{2}CV^2$에서 양단에 걸린 전압 V가 일정할 때 전기 용량 C에 비례한다. 전기 용량은 B가 A의 2배이므로 축전기에 저장된 전기 에너지는 B가 A의 2배이다.

테마 09 전류에 의한 자기장

닮은 꼴 문제로 유형 익히기 (본문 71쪽)

정답 ②

P의 중심에서 P의 전류에 의한 자기장의 방향은 xy 평면에 수직이고, Q와 R의 전류에 의한 자기장의 방향은 xy 평면에 나란하다. 따라서 P의 중심에서 P, Q, R의 전류에 의한 자기장의 y성분은 Q, R의 전류에 의한 자기장의 y성분과 같다.

ㄱ. $I_R=I_0$일 때 $B_y=0$이므로 P의 중심에서 Q, R 각각의 전류에 의한 자기장의 y성분의 방향이 서로 반대이다. 따라서 Q와 R에 흐르는 전류의 방향은 서로 같다.

ㄴ. $I_R=I_0$일 때 $B_y=0$이므로 Q, R 각각의 전류에 의한 자기장의 y성분의 크기가 서로 같다. 따라서 Q에 흐르는 전류의 세기를 I_Q라고 하면 $k\frac{I_Q}{\sqrt{2}d}\times\frac{1}{\sqrt{2}}=k\frac{I_0}{\sqrt{2}d}\times\frac{1}{\sqrt{2}}$에서 $I_Q=I_0$이다.

ㄷ. $I_R=0$일 때 P의 중심에서 Q, R의 전류에 의한 자기장의 y성분이 B_0이므로 Q의 전류에 의한 자기장의 y성분이 B_0이고, Q의 전류에 의한 자기장의 x성분의 크기는 B_0이다. Q, R의 전류의 방향이 서로 같으므로 $I_R=I_0$일 때 P의 중심에서 Q, R 각각의 전류에 의한 자기장의 x성분은 방향이 같고 세기가 B_0으로 같다. 따라서 $I_R=I_0$일 때 P의 중심에서 세 도선의 전류에 의한 자기장의 세기는 $\sqrt{B_0^2+(2B_0)^2}=\sqrt{5}B_0$이다.

수능 2점 테스트 (본문 72~73쪽)

01 ③	02 ⑤	03 ①	04 ④	05 ④
06 ①	07 ②	08 ⑤		

01 솔레노이드에 흐르는 전류에 의한 자기력선

솔레노이드 중심에서 솔레노이드에 흐르는 전류에 의한 자기장의 방향은 오른손의 네 손가락을 전류의 방향으로 감아쥘 때 엄지손가락이 향하는 방향이다.

ㄱ. r에서 자기장의 방향이 $+x$방향이므로 솔레노이드에 흐르는 전류의 방향은 ⓑ이다.

ㄴ. 자기력선의 밀도가 클수록 자기장의 세기가 크므로 솔레노이드의 전류에 의한 자기장의 세기는 p에서가 q에서보다 작다.

ㄷ. p에서 솔레노이드의 전류에 의한 자기장의 방향은 오른손의 네 손가락을 전류의 방향으로 감아쥘 때 엄지손가락이 향하는 방향인 $-x$방향이다.

02 직선 도선에 흐르는 전류에 의한 자기력선

무한히 긴 직선 도선에 흐르는 전류에 의한 자기장의 세기는 전류의 세기에 비례하고 도선으로부터 거리에 반비례한다.

ㄱ. A 주변의 자기장의 방향이 시계 반대 방향이므로 A에 흐르는 전류의 방향은 xy 평면에서 수직으로 나오는 방향이다.

ㄴ. x축상의 A와 B 사이에서 A의 전류에 의한 자기장의 방향과 B의 전류에 의한 자기장의 방향이 $+y$방향으로 같다. 따라서 x축상의 A와 B 사이에 A, B의 전류에 의한 자기장이 0인 지점이 없다.
ㄷ. p에서 A, B 각각의 전류에 의한 자기장을 B_A, B_B라고 하면 그림과 같이 p에서 A, B의 전류에 의한 자기장 B_A+B_B의 방향은 $+y$방향이다.

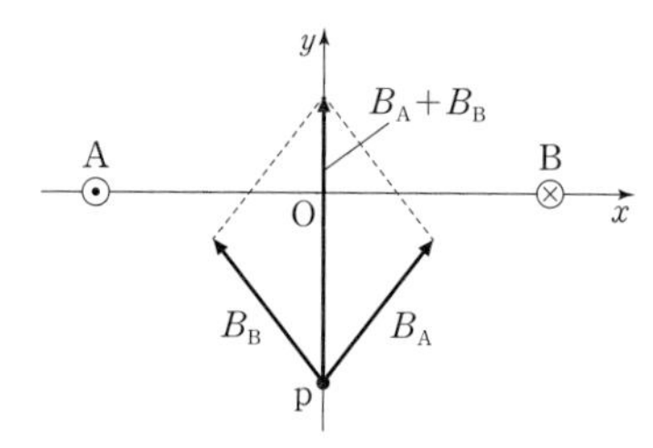

03 직선 도선에 흐르는 전류에 의한 자기장

p, q에서 A, B의 전류에 의한 자기장의 세기가 같으므로 p에서 A의 전류에 의한 자기장의 방향과 B의 전류에 의한 자기장의 방향은 서로 반대이다.
ㄱ. p, q에서 B의 전류에 의한 자기장의 세기가 같으므로, A, B의 전류에 의한 자기장의 세기가 같기 위해서는 p에서는 A의 전류에 의한 자기장의 세기가 B의 전류에 의한 자기장의 세기보다 커야 하고, q에서는 B의 전류에 의한 자기장의 세기가 A의 전류에 의한 자기장의 세기보다 커야 한다. 따라서 A에 흐르는 전류의 방향은 $+y$방향, B에 흐르는 전류의 방향은 $-y$방향이다.
ㄴ. q에서 B의 전류에 의한 자기장의 세기가 A의 전류에 의한 자기장의 세기보다 크므로 q에서 A, B의 전류에 의한 자기장의 방향은 B의 전류에 의한 자기장의 방향과 같다. 따라서 q에서 A, B의 전류에 의한 자기장의 방향은 xy 평면에서 수직으로 나오는 방향이다.
ㄷ. A, B에 흐르는 전류의 세기를 각각 I_A, I_B라고 하면, p, q에서 A, B의 전류에 의한 자기장의 세기가 같으므로 $k\frac{I_A}{d}-k\frac{I_B}{2d}=k\frac{I_B}{2d}-k\frac{I_A}{3d}$에서 $I_B=\frac{4}{3}I_A$이다. 따라서 A에 흐르는 전류의 세기는 B에 흐르는 전류의 세기보다 작다.

04 직선 도선에 흐르는 전류에 의한 자기장

B에 흐르는 전류의 세기 I_B가 각각 I_0, $4I_0$일 때 나침반의 자침이 북쪽으로부터 서로 반대 방향으로 회전하였다. 따라서 A, B에 흐르는 전류의 방향은 서로 같은 방향이고, A에 흐르는 전류의 세기 I_A는 $I_0<I_A<4I_0$이다.
ㄱ. $I_A>I_B$일 때 자침이 시계 방향으로 회전하였으므로 p에서 A의 전류에 의한 자기장의 방향은 동쪽이다. 따라서 A에 흐르는 전류의 방향은 수평면에서 수직으로 나오는 방향이다.
ㄴ. $I_B=I_0$, $I_B=4I_0$일 때 자침의 회전각이 같으므로 p에서 A, B의 전류에 의한 자기장의 세기가 같다. 따라서 A, B에서 p까지 거리를 d라고 하면, $k\frac{I_A}{d}-k\frac{I_0}{d}=k\frac{4I_0}{d}-k\frac{I_A}{d}$에서 $I_A=\frac{5}{2}I_0$이다.
ㄷ. p에서 A의 전류에 의한 자기장의 세기를 B_A, 지구 자기장의 세기를 $B_{지구}$라고 하면, $I_B=I_0$일 때 p에서 B의 전류에 의한 자기장의 세기가 $\frac{2}{5}B_A$이므로 $B_A-\frac{2}{5}B_A=B_{지구}$에서 $B_A=\frac{5}{3}B_{지구}$이다.

05 직선 도선에 흐르는 전류에 의한 자기장

y축상의 $y=d$인 점에서 A, B의 전류에 의한 자기장의 방향이 $-y$방향이므로 B의 전류에 의한 자기장의 y성분이 $-y$방향이어야 한다.
ㄱ. y축상의 $y=d$인 점에서 B의 전류에 의한 자기장의 y성분의 방향이 $-y$방향이므로 B에 흐르는 전류의 방향은 xy 평면에서 수직으로 나오는 방향이다. $y=d$인 점에서 B의 전류에 의한 자기장의 x성분이 $-x$방향이므로 A에 흐르는 전류의 방향은 xy 평면에 수직으로 들어가는 방향이다.
ㄴ. y축상의 $y=d$인 점에서 A의 전류에 의한 자기장의 세기와 B의 전류에 의한 자기장의 x성분의 세기가 서로 같다. 따라서 $k\frac{I_A}{d}=\frac{1}{\sqrt{2}}\times k\frac{I_B}{\sqrt{2}d}$에서 $I_B=2I_A$이다.
ㄷ. y축상의 $y=d$인 점에서 B의 전류에 의한 자기장의 x성분의 크기와 y성분의 크기가 B_0으로 같으므로 $k\frac{I_B}{\sqrt{2}d}=\sqrt{2}B_0$이다. 따라서 p에서 B의 전류에 의한 자기장의 세기는 $k\frac{I_B}{d}=2B_0$이다.

06 직선 도선에 흐르는 전류에 의한 자기장

A의 전류에 의한 자기장의 방향과 B의 전류에 의한 자기장의 방향이 (가)의 p에서는 서로 나란하고 (나)의 p에서는 서로 수직이다. (가)의 p에서 A의 전류에 의한 자기장의 방향과 B의 전류에 의한 자기장의 방향이 서로 반대이면, p에서 A, B의 전류에 의한 자기장의 세기는 (나)에서가 (가)에서보다 크다. 따라서 (가)의 p에서 A의 전류에 의한 자기장의 방향과 B의 전류에 의한 자기장의 방향은 서로 같다.
ㄱ. (가)의 p에서 A, B 각각의 전류에 의한 자기장의 세기를 B_A, B_B라고 하면, $B_A+B_B=\sqrt{2}\times\sqrt{B_A{}^2+B_B{}^2}$에서 $B_A=B_B$이다. 따라서 A, B에 흐르는 전류의 세기는 서로 같다.
ㄴ. (가)의 p에서 A의 전류에 의한 자기장의 방향과 B의 전류에 의한 자기장의 방향이 서로 같으므로 A, B에 흐르는 전류의 방향은 서로 반대이다.
ㄷ. (가)의 q에서 A, B의 전류에 의한 자기장의 세기는 $\frac{B_A}{\sqrt{2}}\cos45^\circ+\frac{B_B}{\sqrt{2}}\cos45^\circ=B_A$이고, (나)의 q에서 A, B의 전류에 의한 자기장의 세기는 $\sqrt{B_A{}^2+\left(\frac{B_B}{\sqrt{2}}\right)^2}=\frac{\sqrt{6}}{2}B_A$이다. 따라서 q에서 A, B의 전류에 의한 자기장의 세기는 (나)에서가 (가)에서보다 크다.

07 원형 전류와 직선 전류에 의한 자기장

O에서 A, B 각각의 전류에 의한 자기장의 방향은 종이면에 수직이고, C의 전류에 의한 자기장은 종이면에 나란하다.
ㄱ. (가), (나)의 O에서, C의 전류에 의한 자기장의 세기가 같으므로 A, B, C의 전류에 의한 자기장의 세기가 같기 위해서는 A, B의 전류에 의한 자기장의 세기가 같아야 한다. 따라서 O에서 A의 전류에 의한 자기장의 방향과 B의 전류에 의한 자기장의 방향은 서로 반대이어야 하므로 O에서 A의 전류에 의한 자기장의 방향은 종이면에 수직으로 들어가는 방향이다.

ㄴ. O에서 A의 전류에 의한 자기장의 방향이 종이면에 수직으로 들어가는 방향이므로 A에 흐르는 전류의 방향은 시계 방향이다.

ㄷ. (가), (나)의 O에서 A, B의 전류에 의한 자기장은 세기는 서로 같고 방향은 서로 반대이며, C의 전류에 의한 자기장은 세기와 방향이 모두 같다. 따라서 (가), (나)의 O에서 A, B, C의 전류에 의한 자기장의 종이면에 나란한 성분은 서로 같지만 종이면에 수직인 성분은 방향이 서로 반대이므로 O에서 A, B, C의 전류에 의한 자기장의 방향은 (가)에서와 (나)에서가 서로 다르다.

08 원형 전류와 직선 전류에 의한 자기장

p에서 A, B, C의 전류에 의한 자기장이 0이므로, A의 전류에 의한 자기장과 B, C의 전류에 의한 자기장은 크기는 서로 같고 방향은 서로 반대이다.

ㄱ. p에서 A의 전류에 의한 자기장의 방향은 A에 흐르는 전류의 방향으로 오른손 네 손가락을 감아쥐고 엄지손가락을 세웠을 때 엄지손가락이 향하는 $-x$방향이다.

ㄴ. p에서 A, B, C의 전류에 의한 자기장이 0이므로 B, C의 전류에 의한 자기장의 방향은 $+x$방향이다. 따라서 B, C에 흐르는 전류의 방향은 모두 xy 평면에 수직으로 들어가는 방향이다.

ㄷ. p에서 B, C의 전류에 의한 자기장의 방향이 $+x$방향이므로 B, C에 흐르는 전류의 세기는 서로 같다.

수능 3점 테스트

본문 74~75쪽

01 ⑤ 02 ① 03 ④ 04 ③

01 직선 도선에 흐르는 전류에 의한 자기장

p에서 A, B, C의 전류에 의한 자기장이 0이고 B의 전류에 의한 자기장의 방향은 x축과 나란하므로 A, C의 전류에 의한 자기장의 방향도 x축과 나란하다.

ㄱ. A에 흐르는 전류의 방향이 xy 평면에 수직으로 들어가는 방향이므로 p에서 A, C의 전류에 의한 자기장의 방향이 x축과 나란하기 위해서는 C에 흐르는 전류의 방향은 xy 평면에 수직으로 들어가는 방향이어야 하고, 이때 p에서 A, C의 전류에 의한 자기장의 방향은 $+x$방향이다. 따라서 p에서 B의 전류에 의한 자기장의 방향이 $-x$방향이어야 하므로 B에 흐르는 전류의 방향은 xy 평면에서 수직으로 나오는 방향이다.

ㄴ. p에서 A의 전류에 의한 자기장의 세기를 B_A, C의 전류에 의한 자기장의 세기를 B_C라고 하고, p에서 B_A와 B_C 및 A와 C의 전류에 의한 합성 자기장 $B_{(A+C)}$를 그림으로 나타내면 다음과 같다.

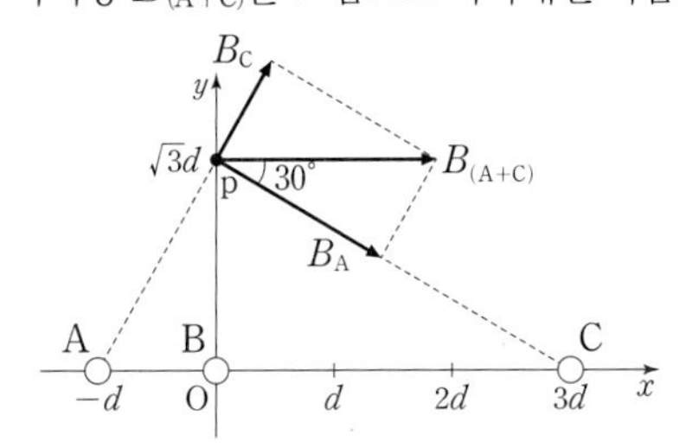

p에서 A의 전류에 의한 자기장의 y성분의 크기와 C의 전류에 의한 자기장의 y성분의 크기가 같아야 하므로 $B_A\sin30° = B_C\sin60°$에서 $B_A = \sqrt{3}B_C$이다.

ㄷ. $B_{(A+C)} = B_A\cos30° + B_C\cos60° = \frac{2\sqrt{3}}{3}B_A$이고, $B_A = k\frac{I_0}{2d}$이므로 $B_{(A+C)} = \frac{\sqrt{3}kI_0}{3d}$이다. B에 흐르는 전류의 세기를 I_B라고 하면, p에서 A, B, C의 전류에 의한 자기장의 세기가 0이므로 $\frac{\sqrt{3}kI_0}{3d} = k\frac{I_B}{\sqrt{3}d}$에서 $I_B = I_0$이다.

02 직선 도선에 흐르는 전류에 의한 자기장

O에서 A, B, C의 전류에 의한 자기장의 x성분이 $+x$방향이므로 A에 흐르는 전류의 방향은 xy 평면에서 수직으로 나오는 방향이다.

ㄱ. O에서 B, C의 전류에 의한 자기장의 방향은 $+y$방향이다. $x=d$에서 A의 전류에 의한 자기장의 y성분이 $+y$방향이므로 B, C의 전류에 의한 자기장의 방향은 $-y$방향이다. 따라서 B에 흐르는 전류의 방향은 xy 평면에서 수직으로 나오는 방향이고, C에 흐르는 전류의 방향은 xy 평면에 수직으로 들어가는 방향이다.

ㄴ. $x=d$에서 A의 전류에 의한 자기장의 x성분의 세기가 B_0이므로 A의 전류에 의한 자기장의 세기는 $\sqrt{2}B_0$이다. 따라서 O에서 A의 전류에 의한 자기장의 세기는 $2B_0$이다.

ㄷ. O에서 A의 전류에 의한 자기장의 세기는 $2B_0$이고 $\tan\theta = \frac{1}{2}$이므로 B, C의 전류에 의한 자기장의 세기는 B_0이다. 또한 $x=d$인 지점에서 A의 전류에 의한 자기장의 y성분의 세기가 B_0이므로 B, C의 전류에 의한 자기장의 세기도 B_0이다. 따라서 B, C에 흐르는 전류의 세기를 각각 I_B, I_C라고 하면, $k\frac{I_C}{3d} - k\frac{I_B}{2d} = k\frac{I_B}{d} - k\frac{I_C}{2d} = B_0$에서 $I_C = \frac{9}{5}I_B$이다.

03 직선 도선에 흐르는 전류에 의한 자기장

O에서 A, B, C 각각의 전류에 의한 자기장의 세기를 B_0, B_0, B_C라고 하면, O, p에서 A, B, C의 전류에 의한 자기장의 x성분과 y성분은 다음 표와 같다.

구분	B에 흐르는 전류의 방향	위치	A, B, C의 전류에 의한 자기장의 성분	
			x성분	y성분
Ⅰ	⊙	O	0	$\pm B_C$
		p	0	$\pm\frac{B_C}{2} + B_0$
Ⅱ	⊗	O	$2B_0$	$\pm B_C$
		p	B_0	$\pm\frac{B_C}{2}$

⊙: xy 평면에서 수직으로 나오는 방향
⊗: xy 평면에 수직으로 들어가는 방향

ㄱ. Ⅱ의 경우 자기장의 x성분, y성분이 각각 O에서가 p에서의 2배이므로 O, p에서 A, B, C의 전류에 의한 자기장의 세기가 같다는 문제 조건에 부합하지 않는다. 따라서 B에 흐르는 전류의 방향은 xy 평면에서 수직으로 나오는 방향이다.

×. Ⅰ의 경우 O, p에서 A, B, C의 전류에 의한 자기장의 방향이 서로 반대가 되려면 O에서 자기장의 y성분은 $-B_C$이고, p에서 자기장의 y성분은 $-\frac{B_C}{2}+B_0$이어야 한다. 따라서 C에 흐르는 전류의 방향은 xy 평면에 수직으로 들어가는 방향이다.

㉢. O, p에서 A, B, C의 전류에 의한 자기장의 세기는 서로 같고, 방향은 서로 반대이므로, $B_C=-\frac{B_C}{2}+B_0$에서 $B_C=\frac{2}{3}B_0$이다. 따라서 전류의 세기는 C에서가 A에서의 $\frac{2}{3}$배이다.

04 원형 도선에 흐르는 전류에 의한 자기장

O에서 A, B의 전류에 의한 자기장의 방향이 $\theta=0°$일 때와 $\theta=180°$일 때가 서로 같으므로 O에서 A의 전류에 의한 자기장의 세기가 B의 전류에 의한 자기장의 세기보다 크다.

㉠. $\theta=0°$일 때 $k'\frac{I_A}{2d}+k'\frac{I_B}{d}=3B_0$이고, $\theta=180°$일 때 $k'\frac{I_A}{2d}-k'\frac{I_B}{d}=B_0$이다. 따라서 $I_B=\frac{I_A}{4}$이고, $k'\frac{I_A}{2d}=2B_0$, $k'\frac{I_B}{d}=B_0$이다.

㉡. $\theta=90°$일 때 O에서 A의 전류에 의한 자기장의 방향과 B의 전류에 의한 자기장의 방향이 서로 수직이다. 따라서 $\theta=90°$일 때 O에서 A, B의 전류에 의한 자기장의 세기는 $\sqrt{(2B_0)^2+B_0^2}=\sqrt{5}B_0$이다.

×. $\theta=90°$일 때 A, B의 전류에 의한 자기장의 방향이 x축과 이루는 각을 θ_0이라고 하면, $\tan\theta_0=\frac{2B_0}{B_0}$이므로 θ_0은 30°가 아니다.

테마 10 전자기 유도와 상호유도

닮은 꼴 문제로 유형 익히기 (본문 78쪽)

정답 ⑤

Ⅰ, Ⅱ에서 자기장의 방향이 서로 반대이므로 금속 고리는 $0\leq t\leq 2t_0$ 동안 90° 회전한다.

⑤ Ⅰ, Ⅱ에서 자기장의 세기는 B로 같고, 유도 전류의 세기는 $2t_0<t\leq 3t_0$ 동안이 $0\leq t\leq 2t_0$ 동안의 2배이므로 $\omega_2=2\omega_1$이고, $2t_0<t\leq 3t_0$ 동안 90° 회전한다. 각속도 ω_1로 회전하는 동안 금속 고리에 유도되는 기전력의 크기(V)는 $V=B\frac{\frac{1}{4}\pi d^2}{2t_0}$이고 $\omega_1=\frac{\frac{\pi}{2}}{2t_0}$이므로 $V=\frac{Bd^2\omega_1}{2}$이다. 따라서 $I_0=\frac{V}{R}=\frac{Bd^2\omega_1}{2R}$이므로 $\omega_1=\frac{2I_0R}{Bd^2}$이고, $\omega_1+\omega_2=\frac{6I_0R}{Bd^2}$이다.

수능 2점 테스트 (본문 79~81쪽)

01 ④	02 ②	03 ⑤	04 ①	05 ③
06 ③	07 ②	08 ④	09 ⑤	10 ⑤
11 ①	12 ④			

01 자기 선속

금속 고리의 면적을 S, 자기장의 세기를 B라 할 때, 고리를 통과하는 자기 선속은 $\Phi=BS$이다.

④ A, B를 통과하는 자기 선속의 크기가 Φ_0으로 같으므로 Ⅰ과 Ⅱ의 자기장의 방향은 서로 반대이고 B를 통과하는 Ⅱ에 의한 자기 선속의 크기는 $2\Phi_0$이다. 따라서 Ⅱ에 걸쳐있는 면적이 C가 B의 2배이므로, C를 통과하는 자기 선속의 크기는 $4\Phi_0$이다.

02 전자기 유도

자석이 코일에 가까워지는 동안 코일을 통과하는 자기 선속이 증가하므로 코일에는 자기 선속을 감소시키는 방향으로 유도 전류가 흐른다.

×. 자석이 코일에 가까워지는 동안 서로 미는 자기력이 작용하고, 자석이 코일에서 멀어지는 동안 서로 당기는 자기력이 작용한다. 따라서 자석이 코일로부터 받는 자기력의 방향은 t_1일 때와 t_2일 때가 서로 같다.

㉡. t_1일 때 코일을 통과하는 아래 방향의 자기장에 의한 자기 선속이 증가하므로 코일에 흐르는 유도 전류에 의한 자기장의 방향은 위 방향이다. 따라서 t_1일 때 유도 전류의 방향은 a → 저항 → b이다.

×. 코일과 자석 사이의 거리가 t_1, t_2일 때 서로 같고 유도 전류의 크기는 t_2일 때가 t_1일 때보다 크므로 자석의 속력은 t_2일 때가 t_1일 때보다 크다.

03 전자기 유도

금속 고리가 자기장 영역으로 들어갈 때 금속 고리에 유도되는 기전력의 크기는 고리를 통과하는 자기 선속의 시간에 따른 변화율의 크기에 비례한다.

ㄱ. A, C의 속력이 서로 같고 A, C에 유도되는 기전력의 크기가 서로 같으므로, A와 C가 모눈 한 칸을 이동하는 동안 자기 선속의 변화량의 크기도 서로 같다. 따라서 Ⅰ, Ⅱ의 자기장의 방향은 서로 반대이고, $B_1 < B_2$이어야 한다.

ㄴ. 모눈 한 칸의 면적을 S라고 하면, $B_1 \times 3S = B_2 \times 2S - B_1 \times S$에서 $B_2 = 2B_1$이다.

ㄷ. Ⅱ의 자기장의 세기가 Ⅰ의 자기장의 세기의 2배이고 A와 B의 속력이 같으므로, 유도 기전력의 크기는 B에서가 A에서의 2배이다.

04 전자기 유도

A가 균일한 자기장 영역에 들어가거나 나오는 동안 기전력의 크기는 A의 속력에 비례한다.

ㄱ. $t=2t_0$인 순간은 A가 균일한 자기장 영역에 완전히 들어가 있는 순간이고, $t=6t_0$인 순간은 A가 균일한 자기장에 반이 걸쳐있는 순간이다. 따라서 A를 통과하는 자기 선속은 $t=2t_0$일 때가 $t=6t_0$일 때의 2배이다.

ㄴ. $t=t_0$일 때 A를 통과하는 xy 평면에서 수직으로 나오는 방향의 자기장에 의한 자기 선속이 증가하므로 A의 전류에 의한 자기장의 방향은 xy 평면에 수직으로 들어가는 방향이다. 따라서 p에 흐르는 유도 전류의 방향은 $-y$방향이다.

ㄷ. $t=6t_0$일 때, A에 유도되는 기전력의 크기는 $B_0 \times 2d \times v = B_0 \times 2d \times \frac{2d}{6t_0} = \frac{2B_0d^2}{3t_0}$이다.

05 전자기 유도

A가 이동하면 저항과 A가 연결된 회로의 면적이 변하므로 유도 기전력이 발생한다.

ㄱ. $t=t_0$일 때 저항에 흐르는 유도 전류의 방향이 $+y$방향이므로 유도 전류에 의한 자기장의 방향은 xy 평면에 수직으로 들어가는 방향이다. 따라서 $x>0$에서 직선 도선에 흐르는 전류에 의한 자기장의 방향은 xy 평면에서 수직으로 나오는 방향이어야 하므로 직선 도선에 흐르는 전류의 방향은 $-y$방향이다.

ㄴ. 직선 도선에 흐르는 전류에 의한 자기장의 세기는 직선 도선으로부터 거리가 클수록 작으므로 $t=t_0$부터 $t=3t_0$까지 저항 양단에 걸리는 전압은 감소한다.

ㄷ. A의 위치는 $t=2t_0$일 때와 $t=12t_0$일 때가 같고, 속력은 $t=2t_0$일 때가 $t=12t_0$일 때보다 크다. 따라서 저항에 흐르는 유도 전류의 세기는 $t=2t_0$일 때가 $t=12t_0$일 때보다 크다.

06 전자기 유도

자기장이 B로 일정할 때 유도 기전력(V)은 $V=-B\frac{\Delta S}{\Delta t}$($S$: 자기장이 통과하는 면적)이고, 유도 전류의 방향은 자기 선속의 변화를 방해하는 방향이다.

③ 회전 주기를 $4T$라고 하면 0부터 T까지 Ⅰ에 의해 A를 통과하는 자기 선속이 일정하게 증가하므로 일정한 세기의 유도 전류가 p → O → q 방향으로 흐른다. T부터 $2T$까지는 Ⅰ에 의해 A를 통과하는 자기 선속은 변하지 않고 Ⅱ에 의해 A를 통과하는 자기 선속이 일정하게 증가하므로 일정한 세기의 유도 전류가 q → O → p 방향으로 흐른다. 이와 같은 방법으로 생각하면 $2T$부터 $3T$까지는 일정한 세기의 유도 전류가 q → O → p 방향으로 흐르고, $3T$부터 $4T$까지는 일정한 세기의 유도 전류가 p → O → q 방향으로 흐른다. A의 각속도가 일정하고 Ⅰ, Ⅱ의 자기장의 세기가 서로 같으므로 각 시간 구간에서 유도 전류의 세기도 같다. 따라서 A가 한 바퀴 회전하는 동안 A에 흐르는 유도 전류를 나타낸 그래프로 가장 적절한 것은 ③이다.

07 전자기 유도

A가 회전하는 동안 R_1과 A로 구성된 회로의 면적은 감소하고, R_2와 A로 구성된 회로의 면적은 증가한다.

ㄱ. R_1과 A로 구성된 회로를 통과하는 xy 평면에 수직으로 들어가는 방향의 자기장에 의한 자기 선속이 감소하므로 유도 전류에 의한 자기장의 방향은 xy 평면에 수직으로 들어가는 방향이다. 따라서 R_1에 흐르는 유도 전류의 방향은 $+x$방향이다.

ㄴ. ㄱ과 같은 방식으로 생각하면 R_2에 흐르는 유도 전류의 방향은 $-x$방향이다. 따라서 A에 흐르는 유도 전류의 세기는 R_1에 흐르는 유도 전류의 세기와 R_2에 흐르는 유도 전류의 세기의 합과 같다.

ㄷ. A가 $\frac{1}{4}$주기$\left(\Delta t=\frac{\pi}{2\omega}\right)$ 동안 회전하는 동안 면적 변화량의 크기가 $\Delta S=\frac{\pi r^2}{4}$이므로 유도 기전력의 크기는 $B_0\frac{\Delta S}{\Delta t}=\frac{B_0\omega r^2}{2}$이다. 따라서 R_1 양단에 걸리는 전압은 $\frac{B_0\omega r^2}{2}$이다.

08 전자기 유도

자기장이 통과하는 면적이 S로 일정할 때 유도 기전력의 크기(V)는 $V=S\left|\frac{\Delta B}{\Delta t}\right|$($B$: 자기장)이고, 유도 전류의 방향은 자기 선속의 변화를 방해하는 방향이다.

ㄱ. $t=3t_0$일 때 균일한 자기장의 세기가 감소하고 유도 전류에 의한 자기장의 방향은 종이면에 수직으로 들어가는 방향이다. 따라서 균일한 자기장의 방향은 종이면에 수직으로 들어가는 방향이다.

ㄴ. 자기장 영역에 놓인 금속 고리의 면적은 일정하므로 유도 기전력의 크기는 자기장의 시간에 따른 변화율의 크기에 비례한다. 따라서 유도 기전력의 크기는 $t=3t_0$일 때가 $t=t_0$일 때보다 작다.

ㄷ. 유도 기전력의 크기는 $\frac{1}{2}\pi r^2 \times \frac{B_0}{2t_0} = \frac{\pi B_0 r^2}{4t_0}$이다.

09 전자기 유도

균일한 자기장에 의한 유도 기전력의 크기는 금속 고리를 통과하는 균일한 자기장에 의한 자기 선속의 시간에 따른 변화율의 크기에 비례한다.

ㄱ. 금속 고리의 회전 주기는 자기 선속의 주기와 같은 $4t_0$이다.

ㄴ. 금속 고리를 통과하는 자기 선속이 $t=0$인 순간에는 변하지 않고 $t=2t_0$인 순간에는 변한다. 따라서 금속 고리에 흐르는 유도 전류의 세기는 $t=t_0$일 때가 $t=2t_0$일 때보다 작다.
ㄷ. $t=2t_0$일 때 균일한 자기장에 수직인 면적의 변화율이 최대이므로 유도 전류의 세기도 최대이다. $t=t_0$부터 $t=2t_0$까지 고리를 통과하는 자기 선속이 감소하므로 유도 전류에 의한 자기장의 x성분은 $+x$방향이다. 따라서 $t=2t_0$일 때 균일한 자기장에 의해 p에 흐르는 유도 전류의 방향은 $-y$방향이다.

10 상호유도의 이용

한쪽 코일에 흐르는 전류의 변화에 의한 자기 선속의 변화로 근처에 있는 다른 코일에서 유도 기전력이 발생하는 현상을 상호유도라고 한다.
Ⓐ. 변압기는 상호유도를 이용하여 전압을 바꾸는 장치이다.
Ⓑ. 금속 탐지기의 전송 코일에서 생성되는 자기장의 변화에 의해 금속 동전에 유도 전류가 흐르고, 금속 동전에 흐르는 유도 전류에 의한 자기장의 변화에 의해 금속 탐지기의 수신 코일에 유도 전류가 흐른다.
Ⓒ. 고압 방전 장치의 1차 코일에 전류를 흐르게 하다가 갑자기 끊으면 상호유도에 의해 2차 코일에 유도 기전력이 발생한다.

11 상호유도

2차 코일에 유도되는 기전력의 크기는 시간에 따른 I_1의 변화율의 크기에 비례한다.
X. I_1의 크기가 클수록 자기장의 세기도 크다. 따라서 2차 코일을 통과하는 I_1에 의한 자기 선속은 $t=t_0$일 때가 $t=3t_0$일 때보다 작다.
ㄴ. 2차 코일에 유도되는 기전력의 크기는 시간에 따른 I_1의 변화율의 크기가 더 큰 $t=t_0$일 때가 $t=2t_0$일 때보다 크다.
X. $t=t_0$일 때 2차 코일을 통과하는 I_1에 의한 자기장의 방향은 왼쪽이고 크기가 증가한다. 따라서 2차 코일에 흐르는 유도 전류에 의한 자기장의 방향은 오른쪽이므로 유도 전류의 방향은 b → 검류계 → a이다.

12 상호유도의 이용

코일의 감은 수와 코일에 걸리는 전압은 서로 비례하고, 코일의 감은 수와 코일에 흐르는 전류의 세기는 서로 반비례한다.
④ 2차 코일에 걸리는 전압은 스위치를 열었을 때와 닫았을 때가 서로 같고, 2차 코일에 흐르는 전류의 세기는 스위치를 닫았을 때가 열었을 때의 2배이다. 따라서 스위치를 닫으면 2차 코일에 연결된 회로에서 소비하는 전력이 스위치를 열었을 때의 2배가 되므로 1차 코일에서 공급하는 전력도 2배가 되어야 한다. 그러므로 1차 코일에 흐르는 전류의 세기는 스위치를 닫았을 때가 열었을 때의 2배인 $2I_0$이다.

수능 3점 테스트

본문 82~84쪽

01 ④ 02 ③ 03 ① 04 ⑤ 05 ② 06 ⑤

01 전자기 유도

$t=t_0$, $t=5t_0$일 때, A에 흐르는 유도 전류의 방향과 세기가 같으므로 유도 기전력도 같다.
④ Ⅰ, Ⅱ의 자기장을 각각 B_1, B_2라고 하고, $t=t_0$일 때 Ⅰ, Ⅱ에 각각 걸쳐 있는 면적 변화율을 $\frac{\Delta S}{\Delta t}$라고 하면, $t=t_0$일 때와 $t=5t_0$일 때 A에 유도되는 기전력이 같으므로 $-\frac{B_1\Delta(S)}{\Delta t}-\frac{B_2\Delta(S)}{\Delta t}=-\frac{B_2\Delta(-2S)}{\Delta t}$에서 $B_1=-3B_2$이다. 따라서 Ⅰ, Ⅱ의 자기장의 방향은 서로 반대이고, $t=t_0$일 때와 $t=5t_0$일 때 A에 유도되는 기전력의 크기는 $\frac{2B_2\Delta S}{\Delta t}$이다. $t=3t_0$일 때 p를 기준으로 A의 위쪽 부분은 Ⅱ 내부에서 이동하고, 아래쪽 부분은 Ⅰ에서 Ⅱ로 이동하므로 아래쪽 부분의 이동에 의해서만 유도 기전력이 발생한다. 따라서 $t=3t_0$일 때 유도 기전력의 크기는 $4B_2\frac{\Delta S}{\Delta t}$이므로 유도 전류의 세기는 $2I_0$이다.

02 전자기 유도

자기장의 세기가 B인 균일한 자기장 영역에 놓인 ㄷ 모양의 도선 위에 도체 막대를 올려놓고 일정한 속력 v로 이동시킬 때 발생하는 유도 기전력의 크기는 BLv (L: ㄷ 모양 도선의 폭)이다.
ㄱ. $t=t_0$일 때 A, B의 속력이 같으므로 A의 이동에 의해 발생하는 유도 기전력의 크기가 B의 이동에 의해 발생하는 유도 기전력의 크기보다 크다. 따라서 A가 $+x$방향으로 이동할 때 도선과 A가 이루는 면적이 감소하고 저항에 흐르는 유도 전류의 방향이 $+y$방향이므로 Ⅰ의 자기장의 방향은 xy 평면에서 수직으로 나오는 방향이다.
X. Ⅰ, Ⅱ의 자기장의 세기는 각각 $3B_0$, $2B_0$이고 $t=3t_0$일 때 속력은 B가 A의 2배이다. 따라서 $t=3t_0$일 때 B의 이동에 의해 발생하는 유도 기전력의 크기가 A의 이동에 의해 발생하는 유도 기전력의 크기보다 크므로 저항에 흐르는 유도 전류의 방향은 $+y$방향이다.
ㄷ. $t=3t_0$일 때 저항 양단에 걸리는 전압 V는 A, B 각각의 이동에 의해 발생하는 유도 기전력의 크기의 차이와 같다. 따라서
$V=(2B_0)(8d)\left(\frac{4d}{2t_0}\right)-(3B_0)(8d)\left(\frac{2d}{2t_0}\right)=\frac{8B_0d^2}{t_0}$이다.

03 전자기 유도

금속 고리를 통과하는 자기 선속을 Φ라고 하면 유도 기전력(V)은 $V=-\frac{\Delta\Phi}{\Delta t}$이다. 자기장을 B, 자기장이 통과하는 고리의 면적을 S라고 하면, B가 일정할 때 $V=-B\frac{\Delta S}{\Delta t}$이고, S가 일정할 때 $V=-S\frac{\Delta B}{\Delta t}$이다.
① $t=\frac{T}{2}$일 때 고리가 자기장의 세기가 일정한 Ⅰ로 들어가므로 유도 기전력의 크기는 $V_0=4B_0\frac{\Delta S}{\Delta t}$이고, T 동안 면적 변화율이 $\frac{1}{4}\pi r^2$이므로 $V_0=\frac{\pi B_0r^2}{T}$이다. $\frac{5}{2}T$일 때 고리가 Ⅱ 내부에서 운동하므로 유도 기전력의 크기는 $\frac{1}{4}\pi r^2\frac{|B_0-2B_0|}{3T-2T}=\frac{\pi B_0r^2}{4T}=\frac{V_0}{4}$이다.

04 전자기 유도

$t=t_0$일 때 P, Q에 유도되는 기전력의 크기가 같으므로 시간에 따른 자기 선속의 변화율의 크기도 같다.

ㄱ. $t=0$부터 $t=2t_0$까지 X는 증가하고 Y는 감소하므로 $t=t_0$일 때 유도되는 기전력의 크기가 P와 Q에서 같기 위해서는 Ⅰ, Ⅱ에서 자기장의 방향이 같아야 한다.

ㄴ. Ⅰ, Ⅱ의 자기장을 각각 B_1, B_2라고 하면 $t=t_0$일 때 P와 Q에 유도되는 기전력의 크기가 같으므로 $3L^2\Delta B_1=|6L^2\Delta B_1+3L^2\Delta B_2|$에서 $\Delta B_2=-\Delta B_1$ 또는 $\Delta B_2=-3\Delta B_1$이다. (나)에서 $t=t_0$일 때 변화율의 크기가 Y가 X보다 크므로, $\Delta B_2=-3\Delta B_1$이다. 따라서 X는 Ⅰ의 자기장의 세기를 나타낸 것이고, Y는 Ⅱ의 자기장의 세기를 나타낸 것이다.

ㄷ. $t=2t_0$부터 $t=4t_0$까지 P, Q를 통과하는 자기 선속 변화량의 크기가 각각 $3B_0L^2$, $6B_0L^2+3B_0L^2=9B_0L^2$이다. 따라서 $t=3t_0$일 때 유도 기전력의 크기는 Q에서가 P에서의 3배이다.

05 상호유도

2차 코일에 흐르는 유도 전류의 세기는 시간에 따른 I_1의 변화율의 크기에 비례한다.

ㄱ. $t=t_0$일 때 2차 코일의 중심에서 2차 코일의 유도 전류에 의한 자기장의 방향은 전류의 방향으로 오른손의 네 손가락을 감아쥐었을 때 엄지손가락이 향하는 왼쪽이다.

ㄴ. I_2의 세기가 $t=4t_0$부터 $t=6t_0$까지가 $t=0$부터 $t=2t_0$까지의 2배이므로, I_1의 변화량의 크기도 $t=4t_0$부터 $t=6t_0$까지가 $t=0$부터 $t=2t_0$까지의 2배이다.

ㄷ. $t=t_0$일 때 코일의 중심축에서 1차 코일의 전류에 의한 자기장의 방향은 왼쪽이고, 2차 코일의 유도 전류에 의한 자기장의 방향도 왼쪽이다. 따라서 $t=0$부터 $t=2t_0$까지 1차 코일에 흐르는 전류의 세기가 감소하므로 I_1의 세기는 $t=t_0$일 때가 $t=3t_0$일 때보다 크다.

06 상호유도의 이용

코일의 감은 수와 코일에 걸리는 전압은 서로 비례하고, 코일의 감은 수와 코일에 흐르는 전류의 세기는 서로 반비례한다.

ㄱ. 1차 코일과 2차 코일에 흐르는 전류의 비는 가변 저항의 저항값이 R_1일 때와 R_2일 때가 서로 같으므로 $I : \frac{5}{2}I_0=\frac{8}{5}I_0 : I$에서 $I=2I_0$이다.

ㄴ. $N_1 : N_2=\frac{5}{2}I_0 : I$에서 $N_1 : N_2=5 : 4$이다. 2차 코일의 전압은 가변 저항의 저항값이 R_1일 때와 R_2일 때가 서로 같으므로 $R_1\times\frac{5}{2}I_0=R_2\times I$에서 $R_1 : R_2=4 : 5$이다. 따라서 $N_1 : N_2\neq R_1 : R_2$이다.

ㄷ. 가변 저항의 저항값이 R_1일 때, 1차 코일에 공급되는 전력이 $V_0I=2V_0I_0$이므로 가변 저항의 소비 전력도 $2V_0I_0$이다.

테마 11 전자기파의 간섭과 회절

닮은 꼴 문제로 유형 익히기

본문 86쪽

정답 ③

이중 슬릿의 두 슬릿에서 스크린의 각 점까지 경로차가 단색광 반파장의 짝수 배일 때 보강 간섭이, 단색광 반파장의 홀수 배일 때 상쇄 간섭이 일어난다.

ㄱ. 이웃한 밝은 무늬 사이의 간격은 이중 슬릿의 간격에 반비례한다. 이웃한 밝은 무늬 사이의 간격은 A가 B보다 작으므로, $d_A>d_B$이다.

ㄴ. 이중 슬릿이 A일 때, $x=x_0$에서 밝은 무늬가 나타나므로 단색광은 $x=x_0$에서 보강 간섭을 한다.

ㄷ. 단색광의 파장을 λ라고 하자. 이중 슬릿이 A일 때 $x=2x_0$에는 $x=0$으로부터 두 번째 밝은 무늬가 나타나므로 두 슬릿에서 $x=2x_0$까지의 경로차는 2λ이다. 이중 슬릿이 B일 때 $x=2x_0$에는 $x=0$으로부터 첫 번째 밝은 무늬가 나타나므로 두 슬릿에서 $x=2x_0$까지의 경로차는 λ이다. 따라서 두 슬릿에서 $x=2x_0$까지의 경로차는 이중 슬릿이 A일 때가 B일 때보다 크다.

수능 2점 테스트

본문 87~88쪽

01 ⑤ 02 ④ 03 ⑤ 04 ⑤ 05 ③
06 ② 07 ② 08 ③

01 이중 슬릿 실험

이중 슬릿 실험에서 밝은 무늬가 생기는 지점에는 빛이 같은 위상으로 중첩되어 합성파의 진폭이 커지는 보강 간섭이 일어나며, 어두운 무늬가 생기는 지점에는 빛이 반대 위상으로 중첩되어 합성파의 진폭이 작아지는 상쇄 간섭이 일어난다.

ㄱ. 이중 슬릿 실험에 의한 빛의 간섭 현상은 빛의 파동성을 나타내는 현상이다.

ㄴ. O의 밝은 무늬는 빛이 같은 위상으로 중첩되어 합성파의 진폭이 커지는 보강 간섭에 의해 생긴다.

ㄷ. 밝은 무늬는 경로차가 $\frac{\lambda}{2}$의 짝수 배가 되는 지점에서 나타난다. P는 O로부터 첫 번째 밝은 무늬의 중심으로 이중 슬릿의 두 슬릿으로부터 P까지의 경로차는 λ이다.

02 이중 슬릿에 의한 빛의 간섭

이중 슬릿을 통과한 단색광은 스크린상에 간격이 일정한 간섭무늬를 만든다.

ㄱ. 빛의 파동성에 의해 단일 슬릿을 통과한 단색광이 회절하여 이중 슬릿에 도달한다.
ㄴ. 어두운 무늬가 생긴 지점은 두 빛이 서로 반대 위상으로 중첩되어 상쇄 간섭이 일어나는 지점이다.
ㄷ. 스크린의 이웃한 밝은 무늬 사이의 간격은 단색광의 파장, 이중 슬릿과 스크린 사이의 거리에 비례하고, 이중 슬릿의 슬릿 사이의 간격에 반비례하며, 단일 슬릿의 폭과는 관계가 없다. 따라서 단일 슬릿의 폭이 좁아져도 스크린의 이웃한 밝은 무늬 사이의 간격은 동일하다.

03 단일 슬릿에 의한 빛의 회절 실험

빛이 단일 슬릿을 통과하면 회절 현상에 의해 스크린에 중앙의 넓고 밝은 무늬를 중심으로 양쪽에 약한 밝은 무늬와 어두운 무늬가 교대로 나타난다. 회절 무늬가 퍼지는 정도는 슬릿의 폭에 반비례하고, 슬릿과 스크린 사이의 거리와 빛의 파장에 각각 비례한다.
ㄱ. a가 ㉠일 때, x는 빨간색 레이저를 비출 때가 26 mm로 초록색 레이저를 비출 때의 22 mm보다 크다. 따라서 빨간색 레이저를 비출 때가 초록색 레이저를 비출 때보다 회절이 잘 일어난다.
ㄴ. 빨간색 레이저를 비출 때, x는 a가 0.1 mm일 때가 13 mm로 ㉠일 때의 26 mm보다 작다. a가 좁을수록 x가 크게 나타나므로, ㉠은 0.1 mm보다 작다.
ㄷ. 단일 슬릿에 의한 빛의 회절은 파장이 길수록 잘 일어난다. 초록색 레이저의 파장이 빨간색 레이저의 파장보다 짧으므로, ㉡은 13 mm보다 작다.

04 이중 슬릿에 의한 빛의 간섭

이중 슬릿을 이용한 빛의 간섭에서 이웃한 밝은 무늬 사이의 간격 $\Delta x=\frac{L}{d}\lambda$이므로, 빛의 파장 λ, 슬릿과 스크린 사이의 거리 L에 각각 비례하고, 슬릿 사이의 간격 d에 반비례한다.
⑤ Δx는 $\frac{L}{d}$에 비례하므로, $\frac{L_0}{d_0}$: $x_0=\frac{2L_0}{d_0}$: ㉠에서 ㉠$=2x_0$이고, $\frac{L_0}{d_0}$: $x_0=\frac{L_0}{2d_0}$: ㉡에서 ㉡$=\frac{1}{2}x_0$이다. 따라서 $\frac{㉠}{㉡}=4$이다.

05 파동의 간섭

각 지점에서 두 안테나에서 발생된 파동의 경로차가 반파장의 짝수 배일 때 보강 간섭이, 반파장의 홀수 배일 때 상쇄 간섭이 일어난다.
ㄱ. (가)에서 전자기파의 파장은 $4a$이다. (나)에서 S_1에서 P까지의 거리는 $6a$이고, S_2에서 P까지의 거리는 $8a$이므로, S_1, S_2로부터 P까지의 경로차는 $2a$이다.
ㄴ. S_1, S_2로부터 P까지의 경로차는 $2a$로 전자기파의 반파장의 길이이므로, P에서는 상쇄 간섭이 일어난다. S_1, S_2로부터 Q까지의 경로차는 0이므로, Q에서는 보강 간섭이 일어난다. 따라서 전기장의 크기는 P에서가 Q에서보다 작다.
ㄷ. 선분 $\overline{S_1S_2}$에서 전기장의 마루와 마루 또는 골과 골이 같은 위상으로 중첩되면 보강 간섭이 일어난다. 두 실선이 만나는 지점과 두 점선이 만나는 지점 사이의 간격은 $2a$이다.

06 이중 슬릿에 의한 빛의 간섭

이웃한 밝은 무늬 사이의 간격은 B에서가 A에서의 $\frac{1}{3}$배이고, 이웃한 밝은 무늬 사이의 간격 Δx는 $\Delta x=\frac{L}{d}\lambda$ (λ: 빛의 파장, L: 슬릿과 스크린 사이의 거리, d: 슬릿 사이의 간격)이다.
ㄱ. 파장 외의 다른 조건의 변화 없이 무늬 간격이 $\frac{1}{3}$배가 되기 위해서는 파장이 $\frac{1}{3}$배인 $\frac{1}{3}\lambda$가 되어야 한다.
ㄴ. 이중 슬릿 사이의 간격 외의 다른 조건의 변화 없이 무늬 간격이 $\frac{1}{3}$배가 되기 위해서는 슬릿 사이의 간격이 3배인 $3d$가 되어야 한다.
ㄷ. 이중 슬릿과 스크린 사이의 거리 외의 다른 조건의 변화 없이 무늬 간격이 $\frac{1}{3}$배가 되기 위해서는 이중 슬릿과 스크린 사이의 거리가 $\frac{1}{3}$배인 $\frac{1}{3}L$이 되어야 한다.

07 빛의 파장과 간섭무늬의 간격

이웃한 밝은 무늬 간격은 $\Delta x=\frac{L}{d}\lambda$ (λ: 빛의 파장, L: 슬릿과 스크린 사이의 거리, d: 슬릿 사이의 간격)로, 빛의 파장 λ에 비례한다.
② $y=y_0$에서 A를 비출 때는 O로부터 두 번째 밝은 무늬가 나타나고, B를 비출 때는 O로부터 세 번째 밝은 무늬가 나타난다. 따라서 A를 비출 때 밝은 무늬 사이의 간격과 B를 비출 때 밝은 무늬 사이의 간격의 비는 3 : 2이다. 이웃한 밝은 무늬 사이의 간격은 빛의 파장에 비례하므로 $\frac{\lambda_B}{\lambda_A}=\frac{2}{3}$이다.

08 회절과 분해능

회절은 빛의 파장이 길수록, 슬릿의 폭이 좁을수록 잘 나타난다. 또한 단일 슬릿에 의한 회절 현상에서 빛의 파장이 길수록, 슬릿의 폭이 좁을수록 스크린 중앙의 밝은 무늬의 폭은 넓어진다.
ㄱ. (나)에서 두 광원의 중앙의 밝은 무늬가 겹쳐 구별되지 않는 것은 빛이 슬릿을 통과하면서 회절하기 때문이다.
ㄴ. (가)에서 빛의 파장이 짧아지면, 회절이 잘 나타나지 않게 되므로 중앙의 밝은 무늬의 폭이 좁아진다.
ㄷ. (나)에서 폭이 a보다 작은 슬릿을 이용하면 회절이 잘 나타나게 되어 중앙의 밝은 무늬의 폭이 더 넓어진다. 서로 가까이 있는 중앙의 밝은 무늬가 서로 겹치는 현상은 지속되므로, S_1, S_2를 구별할 수 없다.

01 빛의 간섭무늬 분석

이중 슬릿을 이용한 빛의 간섭 실험에서 이웃한 밝은 무늬 사이의 간격 $\Delta x=\frac{L}{d}\lambda$ (λ: 빛의 파장, L: 슬릿과 스크린 사이의 거리, d: 슬릿 사이의 간격)이고, 두 슬릿으로부터 밝은 무늬가 나타나는 지점의 경로차 Δ는 다음과 같다.

밝은 무늬: $\Delta=\frac{\lambda}{2}(2m)$ ($m=0, 1, 2, 3, \cdots$)

어두운 무늬: $\Delta=\frac{\lambda}{2}(2m+1)$ ($m=0, 1, 2, 3, \cdots$)

㉠. P는 O로부터 두 번째 어두운 무늬가 생긴 지점이므로 O에서 P까지의 거리는 $\frac{3}{2}\Delta x=\frac{3L}{2d}\lambda$이다. 이중 슬릿의 간격만을 $3d$로 바꾸면, 무늬 간격 $\Delta x'=\frac{L}{3d}\lambda=\frac{1}{3}\Delta x$이다. 따라서 O에서 P까지의 거리는 $\frac{3}{2}\Delta x=\frac{3}{2}(3\Delta x')=\frac{9}{2}\Delta x'$이므로, P에는 O로부터 다섯 번째 어두운 무늬가 생긴다.

✗. 단색광의 파장만을 $\frac{1}{2}\lambda$로 바꾸면, 무늬 간격 $\Delta x'=\frac{L}{d}\left(\frac{\lambda}{2}\right)=\frac{1}{2}\Delta x$이다. 따라서 O에서 P까지의 거리는 $\frac{3}{2}\Delta x=\frac{3}{2}(2\Delta x')=3\Delta x'$이므로, P에는 O로부터 세 번째 밝은 무늬가 생긴다.

㉢. 이중 슬릿에서 스크린까지의 거리만을 $\frac{3}{5}L$로 바꾸면, 무늬 간격 $\Delta x'=\frac{3L}{5d}\lambda=\frac{3}{5}\Delta x$이다. 따라서 O에서 P까지의 거리는 $\frac{3}{2}\Delta x=\frac{3}{2}\left(\frac{5}{3}\Delta x'\right)=\frac{5}{2}\Delta x'$이므로, P에는 O로부터 세 번째 어두운 무늬가 생긴다.

02 이중 슬릿

영의 이중 슬릿 실험에서는 단일 슬릿을 통과하면서 동일한 위상의 빛이 이중 슬릿의 S_1과 S_2에 도달하게 된다. 하지만 S_1 앞에 투명한 유리를 놓으면 유리를 파장이 짧은 상태로 통과하게 되어 S_1에 도달하는 위상이 달라진다.

✗. (가)에서 P에 첫 번째 밝은 무늬가 나타나므로 두 슬릿으로부터 경로차는 λ이다. (나)에서 P에 어두운 무늬가 나타나므로, S_1과 S_2를 지나 P에 도달한 단색광은 서로 반대 위상으로 중첩된다. 따라서 두 슬릿으로부터 경로차가 0인 O에서도 서로 반대 위상으로 중첩된다.

㉡. S_1과 S_2를 서로 반대 위상으로 통과하여 간섭하므로, 스크린상의 보강 간섭과 상쇄 간섭의 위치가 서로 바뀌게 된다. 이웃한 밝은 무늬 사이의 간격은 (가)에서와 (나)에서가 같으므로 $\frac{L_0\lambda_0}{d_0}$이다.

㉢. (나)에서 S_2 앞에도 유리 A를 부착하면, S_1과 S_2를 같은 위상으로 통과하여 간섭하므로, P에는 밝은 무늬가 나타난다.

03 이중 슬릿에 의한 간섭무늬

이중 슬릿과 스크린 사이의 거리가 작아지면 이웃한 간섭무늬 사이의 간격이 좁아진다. 스크린이 최소로 이동하면서 P에 어두운 무늬가 나타날 때, P에는 O로부터 세 번째 어두운 무늬가 생긴다.

①. 스크린을 이동시키기 전 이웃한 밝은 무늬 사이의 간격을 Δx라고 하면 P에는 O로부터 두 번째 밝은 무늬의 중심이 나타나므로 $l=2\Delta x$이다. 스크린을 이동시킨 후 이웃한 밝은 무늬 사이의 간격을 $\Delta x'$라고 하면, P에는 O로부터 세 번째 어두운 무늬가 생기므로 $l=\frac{5}{2}\Delta x'$이다. 따라서 $\Delta x=\frac{5}{4}\Delta x'$이다. 스크린을 이동시키기 전 이중 슬릿과 스크린 사이의 간격을 L이라고 하면, $\Delta x=\frac{L}{d}\lambda$와 $\Delta x'=\frac{(L-x)}{d}\lambda$를 만족하므로 $\frac{L}{d}\lambda=\frac{5}{4}\frac{(L-x)}{d}\lambda$에서 $x=\frac{1}{5}L$이다. $l=2\Delta x=2\frac{L}{d}\lambda$이므로, $x=\frac{ld}{10\lambda}$이다.

04 단일 슬릿에 의한 회절 무늬

단일 슬릿을 이용한 빛의 회절에서 가운데 밝은 무늬를 중심으로 양쪽 첫 번째 어두운 무늬 중심 사이의 거리는 슬릿의 폭에 반비례하고, 단색광의 파장과 슬릿과 스크린 사이의 거리에 각각 비례한다.

✗. 회절 무늬에서 가운데 밝은 무늬를 중심으로 양쪽 첫 번째 어두운 무늬 중심 사이의 거리가 Ⅰ에서가 Ⅱ에서보다 크므로 단일 슬릿을 통과한 빛의 회절은 Ⅰ에서가 Ⅱ에서보다 잘 일어난다.

㉡. 가운데 밝은 무늬를 중심으로 양쪽 첫 번째 어두운 무늬 중심 사이의 거리 x는 Ⅰ에서가 Ⅱ에서보다 크고, x는 슬릿의 폭에 반비례하므로 ㉠$>a_0$이다.

✗. 가운데 밝은 무늬를 중심으로 양쪽 첫 번째 어두운 무늬 중심 사이의 거리 x는 Ⅱ에서가 Ⅲ에서보다 크고, x는 단색광의 파장과 슬릿과 스크린 사이의 거리에 각각 비례한다. 슬릿과 스크린 사이의 거리가 Ⅱ에서가 Ⅲ에서보다 작으므로, 단색광의 파장은 Ⅱ에서가 Ⅲ에서보다 크다. 따라서 ㉡$<\lambda_0$이다.

테마 12

도플러 효과와 전자기파

닮은 꼴 문제로 유형 익히기

본문 93쪽

정답 ③

진동수가 f_0인 음파를 발생시키는 음원이 음파 측정기를 향해 다가오거나 음파 측정기에게서 멀어질 때, 음파 측정기가 측정하는 음파의 진동수는 다음과 같다.

$f=\frac{v}{v \mp v_s}f_0$ (v: 음파의 속력, v_s: 음원의 속력, $-$: 음원이 음파 측정기를 향해 다가감, $+$: 음원이 음파 측정기에서 멀어짐)

③ $t=t_0$일 때 A와 B는 같은 속력으로 S에게 다가가거나 멀어진다. A와 B가 발생시킨 음파를 S에서 측정한 진동수가 같기 위해서 A는 S에서 멀어지는 방향으로, B는 S를 향해 다가가는 방향으로 운동한다. 따라서 Q는 s_A, P는 s_B의 그래프이다. $t=t_0$일 때 A와 B의 속력을 각각 v라고 하면, $t=3t_0$일 때 A의 속력은 $\frac{1}{2}v$이다. 음속을 V라고 하면, $t=t_0$일 때 S가 측정한 진동수는 $\left(\frac{V}{V+v}\right)5f_0=\left(\frac{V}{V-v}\right)4f_0$을 만족하므로 $v=\frac{1}{9}V$이다. $t=3t_0$일 때 A가 발생시킨 음파를 S가 측정한 진동수는 $f_1=\left(\frac{V}{V-\frac{1}{2}v}\right)5f_0=\left(\frac{V}{V-\frac{1}{18}V}\right)5f_0=\frac{90}{17}f_0$이다.

수능 2점 테스트

본문 94~95쪽

01 ⑤ 02 ② 03 ⑤ 04 ⑤ 05 ⑤
06 ② 07 ③ 08 ④

01 도플러 효과

음파의 속력, 파장, 진동수를 각각 V, λ, f, 음원의 속력을 v라 하면 음원이 관찰자를 향해 다가갈 때 음파의 파장은 원래 파장 λ에서 $\frac{v}{f}$만큼 짧아져 $\lambda'=\lambda-\frac{v}{f}$가 되고, 음파의 속력은 음원이 정지해 있을 때와 동일하므로 관찰자가 듣는 음파의 진동수는 $f'=\frac{V}{\lambda'}$로 원래 진동수 f보다 크다.

ㄱ. 음원으로부터 A쪽의 이웃한 파면 사이의 거리가 B쪽의 이웃한 파면 사이의 거리보다 짧으므로, 음원은 A를 향해 운동한다.

ㄴ. 음원이 정지해 있을 때 측정되는 음파의 파장을 λ라고 하자. 음원으로부터 A쪽의 이웃한 파면 사이의 거리 $4L=\lambda-\frac{v}{f_0}$ … ①이고, B쪽의 이웃한 파면 사이의 거리 $5L=\lambda+\frac{v}{f_0}$ … ②이다. ①, ②에서 $\lambda=\frac{9}{2}L$이고 $\frac{v}{f_0}=\frac{1}{2}L=\frac{\lambda}{9}=\frac{V}{9f_0}$이므로, $v=\frac{1}{9}V$이다.

ㄷ. A가 측정한 음파의 진동수 $f'=\frac{V}{4L}=\frac{9V}{8\lambda}=\frac{9}{8}f_0$이다.

02 도플러 효과

음원 A, B는 음파 측정기로부터 멀어지므로 음파 측정기가 측정하는 음파의 진동수는 f_0보다 작다.

② A의 속력은 $v_A=\frac{d}{2t_0}$이고 B의 속력은 $v_B=\frac{d}{6t_0}$이므로, $v_A=3v_B$이다. 음속을 V라고 하면, A가 발생시킨 음파의 진동수는 $\frac{V}{V+v_A}f_0=\frac{10}{11}f_0$이므로, $v_A=\frac{1}{10}V$이다. $v_B=\frac{1}{30}V$이므로, B가 발생시킨 음파의 진동수는 $f_B=\frac{V}{V+v_B}f_0=\frac{30}{31}f_0$이다.

03 도플러 효과

음파 측정기에 음원이 가까워질 때 음파 측정기가 측정하는 음파의 진동수는 증가하고, 음파 측정기로부터 음원이 멀어질 때 음파 측정기가 측정하는 음파의 진동수는 감소한다.

ㄱ. 음파 측정기에서 측정한 A, B의 음파의 진동수가 서로 같으므로, 진동수가 상대적으로 작은 A는 음파 측정기에 가까워지고 있고, 진동수가 상대적으로 큰 B는 음파 측정기로부터 멀어지고 있다. 따라서 A와 B의 운동 방향은 모두 $+x$방향이다.

ㄴ. 음파 측정기가 측정한 A, B의 음파의 진동수는 같으므로, $\frac{V}{V-v}\times 4f_0=\frac{V}{V+v}\times 6f_0$을 만족한다. 따라서 $v=\frac{1}{5}V$이다.

ㄷ. 음파 측정기가 측정한 음파의 진동수는 $f_1=\frac{V}{V-v}\times 4f_0=\frac{V}{V-\frac{1}{5}V}\times 4f_0=5f_0$이다.

04 도플러 효과를 이용한 초음파 검사

도플러 효과를 이용한 초음파 검사에서, 검사기에서 혈관으로 방출한 초음파의 진동수에 비해 적혈구에서 반사된 초음파의 진동수는 적혈구가 검사기에 가까워질 때 더 크게 측정된다.

ㄱ. 초음파를 이용해 혈액의 속도를 측정하는 장치는 도플러 효과에 의해 검사기에서 발생하는 초음파의 진동수와 움직이는 적혈구에서 반사되어 검사기에서 측정되는 초음파의 진동수에 차이가 나타나는 현상을 이용한다.

ㄴ. 혈액의 속력이 빠를수록 파장 변화량이 커지므로, 진동수의 차도 증가한다.

ㄷ. 음원이 관찰자 쪽으로 다가오면 소리의 파장이 짧아지므로, 혈액이 초음파 검사기를 향해 이동할 때 혈액에서 반사되어 되돌아오는 초음파의 파장은 혈액이 정지해 있을 때 혈액에서 반사되어 되돌아오는 초음파의 파장에 비해 짧다.

05 전자기파와 안테나

평행판 축전기를 교류 전원에 연결하면 평행판 사이에는 시간에 따라 변하는 전기장이 만들어진다. 전기장이 시간에 따라 변하면 진동하는 자기장이 유도되고, 이것이 전기장을 유도하면서 전자기파가 발생한다.

ㄱ. 전자기파가 퍼져 나갈 때, 전기장과 자기장의 진동 방향은 서로 수직이다.

ㄴ. 교류 회로에 의해 전자기파가 발생할 때, 발생한 전자기파의 진동수는 교류 전원의 진동수와 같다.

ㄷ. 안테나가 연결된 회로에 흐르는 전류의 세기가 최대일 때는 교류 전원의 진동수가 회로의 공명 진동수와 같을 때이다. 전류의 세기가 최대일 때 강한 전자기파가 발생한다.

06 교류 회로에서 코일, 축전기의 특성

교류 회로에서 교류 전원의 진동수가 클수록 코일이 전류의 흐름을 방해하는 정도가 크고, 축전기가 전류의 흐름을 방해하는 정도는 작다.

ㄱ. (나)에서 S를 a에 연결할 때, 교류 전원의 진동수가 클수록 전류의 흐름을 방해하는 정도가 작다. 따라서 X는 축전기이다.

ㄴ. (나)에서 S를 a에 연결할 때, 교류 전원의 진동수가 작을수록 전류의 최댓값이 감소하므로 X는 진동수가 작은 교류 전류를 잘 흐르지 못하게 하는 성질이 있다.

ㄷ. (나)에서 S를 b에 연결할 때, 교류 전원의 진동수가 클수록 전류의 최댓값이 감소한다. 저항 양단에 걸리는 전압은 전류에 비례하므로, 전압의 최댓값은 감소한다.

07 전자기파의 송수신 탐구

구리선과 연결된 압전 소자를 누르면 구리선 사이에서 고전압에 의해 방전이 일어나며 전자기파가 발생한다.

ㄱ. 알루미늄박의 구리선은 전자기파를 송신하는 송신 안테나 역할을, 원형 안테나는 전자기파를 수신하는 수신 안테나 역할을 한다.

ㄴ. 알루미늄박의 구리선에서 발생한 전자기파를 원형 안테나가 수신하면 전자기파의 자기장의 변화에 의해 진동하는 교류 형태의 유도 전류가 흘러 네온램프에 불이 켜진다. 따라서 원형 안테나에 흐르는 전류의 세기는 일정하지 않다.

ㄷ. 네온램프에서 방출되는 빛의 최대 밝기가 (나)에서가 (다)에서보다 크므로, 전류의 최댓값은 (나)에서가 (다)에서보다 크다. 따라서 원형 안테나를 통과하는 자기 선속의 시간에 따른 변화율의 최댓값은 (나)에서가 (다)에서보다 크다.

08 전자기파

전자기파가 금속으로 된 안테나를 통과할 때, 전자기파의 진동하는 전기장에 의해 안테나 내부의 전자가 전기력을 받아 운동한다.

ㄱ. 전기장에 의해 전자에 작용하는 전기력의 방향은 전기장의 방향과 반대이다.

ㄴ. 전자기파의 진동하는 전기장에 의해 전자에 전기력이 작용하여 전자가 진동하므로, 안테나 속 전자의 진동 주기는 전기장의 진동 주기인 T와 같다.

ㄷ. 전자기파는 전기장과 자기장이 서로 수직으로 진동하며 전기장과 자기장의 진동 방향에 각각 수직인 방향으로 진행한다.

수능 3점 테스트

본문 96~98쪽

01 ⑤	02 ③	03 ③	04 ①	05 ③
06 ④				

01 도플러 효과

(나)에서 압력이 최대인 위치 사이의 간격이 파장이므로 음원으로부터 왼쪽 음파의 파장은 $3L$, 오른쪽 음파의 파장은 $4L$이다. 음원이 음파 측정기로부터 멀어질 때, 음파 측정기에서 측정되는 파장은 원래 파장보다 길어지므로 음원의 운동 방향은 $-x$방향이다.

ㄱ. 음파의 파장을 λ라고 하면, 음원으로부터 왼쪽 음파의 파장은 $3L=\lambda-\frac{v}{f_0}$ … ①이고, 오른쪽 음파의 파장은 $4L=\lambda+\frac{v}{f_0}$ … ②이다. ①, ②에서 $\lambda=\frac{7}{2}L$이고 $\frac{v}{f_0}=\frac{1}{2}L=\frac{\lambda}{7}=\frac{V}{7f_0}$이므로 $v=\frac{1}{7}V$이다.

ㄴ. 음원은 $-x$방향으로 등속도 운동을 하므로, 음파 측정기로부터 멀어지고 있다. 따라서 음파 측정기에서 측정한 음파의 진동수는 $f'=\frac{V}{V+\frac{1}{7}V}f_0=\frac{7}{8}f_0$이다.

ㄷ. $v=\frac{1}{7}V$이므로 음원으로부터 음파가 발생한 이후 음원이 이동한 거리는 음파가 이동한 거리의 $\frac{1}{7}$배이다. $t=0$일 때 음파 측정기에서 측정하는 음파가 음원에서 발생하는 순간 음원의 위치를 x라고 하면, $x-6L=\frac{1}{7}(14L-x)$에서 $x=7L$이다. 따라서 음파 측정기에서 측정하는 음파는 음원이 $x=7L$인 위치에 있을 때 발생되었다.

02 도플러 효과

A와 B 사이의 거리 - 시간 그래프의 기울기는 A와 B의 속도의 차를 나타낸다. (나)에서 그래프의 기울기의 절댓값은 $2t_0$부터 $4t_0$까지가 0부터 $2t_0$까지보다 크므로, A의 운동 방향은 $+x$방향이다. A와 B의 속력을 v_A, v_B라고 하면, 0부터 $2t_0$까지의 기울기는 v_B-v_A를, $2t_0$부터 $4t_0$까지의 기울기는 $-v_B-v_A$를 나타낸다.

③ 0부터 $2t_0$까지는 $v_B-v_A=\frac{d}{t_0}$를, $2t_0$부터 $4t_0$까지는 $-v_B-v_A=-\frac{3d}{2t_0}$를 만족하므로, $v_B=5v_A$이다. 음속을 V라고 하면, $t=t_0$일 때 음파 측정기가 측정한 진동수의 차는 $\left(\frac{V}{V-v_A}-\frac{V}{V+v_B}\right)f_0$ … ①이고, $t=3t_0$일 때 음파 측정기가 측정한 진동수의 차는 $\left(\frac{V}{V-v_B}-\frac{V}{V-v_A}\right)f_0$ … ②이다. ①=②를 정리하면, $v_A=\frac{1}{25}V$, $v_B=\frac{1}{5}V$이다. $\frac{1}{5}V-\frac{1}{25}V=\frac{d}{t_0}$이므로 $V=\frac{25d}{4t_0}$이다.

03 도플러 효과

버저가 정지해 있는 진동수 측정 장치를 향해 다가갈 때 측정된 음파의 진동수는 증가하고, 버저가 정지해 있는 진동수 측정 장치에서 멀어질 때 측정된 음파의 진동수는 감소한다.

ㄱ. 버저에서 발생한 음파가 t_0 동안 f_0보다 작은 값의 진동수로 측정되다가, 다음 t_0 동안 f_0보다 큰 값의 진동수로 측정되는 결과가 반복되고 있다. 버저가 진동수 측정 장치로부터 멀어지며 이동할 때 발생한 음파의 진동수는 f_0보다 작은 값으로 측정되며, 버저가 진동수 측정 장치에 가까워지며 이동할 때 발생한 음파의 진동수는 f_0보다 큰 값으로 측정된다. 따라서 버저의 원운동 주기는 $2t_0$이다.

ㄴ. $1.5t_0$일 때, f_0보다 큰 값의 진동수로 측정되므로 진동수 측정 장치가 측정한 음파는 버저가 진동수 측정 장치에 가까워지며 이동할 때 발생한 음파이다.

ㄷ. t_0부터 $2t_0$까지 측정한 음파는 버저가 진동수 측정 장치에 가까워지며 이동할 때 발생한 음파이고, $2t_0$부터 $3t_0$까지 측정한 음파는 버저가 진동수 측정 장치에 멀어지며 이동할 때 발생한 음파이다. 따라서 $2t_0$일 때 측정한 음파는 버저가 진동수 측정 장치로부터 가장 가까이 위치할 때 발생한 음파이다.

04 전자기파의 송수신

소리에 의한 전기 신호를 교류 신호에 첨가하는 것을 변조라고 하며, 전자기 수신 회로에서는 회로의 공명 진동수가 교류 신호의 진동수와 같을 때 전자기파 공명에 의해 수신 회로에 흐르는 전류가 최대이다.

ㄱ. (가)는 신호 세기에 따라 진폭을 조절하는 진폭 변조 방식으로, A와 B는 동일한 진동수의 전기 신호가 첨가된 것이므로 진폭이 변화하는 주기는 A와 B가 같다.

ㄴ. (나)에서 전자기파 공명에 의해 스피커에서 B에 의한 방송만이 선명하게 나오므로, 수신 회로의 공명 진동수는 B에서 첨가된 교류 신호의 진동수인 $2f_0$과 같다.

ㄷ. (나)에서 축전기의 극판 사이의 간격이 d일 때 수신 회로의 공명 진동수는 $2f_0$이다. 축전기의 극판 사이의 간격을 d보다 크게 하면, 축전기의 전기 용량은 작아진다. 수신 회로의 공명 진동수는 $\frac{1}{2\pi\sqrt{LC}}$(L: 코일의 자체 유도 계수, C: 전기 용량)이므로, 수신 회로의 공명 진동수는 $2f_0$보다 커진다. 따라서 진동수가 f_0인 A에 의한 방송이 선명하게 나오게 할 수 없다.

05 교류 회로에서 축전기와 코일의 역할

(나)에서 S를 c에 연결할 때, 진동수가 f_2일 때 전류의 세기가 가장 크므로 f_2는 S를 c에 연결한 회로의 공명 진동수이다.

ㄱ. S를 a에 연결할 때, 전류의 세기는 교류 전원의 진동수에 무관하므로 X는 저항이다.

ㄴ. S를 b에 연결할 때, 진동수가 증가함에 따라 전류의 세기가 감소하고 있으므로 Y는 진동수가 커질수록 전류의 흐름을 방해하는 정도가 크다. 따라서 Y는 코일, Z는 축전기이다. 축전기(Z)의 저항 역할은 교류 전원의 진동수가 작을수록 크므로, 진동수가 작은 f_1일 때가 진동수가 큰 f_2일 때보다 크다.

ㄷ. S를 c에 연결할 때, 회로의 공명 진동수는 저항에 무관하므로 저항값을 감소시켜도 회로의 공명 진동수는 f_2이다.

06 교류 회로에서 축전기와 코일의 역할

축전기의 전기 용량은 유전체를 채운 B가 A보다 크다. 교류 전원에 저항, 코일, 축전기를 모두 연결하면 교류 전원의 진동수에 따라 전류의 세기가 변한다.

ㄱ. 전기 용량이 큰 B를 연결할 때가 전기 용량이 작은 A를 연결할 때보다 공명 진동수가 작다. 따라서 공명 진동수가 f_1로 작은 P는 S를 b에 연결할 때의 결과이다.

ㄴ. S를 a에 연결할 때의 결과는 Q이다. 전류의 최댓값은 교류 전원의 진동수가 f_1일 때가 f_2일 때보다 작으므로, 저항 양단에 걸리는 전압의 최댓값도 교류 전원의 진동수가 f_1일 때가 f_2일 때보다 작다.

ㄷ. 코일의 저항 역할은 교류 전원의 진동수가 클수록 크므로, f_2일 때가 f_3일 때보다 작다.

테마 13 볼록 렌즈에 의한 상

닮은 꼴 문제로 유형 익히기

본문 100쪽

정답 ⑤

볼록 렌즈와 물체 사이의 거리가 a, 볼록 렌즈와 상 사이의 거리가 b, 볼록 렌즈의 초점 거리가 f일 때 렌즈 방정식은 $\frac{1}{a}+\frac{1}{b}=\frac{1}{f}$이다. 물체와 상의 크기가 같은 경우 렌즈 중심으로부터 각각 물체와 상까지의 거리는 초점 거리의 2배로 서로 같다.

ㄱ. 물체와 P의 크기가 같으므로 물체와 A 사이의 거리는 A의 초점 거리의 2배인 $2d$이다.

ㄴ. A와 P 사이의 거리가 A의 초점 거리의 2배인 $2d$이고, P와 B 사이의 거리가 d이므로 A와 B 사이의 거리는 $3d$이다. 따라서 Q는 A와 B 사이의 중점에 위치하므로 B와 Q 사이의 거리는 $\frac{3}{2}d$이다. B의 초점 거리를 f라 하고 B에 대하여 렌즈 방정식을 적용하면 $\frac{1}{d}+\frac{1}{-\frac{3}{2}d}=\frac{1}{f}$이므로 $f=3d$이다.

ㄷ. B에 의한 P의 상 Q의 배율은 $\left|\frac{-\frac{3}{2}d}{d}\right|=\frac{3}{2}$이므로 $H=\frac{3}{2}h$이다.

수능 2점 테스트

본문 101~102쪽

01 ⑤	02 ③	03 ③	04 ⑤	05 ④
06 ⑤	07 ⑤	08 ④		

01 볼록 렌즈

물체가 볼록 렌즈의 초점 바깥쪽 ①부터 순서대로 ⑦까지 이동할 때의 상은 ①′부터 순서대로 ⑦′까지 생긴다.

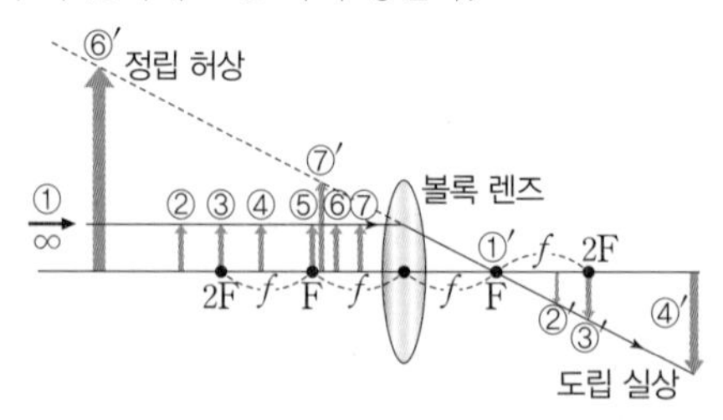

⑤ 작도법을 적용하면 물체의 위치가 a일 때는 축소된 거꾸로 선 상, b일 때는 확대된 거꾸로 선 상, c일 때는 확대된 똑바로 선 상이 생긴다.

02 볼록 렌즈

그림과 같이 P에 의한 상의 작도를 실행하면 광축에 나란하게 입사한 광선은 볼록 렌즈에서 굴절한 후 초점(F)을 지나고 볼록 렌즈의 중심을 지나는 광선은 직진한다. 실상이 생기는 구간에서 물체가 P에 접근할 때 물체의 끝점, $x=0$, $x=x_0$이 이루는 각 θ는 점점 커진다. 따라서 상의 크기도 점점 커진다. 허상이 생기는 구간에서 물체가 P에 접근할 때 물체의 끝점, $x=0$, $x=x_0$이 이루는 각 θ는 점점 커진다. 따라서 상의 크기도 점점 작아진다.

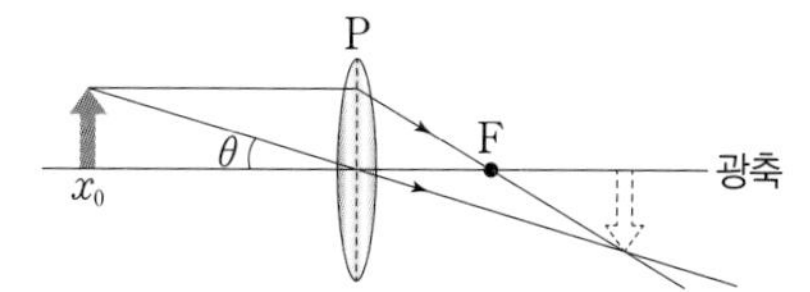

ㄱ. 물체가 $x=-3f$와 $x=-2f$ 사이에서 P에 의한 상은 축소되고 거꾸로 선 실상이다. 이 구간에서 물체가 P에 접근하면 물체의 위쪽 끝점, P의 중심, 물체의 아래쪽 끝점이 이루는 각은 점점 커진다. 따라서 물체가 P로 접근하는 동안 상의 크기가 커진다.

ㄴ. $x=-2f$와 $x=-f$ 사이에서 P에 의한 상은 확대되고 거꾸로 선 실상이다. 이 구간에서 물체가 P에 접근하면 물체의 위쪽 끝점, P의 중심, 물체의 아래쪽 끝점이 이루는 각은 점점 커진다. 따라서 물체가 P로 접근하는 동안 상의 크기가 커진다.

~~ㄷ~~. 그림과 같이 $x=-f$와 $x=-\frac{1}{2}f$ 사이에 물체가 있을 때는 허상이 생기므로 물체가 P에 접근할 때 상도 P에 접근하면서 크기는 작아진다.

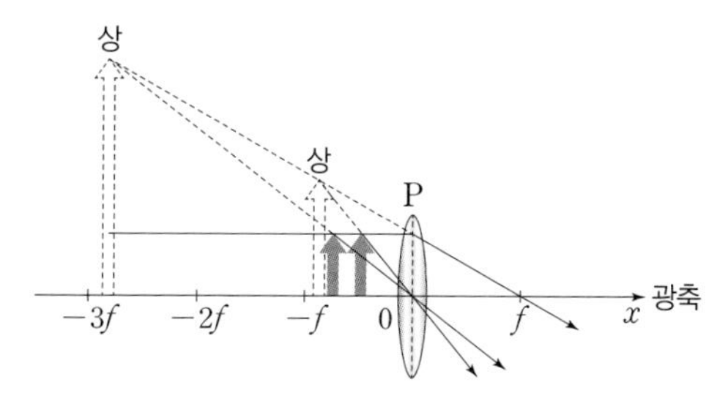

03 볼록 렌즈

볼록 렌즈에서 상이 생기는 경우는 렌즈와 물체 사이의 거리에 따라 상의 크기가 변한다.

~~ㄱ~~. (가)에서는 허상이, (나)에서는 실상이 생긴다.

~~ㄴ~~. (가)에서의 상은 허상이고 볼록 렌즈에서 허상은 항상 상의 크기가 물체의 크기보다 크다. 따라서 (가)와 상의 크기가 같은 (나)에서도 상의 크기가 물체의 크기보다 크다.

ㄷ. 렌즈 중심에서 물체까지의 거리가 a, $2a$일 때 렌즈에서 상까지의 거리를 각각 b_1, b_2라고 하면, 두 경우 상의 크기가 같으므로 $\frac{b_1}{a}=\frac{b_2}{2a}$가 성립한다. 따라서 $b_2=2b_1$ … ㉠이다. 렌즈의 초점 거리를 f라 하고 (가)와 (나)에서 렌즈 방정식을 각각 적용하면 $\frac{1}{a}-\frac{1}{b_1}=\frac{1}{f}$ … ㉡, $\frac{1}{2a}+\frac{1}{b_2}=\frac{1}{f}$ … ㉢이고 ㉠, ㉡, ㉢을 연립하면 $\frac{1}{a}-\frac{1}{b_1}=\frac{1}{2a}+\frac{1}{2b_1}$이 되어 $b_1=3a$ … ㉣이다. ㉣을 ㉡에 대입하면 $\frac{1}{a}-\frac{1}{3a}=\frac{1}{f}$이 되어 $f=\frac{3}{2}a$이다.

04 볼록 렌즈

배율이 1일 때, 볼록 렌즈로부터 물체와 상까지의 거리는 같고, 물체와 같은 크기의 실상이 생긴다.

~~ㄱ~~. (가)에서 배율이 1이므로 물체의 크기와 상의 크기는 같다.

ㄴ. (가)에서 렌즈와 상 사이의 거리를 b_1, 렌즈의 초점 거리를 f라 하면 배율이 1이므로, $a=b_1$이고 렌즈 방정식을 적용하면 $\frac{1}{a}+\frac{1}{a}=\frac{1}{f}$이므로 $f=\frac{a}{2}$이다. (나)에서 렌즈와 상 사이의 거리를 b_2라 하고 렌즈 방정식을 적용하면 $\frac{1}{\left(\frac{3}{4}a\right)}+\frac{1}{b_2}=\frac{1}{\left(\frac{a}{2}\right)}$이 되어 $b_2=\frac{3}{2}a$이다. $b_2>0$이므로 (나)에서 물체의 상은 실상이다.

ㄷ. (나)에서 $b_2=\frac{3}{2}a$이므로 상의 배율 $M=\frac{b_2}{\frac{3}{4}a}=2$이다.

05 볼록 렌즈

(가)에서 실상, (나)에서 허상이 생기는 경우 $\frac{1}{2}a<f<a$이다.

④ (가)에서 렌즈 방정식을 적용하면 $\frac{1}{a}+\frac{1}{b}=\frac{1}{f}$이고, 배율은 $\frac{b}{a}=\frac{h_1}{h}$이다. (나)에서 렌즈 방정식을 적용하면 $\frac{1}{\frac{a}{2}}+\frac{1}{(-2b)}=\frac{1}{f}$이고, 배율은 $\frac{2b}{\frac{a}{2}}=\frac{h_2}{h}$이다. 따라서 $\frac{1}{a}+\frac{1}{b}=\frac{1}{\frac{a}{2}}+\frac{1}{(-2b)}$이 되어 $a=\frac{2}{3}b$이고, $f=\frac{3}{5}a$이며, $h_2=4h_1$이다.

06 볼록 렌즈

물체와 렌즈 사이의 거리가 a, 렌즈와 상 사이의 거리가 b, 렌즈의 초점 거리가 f이고, $a=b$이면 배율이 1이고 물체와 같은 크기의 실상이 생긴다. $a>f$이면 도립 실상이 생긴다.

ㄱ. (가)에서 렌즈 중심에서 물체까지 거리와 렌즈 중심에서 상까지의 거리가 a로 같으므로, 렌즈 방정식을 적용하면 $\frac{2}{a}=\frac{1}{f}$이다. 따라서 $a=2f$이다.

ㄴ. (나)에서 렌즈 중심에서 물체까지 거리와 렌즈 중심에서 상까지의 거리가 각각 $\frac{2}{3}a$, x이므로 렌즈 방정식을 적용하면 $\frac{1}{\frac{2}{3}a}+\frac{1}{x}=\frac{1}{\frac{a}{2}}$이다. 따라서 $x=2a$가 되어 $x=4f$이다.

ㄷ. (나)에서 $\frac{2}{3}a>f$이므로 실상이 생기고 렌즈 중심에서 상까지의 거리가 렌즈 중심에서 물체까지 거리보다 크므로 상의 크기는 물체의 크기보다 크다.

07 볼록 렌즈

(가)에서 렌즈와 물체 사이의 거리가 초점 거리보다 크므로 도립 실상이 생기고, (나)에서는 물체와 상이 모두 $x>0$인 곳에 있으므로 정립 허상이 생긴다.

⑤ (가)에서 렌즈 중심에서 물체까지 거리가 $2.5f$이다. (가)와 (나)에서 렌즈 방정식을 각각 적용하면 $\frac{1}{2.5f}+\frac{1}{d_{\mathrm{P}}}=\frac{1}{f}$, $\frac{1}{d_{\mathrm{A}}}-\frac{1}{d_{\mathrm{P}}}=\frac{1}{f}$이

되어 $d_{p}=\frac{5}{3}f$, $d_{A}=\frac{5}{8}f$이다. 따라서 $\frac{d_{p}}{d_{A}}=\frac{8}{3}$이다.

08 볼록 렌즈

물체와 렌즈 사이의 거리가 a이고, 렌즈와 상 사이의 거리가 b이며 렌즈의 초점 거리가 f일 때, 렌즈 방정식은 $\frac{1}{a}+\frac{1}{b}=\frac{1}{f}$이다. $a>f$일 때 도립 실상이 생기고 $a<f$일 때 정립 허상이 생긴다.

✗. 볼록 렌즈에서 실상이 생기는 경우의 상은 도립상이다. 따라서 (나)에서 상은 도립상이다.

㉡. (가)에서 실상이 생기고, 렌즈 중심과 물체 사이의 거리가 $4f$이므로 렌즈 중심과 상 사이의 거리를 b_1이라 하고 렌즈 방정식을 적용하면 $\frac{1}{4f}+\frac{1}{b_1}=\frac{1}{f}$이다. 따라서 $b_1=\frac{4}{3}f$이다.

㉢. (가)와 (나)에서 렌즈의 배율을 각각 $m_{(가)}$, $m_{(나)}$라 하고, (나)에서 렌즈 중심부터 상까지의 거리를 b_2라 하면 상의 크기는 (나)에서가 (가)에서의 3배이므로 $m_{(나)}=3m_{(가)}$가 되어 $\frac{b_2}{a_1}=3\times\frac{\frac{4}{3}f}{4f}$이므로 $a_1=b_2$이다. 따라서 렌즈 방정식에 적용하면 $\frac{1}{a_1}+\frac{1}{a_1}=\frac{1}{f}$이므로 $a_1=2f$이다.

수능 3점 테스트

본문 103~104쪽

01 ② 02 ① 03 ② 04 ③

01 볼록 렌즈

볼록 렌즈에 의한 상의 작도는 다음과 같다.

(Ⅰ) 광축에 나란하게 입사한 광선 Ⅰ은 렌즈를 지난 후 초점을 지난다.

(Ⅱ) 렌즈 중심을 향해 입사한 광선 Ⅱ는 렌즈를 지난 후 그대로 직진한다.

(Ⅲ) 초점을 지나 입사한 광선 Ⅲ은 렌즈를 지난 후 광축과 나란하게 진행한다.

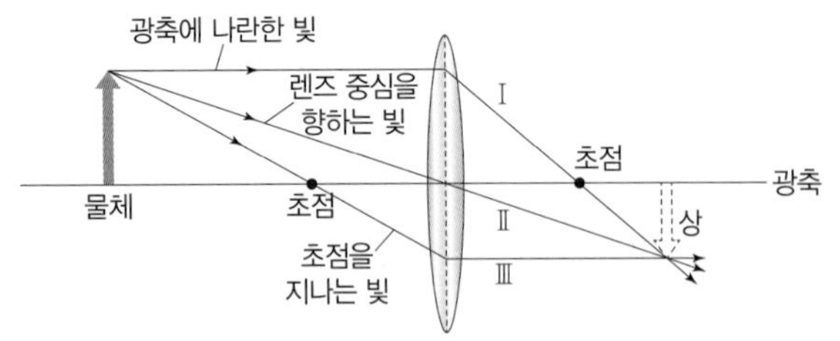

②. (가)와 (나)에서 초점 거리를 각각 $2f$, f라 하면 $\tan30^\circ=\frac{h_{(가)}}{2f}$, $\tan60^\circ=\frac{h_{(나)}}{f}$이다. 따라서 $\frac{h_{(나)}}{h_{(가)}}=\frac{f\tan60^\circ}{2f\tan30^\circ}=\frac{3}{2}$이다.

02 볼록 렌즈

물체와 렌즈 사이의 거리가 a이고, 렌즈와 상 사이의 거리가 b이며 렌즈의 초점 거리가 f일 때, 렌즈 방정식은 $\frac{1}{a}+\frac{1}{b}=\frac{1}{f}$이다. $a>f$일 때 도립 실상이 생기고 $a<f$일 때 정립 허상이 생긴다.

㉠. 볼록 렌즈에서 $a>f$일 때 도립 실상이 생긴다.

✗. $a=2f$일 때 도립 실상이 생기므로 렌즈와 상 사이의 거리를 b_1이라 하고 렌즈 방정식을 적용하면 $\frac{1}{2f}+\frac{1}{b_1}=\frac{1}{f}$이 되어 $b_1=2f$이다. 따라서 상의 배율은 1이므로 $h=h_0$이다.

✗. $a=\frac{1}{2}f$일 때 정립 허상이 생기므로 렌즈와 상 사이의 거리를 b_2라고 하고 렌즈 방정식을 적용하면 $\frac{1}{\frac{1}{2}f}-\frac{1}{b_2}=\frac{1}{f}$이 되어 $b_2=f$이다. 물체의 크기는 h_0이고, 상의 배율은 $\frac{f}{\frac{1}{2}f}=2$이므로 ㉠$=2h_0$이다.

03 볼록 렌즈

물체와 볼록 렌즈 사이의 거리가 a이고, 렌즈와 상 사이의 거리가 b이며 렌즈의 초점 거리가 f일 때, 렌즈 방정식은 $\frac{1}{a}+\frac{1}{b}=\frac{1}{f}$이다. 물체와 스크린은 고정되어 있고 렌즈만 이동할 때는 L은 상수이다.

✗. 렌즈의 초점 거리를 f, 스크린에 첫 번째 상이 생길 때 물체와 렌즈 사이의 거리를 a_1, 렌즈와 스크린 사이의 거리가 b_1, 스크린에 두 번째 상이 생길 때 물체와 렌즈 사이의 거리를 a_2, 렌즈와 스크린 사이의 거리가 b_2라 하면 $\frac{b_1}{a_1}=2$이고, $\frac{1}{a_1}+\frac{1}{b_1}=\frac{1}{a_2}+\frac{1}{b_2}=\frac{1}{f}$과 $a_1+b_1=a_2+b_2=L$이 성립한다. 따라서 $a_2=2b_2$이고, $a_1=\frac{L}{3}$, $a_2=\frac{2}{3}L$이다.

㉡. $\frac{1}{a_1}+\frac{1}{2a_1}=\frac{1}{f}$이므로 $f=\frac{2}{3}a_1$이다.

✗. $a_2=\frac{2}{3}L$이므로 $x=\frac{1}{3}a_2=\frac{2}{9}L=f$이다. $x=\frac{1}{3}a_2$이면 물체가 초점에 있으므로 상은 어느 곳에서도 생기지 않는다.

04 볼록 렌즈

물체와 볼록 렌즈 중심 사이의 거리가 a이고, 렌즈 중심과 상 사이의 거리가 b이며 렌즈의 초점 거리가 f일 때, 렌즈 방정식은 $\frac{1}{a}+\frac{1}{b}=\frac{1}{f}$이다. 허상이 생길 때 $b<0$이다.

③. (가)에서 렌즈 중심과 상 사이의 거리를 b_1이라 하고 렌즈 방정식을 적용하면 $\frac{1}{\frac{2}{3}f}-\frac{1}{b_1}=\frac{1}{f}$이 되어 $b_1=2f$이고, $m_{(가)}=\frac{2f}{\frac{2}{3}f}=3$이다. (나)에서 렌즈 중심과 상 사이의 거리를 b_2라 하고 렌즈 방정식을 적용하면 $\frac{1}{\frac{f}{3}}-\frac{1}{b_2}=\frac{1}{f}$이 되어 $b_2=\frac{f}{2}$이고, $m_{(나)}=\frac{\frac{f}{2}}{\frac{f}{3}}=\frac{3}{2}$이다. 따라서 $\frac{m_{(가)}}{m_{(나)}}=\frac{3}{\frac{3}{2}}=2$이다.

테마 14 빛과 물질의 이중성

닮은 꼴 문제로 유형 익히기

본문 107쪽

정답 ④

광전 효과에서 방출되는 광전자의 최대 운동 에너지는 정지 전압에 비례하고 물질파 파장의 최솟값의 제곱에 반비례한다. 또 광전 효과에서 방출되는 광전자의 최대 운동 에너지 E_k는 금속에 비추어 준 광자의 에너지 hf와 금속의 일함수 W의 차와 같으므로 $E_k=hf-W$ (h는 플랑크 상수)이다.

ㄱ. 광전자의 최대 운동 에너지는 정지 전압에 비례하고 광전자의 물질파 파장의 최솟값의 제곱에 반비례한다. 정지 전압은 $0.5V_0$으로 같으므로 $\lambda_1=\lambda_3$이다.

ㄴ. P, Q의 일함수를 각각 W_P, W_Q라 하면 $4\left(\frac{hc}{\lambda}-W_P\right)=\frac{hc}{\lambda}-W_Q$ … ㉠, $\frac{hc}{\lambda}-W_Q=4\left(\frac{hc}{2\lambda}-W_Q\right)$ … ㉡이다. ㉠, ㉡을 연립하면 $W_P=\frac{5hc}{6\lambda}$, $W_Q=\frac{hc}{3\lambda}$이다.

ㄷ. P에 파장이 2λ인 단색광을 비추었을 때 단색광의 에너지는 $\frac{hc}{2\lambda}$이고, P의 일함수는 $\frac{5hc}{6\lambda}$이므로 광전자가 방출되지 않는다.

수능 2점 테스트

본문 108~109쪽

01 ③ 02 ② 03 ② 04 ③ 05 ①
06 ④ 07 ① 08 ③

01 광전 효과

금속판의 문턱(한계) 진동수보다 큰 진동수의 빛을 금속판에 비추는 즉시 광전자가 방출되어 광전류가 흐르고, 정지 전압은 광전자의 최대 운동 에너지에 비례한다.

③ 광전관에 역방향 전압을 걸어 주고 전압을 증가시키면 반대편 금속판에 도달하는 광전자의 수는 줄어들게 되어 광전류의 세기는 감소한다. 이때 광전류가 0이 되는 순간의 전압을 정지 전압(㉠)이라고 하고, 일·운동 에너지 정리를 적용하면 전자의 전하량과 정지 전압의 곱은 전자의 운동 에너지 변화량과 같다. 따라서 광전자의 최대 운동 에너지는 정지 전압에 비례(㉡)한다.

02 광전 효과

광전 효과에서 방출되는 광전자의 최대 운동 에너지 E_k는 금속에 비추어 준 광자의 에너지 hf와 금속의 일함수 W의 차와 같다($E_k=hf-W$). 이때 h는 플랑크 상수이다. 입자의 질량을 m, 입자의 드브로이 파장을 λ, 입자의 운동 에너지를 E_k라 하면 $E_k=\frac{h^2}{2m\lambda^2}$이다. 따라서 $\lambda\propto\frac{1}{\sqrt{E_k}}$이다.

② 전자의 물질파 파장의 최솟값은 전자의 운동 에너지의 제곱근에 반비례한다. 진동수가 $2f$인 빛을 A에 비출 때 방출되는 광전자의 최대 운동 에너지를 E_k라 하면, 진동수가 $5f$인 빛을 A에 비출 때 방출되는 광전자의 최대 운동 에너지는 $3E_k$이다. A의 일함수를 W라 하고, 진동수가 $2f$인 빛을 A에 비출 때 에너지 보존 법칙을 적용하면 $2hf=E_k+W$ … ㉠이고, 진동수가 $5f$인 빛을 A에 비출 때 에너지 보존 법칙을 적용하면 $5hf=3E_k+W$ … ㉡이다. ㉠과 ㉡을 연립하면 $W=\frac{1}{2}hf$이다.

03 광전 효과

빛의 파장을 λ, 진동수를 f라 하면 $f=\frac{c}{\lambda}$이다. 광전 효과에서 방출되는 광전자의 최대 운동 에너지 E_k는 금속에 비추어 준 광자의 에너지 hf와 금속의 일함수 W의 차와 같고 전자의 전하량 e와 정지 전압 V_0의 곱과 같다($E_k=hf-W=eV_0$).

ㄱ. 빛의 파장은 진동수에 반비례하고, 광자 한 개의 에너지는 진동수에 비례한다. 따라서 빛의 파장은 B가 A의 2배이므로 광자 한 개의 에너지는 A가 B의 2배이다.

ㄴ. 단색광의 세기는 정지 전압에 영향을 주지 않으므로 ㉠은 V_A이다.

ㄷ. 금속판의 일함수를 W, A의 파장을 λ라 하고 A를 금속판에 비추었을 때 에너지 보존 법칙을 적용하면 $\frac{hc}{\lambda}-W=eV_A$ … ①이고, B를 금속판에 비추었을 때 에너지 보존 법칙을 적용하면 $\frac{hc}{2\lambda}-W=eV_B$ … ②이다. ①과 ②를 연립하면 $\lambda=\frac{hc}{2e(V_A-V_B)}$이다.

04 광전 효과

광전 효과에서 방출되는 광전자의 최대 운동 에너지 E_k는 금속에 비추어 준 광자의 에너지 hf와 금속의 일함수 W의 차와 같다. 즉, $E_k=hf-W$이다. 비춰 준 빛의 진동수와 광전자의 최대 운동 에너지(E_k)의 관계 그래프의 기울기는 플랑크 상수 h로 금속의 종류에 관계없이 일정하다.

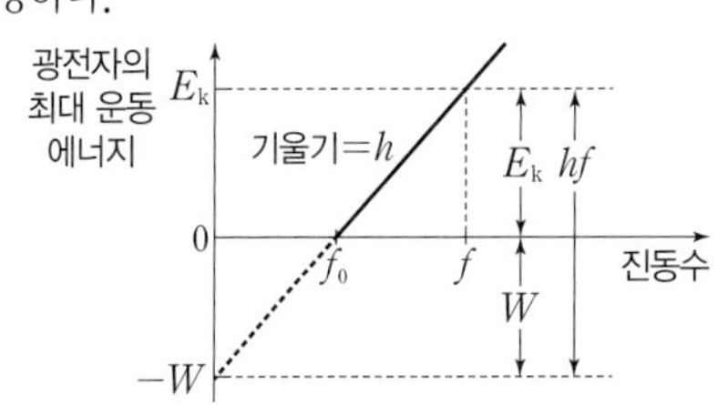

ㄱ. 금속판의 문턱 진동수가 f_0이므로 금속판의 일함수는 hf_0이다.

ㄴ. 진동수가 $0.5f_0$인 빛은 금속판의 문턱 진동수 f_0보다 작은 진동수의 빛이므로 금속판에서 광전자가 방출되지 않는다.

ㄷ. 금속판의 일함수가 hf_0이므로 진동수가 $1.5f_0$, $2f_0$인 빛을 비출 때 방출되는 광전자의 최대 운동 에너지를 각각 E_1, E_2라 하면 $1.5hf_0=E_1+hf_0$, $2hf_0=E_2+hf_0$이다. 따라서 $E_1=0.5hf_0$, $E_2=hf_0$이다.

05 입자의 물질파

질량이 m이고, 속력이 v인 입자의 물질파 파장 $\lambda=\frac{h}{mv}$이고, 입자의 운동 에너지 $E_k=\frac{h^2}{2m\lambda^2}$이다.

㉠. 입자의 물질파 파장은 입자의 운동량 크기에 반비례한다. 충돌 후 A, B의 물질파 파장과 운동량의 크기 사이의 관계는 각각 $\lambda=\frac{h}{p}$, ㉠$=\frac{h}{4p}$이므로 ㉠$=\frac{\lambda}{4}$이다.

ㄴ. 충돌 후 A, B의 속력을 각각 v_A, v_B라 하면 $p=mv_A$, $4p=2mv_B$가 되어 $v_B=2v_A$이다. 따라서 충돌 후 속력은 B가 A의 2배이다.

ㄷ. 충돌 후 A와 B의 운동 에너지는 각각 $\frac{h^2}{2m\lambda^2}$, $\frac{h^2}{2\times(2m)\left(\frac{\lambda}{4}\right)^2}=\frac{4h^2}{m\lambda^2}$이다. 따라서 $\frac{㉡}{㉢}=\frac{1}{8}$이다.

별해 | ㄷ. 충돌 후 입자의 운동 에너지는 운동량의 크기의 제곱에 비례하고 질량에 반비례한다. 따라서 충돌 후 A와 B의 운동 에너지는 각각 $\frac{p^2}{2m}$, $\frac{4p^2}{m}$이다.

06 전자에 의한 회절

전자총에서 가속 전압 V로 가속된 전자가 금속박에 도달하는 순간 운동 에너지는 $E_k=eV$(e: 기본 전하량)이고 질량이 m인 입자의 물질파 파장 $\lambda=\frac{h}{\sqrt{2mE_k}}$이다.

ㄱ. 전자의 물질파 파장은 $\lambda=\frac{h}{\sqrt{2meV}}$이므로 전자의 가속 전압이 커질수록 전자의 물질파 파장은 짧아진다.

㉡. (가)에서 전자선이 금속박을 통과할 때 회절 현상이 일어나야 (나)와 같은 회절 무늬가 생길 수 있다.

㉢. 회절 무늬의 폭은 금속판에 입사하는 전자의 물질파 파장이 길수록 크게 나타난다. 전자의 물질파 파장은 $\lambda=\frac{h}{\sqrt{2mE_k}}$이므로 전자의 운동 에너지가 클수록 파장이 짧아지고 회절 무늬의 폭 Δx는 작아진다.

07 보어의 수소 원자 모형

보어는 수소 원자 모형에서 원자의 안정성 문제를 제1가설로 해결하고, 선 스펙트럼 문제를 제2가설로 해결하였다.

Ⓐ. 수소 원자 내에서 전자의 에너지 준위는 양자화되어 있다. 따라서 수소 원자의 에너지 준위는 불연속적이다.

Ⓑ. ㉠은 보어의 수소 원자 모형이고 보어의 수소 원자 모형의 제1가설(양자 조건)은 '원자 속의 전자는 특정한 조건을 만족하는 원 궤도를 회전할 때 전자기파를 방출하지 않고 일정한 궤도 운동을 계속한다.'이다. 이는 전자가 가속 운동인 원운동을 하여도 전자기파를 방출하지 않고 안정한 궤도를 유지할 수 있다는 것을 의미한다. 따라서 ㉠에서 양자수에 따른 전자의 궤도 반지름을 정확하게 말할 수 있다.

Ⓒ. 전자가 안정한 궤도 사이를 전이할 때 전자기파를 방출(흡수)한다. 양자수가 n일 때 전자의 에너지 $E_n=-\frac{상수}{n^2}$이다. 따라서 n이 커지면 전자의 에너지가 증가해야 하므로 전자가 n이 커지는 방향으로 전이하면 전자기파를 흡수해야 한다.

08 보어의 수소 원자 모형

보어의 수소 원자 모형에서 전자가 궤도 운동하는 원의 둘레가 전자의 드브로이 파장의 정수배가 되어 정상파를 이룰 때 전자의 궤도는 안정한 궤도를 이룬다.

㉠. 양(+)전하인 원자핵과 음(−)전하인 전자 사이에는 당기는 전기력이 작용하고 이 전기력의 크기는 거리의 제곱에 반비례한다. 양자수가 n일 때 전자의 궤도 반지름 $r_n=a_0n^2$(a_0: 보어 반지름)이므로 양자수가 커질수록 전자의 궤도 반지름이 커져 전기력의 크기는 작아진다.

ㄴ. (나)에서 원운동 궤도의 둘레는 전자의 물질파 파장의 3배이다. 따라서 양자수는 3이다.

㉢. 보어의 원자 모형의 가설은 '원자 속의 전자는 특정한 조건을 만족하는 원 궤도를 따라 회전할 때 전자기파를 방출하지 않고 안정된 궤도 운동을 계속한다.'이다. 전자의 질량이 m, 전자의 속력이 v, 전자가 회전하는 원 궤도의 반지름이 r이면 양자 조건은 $2\pi r=n\frac{h}{mv}=n\lambda$ ($n=1, 2, 3, \cdots$)이다. 원 궤도의 반지름은 n^2에 비례하므로 전자의 물질파 파장은 n에 비례한다. 따라서 n이 커지면 원 궤도의 반지름이 커져 전자의 물질파 파장이 길어진다.

수능 3점 테스트 본문 110~112쪽

01 ④ 02 ⑤ 03 ⑤ 04 ② 05 ⑤ 06 ⑤

01 광전 효과

광전 효과 실험에서 문턱(한계) 진동수보다 작은 진동수의 빛은 아무리 센 빛을 비춰도 광전류가 흐르지 않는다. 그러나 문턱(한계) 진동수보다 큰 진동수의 빛을 비추는 즉시 광전자가 방출되고, 빛의 세기가 증가할수록 광전류의 세기는 증가한다.

ㄱ. 진동수가 $0.5f_0$인 빛의 진동수는 금속의 문턱 진동수보다 작으므로 아무리 센 빛을 금속판에 비추어도 광전자는 방출되지 않는다. 따라서 Ⅰ의 경우 금속판에서 광전자가 방출되지 않는다.

㉡. 진동수가 $1.5f_0$인 빛을 비출 때 금속판에서는 광전자가 방출된다. 따라서 빛의 세기가 $2I_0$일 때가 I_0일 때보다 단위 시간당 방출되는 광전자의 수가 많으므로 단위 시간당 방출되는 광전자의 수는 Ⅲ에서가 Ⅱ에서보다 크다.

㉢. 플랑크 상수를 h라 하면, 금속판의 일함수는 hf_0이다. 진동수가 $2f_0$인 광자의 에너지는 $2hf_0$이므로 광전자의 최대 운동 에너지는 $2hf_0-hf_0=hf_0$이다.

02 광전 효과

광전 효과에서 방출되는 광전자의 최대 운동 에너지 E_k는 금속에 비추어 준 광자의 에너지 hf와 금속의 일함수 W의 차와 같다.

$E_k=hf-W$이다. 이때 h는 플랑크 상수이다. 입자의 질량을 m, 입자의 드브로이 파장을 λ, 입자의 운동 에너지를 E_k라 하면 $E_k=\frac{h^2}{2m\lambda^2}$이다.

⑤ 전자의 질량을 m, 금속판에 A를 비추었을 때 광전자의 드브로이 파장의 최솟값을 λ라 하면 광전자의 최대 운동 에너지 $E_k=\frac{h^2}{2m\lambda^2}$이 되어 광전자의 최대 운동 에너지는 드브로이 파장의 최솟값의 제곱에 반비례한다. 따라서 ㉠은 $4E_0$이다. A의 진동수를 f라 하고 금속판에 A 또는 B를 비추었을 때 에너지 보존 법칙을 각각 적용하면 $hf=E_0+W$, $2hf=4E_0+W$이다. 두 식을 연립하면 $W=2E_0$이다.

03 광전 효과

광전 효과에서 문턱(한계) 진동수보다 작은 진동수의 빛은 아무리 센 빛을 비춰도 광전류가 흐르지 않는다.

ㄱ. (가)에서 a가 (+)극, b가 (−)극이면 금속판에서 튀어나온 광전자는 P에서 금속판 쪽으로 전기력을 받아 광전자의 속력이 감소한다. 따라서 금속판에서 튀어나온 광전자가 금속판에서 P로 이동하는 동안 광전자의 물질파 파장은 길어진다.

ㄴ. 금속판에서 방출되는 광전자의 최대 운동 에너지는 정지 전압에 비례한다. 정지 전압은 C를 비출 때가 A를 비출 때의 2배이므로 광전자의 최대 운동 에너지는 C를 비출 때가 A를 비출 때의 2배이다.

ㄷ. 기본 전하량을 e, 금속판의 일함수를 W_0이라 하고 $3f_0$인 A를 비출 때와 $5f_0$인 B를 비출 때 에너지 보존 법칙을 각각 적용하면, $3hf_0-W_0=eV_0$, $5hf_0-W_0=2eV_0$이 되고 두 식을 연립하면 $W_0=hf_0$이다.

04 광전 효과와 물질파

광전 효과에서 빛의 진동수 f, 광전자의 최대 운동 에너지 E_k, 금속의 일함수 W와의 관계는 다음과 같다.

$$hf=W+E_k$$

세기가 E인 전기장이 형성된 공간에서 전하량 q인 대전 입자가 전기력을 받아 거리 L만큼 이동하는 동안 대전 입자가 받은 일은 입자의 운동 에너지 변화량과 같다.

$$W=qEL=\Delta E_k$$

② A와 B의 진동수를 각각 f, $3f$, A와 B에 의해 방출된 광전자의 최대 운동 에너지를 각각 E_{k0A}, E_{k0B}라 하고 에너지 보존 법칙을 적용하면 $E_{k0B}=5E_{k0A}$ … ㉠이고, $E_{k0A}=hf-W$ … ㉡, $E_{k0B}=3hf-W$ … ㉢이 되어 ㉠, ㉡, ㉢을 연립하면 $E_{k0A}=\frac{1}{2}hf$, $E_{k0B}=\frac{5}{2}hf$, $W=\frac{1}{2}hf$이다. A, B에 의해 금속판에서 각각 방출된 광전자 A′, B′가 등속도 운동을 하는 동안 속력을 각각 v_{0A}, v_{0B}라 하면 $\frac{1}{2}mv_{0A}{}^2=\frac{1}{2}hf$, $\frac{1}{2}mv_{0B}{}^2=\frac{5}{2}hf$이고, $v_{0A}=\sqrt{\frac{hf}{m}}$, $v_{0B}=\sqrt{\frac{5hf}{m}}$이다. A′, B′가 전기장에서 포물선 운동을 하는 동안 걸린 시간을 각각 t_A, t_B라 하면 $t_A=\frac{L}{\sqrt{\frac{hf}{m}}}$, $t_B=\frac{L}{\sqrt{\frac{5hf}{m}}}$이다. A′가 y축 방향으로 이동한 거리는 $L=\frac{1}{2}\times\frac{eE}{m}\times\frac{L^2}{\frac{hf}{m}}$이 되어 $eEL=2hf$이다. 따라서 B′가 전기장에서 y축 방향으로 이동한 거리 $y_B=\frac{1}{2}\times\frac{eE}{m}\times\frac{L^2}{\frac{5hf}{m}}=\frac{L}{5}$이다. B′가 전기장 영역을 빠져나오는 순간 y축 방향의 속력을 v_{yB}라 하면, B′는 전기장 내에서 y축 방향으로 등가속도 운동을 하므로 $2\times\frac{eE}{m}\times\frac{L}{5}=v_{yB}{}^2$이 되어 $v_{yB}{}^2=\frac{2eEL}{5m}$이다. B′가 전기장 영역을 빠져 나오는 순간 속력을 v_B라 하면, $v_B{}^2=v_{0B}{}^2+v_{yB}{}^2=\frac{29eEL}{10m}$이다. 따라서 B′가 전기장 영역을 빠져 나오는 순간 물질파 파장을 λ라 하면 $\frac{1}{2}mv_B{}^2=\frac{1}{2}m\times\frac{29eEL}{10m}=\frac{h^2}{2m\lambda^2}$이 되어 $\lambda=\sqrt{\frac{10}{29meEL}}h$이다.

05 광전 효과와 물질파 파장

금속의 문턱 진동수와 일함수는 비례한다. 일함수가 W인 금속판에 광자의 에너지가 hf인 단색광을 비출 때 방출되는 광전자의 최대 운동 에너지 E는 $E=hf-W$의 식을 만족한다.

ㄱ. P와 Q의 문턱 진동수는 각각 f_0, $2f_0$이므로 금속의 일함수는 Q가 P의 2배이다.

ㄴ. A와 P에 대해 에너지 보존 법칙을 적용하면 $3hf_0=hf_0+2E_0$이므로 $E_0=hf_0$이다. B와 Q에 대해 에너지 보존 법칙을 적용하면 $4hf_0=2hf_0+$㉠이므로 ㉠$=2E_0$이다.

ㄷ. 진동수가 $5f_0$인 빛을 P와 Q에 각각 비출 때 P와 Q에서 방출되는 광전자의 최대 운동 에너지를 각각 E_{kP}, E_{kQ}라 하고, A와 P, B와 Q에 대해 각각 에너지 보존 법칙을 적용하면 $5hf_0=hf_0+E_{kP}$, $5hf_0=2hf_0+E_{kQ}$이므로 $E_{kP}=4hf_0$, $E_{kQ}=3hf_0$이다. 광전자의 최대 운동 에너지는 광전자의 물질파 파장의 최솟값의 제곱에 반비례하므로 금속판에서 방출되는 광전자의 물질파 파장의 최솟값은 P에서가 Q에서의 $\frac{\sqrt{3}}{2}$배이다.

06 데이비슨·거머 실험

데이비슨·거머는 니켈 결정에 전자선을 입사시켜 튀어나온 전자의 수가 가장 많은 산란각을 구한 후 같은 각도에서 보강 간섭이 일어나는 X선의 파장과 입사시킨 전자의 물질파 파장이 거의 일치하는 것을 확인하였다.

ㄱ. 니켈 결정에 54 V로 전자선을 쪼였을 때 $\phi=50°$로 산란되어 나오는 전자의 수가 가장 많았다. 이를 전자가 마치 얇은 막의 두 경계에서 반사한 빛처럼 어떤 특정한 각으로 입사할 때 보강 간섭을 일으킨 것으로 해석함으로써 드브로이 물질파 이론에 따른 전자의 파장이 실험의 결과와 일치함을 확인하였다.

ㄴ. 드브로이의 물질파 이론을 적용하면 물질파 파장은 입자의 속력에 반비례한다. 따라서 전자의 속력이 클수록 전자의 물질파 파장이 짧다.

ㄷ. (나)의 결과는 드브로이의 물질파 이론을 증명하는 것으로 전자의 파동성에 의한 간섭 현상이다.

테마 15 불확정성 원리

닮은 꼴 문제로 유형 익히기 본문 114쪽

정답 ③

양자수가 클수록 전자의 에너지는 크다. 불확정성 원리에 의하면 위치와 운동량은 동시에 정확하게 측정할 수 없다. 현대적 원자 모형에서는 파동 함수에 의해 전자가 발견될 확률을 3차원의 전자구름 형태로 나타낸다.

ㄱ. ㉠에서 전자는 전기력을 받아 안정된 원 궤도에서 운동하므로 ㉠은 보어의 수소 원자 모형이다.

ㄴ. ㉠에서 전자가 특정 진동수의 전자기파를 흡수하면 양자수가 커지는 방향으로 전이한다.

Ⓒ 전자의 위치와 운동량을 동시에 정확하게 측정하는 것은 불가능하다는 불확정성 원리를 만족하는 원자 모형은 현대 원자 모형(㉡)이다.

수능 2점 테스트 본문 115~116쪽

01 ① 02 ③ 03 ⑤ 04 ① 05 ⑤
06 ③ 07 ① 08 ③

01 불확정성 원리

미시 세계에서는 측정이 측정 대상에 영향을 미치기 때문에 물체의 위치와 운동량을 동시에 정확하게 측정하는 것은 불가능하다

① 입자의 관점에서 전자의 위치와 운동량을 측정할 때, 전자의 위치를 측정하기 위해서 빛을 전자에 비춰 빛이 산란되는 위치를 현미경으로 관측하는데, 긴 파장의 빛을 이용하는 경우 회절에 의해 상이 흐려지므로 전자의 위치 불확정성이 증가한다. 따라서 긴 파장의 빛을 이용하면 전자의 위치는 정확하게 측정하지 못한다. 빛의 파장이 짧으면 위치 정확도는 높아지지만 전자의 운동량 불확정성이 커진다. 따라서 측정 기술이 발달하더라도 전자의 위치와 운동량을 동시에 정확하게 측정하는 것은 불가능하다.

02 하이젠베르크의 불확정성 원리

미시 세계에서는 측정이 측정 대상에 영향을 미치기 때문에 초기 조건을 정확하게 측정하는 것은 불가능하므로 물체의 위치와 운동량을 동시에 정확하게 측정하는 것은 불가능하다.

ㄱ. 광자의 에너지는 진동수에 비례하고 입사 전 광자는 전자와 충돌하는 과정에서 에너지를 잃는다. 따라서 광자의 에너지는 전자에 입사하기 전이 산란된 후보다 크므로 광자의 진동수는 전자에 입사하기 전이 산란된 후보다 크다.

ㄴ. 빛의 파장이 길수록 전자의 위치 불확정성 Δx는 증가하므로 전자의 운동량 불확정성 Δp는 감소한다.

ㄷ. 광자는 측정 과정에서 전자의 상태를 변화시킨다. 따라서 하이젠베르크의 불확정성 원리에 의해 전자의 위치와 운동량을 동시에 정확하게 측정하는 것은 불가능하다.

03 불확정성 원리

불확정성 원리에 의하면 미시적인 세계를 다루는 양자 역학에서 입자의 위치와 운동량을 동시에 정확하게 측정하는 것은 불가능하다. 파장이 짧은, 즉 진동수가 큰 빛은 전자와 충돌하여 에너지를 주고받아 전자의 운동량이 변하고, 파장이 긴 빛, 즉 진동수가 작은 빛은 전자의 위치를 정확하게 파악하지 못한다.

ㄱ. 전자의 위치를 측정하기 위해 빛을 전자에 비춰 빛과 전자의 충돌로 전자의 운동량 변화를 통해 전자의 위치를 측정해야 한다. 빛의 파장이 짧을수록 전자와 잘 충돌하므로 빛의 파장이 짧을수록 전자의 위치 불확정성은 감소한다.

ㄴ. 빛(광자)의 파장이 짧을수록 빛(광자)이 전자와 충돌하면 전자의 운동량을 크게 변화시키므로 전자의 운동량 불확정성이 증가한다.

ㄷ. 짧은 파장의 빛을 이용하면 전자의 위치는 정확하게 측정할 수 있지만 운동량의 불확정성은 증가한다. 반대로 긴 파장의 빛을 이용하면 전자의 운동량의 정확성을 높일 수 있지만 전자의 위치의 불확정성은 증가한다. 따라서 하이젠베르크의 불확정성 원리에 의해 전자의 위치와 운동량을 동시에 정확하게 측정하는 것은 불가능하다.

04 불확정성 원리

전자의 위치 불확정성과 전자의 운동량 불확정성과의 관계는 다음과 같다.

$$\Delta x \Delta p \geq \frac{\hbar}{2} \begin{cases} \Delta x: \text{전자의 위치 불확정성} \\ \Delta p: \text{전자의 운동량 불확정성} \end{cases}$$

ㄱ. 전자의 운동량 크기는 전자의 물질파 파장에 반비례한다. 전자의 물질파 파장이 (나)에서가 (가)에서의 2배이므로 전자의 운동량 크기는 (가)에서가 (나)에서보다 크다.

ㄴ. 전자가 슬릿을 통과할 때, 위치 불확정성은 슬릿의 폭에 의해 결정된다. (가)와 (나)에서 슬릿의 폭이 Δx로 같으므로 위치 불확정성은 (가)와 (나)에서 같다.

ㄷ. 전자의 위치 불확정성이 작아지면 전자의 운동량 불확정성은 커진다. 따라서 (나)에서 Δx가 감소하면 $\Delta p_{(나)}$는 증가한다.

05 보어의 수소 원자 모형과 현대적 수소 원자 모형

보어는 러더퍼드 원자 모형에서 원자의 안정성 문제, 선 스펙트럼 문제 등의 한계점을 해결하기 위해 두 가지 가설을 적용하여 새로운 원자 모형을 제시하였다.

• 제1가설(양자 조건): 원자 속의 전자는 특정한 조건을 만족하는 원 궤도를 회전할 때 전자기파를 방출하지 않고 안정된 궤도 운동을 계속한다.

• 제2가설(진동수 조건): 전자가 양자 조건을 만족하는 원 궤도 사이에서 전이할 때는 두 궤도의 에너지 차에 해당하는 에너지를 갖는 전자기파를 방출하거나 흡수한다.

⑤ 보어의 수소 원자 모형에서는 원자 속의 전자가 특정한 조건을 만족하는 안정된 원 궤도를 등속 원운동을 할 때 전자기파를 방출하지 않는다고 설명한다. 또 전자가 양자수 $n=2$에서 $n=1$로 전이할 때 전자의 에너지는 $n=2$일 때가 $n=1$일 때보다 크기 때문에 특정 진동수의 전자기파를 방출한다. 현대적 수소 원자 모형에서는 입자성과 파동성을 모두 띠고 있는 전자의 위치와 운동량을 동시에 정확하게 측정할 수 없다.

06 현대적 수소 원자 모형

현대적 원자 모형에서는 파동 함수에 의해 전자가 발견될 확률을 3차원의 전자구름 형태로 나타내고 하이젠베르크의 불확정성 원리를 만족한다.

ㄱ. 현대적 수소 원자 모형은 전자가 구름 형태로 분포해 있어 전자의 위치를 정확하게 측정하는 것은 불가능하다. 따라서 전자가 원자핵으로부터 떨어진 거리의 불확정성은 0이 아니다.

ㄴ. 전자의 위치를 정확하게 측정하지 못하므로 전자의 운동량의 크기도 정확하게 측정할 수 없다. 따라서 전자의 운동량의 크기는 일정하다고 할 수 없다.

ⓒ. 전자의 위치와 운동량을 동시에 정확히 측정하는 것은 불가능하므로 전자의 상태는 불확정성 원리를 만족한다.

07 보어의 수소 원자 모형과 현대적 수소 원자 모형

주 양자수가 클수록 전자의 에너지는 크다. 보어 원자 모형에 따르면 전자가 원자핵으로부터 떨어진 거리의 불확정성 Δr이 0이고, 중심 방향의 운동량의 불확정성 Δp_r은 0이다. 따라서 $\Delta r \Delta p_r=0$이 되어 하이젠베르크의 불확정성 원리에 위배된다. 불확정성 원리에서 전자의 위치 불확정도와 전자의 운동량 불확정도의 관계는 다음과 같다.

$$\Delta x \Delta p \geq \frac{\hbar}{2}$$

(Δx: 전자의 위치 불확정성, Δp: 전자의 운동량 불확정성)

ⓐ. 주 양자수는 전자의 에너지를 결정하고 주 양자수가 클수록 전자의 에너지는 크다.

ㄴ. 하이젠베르크의 불확정성 원리를 적용하면 (나)에서 원자핵과 그 주위를 등속 원운동 하는 전자 사이의 거리를 정확하게 측정할 수 없으므로 전자가 원자핵으로부터 떨어진 거리의 불확정성은 0이 아니다.

ㄷ. (가)에서 전자의 위치는 정확하게 측정할 수 있으므로 전자가 원자핵으로부터 떨어진 거리의 불확정성은 0이고, 중심 방향의 운동량의 불확정성은 0이다. 따라서 (가)에서 전자의 상태는 전자의 위치와 운동량을 동시에 정확히 측정하는 것은 불가능하다는 불확정성 원리를 만족하지 못한다.

08 불확정성 원리와 보어 원자 모형의 한계

보어의 수소 원자 모형에 따른 전자가 원자핵으로부터 떨어진 거리의 불확정성 $\Delta r=0$이고, 중심 방향의 운동량의 불확정성 $\Delta p_r=0$이다. 따라서 $\Delta r \Delta p_r=0$이 되어 $\Delta r \Delta p_r \geq \frac{\hbar}{2}$라는 하이젠베르크의 불확정성 원리에 위배된다.

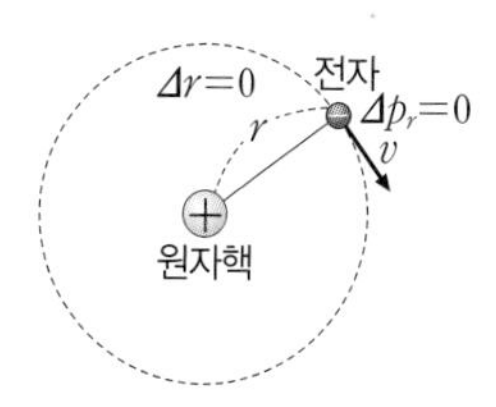

ⓐ. 보어의 수소 원자 모형에서 전자는 반지름이 정해진 원 궤도를 회전하므로 전자가 원자핵으로부터 떨어진 거리의 불확정성은 0이다.

ⓒ. 전자가 양자 조건을 만족하는 원 궤도 사이에서 전이할 때는 두 궤도의 에너지 준위 차에 해당하는 에너지를 갖는 전자기파를 방출하거나 흡수한다. 따라서 '에너지 준위'는 ㉡에 적절하다.

ㄷ. 보어의 수소 원자 모형에서는 양자수가 정해지면 전자가 운동하는 원 궤도의 반지름과 중심 방향의 운동량이 정확하게 정해진다. 따라서 보어의 수소 원자 모형은 불확정성 원리에 위배된다.

01 불확정성 원리

불확정성 원리에 따르면 위치와 운동량은 동시에 정확하게 측정할 수 없다. 입자의 위치를 측정하기 위해 사용한 빛의 진동수가 클수록(파장이 짧을수록) 위치의 불확정성은 감소하고, 운동량의 불확정성은 증가한다.

ㄱ. 빛의 진동수와 파장은 서로 반비례한다. 입자의 위치를 측정하기 위해 사용한 빛의 파장이 길수록 위치 불확정성이 크다. $f_2>f_1$이므로 빛의 파장은 (나)에서가 (가)에서보다 짧다. 따라서 (나)에서 전자의 위치 불확정성은 Δx_1보다 작다.

ⓒ. 전자의 위치 불확정성이 (가)에서가 (나)에서보다 크므로 전자의 운동량 불확정성은 (가)에서가 (나)에서보다 작다. 따라서 (나)에서 전자의 운동량 불확정성은 Δp_1보다 크다.

ㄷ. 위치와 운동량에 대한 불확정성 원리는 $\Delta x_1 \Delta p_1 \geq \frac{\hbar}{2}$로 실험 장비를 아무리 정밀하게 발전시키더라도 위치와 운동량을 동시에 정확하게 측정할 수 없다. 따라서 $\Delta x_1 \times \Delta p_1=0$인 결과를 얻을 수 없다.

02 전자의 회절과 불확정성 원리

전자는 파동적 성질을 가지므로 단일 슬릿을 통과한 전자들에 의해 회절 무늬가 생긴다. 슬릿의 폭이 작을수록 회절은 잘 일어난다.

ㄱ. 전자가 전기장 영역을 통과한 후 전자의 물질파 파장이 같으므로 단일 슬릿에서 전자의 회절은 슬릿의 폭이 좁을수록 잘 일어난다. 따라서 단일 슬릿에서 전자의 회절은 (가)에서가 (나)에서보다 잘 일어난다.

ⓒ. 슬릿의 폭이 클수록 단일 슬릿을 통과하는 전자의 y방향의 위치 불확정성은 크고 전자의 y방향 운동량 불확정성은 작다. 슬릿의 폭이 (나)에서가 (가)에서보다 크므로 단일 슬릿을 통과하는 전자의 y방향

의 위치 불확정성은 (나)에서가 (가)에서보다 크다. 따라서 $\Delta p_{(가)} > \Delta p_{(나)}$이다.

ㄷ. 단일 슬릿을 통과하는 전자의 y방향의 위치 불확정성은 슬릿의 폭에 비례한다. 균일한 전기장의 방향이 $-x$방향으로 바뀌어도 슬릿의 폭이 변하지 않으므로 $\Delta p_{(가)}$는 변하지 않는다.

03 현대적 원자 모형

현대적 원자 모형에서는 전자가 발견될 확률을 3차원의 전자구름 형태로 나타낸다.

ㄱ. $n=1$일 때에 비해 $n=2$일 때의 전자구름 형태가 확률이 높은 부분이 복잡한 형태로 나타나므로 (가), (나)는 각각 $n=2$일 때, $n=1$일 때의 전자구름 형태이다.

ⓛ. 전자의 에너지 준위는 $n=2$일 때가 $n=1$일 때보다 크다. 따라서 전자의 에너지 준위는 (가)일 때가 (나)일 때보다 크다.

ㄷ. 전자구름은 전자의 위치를 정확하게 알지 못한다는 하이젠베르크의 불확정성 원리로 설명할 수 있다.

04 현대적 원자 모형

보어의 수소 원자 모형에서 전자가 원자핵으로부터 떨어진 거리의 불확정성 $\Delta r=0$이고, 중심 방향의 운동량의 불확정성 $\Delta p_r=0$이다. 따라서 $\Delta r \Delta p_r=0$이 되어 $\Delta r \Delta p_r \geq \frac{\hbar}{2}$라는 하이젠베르크의 불확정성 원리에 위배된다.

ⓐ. 보어의 수소 원자 모형에서 전자는 특정한 궤도에서 원운동하고 전자의 속력이 정해져 있으므로 전자의 운동량 불확정성은 0이다.

ⓛ. 주 양자수는 에너지를 결정한다. 주 양자수가 클수록 전자의 에너지는 크다.

ⓒ. 현대적 원자 모형은 일정 범위에서 전자가 존재할 확률을 전자구름 모형으로 설명한다. 따라서 현대적 원자 모형은 전자의 정확한 위치는 알 수 없고, 일정 범위에서 전자가 존재할 확률만 알 수 있다.

실전 모의고사 1회

본문 120~124쪽

01 ⑤	02 ②	03 ①	04 ⑤	05 ②
06 ①	07 ③	08 ③	09 ⑤	10 ③
11 ⑤	12 ⑤	13 ④	14 ②	15 ③
16 ④	17 ②	18 ①	19 ④	20 ③

01 정전기 유도

검전기의 금속판에 대전체를 가까이 가져가면 정전기 유도가 일어나 대전체와 가까운 금속판은 대전체와 다른 종류의 전하를 띠고, 대전체와 먼 금속박은 대전체와 같은 종류의 전하를 띤다. 접촉시 음(−) 전하가 이동한다.

Ⓐ. 양(+)전하로 대전된 막대가 대전되어 있지 않은 검전기와 접촉하였으므로 검전기는 양(+)전하로 대전된다. 따라서 음(−)전하를 띠는 전자가 검전기에서 막대로 이동한다.

Ⓑ. 금속박은 양(+)전하로 대전되어 있으므로 같은 전하 사이에 작용하는 전기력이 작용한다. 따라서 금속박 사이에는 서로 밀어내는 전기력이 작용한다.

Ⓒ. 양(+)전하로 대전된 막대와 접촉하였으므로 금속박은 양(+)전하로 대전된다.

02 힘의 합성과 분해

p, q, r가 물체를 당기는 힘의 크기를 각각 T_p, T_q, T_r라 할 때, 물체에 작용하는 힘은 다음과 같이 성립한다.

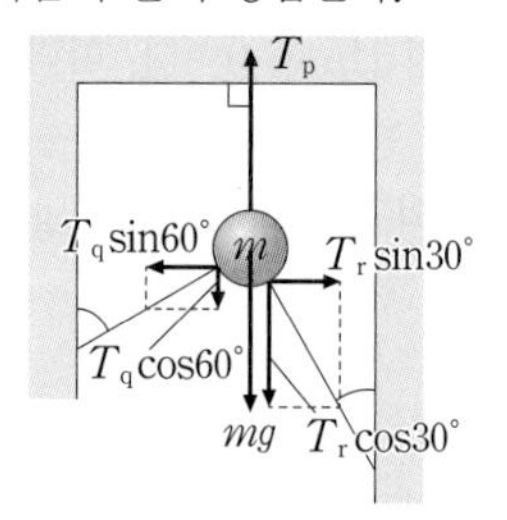

② 알짜힘의 수평 성분의 합은 0이므로 $T_q\sin60^\circ = T_r\sin30^\circ$가 성립한다. 따라서 $\sqrt{3}\,T_q = T_r$이다. p가 물체를 당기는 힘의 크기는 q가 물체를 당기는 힘의 크기의 3배이므로 $T_p = 3T_q$이다. 알짜힘의 연직 성분의 합은 0이므로 $T_q\cos60^\circ + T_r\cos30^\circ + mg = T_p$가 성립한다. 따라서 $\frac{1}{2}\left(\frac{1}{\sqrt{3}}T_r\right) + \frac{\sqrt{3}}{2}T_r + mg = 3\left(\frac{1}{\sqrt{3}}T_r\right)$이므로 $T_r = \sqrt{3}mg$이다.

03 불확정성 원리

하이젠베르크는 입자의 크기가 매우 작은 미시 세계에서는 입자의 위치나 운동량을 알기 위한 측정이 입자의 운동 상태를 변화시킬 수 있음을 인식하였다.

① 운동량이 p인 전자가 폭이 Δy인 슬릿을 통과할 때, Δy가 작아져 슬릿을 지나는 전자의 위치 불확정성이 감소하게 되면 슬릿을 통과한 전자의 운동량 불확정성인 Δp는 증가하게 된다. 즉, Δy가 작을수록 슬릿을 지난 전자가 진행하는 범위가 넓어져 회절 무늬의 폭이 증가한다. 따라서 (가)는 위치이고, (나)는 운동량이다.

04 속도와 가속도

속도-시간 그래프에서 기울기는 가속도를, 그래프와 시간 축이 이루는 면적은 변위를 의미한다.

㉠. 0초부터 2초까지 속도-시간 그래프에서 속도의 x성분 v_x의 변화량이 2 m/s이고, 속도의 y성분 v_y의 변화량이 −1 m/s이므로 속도의 변화량의 크기는 $\sqrt{(2\text{ m/s})^2+(-1\text{ m/s})^2}=\sqrt{5}$ m/s이다. 따라서 가속도의 크기는 $\frac{\sqrt{5}}{2}$ m/s²이다. 2초부터 4초까지 속도-시간 그래프에서 속도의 x성분 v_x의 변화량이 2 m/s이고, 속도의 y성분 v_y의 변화량이 1 m/s이므로 속도의 변화량의 크기는 $\sqrt{(2\text{ m/s})^2+(1\text{ m/s})^2}=\sqrt{5}$ m/s이다. 따라서 가속도의 크기는 $\frac{\sqrt{5}}{2}$ m/s²이다.

㉡. 2초일 때 속도의 x성분이 +2 m/s이고, 속도의 y성분이 +1 m/s이다. 2초일 때 가속도의 x성분이 +1 m/s²이고, 가속도의 y성분이 $+\frac{1}{2}$ m/s²이다. 속도의 방향과 가속도의 방향이 같으므로 물체는 직선 경로를 따라 운동한다.

㉢. 0초부터 4초까지 속도-시간 그래프에서 변위의 x성분의 크기가 8 m이고, 변위의 y성분의 크기가 6 m이므로 0초부터 4초까지 변위의 크기는 $\sqrt{(8\text{ m})^2+(6\text{ m})^2}=10$ m이다.

05 단진자와 역학적 에너지

p와 O의 높이차는 $L(1-\cos60°)$이고, 마찰과 공기 저항이 없으면 단진동하는 동안 물체의 역학적 에너지는 보존된다.

ㄱ. p와 O 사이의 높이차는 $L(1-\cos60°)$이므로 물체의 중력 퍼텐셜 에너지의 감소량은 $mgL(1-\cos60°)=\frac{1}{2}mgL$이다.

ㄴ. 물체가 단진동하는 동안 물체의 역학적 에너지가 보존되므로 O에서의 운동 에너지는 p와 O 사이의 높이차에 해당하는 물체의 중력 퍼텐셜 에너지의 감소량과 같다. 따라서 O에서 물체의 운동 에너지는 $mgL(1-\cos60°)=\frac{1}{2}mgL$이다. p와 O 사이의 높이차는 O와 q 사이의 높이차의 2배이므로 O에서 q까지 운동하는 동안 물체의 중력 퍼텐셜 에너지의 증가량은 $\frac{1}{2}mgL(1-\cos60°)=\frac{1}{4}mgL$이다. 그러므로 감소한 물체의 운동 에너지는 $\frac{1}{4}mgL$이다. 따라서 q에서 물체의 운동 에너지는 $\frac{1}{4}mgL$이다. 물체의 운동 에너지는 O에서가 q에서의 2배이다.

㉢. O에서 물체의 운동 에너지는 p에서 O까지 물체가 운동하는 동안 물체의 중력 퍼텐셜 에너지의 감소량과 같다. 따라서 O에서의 물체의 속력을 v라 할 때, $mgL(1-\cos60°)=\frac{1}{2}mv^2$이 성립하여 $v=\sqrt{gL}$이다.

06 렌즈 방정식과 배율

볼록 렌즈와 물체 사이의 거리를 a, 볼록 렌즈와 상 사이의 거리를 b, 볼록 렌즈의 초점 거리를 f라 할 때, 렌즈 방정식은 $\frac{1}{a}+\frac{1}{b}=\frac{1}{f}$이다.

㉠. (다)에서 물체의 크기가 5 cm이고, 상의 크기가 10 cm이다. 볼록 렌즈의 배율은 $m=\left|\frac{b}{a}\right|$이므로 $2a=b$가 성립한다. 물체와 볼록 렌즈 사이의 거리가 30 cm이므로 볼록 렌즈와 상 사이의 거리는 60 cm이다. 따라서 렌즈 방정식에 의해 $\frac{1}{30\text{ cm}}+\frac{1}{60\text{ cm}}=\frac{1}{f}$이므로 렌즈의 초점 거리는 20 cm이다.

ㄴ. 볼록 렌즈와 물체 사이의 거리가 초점 거리보다 크므로 (다)에서 상은 실상이고, 볼록 렌즈에서 실상이면 도립상이다.

ㄷ. 초점 거리가 20 cm이고, 물체와 볼록 렌즈 사이의 거리가 40 cm이므로 렌즈 방정식에 의해 $\frac{1}{40\text{ cm}}+\frac{1}{b}=\frac{1}{20\text{ cm}}$이 성립한다. 따라서 $b=40$ cm이다. 볼록 렌즈의 배율은 $m=\left|\frac{b}{a}\right|$이므로 $m=\left|\frac{40\text{ cm}}{40\text{ cm}}\right|=1$이다. 물체의 크기가 5 cm이므로 상의 크기는 5 cm이다.

07 축전기 연결과 전기 용량

(가)와 (나)에서 전원 장치의 전압이 같고, A와 B가 병렬로 연결되어 있으므로 (가), (나)에서 A, B의 양단에 걸리는 전압은 전원 장치의 전압과 같다.

㉠. 축전기에서 극판의 면적을 S, 극판 사이의 거리를 d, 극판 사이에 채워진 물질의 유전율을 ε_0이라 할 때, 축전기의 전기 용량 C는 $\varepsilon_0\frac{S}{d}$이다. (나)에서 A와 B는 극판의 면적이 같고, 극판 사이의 거리가 각각 d, $2d$이고, 극판 사이에 채워진 물질의 유전율이 각각 $2\varepsilon_0$, ε_0이므로 (나)에서 전기 용량은 A가 B의 4배이다.

㉡. 축전기에 저장된 전하량을 Q라 할 때, $Q=CV$이다. (가)에서 B의 전기 용량은 $\varepsilon_0\frac{S}{d}$이고, (나)에서 B의 전기 용량은 $\varepsilon_0\frac{S}{2d}$이다. B의 양단에 걸리는 전압은 V이므로 (가)의 B에 저장된 전하량은 $\varepsilon_0\frac{S}{d}V$이고, (나)의 B에 저장된 전하량은 $\varepsilon_0\frac{S}{2d}V$이다.

ㄷ. 축전기에 저장된 전기 에너지 U는 $\frac{1}{2}QV$이다. (가)의 A에 저장된 전하량은 $\varepsilon_0\frac{S}{d}V$이고, (나)의 A에 저장된 전하량은 $2\varepsilon_0\frac{S}{d}V$이다. 따라서 (가)의 A에 저장된 전기 에너지는 $\frac{1}{2}\varepsilon_0\frac{S}{d}V^2$이고, (나)의 A에 저장된 전기 에너지는 $\varepsilon_0\frac{S}{d}V^2$이다.

08 가속 좌표계와 관성력

중력 가속도와 반대 방향으로 크기가 a인 가속도로 운동하는 엘리베이터 안에서는 가속도의 크기가 $g+a$로 측정된다.

㉠. A의 좌표계에서 무게가 10 N인 물체 P이므로 중력 가속도가 10 m/s²이라 할 때 P의 질량은 1 kg이다. B의 좌표계에서 $3t_0$일 때 P의 무게가 10 N이므로 엘리베이터는 연직 위 방향으로 등속도 운동을 한다. 등속도 운동을 하는 관성계에서 관성력은 0이다.

ㄴ. B의 좌표계에서 $5t_0$일 때 P의 무게가 9 N이다. 연직 아래 방향으로 중력의 크기가 10 N이므로 P에는 연직 위 방향으로 관성력의 크기가 1 N이 작용해야 한다. 따라서 B의 좌표계에서 $5t_0$일 때 P에 작용하는 관성력의 방향은 연직 위 방향이다.

ㄷ. t_0일 때 P의 무게가 11 N으로 측정되므로 B의 좌표계에서 관성력은 연직 아래 방향으로 크기가 1 N이다. 관성력은 엘리베이터의 가속도 방향의 반대 방향으로 작용한다. P의 질량이 1 kg이므로 엘리베이터의 가속도는 연직 위 방향으로 크기가 1 m/s²이다. $5t_0$일 때 P의 무게가 9 N으로 측정되므로 B의 좌표계에서 관성력은 연직 위 방향으로 크기가 1 N이다. 관성력의 방향은 엘리베이터의 가속도 방향의 반대 방향으로 작용한다. P의 질량이 1 kg이므로 엘리베이터의 가속도는 연직 아래 방향으로 크기가 1 m/s²이다.

09 광전 효과

문턱 진동수가 f_0인 금속 표면에 진동수가 f인 단색광을 비추었을 때 방출되는 광전자의 최대 운동 에너지는 플랑크 상수를 h라고 할 때, $E_k=hf-hf_0$이다. 전자의 질량을 m, 운동량을 p, 물질파의 파장을 λ라 할 때, 물질파의 파장 $\lambda=\frac{h}{p}=\frac{h}{\sqrt{2mE_k}}$이다.

ㄱ. 단위 시간당 방출되는 광전자의 개수는 빛의 세기가 클수록 많다. 실험 Ⅰ에서 빛의 세기가 I이고, 실험 Ⅱ에서 빛의 세기가 $2I$이므로 단위 시간당 방출되는 광전자의 개수는 Ⅰ에서가 Ⅱ에서보다 적다.

ㄴ. 금속판의 문턱 진동수를 f_0이라 할 때, Ⅰ에서 단색광의 진동수가 f이고, 광전자의 물질파 파장이 λ이므로 $hf-hf_0=E_{k\,Ⅰ}=\frac{h^2}{2m\lambda^2}$이 성립한다. 실험 Ⅳ에서 단색광의 진동수가 $3f$이고, 광전자의 물질파 파장이 0.5λ이므로 $3hf-hf_0=E_{k\,Ⅳ}=\frac{2h^2}{m\lambda^2}$이 성립한다. 두 식을 연립하면 $f=\frac{3h}{4m\lambda^2}$이다. 따라서 $f_0=\frac{h}{4m\lambda^2}$이므로 $f_0=\frac{1}{3}f$이다.

ㄷ. 실험 Ⅲ에서 단색광의 진동수가 $2f$ 이므로 $\frac{3h^2}{2m\lambda^2}-\frac{h^2}{4m\lambda^2}=E_{k\,Ⅲ}$이므로 $E_{k\,Ⅲ}=\frac{5h^2}{4m\lambda^2}$이다. Ⅲ에서 (가)를 $\lambda_{Ⅲ}$이라 할 때, $E_{k\,Ⅲ}=\frac{h^2}{2m\lambda_{Ⅲ}^2}$이므로 $\frac{h^2}{2m\lambda_{Ⅲ}^2}=\frac{5h^2}{4m\lambda^2}$에서 $\lambda_{Ⅲ}=\sqrt{\frac{2}{5}}\lambda$이다. 따라서 ㉠은 $\sqrt{\frac{2}{5}}\lambda$이다.

10 등속 원운동

실 p가 A를 당기는 힘의 크기를 T_p, 실 q가 B를 당기는 힘의 크기를 T_q라 하고, 중력 가속도는 g, A, B의 질량을 m이라 할 때, 물체에 작용하는 힘은 그림과 같다.

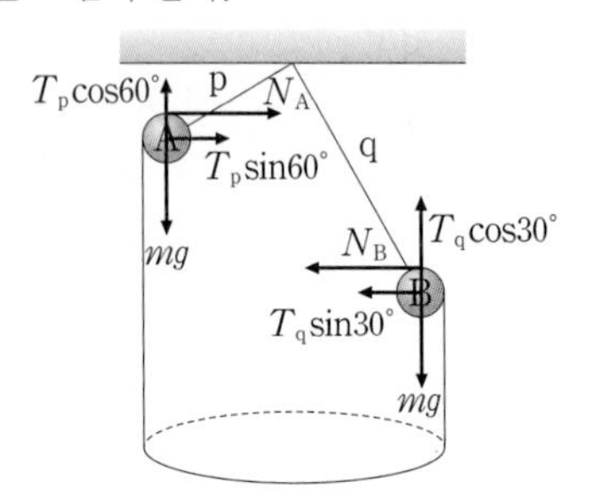

ㄱ. A가 원운동하는 동안 반지름이 $l\sin60°$이고, 주기가 $\pi\sqrt{\frac{l}{g}}$이므로 A의 속력을 v_A라 할 때, $\pi\sqrt{\frac{l}{g}}=\frac{2\pi l\sin60°}{v_A}$이다. $v_A=\frac{\sqrt{3}\pi l}{\pi\sqrt{\frac{l}{g}}}=\sqrt{3gl}$이다.

ㄴ. A에 작용하는 연직 방향의 알짜힘은 0이므로 $T_p\cos60°=mg$가 성립하고, B에 작용하는 연직 방향의 알짜힘도 0이므로 $T_q\cos30°=mg$가 성립한다. 따라서 $T_p\cos60°=T_q\cos30°$이다. 그러므로 $T_p=\sqrt{3}\,T_q$이다.

ㄷ. 반지름이 같고, 주기도 같으므로 A와 B의 속력은 $\sqrt{3gl}$로 같다. A는 p가 수평 방향과 나란한 방향으로 작용하는 힘과 원기둥이 A에 작용하는 힘(N_A)의 합이 구심력으로 작용하여 원운동을 한다. 따라서 $\frac{3mgl}{l\sin60°}=T_p\sin60°+N_A$가 성립한다. B는 q가 수평 방향과 나란한 방향으로 작용하는 힘과 원기둥이 B에 작용하는 힘(N_B)의 합이 구심력으로 작용하여 원운동을 한다. 따라서 $\frac{3mgl}{l\sin60°}=T_q\sin30°+N_B$가 성립한다. $T_p=2mg$이고, $T_q=\frac{2\sqrt{3}}{3}mg$이므로 $N_A=\sqrt{3}mg$이고, $N_B=\frac{5\sqrt{3}}{3}mg$이다. 그러므로 원기둥이 물체에 작용하는 힘의 크기는 A가 B의 $\frac{3}{5}$배이다.

11 포물선 운동과 역학적 에너지

q에서 물체의 속력은 수평 방향과 이루는 각이 30°이고, q에서의 수평 방향의 속력은 r에서의 수평 방향의 속력과 같다.

ㄱ. r에서 물체의 속력을 v라 할 때, r에서 속도의 수평 성분의 크기는 $v\cos60°=\frac{1}{2}v$이다. r에서 물체의 운동 에너지가 $3E_0$이므로 r에서 속도의 수평 성분에 해당하는 운동 에너지는 $\frac{3}{4}E_0$이고, 속도의 연직 성분에 해당하는 운동 에너지는 $\frac{9}{4}E_0$이다. q에서 속도의 수평 성분의 크기는 r에서 속도의 수평 성분의 크기와 같다. 따라서 q에서의 속력을 v_q라 할 때, $\cos30°=\frac{\frac{1}{2}v}{v_q}$가 성립하여 $v_q=\frac{\sqrt{3}}{3}v$이다. 속력이 v일 때, 운동 에너지가 $3E_0$이므로 q에서 물체의 운동 에너지는 E_0이다. q에서 물체의 중력 퍼텐셜 에너지는 운동 에너지의 4배이므로 q에서 역학적 에너지는 $5E_0$이다. 물체가 운동하는 동안 역학적 에너지는 보존되므로 p에서 물체의 역학적 에너지는 $5E_0$이다.

ㄴ. r에서 물체의 운동 에너지가 $3E_0$이므로 r에서 속도의 수평 성분에 해당하는 운동 에너지는 $\frac{3}{4}E_0$이고, 속도의 연직 성분에 해당하는 운동 에너지는 $\frac{9}{4}E_0$이다. q에서 물체의 운동 에너지가 E_0이므로 q에서 속도의 수평 성분에 해당하는 운동 에너지는 $\frac{3}{4}E_0$이고, 속도의 연직 성분에 해당하는 운동 에너지는 $\frac{1}{4}E_0$이다. r에서의 속도의 연직 성분에 해당하는 운동 에너지가 q에서의 속도의 연직 성분에 해당하는 운동 에너지의 9배이므로 속도의 연직 성분의 크기는 r에서가 q에서의 3배이다.

ㄷ. 역학적 에너지가 보존되므로 p, q, r에서 역학적 에너지는 모두

$5E_0$이다. 따라서 p에서 중력 퍼텐셜 에너지가 $5E_0$, q에서 중력 퍼텐셜 에너지가 $4E_0$, r에서 중력 퍼텐셜 에너지가 $2E_0$이므로 q와 r의 높이차는 p와 q의 높이차의 2배이다.

12 전기 에너지와 소비 전력

저항값이 R_1, R_2인 두 저항이 직렬로 연결되어 있을 때 합성 저항값은 R_1+R_2이고, 병렬로 연결되어 있을 때 합성 저항값은 $\frac{R_1R_2}{R_1+R_2}$이다.

ㄱ. 스위치 S_1과 S_2를 모두 닫았을 때 전기 회로는 다음과 같다.

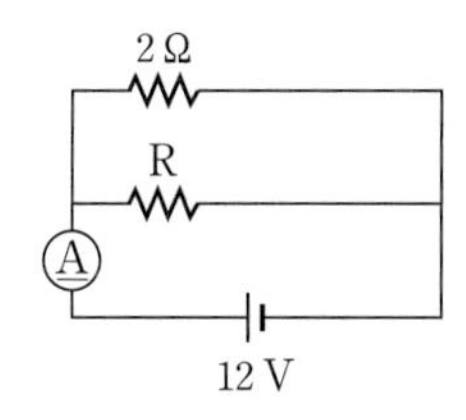

S_1과 S_2를 모두 닫았을 때 R의 양단에 걸린 전압이 12 V이므로 전원 장치의 전압은 12 V이다. 스위치 S_2만 닫았을 때 전기 회로는 다음과 같다.

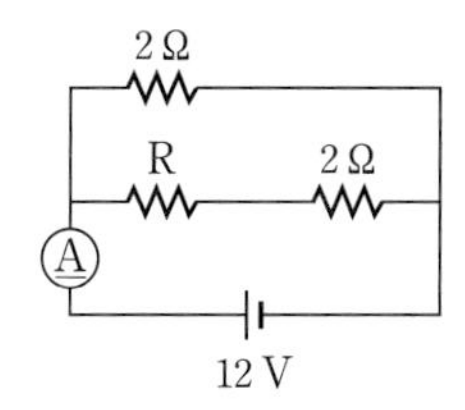

R의 저항값을 R, S_2만 닫았을 때의 합성 저항값을 R_2라 할 때 $\frac{1}{(R+2)}+\frac{1}{2}=\frac{1}{R_2}$이므로 $R_2=\frac{2R+4}{R+4}$이다. 전류계에 흐르는 전류의 세기는 9 A이다. 전원 장치의 전압이 12 V이므로 $R=2\ \Omega$이다.

ㄴ. 스위치 S_1만 닫았을 때 전기 회로는 다음과 같다.

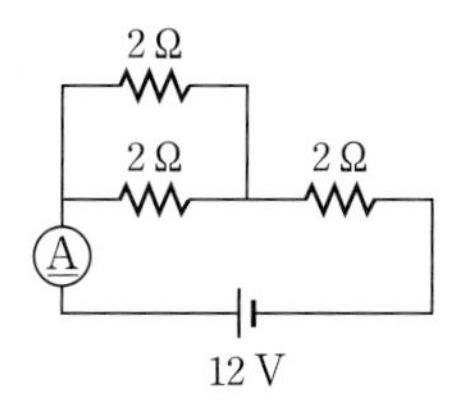

S_1만 닫았을 때의 합성 저항값은 3 Ω이다. 전원 장치의 전압이 12 V이므로 전류계에 흐르는 전류의 세기는 4 A이다.

ㄷ. S_1만 닫았을 때의 R와 병렬로 연결되어 있는 저항의 합성 저항값은 1 Ω이고, 오른쪽에 2 Ω인 저항과 직렬로 연결되어 있으므로 R에 걸리는 전압은 4 V이다. S_2만 닫았을 때의 R와 오른쪽에 2 Ω인 저항이 직렬로 연결되어 있으므로 R에 걸리는 전압은 6 V이다. 저항값이 R_0인 저항의 양단에 걸리는 전압이 V일 때, 저항에서 소비되는 전력 P는 $\frac{V^2}{R_0}$이므로 R에서 소비되는 전력은 R의 양단에 걸리는 전압의 제곱에 비례한다. 따라서 R에서 소비되는 전력은 S_1만 닫았을 때가 S_2만 닫았을 때의 $\frac{4}{9}$배이다.

13 전류가 흐르는 도선 주위의 자기장

원점 O에서 P, Q에 흐르는 전류에 의한 자기장의 방향은 y축과 나란한 방향이고, R에 흐르는 전류에 의한 자기장의 방향은 x축과 나란한 방향이다.

ㄱ. O에서 자기장의 방향을 x축과 나란한 방향으로 만드는 전류는 R에 흐르는 전류에 의한 자기장뿐이다. O에서 자기장의 방향이 $+x$방향과 이루는 각이 45°이므로 O에서 R에 흐르는 전류에 의한 자기장의 방향은 $+x$방향이다. 따라서 R에 흐르는 전류의 방향은 xy 평면에서 수직으로 나오는 방향이다. O에서 P, Q, R에 흐르는 전류에 의한 자기장의 세기가 B_0이므로 O에서 R에 흐르는 전류에 의한 자기장의 세기는 $\frac{\sqrt{2}}{2}B_0$이다. R에서 O까지의 거리가 d이고, R에 흐르는 전류의 세기가 I_0이므로 비례 상수를 k라 할 때 $\frac{\sqrt{2}}{2}B_0=k\frac{I_0}{d}$이다. P와 Q에 흐르는 전류의 세기가 같고, O에서 P, Q까지의 거리가 d로 같으므로 O에서 P에 흐르는 전류에 의한 자기장의 세기와 Q에 흐르는 전류에 의한 자기장의 세기는 같다. 따라서 O에서 P, Q, R에 흐르는 전류에 의한 자기장의 y성분이 $+y$방향이므로 P, Q에 흐르는 전류에 의한 자기장의 방향은 $+y$방향으로 같아야 하고 자기장의 세기도 $\frac{\sqrt{2}}{4}B_0$으로 같아야 한다. 따라서 O에서 P, Q까지의 거리가 d로 같으므로 P와 Q에 흐르는 전류의 세기는 $\frac{1}{2}I_0$이다.

ㄴ. O에서 P에 흐르는 전류에 의한 자기장의 방향이 $+y$방향이어야 하므로 전류의 방향은 xy 평면에서 수직으로 나오는 방향이다. 도선에 흐르는 전류의 방향은 P에서와 R에서가 같다.

ㄷ. a에서 각각 P, Q, R에 흐르는 전류에 의한 자기장의 방향은 다음과 같다.

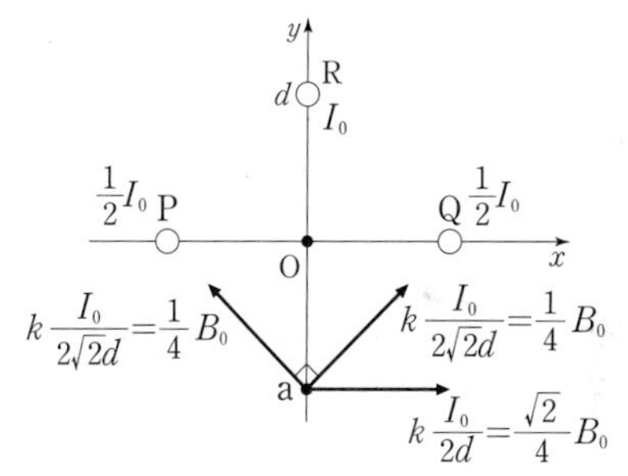

a에서 P, Q에 흐르는 전류에 의한 자기장의 세기는 각각 $\frac{1}{4}B_0$으로 같고, R에 흐르는 전류에 의한 자기장의 세기는 $\frac{\sqrt{2}}{4}B_0$이다. a에서 P와 Q에 흐르는 전류에 의한 자기장의 방향은 서로 수직을 이루므로 a에서 P, Q에 흐르는 전류에 의한 자기장은 방향이 $+y$방향이고 세기가 $\sqrt{\left(\frac{1}{4}B_0\right)^2+\left(\frac{1}{4}B_0\right)^2}=\frac{\sqrt{2}}{4}B_0$이다. a에서 P, Q, R에 흐르는 전류에 의한 자기장의 세기는 $\sqrt{\left(\frac{\sqrt{2}}{4}B_0\right)^2+\left(\frac{\sqrt{2}}{4}B_0\right)^2}=\frac{1}{2}B_0$이다.

14 전자기 유도

유도 기전력의 크기는 도선의 단면을 통과하는 자기 선속의 시간에 따른 변화율에 비례한다. 자기장이 통과하는 면적이 S로 일정할 때, 도선에 유도되는 기전력의 크기는 $V=S\frac{\Delta B}{\Delta t}$ (B: 자기장의 세기)이며, 자기장의 세기가 B로 일정할 때 도선에 유도되는 기전력의 크기는 $V=B\frac{\Delta S}{\Delta t}$ (S: 자기장이 통과하는 면적)이다.

ㄱ(X). 금속 고리는 $t=0$부터 $t=\frac{1}{4}T$까지 $\frac{\pi}{2}$만큼 회전한다. Ⅰ에서의 자기장의 세기를 B_0이라 할 때, 도선에 유도되는 기전력의 크기는 $V=B_0\frac{\frac{1}{4}\pi d^2}{\frac{1}{4}T}=B_0\frac{\pi d^2}{T}$이다. 금속 고리가 $t=\frac{1}{4}T$부터 $t=\frac{1}{2}T$까지 $\frac{\pi}{2}$만큼 회전하는 동안 도선에 유도되는 기전력의 크기는 금속 고리가 $t=0$부터 $t=\frac{1}{4}T$까지 $\frac{\pi}{2}$만큼 회전하는 동안 도선에 유도되는 기전력의 크기와 같다. 따라서 Ⅱ에서의 자기장의 방향은 Ⅰ에서의 자기장의 방향과 같고, Ⅱ에서의 자기장의 세기는 Ⅰ에서의 자기장의 세기의 2배이다. 금속 고리가 $t=\frac{1}{2}T$부터 $t=\frac{3}{4}T$까지 $\frac{\pi}{2}$만큼 회전하는 동안 도선에 유도되는 기전력의 크기는 금속 고리가 $t=\frac{1}{4}T$부터 $t=\frac{1}{2}T$까지 $\frac{\pi}{2}$만큼 회전하는 동안 도선에 유도되는 기전력의 크기의 3배이고, 방향은 서로 반대이다. 따라서 Ⅲ에서의 자기장의 방향은 Ⅱ에서의 자기장의 방향과 반대이고, Ⅱ에서의 자기장의 세기는 Ⅲ에서의 자기장의 세기의 2배이다. 그러므로 자기장의 방향은 Ⅰ과 Ⅲ에서 서로 반대 방향이다.

ㄴ(O). 금속 고리가 $t=\frac{1}{4}T$부터 $t=\frac{1}{2}T$까지 $\frac{\pi}{2}$만큼 회전하는 동안 도선에 유도되는 기전력의 크기는 금속 고리가 $t=0$부터 $t=\frac{1}{4}T$까지 $\frac{\pi}{2}$만큼 회전하는 동안 도선에 유도되는 기전력의 크기와 같다. 따라서 자기장의 세기는 Ⅱ에서가 Ⅰ에서의 2배이다.

ㄷ(X). 전기 저항값이 R이고, 걸린 전압이 V인 저항에 전류 I가 시간 T 동안 흐를 때, 저항에서 소비되는 전기 에너지는 $I^2RT=\frac{V^2}{R}T$이다. 따라서 고리가 한 바퀴 회전하는 동안 저항에서 소비되는 전기 에너지는 $\left(\frac{1}{2}I_0^2RT\right)+\left(\frac{9}{4}I_0^2RT\right)+\left(\frac{1}{4}I_0^2RT\right)=3I_0^2RT$이다.

15 상호유도

변압기는 상호유도 현상을 이용하여 전압을 낮추거나 높이는 역할을 한다. 에너지 손실을 무시하면 1차 코일과 2차 코일의 전력은 같다. $\frac{V_2}{V_1}=\frac{N_2}{N_1}=\frac{I_1}{I_2}$이 성립한다.

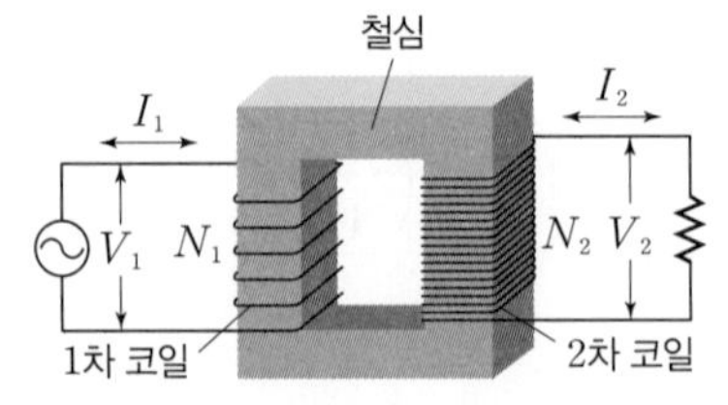

ㄱ(O). 전압은 코일의 감은 수에 비례한다. 2차 코일의 감은 수가 1차 코일의 감은 수의 3배이므로 저항에 걸리는 전압은 교류 전원 전압의 3배이다.

ㄴ(O). 전류는 코일의 감은 수에 반비례한다. 2차 코일의 감은 수가 1차 코일의 감은 수의 3배이므로 코일에 흐르는 전류의 세기는 1차 코일이 2차 코일의 3배이다.

ㄷ(X). 1차 코일에 흐르는 전류의 세기가 변하면 2차 코일을 통과하는 자기 선속의 변화로 유도 기전력이 생긴다. 따라서 변압기에서의 에너지 손실이 없으면 코일을 통과하는 자기 선속의 변화율은 1차 코일에서와 2차 코일에서가 같다.

16 전자기파의 간섭

이중 슬릿을 지나 단색광이 스크린의 한 지점에서 중첩될 때 경로차가 파장의 정수배이면 보강 간섭이, 반파장의 홀수 배이면 상쇄 간섭이 나타난다. 이웃한 밝은 무늬 사이의 간격은 $\varDelta x=\frac{L\lambda}{d}$이다.

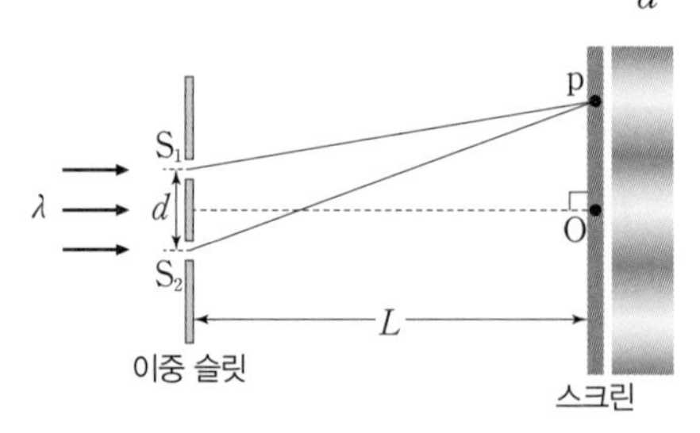

ㄱ(X). 점 p에서는 O로부터 첫 번째 밝은 무늬의 중심이 생겼다. 따라서 S_1과 S_2를 지나 p에 도달한 단색광은 중첩되어 보강 간섭한다. 보강 간섭이 일어나는 지점의 경로차가 파장의 정수배이다. S_1과 S_2를 지나 p에 도달한 단색광의 경로차는 λ이다.

ㄴ(O). 이웃한 밝은 무늬 사이의 간격은 $\varDelta x=\frac{L\lambda}{d}$이다. O는 밝은 무늬이고 p는 이웃한 밝은 무늬이므로 O에서 p까지의 거리는 $\frac{L\lambda}{d}$이다.

ㄷ(O). 파장이 2λ인 단색광을 비추면 이웃한 밝은 무늬 사이의 간격은 $\frac{2L\lambda}{d}$이다. O에서 p까지의 거리는 $\frac{L\lambda}{d}$이므로 p에서는 상쇄 간섭이 일어난다.

17 도플러 효과

음파의 속력을 V라 하고, 음원이 음파 측정기를 향해 속력 v로 운동할 때 음파 측정기가 측정한 음파의 진동수는 $f=\frac{V}{V-v}f_0$이고, 음원이 음파 측정기와 멀어지는 방향으로 속력 v로 운동할 때 음파 측정기가 측정한 음파의 진동수는 $f=\frac{V}{V+v}f_0$이다.

② 음파의 속력이 v일 때, A는 음파 측정기에 $0.1v$의 속력으로 가까워지므로 $f=\frac{v}{v-0.1v}f_A$가 성립하고 B는 음파 측정기에서 $0.2v$의 속력으로 멀어지므로 $f=\frac{v}{v+0.2v}f_B$가 성립한다. A, B에서 발생한 음파는 음파 측정기에서 동일한 진동수로 측정되므로 $\frac{v}{v-0.1v}f_A=\frac{v}{v+0.2v}f_B$가 성립한다. 따라서 $f_A : f_B=3 : 4$이다.

18 전자기파와 정보 통신

RLC 회로에서 코일의 저항 역할과 축전기의 저항 역할이 같아지는 진동수에서 회로에는 최대 전류가 흐르게 된다. 교류 전원의 진동수가 클수록 코일의 저항 역할이 커지고, 교류 전원의 진동수가 작을수록 축전기의 저항 역할이 커진다.

㉠. S를 a에 연결할 때, 특정한 진동수에서 전류의 세기가 최대이므로 공명 진동수는 $\frac{1}{2\pi\sqrt{LC}}$이다. L은 코일의 자체 유도 계수이고, C는 축전기의 전기 용량이다. 따라서 X는 축전기이다.

ㄴ. 회로의 공명 진동수는 회로에 흐르는 전류의 세기가 최대일 때의 진동수를 말한다. 따라서 S를 a에 연결할 때, 회로의 공명 진동수는 f_2이다.

ㄷ. Y는 코일이다. 코일은 교류 전원의 진동수가 클수록 코일의 저항 역할이 커진다. 진동수는 f_2가 f_1보다 크므로 전류계에 흐르는 전류의 세기는 f_1일 때가 f_2일 때보다 크다.

19 포물선 운동

중력 가속도가 g이고, 수평면에 대해 θ의 각을 이루며 v의 속력으로 던져진 물체가 최고점에 도달하는 데 걸린 시간은 $\frac{v\sin\theta}{g}$이다.

④ 지면과 45°의 각을 이루며 10 m/s의 속력으로 던져진 물체가 최고점에 도달하는 데 걸린 시간은 $\frac{10\text{ m/s}\times\sin45°}{10\text{ m/s}^2}=\frac{\sqrt{2}}{2}$ s이다. 최고점에서의 속도는 수평면과 나란한 방향의 속도만 존재한다. 수평 방향으로는 등속도 운동을 하므로 던져진 순간 수평 방향의 속력이 최고점에서의 속력이다. 따라서 최고점(수평면의 왼쪽 끝)에서 속력을 v_1이라 하면 $v_1=10\text{ m/s}\times\cos45°=5\sqrt{2}\text{ m/s}$이다. 수평면의 오른쪽 끝에서 포물선 운동을 하여 수평 이동 거리가 4 m이므로 수평면의 오른쪽 끝에서 포물선 운동을 하여 지면에 닿는 순간까지 걸린 시간은 $\frac{\sqrt{2}}{2}$ s이다. 따라서 수평면의 오른쪽 끝에서 속력을 v_2라 할 때 $v_2=\frac{4\text{ m}}{\frac{\sqrt{2}}{2}\text{ s}}=4\sqrt{2}\text{ m/s}$이다. 수평면의 왼쪽 끝에서의 속력 v_1이 $5\sqrt{2}\text{ m/s}$이고, 수평면의 오른쪽 끝에서의 속력 v_2가 $4\sqrt{2}\text{ m/s}$이므로 수평면에서 물체의 가속도의 크기를 a라 할 때 $2a(3\text{ m})=|(4\sqrt{2}\text{ m/s})^2-(5\sqrt{2}\text{ m/s})^2|$이 성립한다. 따라서 $a=3\text{ m/s}^2$이다.

20 일과 운동 에너지

알짜힘이 물체에 한 일은 물체의 운동 에너지 변화량과 같다.

③ 왼쪽 빗면과 오른쪽 빗면에 놓인 물체 A, B가 정지해 있으므로 물체에 작용하는 알짜힘은 0이다. 중력 가속도가 g이고 빗면이 수평면과 이루는 각이 θ일 때, 물체의 가속도의 크기는 $g\sin\theta$이다. B의 질량을 m_B라 할 때 $mg\sin30°=m_Bg\sin60°$가 성립한다. 따라서 B의 질량은 $m_B=\frac{\sqrt{3}}{3}m$이다. A, B가 수평면에 닿기 직전 속력은 B가 A의 2배이므로 A의 속력을 v라 할 때 B의 속력은 $2v$이다. p, q의 높이를 h라 할 때 B는 역학적 에너지가 보존되므로 $\frac{\sqrt{3}}{3}mgh=\frac{1}{2}\times\frac{\sqrt{3}}{3}m\times(2v)^2$이 성립한다. A는 p에서 운동 방향과 반대 방향으로 크기가 일정한 마찰력 F를 받으며 운동하므로 역학적 에너지가 보존되지 않는다. 따라서 F의 크기를 f라 하고 일·운동 에너지 정리를 이용하면 $(mg\sin30°-f)2h=\frac{1}{2}mv^2$이 성립한다. $\left(\frac{1}{2}mg-f\right)2h=\frac{1}{4}mgh$이므로 F의 크기는 $\frac{3}{8}mg$이다.

실전 모의고사 2회

본문 125~129쪽

01 ④	02 ③	03 ③	04 ③	05 ③
06 ④	07 ①	08 ⑤	09 ①	10 ④
11 ⑤	12 ②	13 ③	14 ①	15 ①
16 ③	17 ④	18 ⑤	19 ③	20 ②

01 보어 원자 모형과 현대 원자 모형

보어는 러더퍼드 원자 모형에서 원자의 안정성 문제와 선 스펙트럼 문제 등의 한계점을 해결하기 위해 두 가지 가설을 적용하여 새로운 원자 모형을 제시하였다. 하지만 불확정성 원리를 만족하지 못하는 한계점이 있다.

ㄱ. 보어 원자 모형에 의하면 전자가 양자 조건을 만족하는 원 궤도 운동을 할 때 전자의 위치와 운동량을 동시에 정확하게 알 수 있으므로 이는 불확정성 원리에 위배된다.

㉡. 보어 원자 모형에서 양자 조건은 $2\pi rmv=nh$ (r: 궤도 반지름, m: 전자의 질량, v: 전자의 속력, n: 양자수, h: 플랑크 상수)이고, 이를 만족하는 안정된 궤도 반지름은 n이 클수록 크다.

㉢. n이 클수록 전자의 에너지는 크다. 따라서 원자 속의 전자가 $n=1$인 궤도에서 $n=2$인 궤도로 전이할 때 전자는 에너지를 흡수한다.

02 평면에서의 등가속도 운동

xy 평면에서 등가속도 운동을 하는 물체의 속도를 성분별로 나누어 분석할 수 있다.

③ O에서 물체의 속력이 $\sqrt{5}v$이므로 O에서 물체의 속도의 x성분은 v, y성분은 $2v$이다. Ⅱ에서 물체의 변위의 x성분은 d이므로 Ⅰ과 Ⅱ에서 물체의 평균 속도의 x성분은 같다. Ⅰ에서 물체의 평균 속도의 x성분은 $\frac{1}{2}v$이므로, x축상의 $x=d$인 점을 지날 때 물체의 속도의 x성분은 0이다. Ⅱ에서 변위의 y성분은 0이므로 Ⅱ에서 평균 속도의 y성분은 0이다. 따라서 x축상의 $x=d$인 점을 지날 때 물체의 속도의 y성분은 $-2v$이다. Ⅲ에서는 Ⅰ에서보다 운동하는 데 걸리는 시간은 $\frac{1}{2}$배인데, 변위의 크기는 Ⅰ에서와 같으므로 Ⅲ에서 평균 속도의 x성분은 $-v$, y성분은 $-2v$이다. 따라서 q에서 속도의 x성분은 $-2v$, y성분은 $-2v$이므로 q에서 물체의 속력은 $2\sqrt{2}v$이다.

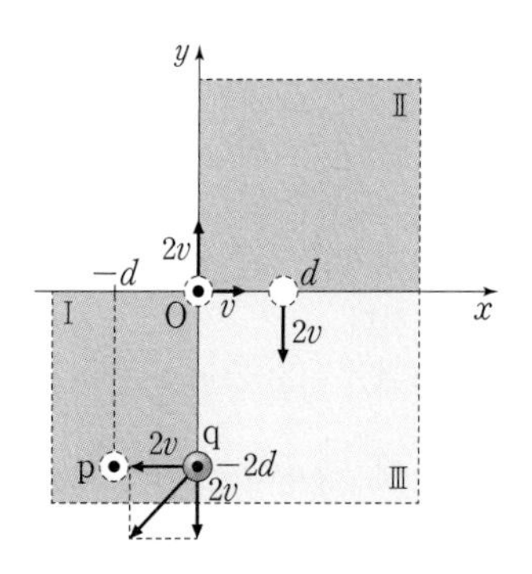

03 물질파

톰슨의 전자 회절 실험, 데이비슨·거머 실험 등을 통해 드브로이의 물질파 이론이 증명되었다.

㉠. θ가 50°로 산란된 전자의 개수가 많은 까닭은 이들 전자의 물질파 파장이 보강 간섭 조건을 만족하기 때문이다. 이는 전자의 파동성으로 설명할 수 있다.

㉡. 드브로이의 물질파 파장은 $\lambda=\frac{h}{p}=\frac{h}{mv}$이다.

~~㉢~~. 입사하는 전자의 속력이 달라지면 전자의 물질파 파장이 변하기 때문에 보강 간섭을 하는 전자들의 경로차가 달라진다. 따라서 전자의 속력이 변하면 산란되는 전자의 수가 최대인 θ값도 변하게 된다.

04 케플러 법칙

행성이 위성에 작용하는 중력의 크기는 행성과 위성 사이의 거리의 제곱에 반비례한다.

㉠. 위성이 a를 지날 때가 c를 지날 때보다 행성으로부터의 거리가 더 가까우므로 위성에 작용하는 중력의 크기는 a에서가 c에서보다 크다.

~~㉡~~. 위성에 작용하는 중력의 크기가 위성이 c를 지날 때가 b를 지날 때보다 작으므로 위성의 가속도의 크기는 c에서가 b에서보다 작다.

㉢. 위성의 공전 주기를 T'라고 하면, 행성과 위성을 잇는 선분이 휩쓸고 가는 면적 중 $\frac{1}{9}S$는 $\frac{1}{9}T'$에 해당하므로 $T+\frac{1}{9}T'=\frac{1}{4}T'$가 성립하고, $T'=\frac{36}{5}T$이다.

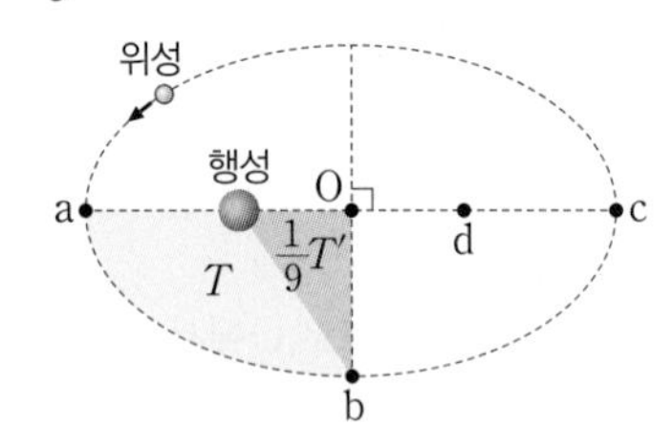

05 등가 원리

일반 상대성 이론에 의하면 중력과 관성력을 구분할 수 없다.

㉠. 중력에 의해 빛이 휘어지는 현상은 아인슈타인의 일반 상대성 이론으로 설명할 수 있다.

㉡. 빛의 휘어짐이 (나)에서가 (가)에서보다 크므로 (나)에서 우주선의 가속도의 크기는 (가)에서 행성 표면에서의 중력 가속도의 크기보다 크다. 따라서 (나)에서 저울의 측정값은 F보다 크다.

~~㉢~~. (나)의 우주선의 가속도의 크기가 (가)의 행성 표면의 중력 가속도의 크기보다 크므로 단진자의 주기는 (가)에서가 (나)에서보다 크다.

06 힘이 하는 일

마찰력은 운동 방향과 반대 방향으로 작용하므로 마찰력에 의해 물체의 역학적 에너지가 감소한다.

④ 중력 가속도를 g, 물체가 마찰 구간을 지날 때 물체의 감소한 역학적 에너지를 E라 할 때, $\frac{1}{2}m4v^2-2E=\frac{1}{2}mv^2$, $mgH-E=\frac{1}{2}mv^2$이 성립한다. 이를 정리하면 $mgH=\frac{5}{4}mv^2$, $E=\frac{3}{4}mv^2$이다. 물체가 마찰 구간을 내려올 때 등속도 운동을 하므로 이 구간에서 물체의 감소한 중력 퍼텐셜 에너지는 마찰력이 한 일과 같다. 따라서 $mgh=E=\frac{3}{4}mv^2$이므로 $\frac{h}{H}=\frac{3}{5}$이다.

07 포물선 운동과 역학적 에너지

물체가 포물선 운동을 하는 동안 물체에는 일정한 중력만 작용하므로 물체의 역학적 에너지는 보존된다.

① A의 최고점의 높이가 h이므로 p에서 A의 속도의 연직 성분의 크기는 $\sqrt{2gh}$이다. 따라서 p에서 A의 속도의 수평 성분의 크기도 $\sqrt{2gh}$이다. B의 최고점의 높이가 A의 최고점의 높이의 2배이므로 p에서 속도의 연직 성분의 크기는 B가 A의 $\sqrt{2}$배이다. 따라서 p에서 B의 속도의 연직 성분의 크기는 $2\sqrt{gh}$이다. 포물선 운동을 하는 동안 A와 B의 수평 이동 거리는 같은데 운동하는 시간은 B가 A의 $\sqrt{2}$배이므로 p에서 속도의 수평 방향 성분의 크기는 B가 A의 $\frac{1}{\sqrt{2}}$배이다. 따라서 p에서 B의 속도의 수평 성분의 크기는 $\sqrt{gh}$이다. 그러므로 p에서 B의 운동 에너지는 $\frac{1}{2}m(4gh+gh)=\frac{5}{2}mgh$이다.

08 줄의 열의 일당량 실험 장치

추가 일정한 속력으로 낙하하는 동안 액체가 받은 열량은 추의 중력 퍼텐셜 에너지 감소량과 같다.

㉠. 추의 중력 퍼텐셜 에너지가 회전 날개와 A의 마찰에 의해 열에너지로 전환되어 A의 온도가 증가하게 된다.

㉡. 질량이 40 kg인 추가 1 m만큼 낙하하는 동안 추의 중력 퍼텐셜 에너지 감소량은 400 J이고 이 에너지가 질량 1 kg인 A의 온도를 0.4 ℃만큼 증가시키므로 A의 비열을 c라 할 때, 400 J$=$1 kg$\times c\times$0.4 ℃의 관계가 성립된다. 따라서 $c=$1000 J/kg·℃이다.

㉢. 400 J의 에너지에 의해 질량 2 kg인 A의 온도가 0.2 ℃만큼 증가하므로, 질량 4 kg인 A는 400 J의 에너지에 의해 0.1 ℃만큼 온도가 증가한다.

09 정전기 유도

같은 종류의 전하끼리는 서로 미는 전기력이, 다른 종류의 전하끼리는 서로 당기는 전기력이 작용하므로 A에는 막대의 전하와 다른 종류인 양(+)전하가, B에는 막대와 같은 종류의 전하인 음(−)전하가 유도된다.

㉠. A에는 양(+)전하가 유도되므로 A와 막대 사이에는 서로 당기는 전기력이 작용한다.

~~㉡~~. A에는 막대의 전하와 다른 종류의 전하인 양(+)전하가, B에는 막대와 같은 종류의 전하인 음(−)전하가 유도된다.

~~㉢~~. B와 C 사이에는 서로 미는 전기력이 작용하므로 C는 B와 같은 종류의 전하로 대전된다. 따라서 C는 음(−)전하로 대전되어 있다.

10 저항의 연결

저항값이 R_1, R_2인 두 저항이 병렬로 연결되어 있는 경우, 두 저항의 합성 저항값을 R라 할 때 $\frac{1}{R}=\frac{1}{R_1}+\frac{1}{R_2}$의 관계가 성립한다.

④ 전원의 전압을 V라 할 때, S를 닫기 전 전류계에 흐르는 전류의 세기는 $\frac{V}{R+4\,\Omega}$이다. S를 닫으면 회로를 그림과 같이 생각할 수 있고 2 Ω과 4 Ω의 합성 저항값이 $\frac{4}{3}$ Ω이므로 저항값이 4 Ω인 저항에

걸리는 전압은 $\dfrac{\frac{4}{3}\,\Omega}{R+\frac{4}{3}\,\Omega}V$이고, 저항값이 4 Ω인 저항에 흐르는 전류는 $\dfrac{\dfrac{\frac{4}{3}\,\Omega}{R+\frac{4}{3}\,\Omega}}{4\,\Omega}V=\dfrac{\frac{4}{3}}{4R+\frac{16}{3}\,\Omega}V$이다. 전류계에 흐르는 전류는 S를 닫기 전이 닫은 후의 2배이므로 $\dfrac{V}{R+4\,\Omega}=\dfrac{\frac{8}{3}}{4R+\frac{16}{3}\,\Omega}V$이다. 이를 정리하면, $4R+\frac{16}{3}\,\Omega=\frac{8}{3}R+\frac{32}{3}\,\Omega$이고, $R=4\,\Omega$이다.

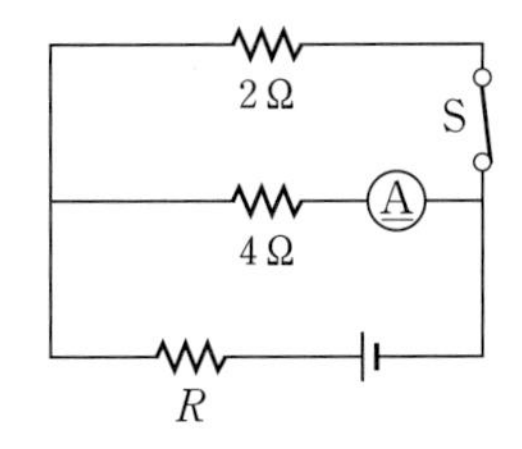

11 트랜지스터

트랜지스터는 작은 신호를 큰 신호로 바꿔주는 증폭 작용을 할 수 있다.

㉠. 이미터에서 베이스 방향으로 전류가 흐르므로 이 트랜지스터는 p-n-p형이다.

㉡. 트랜지스터가 전류를 증폭하고 있을 때, 이미터와 베이스 사이에는 순방향 전압이 걸려 있고, 베이스와 컬렉터 사이에는 역방향 전압이 걸려 있다.

㉢. p-n-p형 트랜지스터가 전류를 증폭하고 있을 때, 베이스 단자의 전위는 컬렉터 단자의 전위보다 높다.

12 평행판 축전기

극판 면적이 A, 극판 사이의 간격이 d, 극판 사이에 채워진 유전체의 유전율이 ε일 때, 평행판 축전기의 전기 용량 $C=\varepsilon\dfrac{A}{d}$이다.

✗. A와 B는 직렬로 연결되어 있으므로 A와 B에 충전된 전하량은 같다. $Q=CV$에 의해 충전된 전하량이 같을 때 축전기 양단의 전위차 V는 전기 용량 C에 반비례한다. 축전기 양단의 전위차가 A가 B의 2배이므로 전기 용량은 B가 A의 2배이다. 따라서 $\varepsilon_B=4\varepsilon_A$이다.

㉡. (가)와 (나)에서 A의 전기 용량은 같고, A에 충전된 전하량도 같으므로 A에 저장된 전기 에너지는 (가)에서와 (나)에서가 같다.

✗. S를 연 상태에서 유전체를 제거하였으므로 B에 충전된 전하량은 (가)에서와 (나)에서 같다. 그런데 B의 전기 용량은 유전체를 제거한 후가 더 작아지므로 B의 양단의 전위차는 (나)에서가 (가)에서보다 크다.

13 전류가 흐르는 도선 주위의 자기력선

자기력선의 밀도가 클수록 자기장의 세기가 크다.

㉠. 자기력선의 밀도가 p에서가 q에서보다 크므로 A, B의 전류에 의한 자기장의 세기는 p에서가 q에서보다 크다.

㉡. A 주위의 자기장의 방향이 시계 반대 방향이므로 A에 흐르는 전류의 방향은 xy 평면에서 수직으로 나오는 방향이다.

✗. A와 B 사이에서가 자기장의 밀도가 크므로 B에는 A와 반대 방향으로 전류가 흐른다. 따라서 A와 B 사이에는 자기장이 0인 점이 없다.

14 전자기 유도

금속 고리를 통과하는 자기 선속이 변하면 금속 고리에는 유도 기전력이 생기고 유도 전류가 흐르게 된다.

㉠. $t=1$초일 때, p에서 유도 전류의 방향이 $+y$방향이므로 금속 고리의 내부에서 금속 고리의 유도 전류에 의한 자기장이 xy 평면에 수직으로 들어가는 방향으로 생긴다. 따라서 Ⅰ에서 자기장의 방향은 xy 평면에서 수직으로 나오는 방향이다.

✗. 유도 전류의 세기가 $t=1$초일 때가 $t=3$초일 때의 2배이므로 자기장의 세기는 Ⅰ에서가 Ⅱ에서의 2배이다.

✗. S를 닫아도 금속 고리에 의해 양분된 금속 고리의 양쪽에서 자기 선속이 변하므로 유도 전류가 흐른다. 만약 금속 막대가 xy 평면에서 수직으로 나오는 자기장을 지나고 있다고 가정하면 그림과 같이 금속 고리에는 유도 전류가 흐르게 된다.

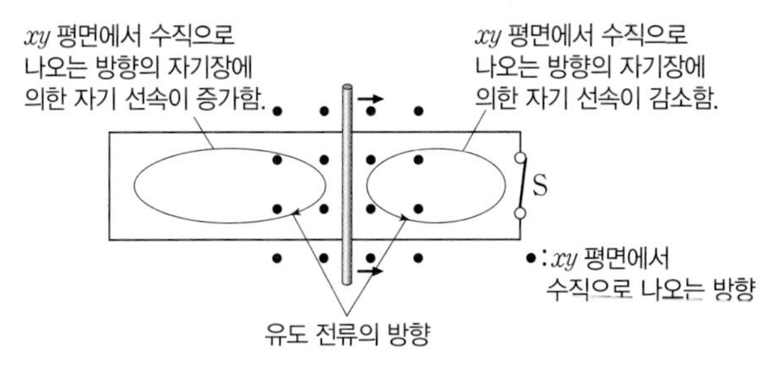

15 빛의 회절

단일 슬릿을 통과한 빛은 회절을 한다.

㉠. 슬릿의 폭이 작을수록 회절이 잘 일어나므로, 회절 무늬의 중앙 밝은 무늬의 폭은 슬릿의 폭이 좁을수록 크다.

✗. 파장이 긴 빛일수록 회절이 잘 일어나므로 파장이 λ보다 작은 단색광을 사용하면 회절 무늬의 중앙 밝은 무늬의 폭은 작아진다.

✗. 슬릿과 스크린 사이의 거리가 멀어지면 중앙 밝은 무늬의 폭은 더 커지고, 가까워지면 중앙 밝은 무늬의 폭은 작아진다.

16 전자기파의 발생과 수신

전자기파는 매질 없이 공간으로 퍼져나갈 수 있는 파동이다.

㉠. 전자기파는 전기장과 자기장이 계속해서 서로를 유도하며 공간으로 퍼져나가는 파동이기 때문에 매질 없이도 공간으로 퍼져나갈 수 있다.

✗. 전자기 유도에 의해 변하는 자기장은 전기장을 유도하고 변하는 전기장은 자기장을 유도한다. 따라서 자기장은 변하지 않고 전기장만 진동하는 파동은 만들 수 없다.

㉢. 수신 회로의 안테나는 교류 전원의 역할을 한다. 수신 회로의 공명 진동수를 전자기파의 진동수와 일치시키면 회로에 흐르는 전류가 최대가 된다.

17 도플러 효과

파동을 발생시키는 파원과 그 파동을 관측하는 관찰자의 운동 상태에 따라 관찰자가 측정하는 파동의 진동수가 달라진다.

ㄱ. 음원이 음파 측정기에 가까워지면 음파 측정기에서 측정한 음원의 진동수는 원래 진동수보다 커진다. B의 속력이 A의 속력보다 크므로 음파 측정기로 측정한 A에서 발생한 음파의 진동수는 f보다 작다.

ㄴ. C는 측정기로부터 멀어지고 있으므로 음파 측정기로 측정한 C에서 발생한 음파의 진동수는 f_0보다 작다.

~~ㄷ~~. 음원이 측정기에 가까워지는 경우 음파 측정기로 측정한 음파의 파장은 짧아지고, 음원이 측정기로부터 멀어지는 경우 음파 측정기로 측정한 음파의 파장은 길어진다. 따라서 음파 측정기로 측정한 A와 C에서 발생한 음파의 파장은 C에서 발생한 음파가 A에서 발생한 음파보다 길다.

18 볼록 렌즈에 의한 상

물체가 볼록 렌즈로부터 볼록 렌즈의 초점보다 가까이 있으면 허상이 생기고 초점보다 멀리 있으면 실상이 생긴다.

ㄱ. (나)를 통해 볼록 렌즈의 초점 거리가 d임을 알 수 있다. 물체가 볼록 렌즈로부터 초점보다 가까이 있을 때는 항상 확대된 정립 허상이 생기므로 물체가 $x=0$에서 $x=d$ 사이에 있을 때 생기는 상은 모두 확대된 상이다.

ㄴ. 볼록 렌즈에서 물체가 볼록 렌즈로부터 초점보다 멀리 있을 때는 항상 도립 실상이 생긴다. 따라서 물체가 $x=2d$에 있을 때 물체의 상은 도립 실상이다.

ㄷ. 상의 위치를 b라 하고 렌즈 방정식을 적용하면 $\frac{1}{3d}+\frac{1}{b}=\frac{1}{d}$이다. 이를 정리하면 $b=\frac{3}{2}d$가 되고, 실상이므로 상은 렌즈의 왼쪽에 생긴다. 따라서 물체의 위치가 $x=3d$일 때, 상의 위치는 $x=-\frac{3}{2}d$이다.

19 물체의 평형

막대가 수평으로 평형을 유지하고 있으므로 막대에 작용하는 돌림힘의 합과 알짜힘은 0이다.

③ 질량 m인 막대의 중심에 중력 mg가 작용하고 있다고 생각할 수 있다. 아래 막대의 양쪽 끝에 연결된 실이 막대에 작용하는 힘의 크기를 각각 T_1, T_2라 하고, 위쪽 두 막대에 각각 천장의 실이 연결된 지점을 기준으로 돌림힘의 평형을 적용하면, $2L\times mg=L\times T_1$, $L\times mg+4L\times mg=2L\times T_2$가 성립하므로, $T_1=2mg$, $T_2=\frac{5}{2}mg$이다.

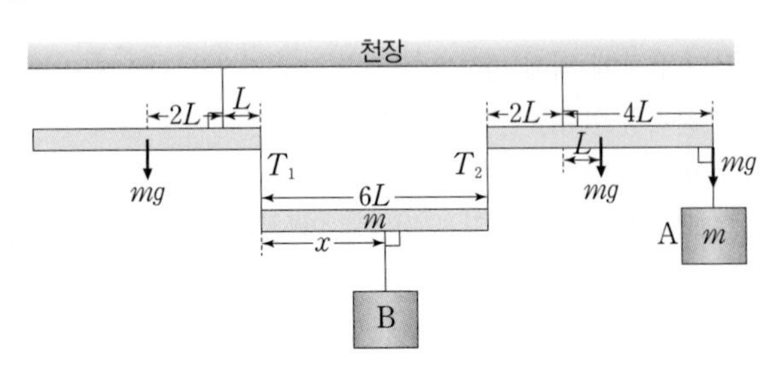

아래 막대에 작용하는 알짜힘이 0이므로 B의 질량을 m_B라 할 때, $T_1+T_2=mg+m_Bg$가 성립하고 $m_B=\frac{7}{2}m$이다. 아래 막대의 왼쪽 끝을 기준으로 돌림힘의 평형을 적용하면, $3L\times mg+x\times\frac{7}{2}mg=6L\times\frac{5}{2}mg$가 되므로 $x=\frac{24}{7}L$이 된다.

20 포물선 운동

수평면 근처에서 발사된 물체에는 연직 아래 방향으로 일정한 중력이 작용하므로 물체는 포물선 운동을 하게 된다.

② B가 최고점 p에 도달할 때까지 B의 수평 이동 거리가 연직 이동 거리의 2배이므로 B가 수평면에서 발사될 때 B의 속도의 수평 성분의 크기와 연직 성분의 크기는 같다. B가 발사될 때의 속도의 수평 성분과 연직 성분의 크기를 v라고 할 때, A의 수평 이동 거리와 B의 수평 이동 거리가 $2L$로 같으므로 A가 수평면에서 발사될 때 속도의 수평 성분의 크기는 $2v$이다. A가 수평면에서 발사될 때 속도의 연직 성분의 크기를 v_1, p에서 A의 속도의 연직 성분의 크기를 v_2라고 하면, A가 수평면에서 발사된 후 p에 도달할 때까지 A의 평균 속도의 연직 성분의 크기는 v이므로 $\frac{v_1+v_2}{2}=v$가 성립하고, B가 발사된 후 p에 도달할 때까지 B의 연직 성분의 속도 변화량의 크기가 v이므로 A가 발사된 후 p에 도달할 때까지 A의 연직 성분의 속도 변화량의 크기는 $\frac{v}{2}$이다. $v_1-v_2=\frac{v}{2}$이므로 $v_1=\frac{5}{4}v$이고 $\tan\theta=\frac{\left(\frac{5}{4}v\right)}{2v}=\frac{5}{8}$이다.

실전 모의고사 3회				본문 130~134쪽
01 ②	02 ①	03 ②	04 ③	05 ④
06 ①	07 ⑤	08 ①	09 ④	10 ⑤
11 ③	12 ①	13 ③	14 ①	15 ⑤
16 ②	17 ③	18 ④	19 ③	20 ②

01 불확정성 원리

불확정성 원리는 입자의 위치와 운동량을 동시에 정확하게 측정하는 것이 불가능함을 설명하는 원리이다.

~~ㄱ~~. 보어의 수소 원자 모형에서는 양자수가 정해지면 전자가 운동하는 원 궤도의 반지름과 운동량이 정확하게 정해진다. 따라서 보어의 수소 원자 모형은 불확정성 원리에 위배된다.

~~ㄴ~~. (나)에서 a가 크면 위치 불확정성이 커지므로 스크린에 도달하는 전자의 운동량 불확정성은 작아진다.

ㄷ. (나)에서 스크린에 나타난 회절 무늬의 폭은 슬릿을 통과하는 전자의 운동량 불확정성에 비례한다. 따라서 위치 불확정성이 작을수록 운동량 불확정성이 크므로 Δx는 위치 불확정성이 작을수록 크다.

02 전자기파의 수신

수신 회로에 흐르는 전류의 세기가 최대가 되도록 하기 위해서는 수신 회로의 공명(고유) 진동수가 수신하고자 하는 전파의 진동수와 같아지도록 조절하면 된다. 수신 회로에서 코일의 자체 유도 계수가 L이고, 축전기의 전기 용량이 C이면 회로의 공명 진동수는 $f=\frac{1}{2\pi\sqrt{LC}}$이다.

㉠. 안테나의 1차 코일에서 자기 선속 변화는 상호유도에 의해 수신 회로의 2차 코일에서 변하는 유도 기전력을 만들어 회로에 전류를 흐르게 한다.

✗. 수신 회로에서 공명(고유) 진동수는 코일의 자체 유도 계수와 축전기의 전기 용량에 따라 달라지며, 수신 회로의 공명(고유) 진동수를 조절하는 방법으로 사용자가 원하는 진동수의 전파를 선택할 수 있다.

✗. 수신 회로의 공명(고유) 진동수와 동일한 진동수의 전파를 수신할 때 수신 회로에는 강한 전류가 흐르게 된다.

03 속도와 가속도

속도 - 시간 그래프에서 그래프의 기울기는 가속도, 그래프와 시간 축이 이루는 면적은 변위를 의미한다.

✗. $t=0$부터 $t=4$초까지 변위의 x성분의 크기는 4 m, 변위의 y성분의 크기는 8 m이므로 변위의 크기는 $\sqrt{4^2+8^2}=4\sqrt{5}$(m)이다.

✗. v_x-t 그래프의 기울기로부터 가속도의 크기는 0.5 m/s^{2}이다.

㉢. 물체에 작용하는 알짜힘은 질량과 가속도의 곱이므로 알짜힘의 크기는 1 N이다.

04 등가속도 운동

일정한 시간 간격 동안 y방향은 간격이 일정하므로 y방향으로는 등속도 운동을 한다. x방향은 $-x$방향으로 간격은 커지고 간격 변화량은 일정하므로 물체의 가속도는 $-x$방향이다.

t(초)	0		0.1		0.2		0.3
y방향 간격 (m)		0.20		0.20		0.20	
x방향 간격 (m)		0.05		0.15		0.25	
x방향 간격 변화(m)			0.10		0.10		

㉠. x방향 간격 변화는 가속도를 의미하므로 가속도의 x성분은 $a_x=\frac{0.10}{(0.1)^2}=-10$(m/s^2)이다. 따라서 물체의 가속도의 크기는 10 m/s^{2}이다.

㉡. 속도의 y성분은 $\frac{0.2}{0.1}=2$ m/s이다. v_0은 속도의 y성분의 크기와 같으므로 $v_0=2$ m/s이다.

✗. $t=0$일 때 x방향의 속력은 0이므로 t일 때 속도의 x성분 $v_x=10t$이다. $t=0.2$초일 때 $v_x=2$ m/s이므로 $t=0.2$초일 때 속력은 $v=\sqrt{{v_x}^2+{v_y}^2}=\sqrt{2^2+2^2}=2\sqrt{2}$(m/s)이다.

05 등속 원운동

반지름이 r인 등속 원운동을 하는 물체의 구심 가속도의 크기 a는 원운동 속력이 v, 각속도가 ω일 때 $a=\frac{v^2}{r}=r\omega^2$이다.

④ A와 B가 a에서 접한 순간부터 b에서 처음으로 접할 때까지 걸린 시간이 t_0이고, t_0 동안 O가 이동한 거리는 $2\pi r$이므로 O의 속력은 $v=\frac{2\pi r}{t_0}$이다. 각속도의 크기는 $\omega=\frac{v}{4r}=\frac{\pi}{2t_0}$이고, 구심 가속도의 크기는 $a=(4r)\omega^2=\frac{r\pi^2}{{t_0}^2}$이다.

06 케플러 법칙

위성의 공전 주기의 제곱은 위성의 공전 궤도 긴반지름의 세제곱에 비례한다.

㉠. 위성에 작용하는 중력의 크기는 행성으로부터 거리의 제곱에 반비례하므로 가속도의 크기는 행성으로부터 거리가 가까울수록 크다. 따라서 a에서 A의 가속도의 크기는 b에서 B의 가속도의 크기보다 작다.

✗. 행성과 위성 사이의 거리가 가장 가까울 때 위성의 속력은 최대, 가장 멀 때 위성의 속력은 최소이다. 따라서 $v_b>v_c$이다.

✗. 행성으로부터 c까지 거리가 $2R$보다 크므로 B의 타원 궤도 긴반지름은 R보다 크다. 따라서 B의 공전 주기는 T보다 크다. B가 b에서 c까지 운동하는 데 걸리는 시간은 B의 공전 주기의 $\frac{1}{2}$배이므로 B가 b에서 c까지 운동하는 데 걸리는 시간은 $\frac{T}{2}$보다 크다.

07 중력 렌즈 효과

지구로부터 매우 멀리 떨어진 광원으로부터 나온 빛이 은하단과 같은 질량이 큰 천체 주위를 지나 지구의 관찰자에게 도달할 때, 은하단의 중력 렌즈 효과로 인해 빛의 상이 여러 개로 보이거나 다양한 형태로 나타난다.

㉠. (가)는 질량이 큰 은하 주변의 시공간의 휘어짐에 의한 중력 렌즈 효과로 인해 관측되는 현상이다.

㉡. (나)에서 천체 주위에서 빛이 휘어지는 현상을 일반 상대성 이론으로 설명할 수 있다.

㉢. 천체의 질량이 클수록 천체 주변의 시공간이 휘어지는 정도가 더 커진다. 따라서 A의 질량이 커지면 주변을 지나는 빛이 더 크게 휘어져 θ가 증가한다.

08 일과 운동 에너지

F의 크기를 F라고 하면 $t=0$부터 $t=2$초까지 A, B의 가속도의 크기는 $a=\frac{F}{3m+m}$이므로 $t=2$ s일 때 B의 속력을 v_2라 하면, $v_2=\frac{F}{4m}\times2$이다. 실이 끊어진 후, B가 빗면에서 올라가는 최대 높이가 h_2이므로 $mgh_2=\frac{1}{2}m{v_2}^2$에서 ${v_2}^2=2gh_2$이다.

㉠. $t=0$부터 $t=2$초까지 F가 한 일은 A와 B의 운동 에너지 변화량과 같으므로 F가 한 일은 $\frac{1}{2}(3m+m){v_2}^2=\frac{4m}{2}(2gh_2)=4mgh_2$이다.

✗. $t=3$초일 때 F를 제거한 직후 A의 속력을 v_1이라 하면, v_1-v_2

$=\frac{F}{3m}\times(3-2)$이고, $v_2=\frac{F}{2m}$이므로 $v_1=\frac{5F}{6m}$이다. 따라서 $v_1=\frac{5}{3}v_2$이다.

ㄷ(✗). 역학적 에너지가 보존되므로 빗면을 올라가는 최대 높이는 수평면에서 속력의 제곱에 비례하므로 $\frac{h_1}{h_2}=\left(\frac{v_1}{v_2}\right)^2=\frac{25}{9}$이다. 따라서 $h_1=\frac{25}{9}h_2$이다.

09 단진자와 역학적 에너지

진자가 최고점에서 최하점까지 운동하는 동안 감소한 중력 퍼텐셜 에너지는 운동 에너지 증가량과 같다.

ㄱ(✗). A, B의 질량을 $2m$, m이라 하면, $\frac{1}{2}(2m)v_0{}^2=2mgL$에서 $v_0=\sqrt{2gL}$이고, $\frac{1}{2}mv_B{}^2=mgL$에서 $v_B=\sqrt{2gL}=v_0$이다. 따라서 $v_B=v_0$이다.

ㄴ(○). A를 놓은 순간부터 A가 최하점에 도달할 때까지 중력이 A에 한 일은 최하점에서 A의 운동 에너지와 같다. 따라서 최하점에서 운동 에너지는 A가 B의 2배이다.

ㄷ(○). A를 놓은 순간부터 A가 최하점에 도달할 때까지 중력이 A에 한 일은 연직 방향으로 L만큼 내려왔으므로 $(2m)gL$이다. B의 최고점과 최하점의 높이차를 h라 하면, B의 최하점에서 B의 운동 에너지는 B가 최고점에서 최하점까지 운동하는 동안 B의 중력 퍼텐셜 에너지 감소량과 같으므로 mgh이다. $2mgL=2mgh$에서 $h=L$이므로 $\cos\theta=\frac{3}{4}$이다.

10 전기력

(가)에서 점전하 사이의 거리는 $2\times(l\sin30°)=l$이고 A 사이에 작용하는 전기력의 크기는 $k\frac{q_A{}^2}{l^2}$이다. (나)에서 점전하 사이의 거리는 $2\times(l\sin60°)=\sqrt{3}l$이고, B 사이에 작용하는 전기력의 크기는 $k\frac{q_B{}^2}{(\sqrt{3}l)^2}$이다.

ㄱ(○). (가)에서 실이 C를 당기는 힘의 크기를 $T_{(가)}$라 하면, C가 정지해 있으므로 $2T_{(가)}\cos30°=F$에서 $T_{(가)}=\frac{F}{\sqrt{3}}$이다. (나)에서 실이 C를 당기는 힘의 크기를 $T_{(나)}$라 하면, $2T_{(나)}\cos60°=F$에서 $T_{(나)}=F$이다. 따라서 실이 C를 당기는 힘의 크기는 (가)에서가 (나)에서보다 작다.

ㄴ(○). (가), (나)에서 A와 B가 정지해 있으므로 (가)에서는 $T_{(가)}\sin30°=k\frac{q_A{}^2}{l^2}$, (나)에서는 $T_{(나)}\sin60°=k\frac{q_B{}^2}{3l^2}$이 성립한다. (가)에서 전기력의 크기는 $T_{(가)}\sin30°=\frac{F}{\sqrt{3}}\times\frac{1}{2}=\frac{\sqrt{3}}{6}F$, (나)에서 전기력의 크기는 $T_{(나)}\sin60°=\frac{\sqrt{3}}{2}F$이다. 따라서 전기력의 크기는 (나)에서가 (가)에서의 3배이다.

ㄷ(○). 전기력의 크기가 (나)에서가 (가)에서의 3배이므로 $k\frac{q_B{}^2}{(\sqrt{3}l)^2}=3\times k\frac{q_A{}^2}{l^2}$에서 $q_B=3q_A$이다.

11 저항의 연결

S_1만을 닫았을 때, 저항값이 $2R$인 저항 양단의 전위차가 0이므로 저항의 연결은 (가)와 같고, S_2만을 닫았을 때 저항의 연결은 (나)와 같다.

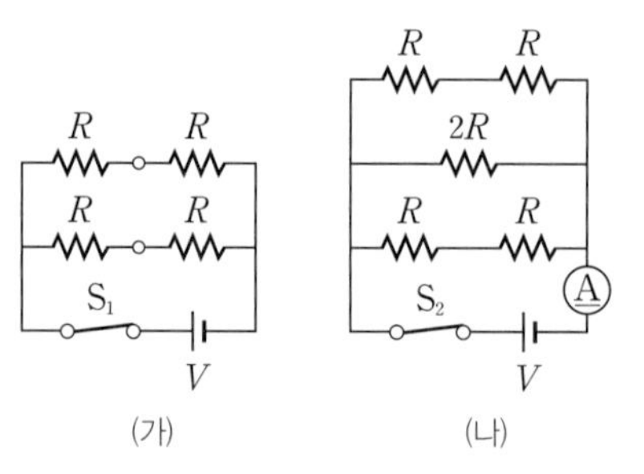

ㄱ(○). S_2만을 닫을 때 저항값이 $2R$인 저항에 흐르는 전류가 I_0이면 (나)에서 회로의 병렬연결된 부분에는 각각 저항값이 $2R$로 같으므로 전류계에 흐르는 전류의 세기는 $3I_0$이다.

ㄴ(○). 회로 전체의 합성 저항값은 (가)에서는 R, (나)에서는 $\frac{2R}{3}$이므로 회로 전체의 합성 저항값은 S_1만을 닫을 때가 S_2만을 닫을 때보다 크다.

ㄷ(✗). S_2만을 닫을 때 저항값이 $2R$인 저항에 흐르는 전류의 세기는 I_0이고 걸린 전압은 V이므로 $I_0=\frac{V}{2R}$이다. S_1만을 닫을 때, 저항값이 R인 저항에 흐르는 전류의 세기는 $\frac{V}{2R}=I_0$이고 걸린 전압은 $\frac{V}{2}$이므로 저항값이 R인 저항 1개의 소비 전력은 $\frac{I_0V}{2}$이다.

12 축전기에 저장된 전기 에너지

전기 용량이 C인 축전기의 양단에 걸린 전압이 V일 때 충전된 전하량이 Q이면, 축전기에 저장되는 전기 에너지는 $U=\frac{1}{2}QV=\frac{1}{2}CV^2=\frac{Q^2}{2C}$이다.

ㄱ(○). 양단에 걸린 전압이 같을 때 축전기에 저장된 전기 에너지는 전기 용량에 비례한다. 그래프에서 축전기 양단에 걸린 전압이 V로 같을 때 저장된 전기 에너지가 A가 B의 2배이므로 전기 용량은 A가 B의 2배이다.

ㄴ(✗). 양단에 걸린 전압이 같을 때 충전되는 전하량은 $Q=CV$에서 전기 용량에 비례한다. 따라서 충전되는 전하량은 A가 B의 2배이다.

ㄷ(✗). 극판 면적이 S, 극판 간격이 d, 극판 사이에 채워진 유전체의 유전율이 ε일 때 축전기의 전기 용량은 $C=\varepsilon\frac{S}{d}$이다. 전기 용량이 A가 B의 2배이므로 $\varepsilon_1=3\varepsilon_2$이다.

13 전자기 유도

유도 전류는 도선이 이루는 고리면을 통과하는 자기 선속의 변화를 방해하는 방향으로 흐른다. 자기장의 세기가 B, 도선이 이루는 고리의 면적이 S일 때 자기 선속은 $\Phi=BS$이고, 도선에 유도되는 기전력의 크기는 $V=\frac{\Delta\Phi}{\Delta t}=\frac{\Delta(BS)}{\Delta t}$이다.

ㄱ(○). $t=2$초일 때, Ⅰ에서 xy 평면에 수직으로 들어가는 자기장의 세기가 감소하므로 도선에는 시계 방향으로 유도 전류가 흐른다.

ⓧ. 고리면을 통과하는 자기 선속은 면적이 일정하므로 자기장의 세기에 비례한다. $t=2$초일 때는 Ⅰ에서 자기장의 세기가 $2.5B_0$, $t=3$초일 때는 Ⅱ에서 자기장의 세기가 B_0이므로 $t=2$초일 때가 $t=3$초일 때의 2.5배이다.

ⓒ. 자기장이 통과하는 고리의 면적은 같고, 1초당 자기장의 변화율이 $t=1.5$초일 때는 $\frac{B_0}{2}$, $t=3.5$초일 때는 $2B_0$이므로 유도 전류의 세기는 $t=3.5$초일 때가 $t=1.5$초일 때의 4배이다.

14 변압기와 상호유도

변압기에서 1차 코일과 2차 코일의 감은 수가 각각 N_1, N_2이고, 1차 코일과 2차 코일에 걸리는 전압이 각각 V_1, V_2이면 $\frac{N_2}{N_1}=\frac{V_2}{V_1}$이다.

ⓐ. 2차 코일에 걸리는 전압을 V_2라 하면, $R_V=R$일 때 A에 걸리는 전압은 $\frac{V_2}{2}$, 소비 전력은 $P_1=\frac{V_2^2}{4R}$이고, $R_V=3R$일 때 A에 걸리는 전압은 $\frac{V_2}{4}$, 소비 전력은 $P_2=\frac{V_2^2}{16R}$이다. $P_1-P_2=\frac{3V_2^2}{16R}=\frac{3V_0^2}{R}$에서 $V_2=4V_0$이다.

ⓧ. $V_2=4V_0$이므로 $\frac{N_2}{N_1}=4$이다. 따라서 감은 수는 2차 코일이 1차 코일의 4배이다.

ⓧ. $R_V=R$일 때 2차 코일에 흐르는 전류의 세기는 $I_2=\frac{V_2}{2R}$이고, 이때 1차 코일에 흐르는 전류의 세기는 $I_1=\frac{N_2}{N_1}I_2=4I_2=\frac{2V_2}{R}$이다. $R_V=3R$일 때 2차 코일에 흐르는 전류의 세기는 $I_2'=\frac{V_2}{4R}$이다. 따라서 $I_1=8I_2'$이다.

15 이중 슬릿에 의한 빛의 간섭 실험

영의 이중 슬릿 실험에서 이웃한 밝은 무늬 중심 사이의 간격은 광원의 파장과 이중 슬릿과 스크린 사이의 거리에 비례하고 이중 슬릿의 간격에는 반비례한다

ⓐ. P는 O로부터 첫 번째 어두운 무늬의 중심이므로 스크린을 이동시키기 전 S_1, S_2로부터 P까지 경로차 ㉠은 $\frac{\lambda}{2}$이다. 또한 Q는 O로부터 두 번째 밝은 무늬의 중심이므로 S_1, S_2로부터 Q까지 경로차 ㉡은 2λ이다. 따라서 ㉡은 ㉠의 4배이다.

ⓑ. 스크린을 이동시킨 후 S_1, S_2로부터 Q까지 경로차가 λ로 이동 전보다 작아졌으므로 슬릿으로부터 스크린까지 거리가 멀어지는 방향으로 이동시킨 것이다. 따라서 스크린의 이동 방향은 $+x$방향이다.

ⓒ. O로부터 밝은 무늬의 중심이 되는 지점까지 거리는 $y=\frac{L}{d}\lambda\times m$에서 y_2는 $m=2$일 때이므로 $y_2=\frac{2L}{d}\lambda$이고, 어두운 무늬의 중심이 되는 지점까지 거리는 $y=\frac{L}{d}\lambda\times\left(m+\frac{1}{2}\right)$에서 y_1은 $m=0$일 때이므로 $y_1=\frac{L}{2d}\lambda$이다. 따라서 $y_2=4y_1$이다.

16 도플러 효과

진동수가 f_0인 음원이 정지한 음파 측정기를 향해 속력 v_s로 운동할 때 음파 측정기가 측정하는 소리의 진동수 $f=\left(\frac{v}{v-v_s}\right)f_0$이다.

ⓧ. $f<0.5f_2$이므로 B에서 발생한 음파를 음파 측정기에서 측정할 때 원래보다 진동수가 크게 측정된 것이고, 이는 B가 음파 측정기를 향해 운동함을 의미한다. 따라서 B의 운동 방향은 $-y$방향이다.

ⓑ. A가 음파 측정기로부터 멀어지는 방향으로 운동하고 있으므로 f_1은 f보다 작다.

ⓧ. $f_1=\frac{v}{v+\frac{v}{20}}f=\frac{20}{21}f$, $f_2=\frac{v}{v-\frac{v}{10}}(2f)=\frac{20}{9}f$이므로 $\frac{f_2}{f_1}=\frac{7}{3}$이다.

17 역학적 평형

물체가 평형 상태를 유지할 때 물체에 작용하는 알짜힘과 돌림힘의 합은 0이다.

ⓐ. A가 수평으로 평형을 유지하며 정지해 있으므로 A에 작용하는 돌림힘의 합은 0이다.

ⓧ. b를 회전축으로, C가 B에 작용하는 힘에 의한 돌림힘은 크기가 F인 힘이 B에 작용하는 돌림힘과 평형을 이룬다. 따라서 C가 B에 작용하는 힘에 의한 돌림힘의 크기는 LF이다.

ⓒ. C가 B에 작용하는 힘의 크기를 F'라 하고 B에 돌림힘의 평형을 적용하면 $2LF'=LF$에서 $F'=\frac{F}{2}$이고, C가 A에 작용하는 힘의 크기는 F'이므로 a를 회전축으로 A에 돌림힘의 평형을 적용하면 $LF'=3LF_0$에서 $F'=3F_0$이다. 따라서 F는 F_0의 6배이다.

18 볼록 렌즈에 의한 물체의 상

볼록 렌즈에서는 물체의 위치에 따라 도립 실상, 정립 허상이 모두 나타나고, 초점 거리가 f인 볼록 렌즈의 중심으로부터 물체가 위치한 지점까지의 거리를 a, 물체의 상이 위치한 지점까지의 거리를 b라 할 때 $\frac{1}{a}+\frac{1}{b}=\frac{1}{f}$이 성립한다.

ⓧ. 물체 위치가 $x=-a$일 때, $\frac{1}{a}+\frac{1}{-2a}=\frac{1}{f}$에서 f는 $2a$이다.

ⓑ. 물체 위치가 ㉠일 때, 볼록 렌즈에서 상의 크기가 물체의 크기와 같으므로 상은 $x>0$인 곳에 실상이 생긴 것이다. $\frac{1}{b}+\frac{1}{b}=\frac{1}{2a}$에서 $b=4a$이므로 물체의 위치(㉠)는 초점 거리의 2배에 해당하는 $x=-4a$, 상의 위치는 $x=4a$이다. 따라서 ㉡은 $x=4a$이다.

ⓒ. 렌즈로부터 물체와 상까지 거리가 각각 a, $2a$일 때 상의 크기(㉢)는 $2h$이다. 상의 크기가 ㉢의 1.5배인 $3h$가 되는 렌즈에서 물체까지의 거리를 d라 하면, 렌즈로부터 상까지 거리는 $3x$이므로 $\frac{1}{d}+\frac{1}{\pm 3d}=\frac{1}{2a}$에서 $d=\frac{8}{3}a$ 또는 $d=\frac{4}{3}a$이므로 $x=-\frac{4}{3}a$는 상의 크기가 ㉢의 1.5배가 되는 물체의 위치로 적절하다.

19 광전 효과

금속판에 비춘 단색광의 진동수가 금속의 문턱(한계) 진동수보다 클

때 금속에서 광전자가 방출되고, 비춰준 단색광의 광자 1개의 에너지가 E, 금속판의 일함수가 W일 때, 방출되는 광전자의 최대 운동 에너지 K_{max}는 $K_{max}=E-W$이다.

③ 각 금속판에서 E, W, K_{max}의 관계는 다음과 같다.

A: $2E_0-W_1=2E_1$에서 $W_1=2E_0-2E_1$

B: $E_0-W_2=E_1$에서 $W_2=E_0-E_1$

C: $3E_0-W_3=2E_1$에서 $W_3=3E_0-2E_1$

정리하면 $W_1=2W_2$이고, $W_3=W_1+E_0$이므로

$W_2<W_1<W_3$이다.

20 전류에 의한 자기장

(가)의 A, C에서 O까지 거리는 $\frac{d}{\sqrt{2}}$이고, B에서 O까지 거리는 d이므로 O에서 A의 전류에 의한 자기장과 B의 전류에 의한 자기장은 세기가 같고 방향이 반대이므로 서로 상쇄된다.

ㄱ. O에서 C의 전류에 의한 자기장의 방향은 xy 평면에 들어가는 방향이고, D의 전류에 의한 자기장의 방향이 xy 평면에서 나오는 방향이 되어야 O에서 자기장이 0이 될 수 있다. 따라서 D에 흐르는 전류의 방향은 시계 반대 방향이다.

ⓛ. 비례 상수를 k라 할 때 (가)의 O에서 D의 전류에 의한 자기장의 세기는 O에서 C의 전류에 의한 자기장의 세기와 같으므로 $k\frac{5I_0}{\frac{d}{\sqrt{2}}}=5\sqrt{2}k\frac{I_0}{d}$이고, B의 전류에 의한 자기장의 세기는 $k\frac{\sqrt{2}I_0}{d}$이므로 O에서 전류에 의한 자기장의 세기는 D에 의한 것이 B에 의한 것의 5배이다.

ㄷ. (가)에서 D의 중심 위치를 (0, $-2d$)로 이동시키면 A, B에서 옮겨진 D의 중심까지 거리는 각각 $2\sqrt{2}d=\frac{d}{\sqrt{2}}\times4$이다. (가)의 O에서 A의 전류에 의한 자기장을 $+B_0$이라 하면, (나)의 O에서 A, B, C의 전류에 의한 자기장은 각각 $+\frac{B_0}{4}$, $+\frac{B_0}{2}$, $-\frac{5B_0}{4}$이므로 합성 자기장은 $-\frac{B_0}{2}$이다. 따라서 D에 세기가 I_1인 전류가 흐를 때 중심에서 D의 전류에 의한 자기장이 $\frac{B_0}{2}$이 되면 D의 중심에서 자기장이 0이 된다. (가)에서 D에 2 A의 전류가 흐를 때 D의 전류에 의한 자기장의 세기는 $5\sqrt{2}k\frac{I_0}{d}=5B_0$이므로 $\frac{B_0}{2}$가 되는 전류의 세기는 $2\text{ A}\times\frac{1}{10}=0.2\text{ A}$이다. 따라서 $I_1=0.2\text{ A}$이다.

실전 모의고사 4회 본문 135~139쪽

01 ⑤	02 ①	03 ③	04 ⑤	05 ①
06 ③	07 ②	08 ⑤	09 ④	10 ③
11 ③	12 ②	13 ①	14 ②	15 ④
16 ④	17 ④	18 ②	19 ③	20 ④

01 볼록 렌즈의 이용

볼록 렌즈에 의한 상은 물체가 렌즈 중심에서 초점 거리의 2배인 곳보다 더 먼 곳에 있으면 축소된 실상이고, 물체가 렌즈 중심에서 초점 거리의 2배인 곳과 초점 사이에 있으면 확대된 실상이며, 물체가 초점과 렌즈 중심 사이에 있으면 확대된 허상이다.

⑤ 렌즈 중심과 물체 사이의 거리를 a, 렌즈의 초점 거리를 f라 할 때 $2f<a$일 때 축소된 도립 실상이 생기고 $f<a<2f$일 때 확대된(㉠) 도립 실상이 생기며, $a<f$일 때 확대된 정립 허상(㉡)이 생긴다.

02 수소 원자의 양자수

$n=1$일 때와 $n=2$일 때 수소 원자의 전자구름 형태는 다음과 같다.

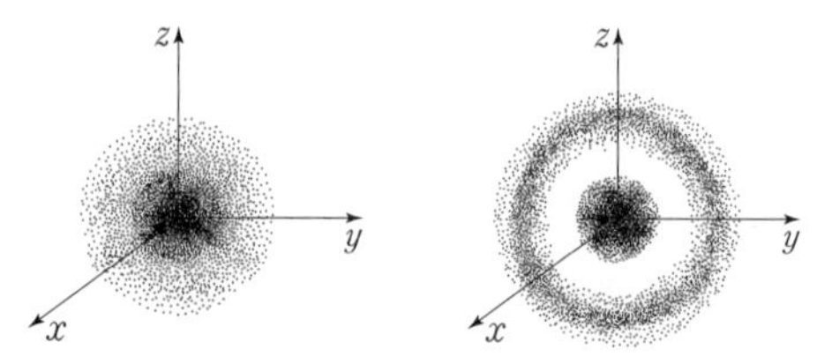

▲ $n=1$일 때 (1, 0, 0)인 상태 ▲ $n=2$일 때 (2, 0, 0)인 상태

ⓖ. (가)는 전자들이 원자핵을 중심으로 멀어질수록 전자의 밀도가 작아지고 (나)는 원자핵으로부터 일정 거리만큼 떨어진 지점들에 전자가 없는 띠 형태가 보이므로 (가)는 $n=1$일 때, (나)는 $n=2$일 때 수소의 원자의 구름 형태이다.

ㄴ. 양자수가 클수록 전자의 에너지 준위는 크다. 따라서 전자의 에너지 준위는 (나)에서가 (가)에서보다 크다.

ㄷ. 현대적 원자 모형은 일정 범위에서 전자가 존재할 확률을 전자구름 모형으로 설명한다. 따라서 현대적 원자 모형은 전자의 정확한 위치는 알 수 없고, 일정 범위에서 전자가 존재할 확률만 알 수 있다.

03 평면상에서 물체의 운동

$\tan\theta=\frac{1}{2}$이므로 x방향의 처음 속도의 크기는 y방향의 처음 속도의 크기의 2배이다.

③ p에서 x방향, y방향의 속도의 크기를 각각 v_{0x}, v_{0y}라 하면 $\tan\theta=\frac{1}{2}=\frac{v_{0y}}{v_{0x}}$가 되어 $v_{0x}=2v_{0y}$이다. $v_0=\sqrt{{v_{0x}}^2+{v_{0y}}^2}=\frac{\sqrt{5}}{2}v_{0x}=\sqrt{5}v_{0y}$이다. 물체가 p에서 q까지 운동하는 동안 x축, y축 방향의 변위의 크기는 각각 $5L$, $3L$이다. 또, 물체가 p에서 q까지 운동하는 동안 x축, y축 방향의 가속도의 크기를 a, 걸린 시간을 t라 하고, x축, y축 방향으로 등가속도 운동 식을 각각 적용하면 다음과 같다.

x축 방향: $5L=\frac{2\sqrt{5}}{5}v_0t+\frac{1}{2}at^2$

y축 방향: $3L=\frac{\sqrt{5}}{5}v_0t+\frac{1}{2}at^2$

두 식에서 $t=\frac{\sqrt{5}\,v_0}{5a}$이다. q에서 x방향, y방향의 속도의 크기를 각각 v_x, v_y라 하고 x축, y축 방향으로 등가속도 운동 식을 각각 적용하면

x축 방향: $v_x=\frac{2\sqrt{5}}{5}v_0+a\times\frac{\sqrt{5}\,v_0}{5a}=\frac{3\sqrt{5}}{5}v_0$

y축 방향: $v_y=\frac{\sqrt{5}}{5}v_0+a\times\frac{\sqrt{5}\,v_0}{5a}=\frac{2\sqrt{5}}{5}v_0$

이 되어 q에서 물체의 속력은 $\sqrt{v_x^2+v_y^2}=\frac{\sqrt{65}}{5}v_0$이다.

04 케플러 법칙과 중력 법칙

같은 행성 주위를 원운동하는 물체와 타원 운동하는 물체의 가속도의 크기는 물체의 질량과 관계없고 행성 중심과 물체 사이의 거리의 제곱에 반비례한다. 케플러 법칙에서 주기의 제곱은 긴반지름의 세제곱에 비례한다.

㉠. B가 p에서 r까지 이동하는 동안 중력에 의해 속력이 계속 증가한다. 따라서 B의 속력은 p에서가 r에서보다 작다.

㉡. A의 궤도 반지름이 B의 긴반지름보다 크므로 주기는 A가 B보다 길다.

㉢. 가속도의 크기는 지구 중심과 위성 사이의 거리의 제곱에 반비례한다. 따라서 q에서 A의 가속도의 크기는 r에서 B의 가속도의 크기보다 작다.

05 관성력과 단진자

엘리베이터의 가속도의 방향이 연직 위쪽이면 엘리베이터가 정지해 있을 때보다 단진자의 주기는 짧아지고 엘리베이터의 가속도의 방향이 연직 아래쪽이면 엘리베이터가 정지해 있을 때보다 단진자의 주기는 길어진다. 관성력은 가속 좌표계에서 받는 가상적인 힘으로 방향은 가속도의 방향과 반대이고, 크기는 질량과 가속 좌표계의 가속도의 크기를 곱한 값이다.

㉠. $t=4t_0$일 때가 $t=t_0$일 때보다 단진자의 주기가 짧으므로 엘리베이터의 가속도의 방향은 연직 위쪽 방향이다. 따라서 A에 작용하는 관성력의 방향은 연직 아래쪽 방향이다.

X. $t=7t_0$일 때가 $t=t_0$일 때보다 단진자의 주기가 길어졌으므로 $t=6t_0$부터 $t=8t_0$까지 엘리베이터의 운동은 등속 직선 운동이 아니다.

X. $t=7t_0$일 때 엘리베이터의 가속도의 방향은 연직 아래쪽 방향이다. 따라서 저울에 의해 측정된 A의 무게, 즉 저울이 A를 미는 힘의 크기는 $t=7t_0$일 때가 $t=4t_0$일 때보다 작다.

06 일과 운동 에너지

중력만 작용하는 공간에서 물체에 작용하는 알짜힘은 중력이고, 중력이 한 일은 물체의 운동 에너지 변화량과 같다.

③ 중력 가속도를 g, A, B의 질량을 각각 $2m$, m, A가 수평면에 도달하는 순간 A의 속력을 v라 하면 A의 역학적 에너지는 $E_A=2mgh=\frac{1}{2}\times 2mv^2=mv^2$이다. A가 낙하하는 시간을 t라 하면 $t=\frac{2h}{v}$이다. B의 수평 방향의 속력을 v_0이라 하면 B는 수평 방향으로 t 동안 $4h$만큼 등속도 운동을 하므로 $4h=v_0t=v_0\times\frac{2h}{v}$가 되어 $v_0=2v$이다. B의 역학적 에너지는 $E_B=mgh+\frac{1}{2}mv_0^2=\frac{1}{2}mv^2+\frac{1}{2}mv_0^2=\frac{5}{2}mv^2$이므로 $\frac{E_B}{E_A}=\frac{5}{2}$이다.

07 일과 역학적 에너지 보존

알짜힘이 물체에 한 일은 물체의 운동 에너지의 변화량과 같다.

② 물체가 p에서 q까지 이동하는 동안 물체에 작용하는 알짜힘의 크기는 $2mg-mg\sin 30°=\frac{3}{2}mg$이고 p와 q 사이의 거리는 $2h$이다. q에서 물체의 속력을 v_0이라 하면 p에서 q까지 이동하는 동안 알짜힘이 물체에 한 일은 $\frac{3}{2}mg\times 2h=3mgh=\frac{1}{2}mv_0^2$이 되어 $v_0=\sqrt{6gh}$이다. 물체가 q를 지나는 순간 수평 방향의 속력은 $\frac{\sqrt{3}}{2}v_0$이고 q와 최고점에서 역학적 에너지 보존 법칙을 적용하면 $4mgh=mgH+\frac{1}{2}m\left(\frac{\sqrt{3}}{2}v_0\right)^2=mgH+\frac{9}{4}mgh$가 되어 $H=\frac{7}{4}h$이다.

08 줄의 실험

추가 낙하하는 동안 중력이 추에 일을 하면 열량계 속에서 회전하는 날개와 물의 마찰로 인해 열이 발생한다. 따라서 중력이 추에 한 일은 물이 흡수한 열량과 같다.

㉠. 추의 질량이 클수록 중력이 추에 한 일이 크므로 물이 흡수한 열량이 커서 물의 온도 변화가 크다.

㉡. 중력이 추에 한 일은 추의 낙하 거리에 비례한다. 따라서 추의 낙하 거리가 클수록 물이 흡수한 열량이 커서 물의 온도 변화가 크다.

㉢. 중력이 추에 한 일은 중력 가속도에 비례한다. 따라서 중력 가속도가 큰 행성 표면에서 같은 실험을 하면 물이 흡수한 열량이 커서 물의 온도 변화가 크다.

09 정전기 유도와 검전기

$+x$방향으로 균일한 전기장이 형성되면 접촉된 A와 B에는 정전기 유도에 의해 A에는 음(−)전하가, B에는 양(+)전하가 유도된다.

X. (나)에서 B가 금속판에 가까워질수록 금속박에 있던 전자가 금속판으로 이동하여 두 금속박이 오므라드는 것은 B가 양(+)전하로 대전되었기 때문이다. 따라서 (가)에서 전기장의 방향은 $+x$방향이다.

㉡. (가)에서 A와 B는 서로 다른 종류의 전하로 대전되었으므로 A와 B 사이에는 서로 당기는 전기력이 작용한다.

㉢. (가)에서 전기장의 방향이 $+x$방향이므로 A는 음(−)전하이고 (나)에서 음(−)전하인 A를 금속판에 가까이 가져가면 금속판에 있던 전자는 금속박 쪽으로 이동한다.

10 저항의 연결

저항값이 R_1, R_2인 두 저항이 직렬로 연결되어 있을 때 합성 저항값(R)은 각 저항의 저항값의 합($R=R_1+R_2$)과 같고, 두 저항이 병렬로 연결되어 있을 때 합성 저항값의 역수는 각 저항값의 역수의 합$\left(\frac{1}{R}=\frac{1}{R_1}+\frac{1}{R_2}\right)$과 같다.

③ S_1만 닫았을 때 회로의 연결은 다음과 같다. 따라서 합성 저항값을 R_p라 하면 $\frac{1}{R_p}=\frac{4}{7R}+\frac{1}{R}=\frac{11}{7R}$이 되어 $R_p=\frac{7}{11}R$이다.

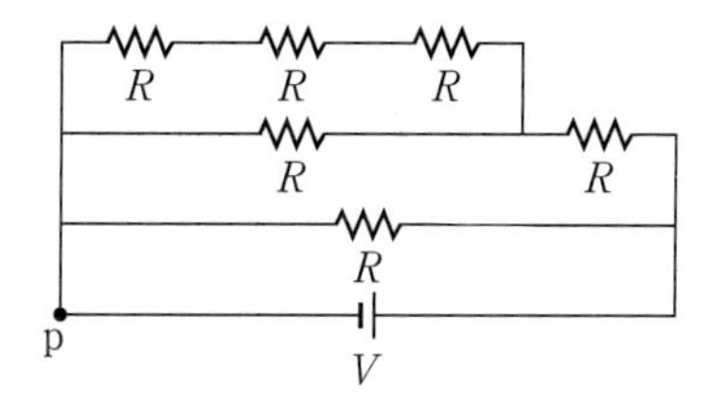

S_2만 닫았을 때 회로의 연결은 다음과 같다.

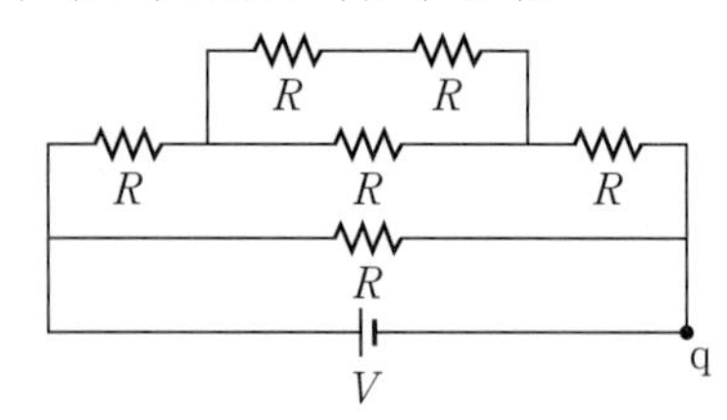

따라서 합성 저항값을 R_q라 하면 $\frac{1}{R_q}=\frac{3}{8R}+\frac{1}{R}=\frac{11}{8R}$이 되어 $R_q=\frac{8}{11}R$이다. 전압이 같을 때 저항값과 전류의 세기는 서로 반비례하므로 $\frac{I_p}{I_q}=\frac{R_q}{R_p}=\frac{8}{7}$이다.

11 트랜지스터

p-n-p형 트랜지스터에서 가변 저항의 저항값이 감소하면 이미터(E)와 베이스(B) 사이에 걸리는 전압은 감소하고 베이스에 흐르는 전류의 세기도 감소한다. 전류 증폭률은 일정하므로 컬렉터에 흐르는 전류의 세기도 감소한다.

㉠. 트랜지스터에서 화살표가 이미터(E)에서 베이스(B)를 향하고 있으므로 트랜지스터는 p-n-p형 트랜지스터이다.

㉡. 베이스(B) 단자의 전위를 V_B, 이미터(E)와 베이스 사이의 전압을 V_{EB}라 하면 이미터(E)의 전위는 $V_{EB}+V_B$이다. 따라서 베이스(B) 단자의 전위는 이미터(E) 단자의 전위보다 낮다.

별해 | ㄴ. 이미터와 베이스 사이에는 순방향 전압이 걸리므로 베이스 단자의 전위는 이미터 단자의 전위보다 낮다.

ㄷ. 가변 저항의 저항값을 감소시키면 가변 저항에 걸리는 전압이 감소하여 I_B가 감소하므로 I_C도 감소한다.

12 축전기의 연결

축전기의 전기 용량이 C, 축전기에 걸리는 전압이 V일 때 축전기에 저장된 전기 에너지는 $\frac{1}{2}CV^2$이다.

② A, B의 전기 용량은 각각 $2\varepsilon\frac{S}{d}$, $3\varepsilon\frac{2S}{\frac{3}{2}d}=4\varepsilon\frac{S}{d}$이므로 A, B에 저장된 전기 에너지는 각각 $\frac{1}{2}\times2\varepsilon\frac{S}{d}\times V_A{}^2$, $\frac{1}{2}\times4\varepsilon\frac{S}{d}V_B{}^2$이다. $\frac{1}{2}\times2\varepsilon\frac{S}{d}\times V_A{}^2=4\varepsilon\frac{S}{d}V_B{}^2$이므로 $\frac{V_A}{V_B}=2$이다.

13 전자기 유도

균일한 자기장 영역에서 ㄷ자형 도선 위에 있는 금속 막대가 일정한 속력 v로 운동할 때 회로에 유도되는 기전력의 크기는 $V=\frac{\Delta\Phi}{\Delta t}=\frac{\Delta BS}{\Delta t}=Blv$ (l: ㄷ자형 도선의 폭)이다.

㉠. $t=0$부터 $t=t_0$까지 회로를 통과하는 xy 평면에 수직으로 들어가는 방향의 자기 선속이 증가한다. 따라서 $t=0.5t_0$일 때 저항에 흐르는 전류의 방향은 p → 저항 → q 방향이다.

ㄴ. 유도 기전력의 크기는 $t=0.5t_0$일 때는 $\frac{Bld}{t_0}$이고 $t=2t_0$일 때는 $\frac{2Bld}{1.5t_0}=\frac{4Bld}{3t_0}$이다. 따라서 유도 기전력의 크기는 $t=0.5t_0$일 때가 $t=2t_0$일 때보다 작다.

ㄷ. $t=3.5t_0$일 때 유도 기전력의 크기는 $\frac{2Bld}{t_0}$이다.

14 변압기

변압기는 상호유도 현상을 이용하여 전압을 바꾸는 장치로 1차 코일의 감은 수와 코일에 걸리는 기전력의 크기, 코일에 흐르는 전류의 세기를 각각 N_1, V_1, I_1, 2차 코일의 감은 수와 코일에 걸리는 기전력의 크기, 코일에 흐르는 전류의 세기를 각각 N_2, V_2, I_2라고 할 때, $\frac{V_1}{V_2}=\frac{N_1}{N_2}=\frac{I_2}{I_1}$이다.

ㄱ. 교류 전원의 전압을 V_1이라 하면, $\frac{4N}{N}=\frac{V_1}{4V}$이므로 $V_1=16V$이다.

㉡. 저항의 소비 전력은 $\frac{(4V)^2}{R}=\frac{16V^2}{R}$이다.

ㄷ. 1차 코일에 흐르는 전류의 세기를 I_1이라 하면 2차 코일에 흐르는 전류의 세기는 $\frac{4V}{R}$이다. $\frac{4N}{N}=\frac{\frac{4V}{R}}{I_1}$이므로 1차 코일에 흐르는 전류의 세기는 $\frac{V}{R}$이다.

15 전자기파의 회절

슬릿의 폭이 좁으면 회절 무늬의 폭이 넓게 나타나고, 슬릿의 폭이 넓으면 회절 무늬의 폭이 좁게 나타난다. 또 빛의 파장이 길면 회절 무늬의 폭이 넓게 나타나고, 빛의 파장이 짧으면 회절 무늬의 폭이 좁게 나타난다.

㉠. 단색광이 a이고 슬릿의 폭이 $2d_0$일 때 $\Delta x=x_0$이므로 슬릿의 폭이 d_0이면 회절 무늬의 폭이 넓게 나타난다. 따라서 ㉠은 x_0보다 크다.

㉡. 단색광이 a이고 슬릿의 폭이 $2d_0$일 때와 단색광이 b이고 슬릿의 폭이 d_0일 때가 모두 무늬의 중심에서 첫 번째와 두 번째 어두운 무늬 사이의 간격이 x_0으로 같으므로 a가 b보다 회절이 잘 일어난다고 판단할 수 있다. 따라서 단색광의 파장은 a가 b보다 길다.

ㄷ. 슬릿의 폭이 큰 것을 사용하거나 단일 슬릿과 스크린 사이의 거리를 짧게 하는 것은 모두 Δx를 작게 하는 결과를 만든다. 단색광이 b이고 슬릿의 폭이 d_0일 때 $\Delta x=x_0$이므로 단일 슬릿과 스크린 사이의 거리를 짧게 하면 ㉡은 x_0이 될 수 없다.

16 전자기파의 수신

수신 회로의 안테나에서 전자기파가 수신될 때, 회로에 흐르는 전류는 전자기파의 진동수와 수신 회로의 공명 진동수가 같을 때 최대이다.

④ 전자기파를 수신하는 회로에서는 먼저 안테나에 여러 진동수의 전자기파가 도달하여 안테나의 코일에서 자기장이 발생하며, 수신 회로의 코일에는 수신 회로의 공명 진동수와 일치하는 유도 전류가 최대로 흐르게 된다.

17 볼록 렌즈

물체와 렌즈 사이의 거리가 a이고, 렌즈와 상 사이의 거리가 b이며 렌즈의 초점 거리가 f일 때, 렌즈 방정식은 $\frac{1}{a}+\frac{1}{b}=\frac{1}{f}$이다. $a>f$일 때 도립 실상이 생기고 $a<f$일 때 정립 허상이 생긴다.

④ $a=3f$일 때 상과 렌즈 중심 사이의 거리가 b_1이라면 $\frac{1}{3f}+\frac{1}{b_1}=\frac{1}{f}$이므로 $b_1=\frac{3}{2}f$이고 $m_1=\frac{1}{2}$이다. $\frac{m_2}{m_1}=6$이므로 $m_2=3$이다. $a=$㉠일 때 상과 렌즈 중심 사이의 거리가 b_2라면 정립상이 생기므로 $\frac{1}{㉠}-\frac{1}{b_2}=\frac{1}{f}$이다. $m_2=\frac{b_2}{㉠}=3$이므로 $b_2=3㉠$이고 $\frac{1}{㉠}-\frac{1}{3㉠}=\frac{1}{f}$이다. 따라서 ㉠$=\frac{2}{3}f$이다.

18 힘의 합성과 평형

물체는 p, q, r가 당기는 힘과 중력이 평형을 이루어 정지해 있다.

② p, q, r가 물체를 당기는 힘의 크기를 각각 T_p, T_q, T_r라 하면 물체는 p, q, r가 물체를 당기는 힘과 물체에 작용하는 중력이 평형을 이루어 정지해 있다. 각 힘을 수평 성분과 연직 성분으로 분해하여 성분별 평형 조건을 적용하면 각각

$T_p\sin60°+T_q\sin30°=T_r\sin45°$ ⋯ ㉠,

$T_p\cos60°+T_q\cos30°+T_r\cos45°=mg$ ⋯ ㉡이다.

$T_p=T_q$이므로 ㉠에서 $T_p=\frac{\sqrt{2}}{\sqrt{3}+1}T_r$이고 ㉡에서 $\frac{\sqrt{3}+1}{2}\times\frac{\sqrt{2}}{\sqrt{3}+1}T_r+\frac{\sqrt{2}}{2}T_r=mg$이다. 따라서 $T_r=\frac{\sqrt{2}}{2}mg$이다.

19 물질파

입자의 운동 에너지는 $E_k=\frac{1}{2}mv^2=\frac{p^2}{2m}=\frac{h^2}{2m\lambda^2}$이고, 입자의 물질파 파장은 $\lambda=\frac{h}{p}=\frac{h}{mv}=\frac{h}{\sqrt{2mE_k}}$이다.

③ 전자가 전기장 영역을 지나면서 전기장이 전자에 한 일은 전자의 운동 에너지 변화량과 같다. 따라서 $eEd=\frac{h^2}{2m}\left(\frac{1}{\lambda^2}-\frac{1}{(3\lambda)^2}\right)$이므로 $\lambda=\frac{2h}{3\sqrt{meEd}}$이다.

20 힘의 평형과 돌림힘의 평형

A와 막대에 작용하는 알짜힘은 0으로 같고 막대에 작용하는 돌림힘의 합은 0이다.

④ p, q, r가 A 또는 막대를 당기는 힘의 크기를 각각 T_p, T_q, T_r라 하고, A에 연직 방향과 수평 방향으로 힘의 평형을 각각 적용하면 $T_p\sin60°=mg$, $T_p\cos60°=T_q$이고, $T_q=\frac{mg}{\sqrt{3}}$이다. 막대에 수평 방향으로 힘의 평형을 적용하면 $T_q=T_r\cos\theta$가 되어 $\cos\theta=\frac{mg}{\sqrt{3}T_r}$ ⋯ ㉠이다. 막대와 천장을 연결한 실이 막대를 당기는 힘의 크기를 T라 하고, 막대에 연직 방향으로 힘의 평형을 적용하면 $T=3mg+T_r\sin\theta$ ⋯ ㉡이고, 막대의 왼쪽 끝점을 회전축으로 하여 막대에 돌림힘의 평형을 적용하면 $2L\times T=\frac{3}{2}L\times3mg+3L\times T_r\sin\theta$ ⋯ ㉢이다. ㉡, ㉢을 연립하면 $\sin\theta=\frac{3mg}{2T_r}$ ⋯ ㉣이다. ㉠, ㉣에서 $\tan\theta=\frac{3\sqrt{3}}{2}$이다.

실전 모의고사 5회

본문 140~144쪽

01 ⑤	02 ⑤	03 ④	04 ④	05 ⑤
06 ①	07 ①	08 ①	09 ④	10 ③
11 ②	12 ⑤	13 ⑤	14 ①	15 ①
16 ④	17 ③	18 ②	19 ③	20 ③

01 원자 모형

보어의 수소 원자 모형에서는 양자수에 따라 원자핵과 전자 사이의 거리가 정해져 있고, 현대적 원자 모형에서는 전자의 위치를 확률로 설명한다.

㉠. B는 불확정성 원리를 만족하지 않으므로 보어의 수소 원자 모형이고, A는 현대적 원자 모형이다.

㉡. 보어의 수소 원자 모형에서 양자수에 따라 전자의 에너지가 다르고, 현대적 원자 모형에서 주 양자수에 따라 전자의 에너지가 다르다. 따라서 ㉠은 'O'이다.

㉢. A는 현대적 원자 모형으로 불확정성 원리를 만족한다.

02 속도

속도-시간 그래프의 기울기는 가속도이고 면적은 변위이다.

㉠. 0초부터 2초까지 A의 변위의 x성분, y성분의 크기 s_x, s_y는 각각 $s_x=4\times2-\frac{1}{2}\times2\times2^2=4$(m), $s_y=2\times2=4$(m)이므로, 0초부터 2초까지 A의 변위의 크기는 $\sqrt{4^2+4^2}=4\sqrt{2}$(m)이다. 따라서 0초부터 2초까지 A의 평균 속도의 크기는 $\frac{4\sqrt{2}}{2}=2\sqrt{2}$(m/s)이다.

㉡. 0초부터 2초까지 B의 변위의 x성분, y성분의 크기 s_x, s_y는 각각 $s_x=2\times2=4$(m), $s_y=\frac{1}{2}\times2\times2^2=4$(m)이다. 0초일 때 A, B가 같은 위치에 있었고, 0초부터 2초까지 A, B의 변위의 x성분과 y성분이 모두 같다. 따라서 2초일 때 A와 B는 만난다.

㉢. 0초부터 2초까지 A와 B의 속도 변화량의 크기는 4 m/s로 같다.

03 포물선 운동

물체는 수평 방향으로 등속도 운동을 하므로, 최고점에서 q까지 걸린 시간과 q에서 r까지 걸린 시간의 비는 물체의 수평 이동 거리의 비와 같다.

④ 최고점에서 물체의 속력을 v_0이라고 하면, r에서 물체의 속도의 수평 성분의 크기도 v_0이다. 물체는 r에서 빗면에 수직으로 부딪친다고 하였으므로, r에서 물체의 속도의 수직 성분의 크기는 $\sqrt{3}v_0$이다.

최고점에서 q까지 물체의 수평 이동 거리는 $2L$이고, 최고점에서 r까지 걸린 시간을 t라고 하면 $v_0t=3L$을 만족한다. q에서 물체의 속도의 연직 성분의 크기는 $\sqrt{3}v_0\times\frac{2}{3}=\frac{2\sqrt{3}}{3}v_0$이다. q에서 r까지 속도의 연직 성분의 평균의 크기는 $\frac{1}{2}\left(\frac{2\sqrt{3}}{3}v_0+\sqrt{3}v_0\right)=\frac{5\sqrt{3}}{6}v_0$이고, q에서 r까지 걸린 시간은 $\frac{1}{3}t$이므로, q와 r의 높이차는 $\frac{5\sqrt{3}}{6}v_0\times\frac{1}{3}t=\frac{5\sqrt{3}}{18}v_0t=\frac{5\sqrt{3}}{18}\times3L=\frac{5\sqrt{3}}{6}L$이다.

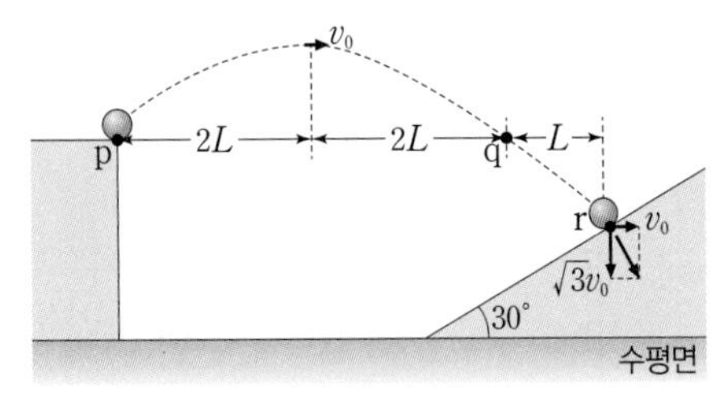

▲ 최고점에서의 속력을 v_0이라고 할 때, r에서의 속도 성분

04 등속 원운동

실에 매달린 물체가 수평면과 나란하게 등속 원운동을 할 때, 물체에 작용하는 구심력은 실이 물체에 작용하는 힘과 물체에 작용하는 중력의 합력이다.

④ 실이 물체에 작용하는 힘의 크기를 T, 실이 연직 방향과 이루는 각을 θ, 물체의 질량을 m, 물체의 속력을 v, 원 궤도의 반지름을 r, 중력 가속도를 g, 실의 길이를 l, 물체의 각속도의 크기를 ω라고 하면, $T\cos\theta=mg$ ⋯ ㉠, $T\sin\theta=m\frac{v^2}{r}$ ⋯ ㉡을 만족한다. ㉠, ㉡을 연립하면 $v=\sqrt{rg\tan\theta}$이다. 주기는 $\frac{2\pi r}{v}=2\pi\frac{r}{\sqrt{rg\tan\theta}}=2\pi\sqrt{\frac{l\cos\theta}{g}}$이고, $l\cos\theta$는 A, B가 같으므로 주기는 A, B가 같다. a_y의 크기의 최댓값은 $r\omega^2$으로, r는 A가 B의 2배이고 ω는 A와 B가 같으므로, a_y의 최댓값은 A가 B의 2배이다. 두 물체는 시계 반대 방향으로 원운동을 하고, (나)에서 0초부터 5초까지 a_y가 $+y$방향이 되는 물체는 A에 해당한다. 따라서 B의 a_y는 최댓값이 $\frac{1}{2}\times2=1(\mathrm{m/s^2})$이고, 주기는 10초로 A와 같으며, 0초부터 5초까지 a_y는 $-y$방향이다.

05 블랙홀

블랙홀은 주위의 시공간을 극단적으로 휘게 만들어 빛조차도 빠져나올 수 없는 천체이다.

㉠. 블랙홀의 질량에 의해 주위의 시공간이 휘어져 있으며 휘어진 시공간을 따라 빛이 진행한다.

㉡. 일반 상대성 이론에 따르면 질량이 큰 천체일수록 주변의 시공간을 휘게 하는 정도가 크다. 블랙홀 주위의 시공간은 극단적으로 휘어져 빛조차도 탈출할 수 없으므로 블랙홀은 일반 상대성 이론으로 설명된다.

㉢. 블랙홀에 가까울수록 중력에 의한 시공간의 휘어짐이 크다.

06 일과 운동 에너지

물체의 운동 에너지 변화량이 같을 때 물체가 이동한 거리가 클수록 알짜힘의 크기는 작다.

~~㉠~~. (나)에서 기울기의 절댓값은 실이 끊어진 후가 실이 끊어지기 전의 3배이므로, B에 작용하는 알짜힘의 크기도 실이 끊어진 후가 실이 끊어지기 전의 3배이다.

㉡. B에 작용하는 중력의 빗면과 나란한 방향 성분의 크기를 $3F$라고 하면, 실이 B를 당기는 힘의 크기 T는 $T-3F=F$에서 $T=4F$이다. A에 작용하는 알짜힘의 크기는 B에 작용하는 알짜힘의 크기와 같으므로 F이다. 따라서 전동기가 A를 당기는 힘의 크기는 $5F$이므로, p에서 q까지 이동하는 동안 전동기가 한 일은 $5F\times3L=15FL$이다. B에 작용하는 알짜힘이 한 일이 $F\times3L=E_0$이므로, 전동기가 A에 한 일은 $5E_0$이다.

~~㉢~~. 전동기가 A에 작용하는 힘의 크기는 $5F$이므로, A가 $3L$에서 $4L$까지 이동하는 동안 A의 운동 에너지 증가량은 $5FL=\frac{5}{3}E_0$이다. A의 이동 거리가 $3L$일 때 A의 운동 에너지는 E_0이므로, 이동 거리가 $4L$일 때 A의 운동 에너지는 $E_0+\frac{5}{3}E_0=\frac{8}{3}E_0$이다.

07 알짜힘이 하는 일

$\overline{\mathrm{pq}}$ 구간을 통과하는 동안 크기가 F인 외력이 한 일만큼 역학적 에너지는 증가하고, $\overline{\mathrm{rs}}$ 구간을 통과하는 동안 마찰력이 한 일만큼 역학적 에너지는 감소한다.

① 물체의 질량을 m, $\overline{\mathrm{pq}}$ 구간의 길이를 $4d$, $\overline{\mathrm{rs}}$ 구간의 길이를 $3d$라고 하자. $\overline{\mathrm{pq}}$ 구간에서 물체의 중력 퍼텐셜 에너지 감소량은 $2mgh$이고 운동 에너지 증가량은 $6mgh$이므로, 역학적 에너지 증가량은 $4mgh$이다. 따라서 $\overline{\mathrm{pq}}$ 구간에서 외력이 한 일은 $F(4d)=4mgh$ ⋯ ㉠이다. $\overline{\mathrm{pq}}$ 구간에서 역학적 에너지 증가량은 $\overline{\mathrm{rs}}$ 구간에서 역학적 에너지 감소량보다 mgh만큼 크므로, $\overline{\mathrm{rs}}$ 구간에서 역학적 에너지 감소량은 $4mgh-mgh=3mgh$이다. $\overline{\mathrm{rs}}$ 구간에서 마찰력이 한 일은 $f(3d)=3mgh$ ⋯ ㉡이다. 식 ㉠, ㉡에서 $\frac{F}{f}=1$이다.

08 단진자와 역학적 에너지

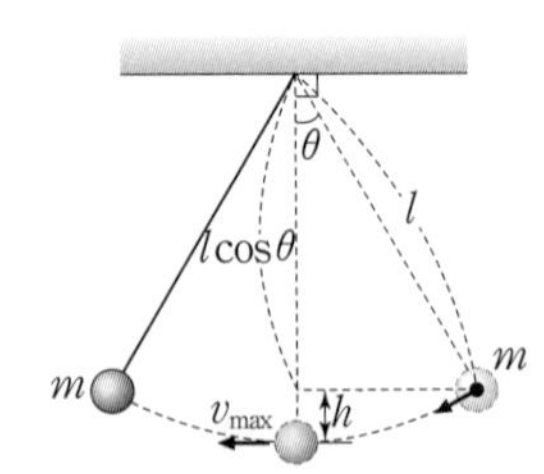

길이가 l인 실에 매달린 질량이 m인 추를 실이 연직 방향과 이루는 각이 θ가 되도록 하여 당겼다가 가만히 놓아 진동시킬 때, 최저점과 최고점의 높이차는 $h=l(1-\cos\theta)$이다. 최저점에서 중력 퍼텐셜 에너지를 0으로 하면, 최고점에서 역학적 에너지는 $mgh=mgl(1-\cos\theta)$이다. 최저점에서 진자의 운동 에너지는 최대이며, 그 값은 최고점에서 역학적 에너지 $mgl(1-\cos\theta)$와 같다.

㉠. 단진자의 주기는 추의 질량이나 진폭에 관계없이 실의 길이에만 관계된다. 실의 길이는 C가 B보다 길므로 단진자의 주기는 C가 B보다 크다.

ㄷ. 최저점에서 추의 속력은 최고점과 최저점의 높이차가 클수록 크며, 추의 질량과는 관계가 없다. 최고점과 최저점의 높이차는 $l(1-\cos\theta)$이므로, A가 C보다 크다.

ㄹ. 알짜힘이 한 일은 운동 에너지의 변화량과 같으므로, 최저점에서 추의 운동 에너지는 $mgl(1-\cos\theta)$이다. 최저점에서 추의 운동 에너지는 A가 B보다 크므로, 추에 작용하는 알짜힘이 한 일은 A가 B보다 크다.

09 광전 효과

광전 효과 실험에서 정지 전압이 V_S일 때 광전자의 최대 운동 에너지는 eV_S(e: 기본 전하량)이다.

㉠. 전류의 최댓값이 (다)에서가 (나)에서보다 크므로 P의 세기는 (다)에서가 (나)에서보다 크다. 따라서 '증가시킨'은 ㉠에 해당한다.

ㄴ. (나), (다)에서 금속판에 P를 비추었으므로 광전자의 최대 운동 에너지가 같다. 따라서 (나), (다)에서 정지 전압도 같으므로 ㉡은 V_0이다.

ㄷ. 정지 전압이 (라)에서가 (다)에서보다 크므로 금속판에서 방출되는 전자의 최대 운동 에너지도 (라)에서가 (다)에서보다 크다.

10 저항의 연결과 소비 전력

S를 a, b에 각각 연결하였을 때 p에 흐르는 전류의 세기는 각각 4 A, 5 A이므로, S를 a에 연결하였을 때 전체 합성 저항과 b에 연결하였을 때 전체 합성 저항의 비는 5 : 4이다.

③ $\dfrac{1}{\dfrac{1}{2}+\dfrac{1}{2}}+R : \dfrac{1}{\dfrac{1}{2+R}+\dfrac{1}{2+2R}}=5:4$에서 $R=2\ \Omega$이다. S를 a에 연결하였을 때 전체 합성 저항이 3 Ω이고 p에 흐르는 전류의 세기가 4 A이므로 $V_0=3\ \Omega\times4\ \text{A}=12\ \text{V}$이다. 따라서 S를 b에 연결하였을 때 저항값이 $2R$인 저항에 흐르는 전류의 세기는 $\dfrac{12\ \text{V}}{6\ \Omega}=2\ \text{A}$이므로 저항값이 $2R$인 저항의 소비 전력은 $(2\ \text{A})^2\times4\ \Omega=16\ \text{W}$이다.

11 축전기에 저장된 전기 에너지

(가)에서 평행판 축전기의 극판의 면적을 S, 축전기의 전기 용량을 $C_{(가)}$라고 하면, $C_{(가)}=2\varepsilon_0\dfrac{S}{2d}$이다.

ㄱ. (나)에서 축전기의 전기 용량은 $\varepsilon_0\dfrac{S}{2d}=\dfrac{1}{2}C_{(가)}$이다.

㉡. (다)에서 축전기의 전기 용량은 $\varepsilon_0\times\dfrac{S}{d}=C_{(가)}$이고, (가), (다)에서 축전기 양단에 걸리는 전압이 V로 같다. 따라서 축전기에 저장된 전하량은 (가)에서와 (다)에서가 같다.

ㄷ. (가)에서 축전기에 저장된 전하량을 Q_0이라고 하면, (나), (다)에서 축전기에 저장된 전하량도 Q_0이다. 따라서 (나), (다)에서 축전기에 저장된 전기 에너지를 각각 $E_{(나)}$, $E_{(다)}$라고 하면,

$E_{(나)}=\dfrac{{Q_0}^2}{2\times0.5C_{(가)}}=\dfrac{{Q_0}^2}{C_{(가)}}$, $E_{(다)}=\dfrac{{Q_0}^2}{2\times C_{(가)}}$이다.

12 원형 도선에 흐르는 전류에 의한 자기력선

원형 도선에 흐르는 전류의 방향으로 오른손 네 손가락을 감아쥘 때 엄지손가락이 향하는 방향이 원형 도선의 중심에서 전류에 의한 자기장의 방향이다.

ㄱ. p에서 전류에 의한 자기장의 방향이 $+y$방향이므로 O에서 전류에 의한 자기장의 방향은 $-y$방향이다.

㉡. 원형 도선의 중심 O에서 전류에 의한 자기장의 방향이 $-y$방향이므로 원형 도선에 흐르는 전류의 방향은 ㉠이다.

㉢. 자기력선이 밀집해 있을수록 자기장의 세기가 크므로 전류에 의한 자기장의 세기는 p에서가 q에서보다 작다.

13 직선 도선에 흐르는 전류에 의한 자기장

p에서 C의 전류에 의한 자기장의 방향이 y축과 나란하므로 A, B의 전류에 의한 자기장의 방향도 y축과 나란하다.

㉠. B에 흐르는 전류의 방향은 xy 평면에 수직으로 들어가는 방향이고, 전류의 세기는 A와 같다. 따라서 O에서 A, B의 전류에 의한 자기장의 방향은 $+y$방향이다.

ㄴ. p에서 A, B의 전류에 의한 자기장의 방향이 $+y$방향이므로 C의 전류에 의한 자기장의 방향은 $-y$방향이다. 따라서 C에 흐르는 전류의 방향은 B에 흐르는 전류의 방향과 반대인 xy 평면에서 수직으로 나오는 방향이다.

㉢. p에서 C의 전류에 의한 자기장의 세기가 A, B의 전류에 의한 자기장의 세기보다 크다. 따라서 C에 흐르는 전류의 세기를 I_C라고 하면, $2\times\cos45^\circ\times k\dfrac{I_0}{\sqrt{2}d}<k\dfrac{I_C}{d}$에서 $I_0<I_C$이다.

14 전자기 유도

t_0일 때 A, B에 각각 유도되는 기전력의 크기가 같으므로 A, B를 각각 통과하는 시간에 대한 자기 선속의 변화율의 크기도 같다.

ㄱ. A가 Ⅰ에 놓인 면적, B가 Ⅰ에 놓인 면적, B가 Ⅱ에 놓인 면적이 같고, $t=t_0$일 때 A, B를 통과하는 시간에 대한 자기 선속의 변화율의 크기도 같으므로 자기장 변화율의 크기는 Ⅱ에서가 Ⅰ에서의 2배이다. 따라서 X, Y는 각각 Ⅰ, Ⅱ의 자기장의 세기를 나타낸 것이다.

㉡. Ⅰ의 자기장의 세기가 증가할 때 p에 흐르는 유도 전류의 방향이 위쪽이므로 Ⅰ의 자기장의 방향은 종이면에 수직으로 들어가는 방향이다.

ㄷ. C에 유도되는 기전력의 크기는 $2L^2\left(\dfrac{2B_0}{2t_0}\right)=\dfrac{2L^2B_0}{t_0}$이다.

15 이중 슬릿에 의한 간섭

이중 슬릿에 비춘 단색광의 파장이 λ일 때 S_1과 S_2로부터 경로차가 $\dfrac{\lambda}{2}$의 짝수 배인 곳에서는 밝은 무늬가 생기고, 홀수 배인 곳에서는 어두운 무늬가 생긴다.

㉠. S_1과 S_2로부터 P까지의 경로차 2λ는 반파장의 4배이므로 P에서 보강 간섭이 일어난다.

ㄴ. P에는 O로부터 두 번째 밝은 무늬의 중심이 생긴다.

ㄷ. 단색광의 파장에 관계없이 S_1과 S_2로부터 P까지의 경로차는 2λ이다. 따라서 파장이 2λ인 단색광을 비추면 P에는 O로부터 첫 번째 밝은 무늬의 중심이 생긴다.

16 도플러 효과

(나)에서 진동수가 X가 Y보다 작으므로, X는 B에서 발생한 음파를 측정한 결과이고, Y는 A에서 발생한 음파를 측정한 결과이다.

④ 음파의 속력을 V라고 하면, 음파 측정기로 측정한 A, B에서 발생한 음파의 진동수가 각각 $\frac{V}{V-v}f_0=\frac{3}{2t_0}$, $\frac{V}{V+2v}f_0=\frac{1}{2t_0}$이므로 $v=\frac{2}{5}V$, $f_0=\frac{9}{10t_0}$이다.

17 전자기파의 발생과 수신

수신 회로에서 코일의 자체 유도 계수를 L, 가변 축전기의 전기 용량을 C라고 할 때, 수신 회로의 공명 진동수는 $\frac{1}{2\pi\sqrt{LC}}$이다.

ㄱ. 송신 안테나에서 발생하는 자기장의 방향과 세기가 변하므로 수신 회로에는 전류의 세기와 방향이 변하는 교류가 흐른다.

ㄴ. 가변 축전기의 전기 용량이 C_0일 때, 수신 회로에 연결된 저항에 흐르는 전류의 최댓값이 가장 크므로 수신 회로의 공명 진동수는 f_0이다.

ㄷ. 수신 회로의 공명 진동수는 가변 축전기의 전기 용량이 클수록 작다.

18 볼록 렌즈에 의한 상

물체에서 A, B까지 거리가 같고, A에 의한 상과 B에 의한 상의 위치가 같으며, B에 의한 상의 크기가 A에 의한 상의 크기의 2배이므로 상은 A의 왼쪽에 생긴다.

ㄱ. 상이 A의 왼쪽에 생기므로 A에 의한 상은 실상이다.

ㄴ. A와 상 사이의 거리를 b라고 하면, B와 상 사이의 거리는 $2d+b$이다. B에 의한 상의 크기가 A에 의한 상의 크기의 2배이므로 $2\times\frac{b}{d}=\frac{2d+b}{d}$에서 $b=2d$이다. 따라서 (나)에서 B와 상 사이의 거리는 $2d+b=4d$이다.

ㄷ. A의 초점 거리(f_A)는 $\frac{1}{d}+\frac{1}{2d}=\frac{1}{f_A}$에서 $f_A=\frac{2}{3}d$이고, B의 초점 거리(f_B)는 $\frac{1}{d}-\frac{1}{4d}=\frac{1}{f_B}$에서 $f_B=\frac{4}{3}d$이다. 따라서 초점 거리는 B가 A의 2배이다.

19 점전하에 의한 전기장

B가 A에 작용하는 전기력의 방향이 $+y$방향이고, D가 A에 작용하는 전기력의 방향은 x축과 나란하다. 따라서 C가 A에 작용하는 전기력의 y성분은 $-y$방향이어야 하므로 C는 음(−)전하이고, y성분의 크기는 B가 A에 작용하는 전기력의 크기와 같아야 한다.

③ A~D가 x축, y축에서 떨어진 거리를 d, C의 전하량의 크기를 q_C라고 하면, $k\frac{q^2}{(2d)^2}=\frac{1}{\sqrt{2}}\times k\frac{qq_C}{(2\sqrt{2}d)^2}$에서 $q_C=2\sqrt{2}q$이다. O에서 A, B, C 각각에 의한 전기장의 x성분의 방향이 모두 $-x$방향이므로 D에 의한 전기장의 x성분의 방향은 $+x$방향이고, 크기는 A, B, C에 의한 전기장의 x성분의 크기와 같다. 따라서 D의 전하량의 크기를 q_D라고 하면, $\sqrt{2}\times\frac{q}{(\sqrt{2}d)^2}+\frac{1}{\sqrt{2}}\times\frac{q_C}{(\sqrt{2}d)^2}=\frac{1}{\sqrt{2}}\times\frac{q_D}{(\sqrt{2}d)^2}$에서 $q_D=(2+2\sqrt{2})q$이다.

20 물체의 평형, 구조물의 안정성

A에 연결된 실이 막대에 작용하는 힘이 최대일 때 x는 최대이다.

③ 왼쪽 막대와 오른쪽 막대가 각각 B를 떠받치는 힘의 크기를 F_1, F_2라고 하자. B에 작용하는 연직 방향 힘의 평형에 의해 $F_1+F_2=6mg$이다. B의 중심을 회전축으로 하여 돌림힘의 평형을 적용하면, $F_1(2L)=F_2(2L)+4mg(6L-x)$이다. 이를 정리하면 $F_1=9mg-mg\left(\frac{x}{L}\right)$이며, $F_2=mg\left(\frac{x}{L}\right)-3mg$이다. F_1과 F_2는 모두 0보다 크거나 같으므로, $3L\le x\le 9L$이다.

A에 연결된 실이 막대에 작용하는 힘이 최대일 때, x가 최대이다. 받침대가 A를 받치는 점을 회전축으로 하여 돌림힘의 평형을 적용하면, $10mg(4L)=(F_1+2mg+mg)(2L)+(F_2+mg)(6L)$에서 x의 최댓값은 $7L$이다. 따라서 A, B가 모두 수평을 이루는 조건을 찾으면, $x_1=3L$이고 $x_2=7L$이다. 따라서 $x_2-x_1=4L$이다.

별해 | B가 수평을 이루기 위한 조건을 먼저 구한다. x가 최솟값 x_m일 때 왼쪽 막대가 B를 받치는 점을 회전축으로 하여 돌림힘의 평형을 적용하면, $4mg(4L-x_m)=2mg(2L)$에서 $x_m=3L$이다. x가 최댓값 x_M일 때 오른쪽 막대가 B를 받치는 점을 회전축으로 하여 돌림힘의 평형을 적용하면, $4mg(x_M-8L)=2mg(2L)$에서 $x_M=9L$이다.

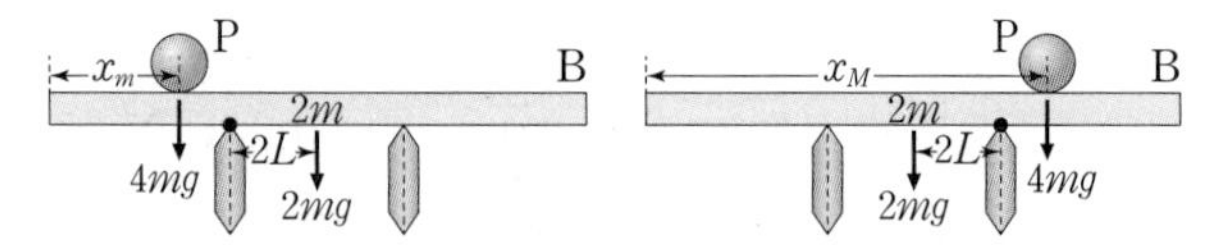

▲ B가 수평을 이루기 위한 x의 최소, 최대 조건

A에 연결된 실이 막대에 작용하는 힘이 최대일 때 x가 최대이므로 x가 최댓값 x_M'일 때, 받침대가 A를 받치는 점을 회전축으로 하여 돌림힘의 평형을 적용하면, $10mg(4L)=(2mg+mg)(2L)+2mg(4L)+4mg(x_M'-2L)+mg(6L)$에서 $x_M'=7L$이다.

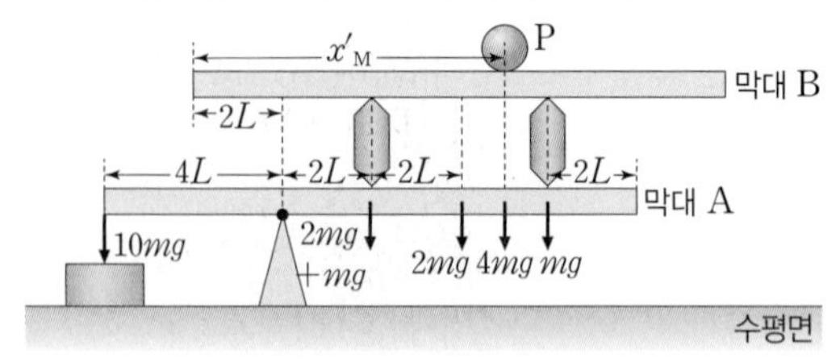

▲ A가 수평을 이루기 위한 x의 최대 조건

A, B가 모두 수평을 이루는 조건을 찾으면, $x_1=3L$이고 $x_2=7L$이다. 따라서 $x_2-x_1=4L$이다.